马克思主义发展史

第 一 卷

马克思主义的创立
(1840—1848)

总主编 庄福龄 杨瑞森 梁树发 郝立新 张 新

本卷主编 郝立新　　副主编 臧峰宇

人民出版社

中国人民大学科学研究基金项目成果

（批准号：15XNLG03 ）

总　序

19世纪40年代，马克思和恩格斯创立了他们的伟大科学学说——马克思主义。马克思主义的产生是人类思想史上的伟大变革。它对自然界、人类社会和人的思维的本质与规律作了科学回答，使社会主义由空想发展为科学，无产阶级革命实践从此有了科学理论的指导。

马克思主义自形成以来，在世界历史、人类生活、科学和思想文化的发展中，在指导无产阶级实现自身解放的伟大斗争中，留下了深刻的印记，形成了一部内容极其丰富、壮观，既充满曲折又创新不止的历史画卷。正如习近平总书记所说："一部马克思主义发展史就是马克思、恩格斯以及他们的后继者们不断根据时代、实践、认识发展而发展的历史，是不断吸收人类历史上一切优秀思想文化成果丰富自己的历史。"[①]

马克思主义发展史是马克思主义理论研究的基础。马克思主义发展的经验和规律、关于什么是马克思主义和怎样对待马克思主义的确切答案，就在马克思主义发展的历史中，需要通过对马克思主义发展史的研究获得。

一旦我们进入马克思主义发展史研究，就会发现以下事实：

第一，无论是两位马克思主义伟大创始人，还是他们的战友、学生和后继者中的严格的马克思主义理论家，无不重视对马克思主义发展史的研究，无不是马克思主义理论和马克思主义发展史修养兼备的理论家。

第二，马克思主义发展史作为历史进程中发展着的马克思主义，是马克思主义理论发展史和实践发展史的有机统一。也就是说，完整意义上的马克思主义发展史，既不是单纯的马克思主义理论史，也不是单纯的马克思主义实践

[①]　习近平：《在纪念马克思诞辰200周年大会上的讲话》，人民出版社2018年版，第9页。

史。这决定了马克思主义发展史研究和书写的基本方法论原则是理论与实践的统一。

第三，马克思主义发展史的存在形式是具体的和多样的，有实践的也有理论的，有文本性的也有非文本性的。马克思主义创始人和马克思主义理论家们始终在利用一切可能的形式进行他们的马克思主义理论研究、创造、阐释和传播。一部在内容上充分而且准确地反映马克思主义实际发展过程的马克思主义史，必定是对它的尽可能多的存在形式研究的结果。

第四，以马克思和恩格斯的战友、学生为主体的早期的马克思主义研究，其主要形式和成就正是马克思主义发展史研究。具体表现为：

（1）多种版本的马克思主义创始人传记问世。马克思主义创始人、其他马克思主义经典作家和无产阶级革命领袖的传记，是马克思主义发展史的存在形式之一，因而也是它的研究形式之一。它是在关于马克思主义创始人、其他马克思主义经典作家和无产阶级革命领袖的生平、事业、思想、著作的生成、演变与发展的历史记忆和追述中展示马克思主义形成与发展的过程。恩格斯是马克思传记的第一位作者。他的《卡尔·马克思》和其他未出版的马克思传记作品，在详尽介绍马克思作为伟大无产阶级革命家和理论家如何为无产阶级和全人类的解放而斗争一生的同时，阐述了以唯物史观、剩余价值学说为标志的他的理论、思想形成与发展过程。《弗里德里希·恩格斯》是列宁在 1895 年恩格斯逝世一个月后写的一篇悼文，它向读者介绍了恩格斯的生平、活动，特别是他实现哲学和政治转变的过程。《卡尔·马克思》是 1914 年列宁应邀为《格拉纳特百科词典》撰写的一个词条，在这里他提出马克思主义"是马克思的观点和学说的体系"[1]命题，强调了马克思主义的整体性；把阶级斗争和无产阶级使命的理论纳入"新的世界观"范畴，凸显马克思主义哲学的实践性；阐明无产阶级斗争策略是马克思主义理论体系中不可忽视的内容，凸显马克思主义的现实性。

（2）初步提出马克思主义发展规律问题。当考茨基还是一位马克思主义者的时候，他发表了一篇题为《马克思主义的三次危机》的文章，以纪念马克思逝世 20 周年。在这篇文章中，他用 19 世纪中叶以来欧洲发生的"三个事件"的命运——1848 年欧洲革命的失败、1871 年巴黎公社的失败和 19 世纪末修正

---

① 《列宁选集》第 2 卷，人民出版社 2012 年版，第 418 页。

主义的出现——说明所谓马克思主义"危机"的发生。在他看来，"危机"虽然不是马克思主义发展中的积极现象，但是也不必把它看作威胁到马克思主义命运的现象。它只是表现了马克思主义发展的曲折性。他认为，在上述每一事件发生的前后，马克思主义其实都经历过一个由高潮到危机、再由危机到高潮的过程，并且在危机被克服之后，马克思主义"总是赢得了新的基地"①。这种关于马克思主义"高潮—危机—高潮"的周期性变化、发展的认识，表明考茨基已经有了关于马克思主义发展规律的意识。同时期德国另一位著名马克思主义理论家罗莎·卢森堡善于在马克思主义发展的历史经验中理解马克思主义发展规律。在《马克思主义的停滞和进步》一文中，她通过对造成马克思主义发展中"停滞"现象的原因的分析而阐明了实质说来是马克思主义理论与实践的关系的独特见解。她认为，一定时期和一定地区的马克思主义发展中的"停滞"，原因往往不在于马克思的理论落后于工人阶级的"现阶段斗争"，而在于"现阶段斗争"以及"作为实际斗争政党的我们"的行为落后于马克思的理论。她说："如果我们现在因此而觉察出运动中存在理论停滞状况，这并不是由于我们赖以生存的马克思理论无力向前发展或是它本身已经'过时'，相反，是由于我们已经把现阶段斗争必须的思想武器从马克思的武库取来却又不充分运用；这并不是由于我们在实际斗争中'超越'了马克思，相反，是由于马克思在科学创造中事先已经超越了作为实际斗争政党的我们；这并不是由于马克思不再能满足我们的需要，而是由于我们的需要还没有达到运用马克思思想的程度。"②这就是说，在理论与实践的关系上，虽然一般说来实践是主要的决定的方面，理论来源于实践，接受实践的检验。但就19世纪末20世纪初这一时期的马克思主义发展来说，在卢森堡看来，则是实践落后于理论，落后于马克思的"科学创造"。卢森堡的这个观点在马克思主义理论家中引起了争议。曾是德国共产党理论家的卡尔·柯尔施在题为《关于"马克思主义和哲学"问题的现状（1930年）》中谈到"马克思的马克思主义理论同后来工人阶级运动的表现形式的关系"问题时，对卢森堡的这个观点提出了批评，认为它"头足倒置地改变了理论对实践的关系"③，并把它"变为一种体系"，然后再用这个体

---

① [德]卡·考茨基：《马克思主义的三次危机》，载《国际共运史研究资料》第3辑，人民出版社1981年版，第238页。
② 《卢森堡文选》上卷，人民出版社1984年版，第476页。
③ [德]卡尔·柯尔施：《马克思主义和哲学》，重庆出版社1989年版，第67页注⑪。

系解释马克思主义"停滞"的原因。他说,马克思主义"不是一种能够神话般地预见将来一个长时期里工人运动的未来发展的理论。因而不能说随后的无产阶级的实际进步,实际上落在了它自己的理论后面,或者它只能逐渐充实由理论给它规定的构架"①。列宁是把马克思主义发展史研究推向新的高度的马克思主义理论家。《马克思主义和修正主义》、《论马克思主义历史发展中的几个特点》、《马克思学说的历史命运》等是关于马克思主义发展史问题的著名篇章,它们从不同方面阐述了马克思主义发展规律。在《马克思主义和修正主义》中,列宁根据马克思主义发展的经验,得出马克思主义"在其生命的途程中每走一步都得经过战斗"②的结论。在《论马克思主义历史发展中的几个特点》中,列宁提出在"具体的社会政治形势改变了,迫切的直接行动的任务也有了极大的改变"的情况下,"马克思主义这一活的学说的各个不同方面也就不能不分别提到首要地位"。③

(3)阐述了马克思主义发展阶段思想。在《马克思主义的三次危机》中,考茨基关于马克思主义在危机与高潮交替中运行与发展的认识实际包含了马克思主义发展阶段思想。他是把马克思主义发展的高潮时期的起点理解为马克思主义发展新阶段的起点。他认为,马克思主义发展的第一个时期是1848年革命失败以前;第二个时期的开端是新高潮在60年代初到来的时候,止于1871年巴黎公社的失败;第三个时期是"1874年德国社会民主党在选举中赢得了辉煌的胜利"和1875年在抵抗普鲁士政府对它的迫害中"敌对的弟兄们"联合起来的时候,止于19世纪末由于修正主义的产生导致的马克思主义的"第三次危机"。考茨基指出,在马克思逝世20周年的时候,马克思主义正处于这次危机的结尾,意味着马克思主义的一个新的发展时期的到来。列宁总是"从世界各国的革命经验和革命思想的总和中"④理解马克思主义的形成和发展,理解马克思主义发展的阶段性。在《马克思学说的历史命运》中,他按照世界历史的"三个主要时期"的划分,即从1848年革命到巴黎公社(1871年),从巴黎公社到俄国革命(1905年),从这次俄国革命至1913年撰写该文时,阐述马克思主义在每一时期的发展状况,并从中得出总的结论:"自马克思主

① [德]卡尔·柯尔施:《马克思主义和哲学》,重庆出版社1989年版,第67页。
② 《列宁选集》第2卷,人民出版社2012年版,第1页。
③ 《列宁选集》第2卷,人民出版社2012年版,第279页。
④ 《列宁全集》第27卷,人民出版社2017年版,第15页。

义出现以后，世界历史的这三大时期中的每一个时期，都使它获得了新的证明和新的胜利。"①

（4）提出正确对待马克思主义的问题。马克思主义发展的经验表明，正确认识马克思主义和正确对待马克思主义是实现马克思主义对于实践的正确指导和在实践中获得发展的两个密切联系的基本原则。就其对于实践的指导和马克思主义的自身发展来说，它们具有同等重要的意义。在马克思主义经典著作研读和马克思主义理论学习中，我们会发现马克思主义经典作家对于正确对待马克思主义问题的强调，较之如何认识马克思主义问题来得更多更为迫切。马克思主义发展史的这一现象其实是有来自现实生活的根据的。首先，它是问题本身与具体的无产阶级实践的关联。这个关联就是如何正确对待马克思主义的问题往往是在具体的实践中提出的，是实践中的问题。在这个意义上，我们说，怎样对待马克思主义的问题，直接地是一个理论与实践的关系问题。其次，它是马克思主义在发展中发生曲折的主要原因。这个原因往往不在于关于马克思主义的认识，而在于对待马克思主义的方式、态度。前面曾经提到的卢森堡关于马克思主义发展中"停滞"问题的分析，"停滞"的原因在卢森堡看来，就是德国共产党人对待马克思主义的方式与态度不正确。列宁关于正确对待马克思主义的思想则更为充分、鲜明。他认为马克思主义者从马克思的理论中"只是借用了宝贵的方法"②；强调"在分析任何一个社会问题时，马克思主义理论的绝对要求，就是要把问题提到一定的历史范围之内"③；主张要保卫马克思主义，使之"不被歪曲，并使之继续发展"④。

俄国十月社会主义革命胜利以后，世界范围的马克思主义发展史研究形势发生了根本性变化，特别表现在研究领域、主题的广泛拓展，研究的科学性和系统性的极大提升，研究中心有了强大的社会主义制度的支撑。这里首先应该提到的是俄国马克思主义科学研究中心的建立。这个中心的基础是于1918年成立的俄国社会主义学院，特别是它所属的成立于1919年的马克思主义理论、历史和实践研究室，在该室基础上1921年1月成立了马克思恩格斯研究院。该院在列宁的支持和协助下开始了马克思和恩格斯的遗著、遗稿和专用藏

---

① 《列宁选集》第2卷，人民出版社2012年版，第308页。
② 《列宁全集》第1卷，人民出版社2013年版，第166页。
③ 《列宁全集》第25卷，人民出版社2017年版，第232页。
④ 《列宁全集》第6卷，人民出版社2013年版，第251页。

书的搜集、出版，并开展了主题明确的马克思主义发展史研究。此后苏联红色
教授学院、斯维尔德洛夫共产主义大学、莫斯科大学和苏维埃共和国其他城市
的大学和研究机构也都开展了马克思主义发展史的研究和教学。至第二次世界
大战前，苏联在马克思主义发展史研究方面值得提到的主要成就有：马克思和
恩格斯的大量著作、文献的发现和系统发表，特别是《马克思恩格斯全集》、
《列宁全集》、马克思诞辰和逝世周年纪念文集的出版，以及俄共（布）中央主
办的理论刊物《在马克思主义旗帜下》的创刊、马克思恩格斯研究院机关刊物
《马克思恩格斯文库》和《马克思主义年鉴》这两个"马克思学"文献的发表。
马克思主义经典著作和纪念性书刊和文献的出版，标志着俄国马克思主义从普
及到科学研究的过渡；马克思主义发展的列宁主义阶段的提出与共识；马克思
主义与其之前优秀思想成果的关系问题的提出和科学阐释，包括马克思的哲学
先驱者黑格尔、费尔巴哈和空想社会主义代表人物的著作的出版和研究；关于
《西欧哲学史》的讨论使马克思主义哲学的起源和马克思哲学变革的实质问题
成为苏联哲学界和理论界注意的中心；"三大重要手稿"（《黑格尔法哲学批判》、
《1844年经济学哲学手稿》、《德意志意识形态》）得到集中而深入的研究；马
克思主义政治经济学思想的形成与发展、《资本论》创作史研究，以及恩格斯
经济学思想研究得到重视；继卢那察尔斯基、梁赞诺夫、阿多拉茨基、波格罗
夫斯基、德波林之后，亚历山大罗夫、伊利切夫、康斯坦丁诺夫、米丁、尤金
等一批新的马克思主义理论家成长起来，马克思主义史的学者队伍不断形成；
《马克思主义形成与发展史略》、《马克思主义哲学的形成（19世纪30年代中
期至1848年）》等著作出版。

　　法国著名马克思主义研究者奥古斯特·科尔纽从20世纪50年代初开始
撰写的多卷本的《马克思恩格斯传》，其实是一部马克思和恩格斯思想史著
作，特别是马克思主义形成史著作。50年代以后，一批综合性的马克思主义
发展史研究著作陆续出版，如A.G.迈耶的《共产党宣言以来的马克思主义》
（1954）、R.N.C.亨特的《马克思主义的过去和现在》（1963）、B.D.沃尔夫的
《马克思主义学说百年历程》（1971）、S.阿维内里的《马克思主义的不同流派》
（1978）。

　　这里，我们特别要提到国外马克思主义发展史研究的几部著作。第一部是
南斯拉夫著名马克思主义哲学家普雷德腊格·弗兰尼茨基的《马克思主义史》，
该书先后出了四版。第一版于1961年问世，第二版于1970年出版，1975年

发行的第三版是第二版的重印，1977 年出了第四版。1963 年我国三联书店曾分上下卷出版了该书中文版。1986 年和 1988 年根据该书 1977 年版人民出版社先后出版了中文版第一、二卷，1992 年出版了中文版第三卷。弗兰尼茨基的《马克思主义史》（三卷本）是国外较早出版的论述马克思主义发展史的多卷本著作，曾被译成多国文字，在我国和世界其他国家的理论界产生过较大影响。

第二部是英国肯特大学政治学教授、国际著名马克思主义研究者戴维·麦克莱伦的《马克思以后的马克思主义》。该书于 1979 年由伦敦和巴辛斯托克麦克米兰出版公司出版。1980 年和 1998 年先后出了第二、三版。1984 年该书根据 1979 年版译成中文，1986 年由中国社会科学出版社出版。著名马克思主义哲学家、马克思主义哲学史家黄枬森教授写了《〈马克思以后的马克思主义〉一书评介》，载于该书。黄枬森教授指出该书有三个特点：它所涉及的范围十分广泛，几乎包括了马克思主义哲学、政治经济学和科学社会主义在马克思逝世后近百年来在世界各国的传播和发展；它用比较客观的态度提供了丰富的思想材料，对作者显然不同意的观点也能如实地进行介绍；它不仅提供了马克思主义发展史的丰富材料，而且提供了进一步研究的线索。2008 年中国人民大学出版社出版了该书第三版。

第三部是英国著名马克思主义史学家埃里克·霍布斯鲍姆的《如何改变世界——马克思和马克思主义的传奇》。该书收录了霍布斯鲍姆 1956—2009 年间在马克思主义发展史领域所写的部分作品，它们"实质上是对马克思（和不可分开的恩格斯）思想发展及其后世影响的研究"[①]。全书分两个部分，共 16 章。第一部分是"马克思和恩格斯"，从"今日的马克思"谈起，涉及"马克思、恩格斯与马克思之前的社会主义"、"马克思、恩格斯与政治"等专题，然后是"论"马克思和恩格斯的几部代表性著作文章，但这个论述已经不限于对著作内容、结构和知识点的介绍，而涉及更广泛的内容，特别是它们在国际共产主义运动史和马克思主义发展史上的影响、它们的文献学意义等。第二部分是"马克思主义"。从每一章的标题可以看出，其主题是马克思主义发展史各个时期的重要问题。所以，严格来说，它不是一部我们印象中的系统的马克

[①] [英]埃里克·霍布斯鲍姆：《如何改变世界——马克思和马克思主义的传奇》，中央编译出版社 2014 年版，"前言"第 1 页。

思主义发展史著作，而是关于马克思主义发展史重要问题的研究性著作。但是，这并不影响它的实际的系统性，因为作者讨论的问题所在时期是连贯的。霍布斯鲍姆还乐观地谈到 21 世纪马克思主义前景，指出："经济自由主义和政治自由主义，无论是单独还是结合起来，都不可能为 21 世纪的种种问题提供解决的方案。现在又是应该认真地对待马克思的时候了。"① 从占有材料的规范性、问题分析的透彻与精到、见解的鲜明与深刻来看，这是一部难得的马克思主义发展史著作。

第四部是莱泽克·科拉科夫斯基的三卷本的《马克思主义的主要流派》。这是一部大部头的马克思主义发展史著作，也是一部颇有争议的著作。该书第一卷写于 1968 年，第二卷和第三卷分别写于 1976 年和 1978 年。全书在英国出版于 1978 年。莱泽克·科拉科夫斯基 1927 年 10 月 23 日出生于波兰，曾担任华沙大学哲学系教授、系主任，系"东欧新马克思主义"代表人物。1968 年被解除华沙大学教职后，先后去了德国、加拿大、美国，最后定居英国，在牛津大学任教。《马克思主义的主要流派》的结构特征是，除个别章节是理论专题外，其他均按人物排列。这些人物都是重要的马克思主义发展史人物，在科拉科夫斯基看来，他们还是某一马克思主义流派的代表。这些人在政治上和理论上当然有其个性，并具有较大影响力，但其中有的硬被说成某一马克思主义流派的代表，或者为其硬要搞出一个所谓马克思主义流派，实属牵强，表明他关于马克思主义流派的划分具有很大的随意性。作为"东欧新马克思主义"代表人物，他的观点与"西方马克思主义"的人本主义流派和西方"马克思学"的观点基本一致，但对于同样坚持人道主义立场的某些"西方马克思主义"人物，如马尔库塞、萨特等，他还是进行了严厉批评，原因很大程度不在于其理论观点，而在于他们与苏联的关系。科拉科夫斯基对社会主义国家的马克思主义和经济、政治体制的认识有很大片面性，许多观点是错误的。但该书在马克思主义发展史研究方面还是提供了丰富的资料，也使我们能够更广泛地了解国外马克思主义发展史研究的动态。

1978—1982 年，意大利埃伊纳乌迪（Einaudi）出版社出版了一部多卷本的《马克思主义史》，霍布斯鲍姆称其是一项"最雄心勃勃的马克思主义史计

---

① ［英］埃里克·霍布斯鲍姆：《如何改变世界——马克思和马克思主义的传奇》，中央编译出版社 2014 年版，第 385 页。

划"。他是该书的联合策划者和联合主编，并参加了第一卷的写作。该书没有中文版。

　　总的来说，我国的马克思主义发展史研究起步较晚。1964 年 6 月，原高等教育部根据中共中央决定批准中国人民大学成立马列主义发展史研究所，标志着我国系统的马克思主义发展史研究的开始。建所之初，马列主义发展史研究所的干部和教师以饱满的热情积极投入到马克思主义发展史资料的搜集、翻译和整理工作中。由于"十年动乱"和中国人民大学解散，还没有进入实际过程的马克思主义发展史研究不得不停步。实际的系统的马克思主义发展史研究是在 1978 年中国人民大学复校后马列主义发展史研究所由外校迁回后开始的。70 年代末至整个 80 年代，马列主义发展史研究所在不太长的时间内发表了一批在学术界有较大影响的研究成果。先后有马列主义发展史研究所组编的《马克思恩格斯思想史》和《列宁思想史》出版；有在国内最早开启的马克思早期思想研究著作《马克思早期思想研究》和《〈资本论〉创作史》的出版，特别是在《马克思主义哲学史纲要》和《科学社会主义史纲》编写基础上，完成并出版了国内第一部综合性的马克思主义发展史著作《马克思主义发展史》，有《马克思主义与当代辞典》的编写和出版。20 世纪 90 年代是研究所的高产期，仅在前半期就有《被肢解的马克思》、《新视野：〈资本论〉哲学新探》、《毛泽东哲学思想史》（三卷本）、《马克思主义经济思想史》、《〈资本论〉方法论研究》、《马克思"不惑之年"的思考》、《恩格斯与现时代》、《第二国际若干人物的思想研究》、《20 世纪马克思主义史——从十月革命到中共十四大》、《马克思主义哲学史辞典》和几部马克思主义经典作家传记的出版。这些著作的出版为 90 年代初启动的四卷本《马克思主义史》的编写做了理论上的准备。四卷本的《马克思主义史》由中国人民大学马列主义发展史研究所组织编写，庄福龄教授主编，人民出版社 1995 年、1996 年出版。这是由国内学者编写的第一部较大部头的马克思主义发展史著作，出版后获中宣部"五个一工程"奖和国家图书奖提名奖。

　　《马克思主义史》（四卷本）的出版距今已近 30 年，其间经历了世纪交替，马克思主义逐渐从苏联东欧社会主义制度解体造成的冲击和困境中走出并重新活跃起来，马克思主义研究在更广范围内和更深层次上展开并取得重要成果。一方面对马克思主义理论和马克思主义发展史有了新的认识；另一方面积累了马克思主义创新发展的丰富经验，尤其是马克思主义中国化时代化的经验，从而凸显编写一部反映马克思主义发展最新理论成果、内容更加充实、更高质量的马克思主义发展史著作的必要性。参加十卷本《马克思主义发展史》编写者们对完成这一任务的意义有自觉的意识：

第一，它是适应21世纪变化了的世界历史形势和这一形势下无产阶级认识世界和改变世界的伟大实践，特别是当代中国特色社会主义实践需要的。马克思主义的创新发展是在对客观历史形势的正确反映和根据这种反映对世界的积极改造中实现的，是在马克思主义基本原理同各国实际的结合中实现的。马克思主义发展史著作对这个过程的研究、书写，特别是对它的经验和规律的揭示，将为我们正确认识和面对新世纪客观形势的变化，并根据这种变化确定我们的实践主题、发展道路、发展战略提供启示。

第二，它是发展当代中国马克思主义、二十一世纪马克思主义的需要。一般地说，马克思主义发展史的研究对象是历史上的和世界性的马克思主义发展过程，是马克思主义发展的基本经验和规律。但是，从马克思主义的实践的和理论的发展目的出发，这种研究方法又必须是面对现实和面向未来的，因此是"大历史"的，是历史主义与现实主义的统一。而从这一原则和视野出发，我们的马克思主义发展史的研究和书写，一是要特别关注"我们自己正在做的事情"，从理论方面讲，就是要特别关注中国马克思主义的发展，关注马克思主义中国化时代化的历史进程；二是要关注马克思主义的当下发展状况和未来发展趋势。就研究者身在21世纪的现实来说，就是要研究二十一世纪马克思主义。关于"二十一世纪马克思主义"这个命题，我们还是要从总体上认识，即要看到它所表征的总的精神是面向马克思主义的未来发展。它既表明二十一世纪马克思主义主体对未来马克思主义发展、马克思主义命运信心满满，又表征对未来马克思主义发展提出更高要求，即它是能够回答新的时代之问的马克思主义发展新境界。

第三，它是对中国人民大学优良传统的继承和发扬。中国人民大学是中国共产党创办的第一所新型正规大学，有着用马克思主义指导办学的传统和经验。这个传统和经验，首先是坚持政治性与学理性的统一。坚持这个统一，既表现在办学方针，教育和教学的指导思想和根本方法上，也表现在科学研究所应坚持的根本方向、目标和方法上。对于马克思主义研究来说，就是为无产阶级革命、社会主义建设和改革的实践服务。这是我们从事马克思主义教育与研究的宗旨。这个宗旨在马列主义发展史研究所成立时就明确了。

1964 年前后，中央强调系统的马克思主义发展史研究，其直接原因在于当时国际政治形势的变化、国际的和社会主义阵营内部的意识形态斗争。中央批准成立中国人民大学马列主义发展史研究所的直接意图就是为了适应这一需要。对此，马列主义发展史研究所的干部和教师的认识是十分明确的。其次是始终坚持用马克思主义指导学校全面工作，把马克思主义贯彻教书育人的全过程，积极打造和夯实马克思主义教学与研究高地，为推进马克思主义中国化时代化进程贡献力量。这个传统是用中国人民大学师生的具体行动铸成的。中国人民大学为国家输送的马克思主义理论人才、为其他高校和教育单位输送的马克思主义理论教育人才、为高校马克思主义理论教学编写的教材、出版的各类马克思主义理论著作，特别是不同版本的马克思主义发展史著作，发挥了极其重要的作用。继四卷本的《马克思主义史》之后，我们今天编写十卷本的《马克思主义发展史》，既是对中国人民大学传统的继承和发扬，也是作为"人大人"的我们这一代马克思主义理论教育者和研究者的责任。

第四，它是适应马克思主义理论学科发展的需要。马克思主义理论学科有七个二级学科，马克思主义发展史是其中之一。相较于其他六个学科的发展现状，马克思主义发展史学科相对薄弱，这与马克思主义中国化研究和国外马克思主义研究从马克思主义发展史的结构中独立出来有关。原来的学科内容变窄了，但研究难度增加了（特别是马克思、恩格斯和列宁著作的研究难度）；马克思主义中国化研究和国外马克思主义研究这两门离我们时间和空间较近的学科从传统的马克思主义发展史体系中划分出来，使之具有的现实性受到一定程度的影响，降低了学科对学生的吸引力。但是，主要原因在于在马克思主义理论学科建立前国内学界缺乏对马克思主义发展史的研究，以致于在马克思主义理论学科建立后，出现许多学校开不出马克思主义发展史课程，甚至在其学校的马克思主义理论学科中排除马克思主义发展史学科的局面。马克思主义理论学科的专家们没有不说马克思主义发展史学科重要的，但真正从事这一学科研究的学者则相对较少。我们希望《马克思主义发展史》（十卷本）的编写能够对这一学科的发展起到推动作用。

根据 20 余年来我们的作者们关于马克思主义发展史研究成果与研究经验的积累，根据中国人民大学现有研究力量，我们认为完成这一编写任务的条件已经成熟。首先是四卷本《马克思主义史》的主编庄福龄教授提议，然后是学校和学院两级领导的支持和学院广大教师的积极响应，2014 年元月正式启动了十卷本《马克思主义发展史》的编写。

经讨论，我们对《马克思主义发展史》（十卷本）的编写主旨取得共识：在客观准确地反映和阐述马克思主义形成与发展的全过程的基础上，特别着眼于对马克思主义发展的新主题的发掘、新材料的吸收、新观点新思想的阐发和新经验的总结，反映和吸收国内和国际马克思主义发展的最新成果，为时代、为人民、为我们的伟大事业贡献一部高质量的马克思主义发展史著作。

为此，我们对《马克思主义发展史》（十卷本）编写提出以下具体要求：

第一，强化马克思主义形成史研究。在对马克思主义形成过程的研究中，实现对尽可能丰富的马克思主义来源的深刻认识，在将马克思主义的产生放到整个欧洲文化乃至人类文化传统中认识时，注意区分马克思主义的来源与对马克思主义的产生发生影响的文化因素，强化对马克思主义形成中马克思和恩格斯与同时代思想家的关系的研究，着力揭示特定历史条件下新思潮产生和思想变革的规律。为实现这一要求，第一卷的编写在深化对马克思主义的"三个来源"的研究的同时，增加了马克思和恩格斯同时代人鲍威尔、赫斯、卢格、施蒂纳、契希考夫斯基和科本等对他们早期思想发生影响的内容。

第二，坚持以无产阶级革命和社会主义建设与改革的重大实践为主导线索。坚持以问题为中心，贯彻理论与实践、历史与现实相统一的原则。要注意认识和总结中国特色社会主义建设和改革开放过程中取得的马克思主义理论创新成果，特别是新时代中国特色社会主义建设实践中取得的马克思主义理论创新最新成果，还要善于从各个历史时期取得的马克思主义理论创新成果中认识和总结马克思主义发展的经验和规律。习近平总书记在党的二十大报告中指出："坚持和发展马克思主义，必须同中国具体实际相结合。我们坚持以马克思主义为指导，是要运用其科学的世界观和方法论解决中国的问题，而不是要背诵和重复其具体结论和词句，更不能把马克思主义当成一成不变的教条。我们必须坚持解放思想、实事求是、与时俱进、求真务实，一切从实际出发，着眼解决新时代改革开放和社会主义现代化建设的实际问题，不断回答中国之问、世界之问、人民之问、时代之问，作出符合中国实际和时代要求的正确回答，得出符合客观规律的科学认识，形成与时俱进的理论成果，更好指导中国实践。"①习近平总书记在这里提出的坚持和发展马克思主义的根本的方法论原则，也是指导我们从事马克思主义发展史研究的根本的方法论原则，只有坚持这个原则，我们才能写出一部反映马克思主义发展真实过程，适应无产阶级革命和社会主义建设与改革实践要求，适应不断开辟当代中国马克思主义、二十一世纪马克思主义新境界要求的马克思主义发展史。

第三，根据俄国十月社会主义革命胜利后马克思主义发展主题的转换，着重研究社会主义建设和改革的理论及其发展历程，高度重视和阐发中国特色社会主义理论体系的形成与发展对于马克思主义发展的意义，特别是习近平新时代中国特色社会主义思想对马克思主义发展的重大意义。习近平新时代中国特色社会主义思想是马克思主义中国化时代化的最新理论成果。为此，第十卷用主要篇幅充分阐释了习近平新时代中国特色社会主义思想形成、发展过程及其对马克思主义发展的重大贡献。

第四，着眼于国内外马克思主义研究最新成果的发现与研究，尤其是关于马克思主义基础理论、马克思主义文本文献、当代资本主义、当代社会主义、新科技革命、世界发展趋势、当代社会思潮等问题上的研究成果。本来的和完整意义的马克思主义发展史研究是关于马克思主义的过去、现在和未来发展的研究。21世纪以来的马克思主义实践和理论发展自然应该进入我们的研究视野，并成为理解总体的马克思主义发展史的坐标。

第五，立足于马克思主义整体发展的研究，但不忽略对马克思主义的各个组成部分、各个学科发展的研究。马克思主义主要由它的哲学、政治经济学和科学社会主义三大部分构成，马克思主义发展史研究和书写给予其较多关注是应该的，但是不能由此而忽略马克思主义多学科发展事实。例如，第二卷注意揭示"马克思主义的全面拓展过程"，在关注马克思和恩格斯的自然观和科学观形成与发展的同时，也考察了他们在伦理观、宗教观、美学和文艺观、军事理论等方面的发展。第六卷在系统考察马克思主义在哲学、政治经济学方面的发展的同时，还考察了马克思主义在文艺学、史学方面的发展。

第六，在着重认识与阐释马克思主义在革命、建设和改革的实践中发展的

① 习近平：《高举中国特色社会主义伟大旗帜　为全面建设社会主义现代化国家而团结奋斗——在中国共产党第二十次全国代表大会上的报告》，人民出版社2022年版，第17—18页。

同时，也对专业性的马克思主义理论研究成果给予必要关注。注意总结不同类型的主体的马克思主义创新经验，注意从不同形式的马克思主义文本中认识马克思主义的新发展。例如，根据包括本卷作者在内的学界最新研究成果，第三卷增加了马克思和恩格斯关于科学技术的社会性质和社会功能、从自然运动向社会运动过渡的理论内容。

第七，关注当代世界马克思主义思潮，在总体的马克思主义发展历史进程中认识国外马克思主义。为此，第七、八、九卷对各国共产党和进步组织、国外各马克思主义研究流派、世界社会主义运动的马克思主义研究等进行了深入考察。要求对它们要有分析、有鉴别，既不能采取一概排斥的态度，也不能搞全盘照搬。

第八，不回避马克思主义研究中的理论难题，敢于以鲜明的态度在重大理论问题上发声。检视在重大问题上的传统认识，善于结合新的实际作出新的判断。既注意总结正确认识马克思主义的经验，也注意总结正确对待马克思主义的经验。着力分清哪些是必须长期坚持的马克思主义基本原理，哪些是需要结合新的实际加以丰富发展的理论判断，哪些是必须破除的对马克思主义的教条式的理解，哪些是必须澄清的附加在马克思主义名下的错误观点。为此，第五卷特别设置了"马克思主义基本原理、本质特征和历史命运的科学阐述"一章，系统阐释列宁的马克思主义观，展示列宁科学认识和对待马克思主义的经验。

本书的卷次划分遵循实践逻辑、历史逻辑和理论逻辑的统一。这个统一特别表现为马克思主义在无产阶级革命和社会主义运动实践中实现发展的若干重要阶段之间的关系。因此，每一卷次标示的时间阶段实质说来不是自然时间，而是历史时间，表征马克思主义发展的一定的阶段性。

阶段的划分是相对的，并且是分层次的。有大阶段，也有大阶段包含的小阶段、次级阶段。马克思主义发展史的大阶段是马克思和恩格斯对马克思主义的创立与发展、列宁主义的形成与发展、以中国马克思主义为标志的当代马克思主义发展。它们分别包含若干小阶段。比如，第一个大阶段包括马克思主义的创立、马克思主义的丰富与系统化、马克思和恩格斯晚年对马克思主义的深化三个小阶段。这三个阶段构成本书的第一至三卷。第二国际马克思主义（1889—1914 年）是马克思和恩格斯创立的原初马克思主义与列宁主义之间的过渡。虽然这一时期马克思主义缺乏突出发展，但是由于这个时期的人物、思潮和流派之间的复杂关系以及马克思主义多向演变与发展的可能而凸显其对于马克思主义发展史的特殊意义。基于此,马克思主义在这一时期的发展与演变被设置为独立的一卷(第四卷)。马克思主义发展的列宁主义阶段以俄国十月社会主义革命胜利为界划分为两个阶段,时间段分别为:19世纪末—1917年、1917—1945年。前一阶段是列宁主义的形成及其在十月革命前的发展,后一阶段是列宁主义在十月革命胜利后的发展。这个阶段的内容包括列宁晚年关于社会主义发展道路的探索、苏联社会主义模式的形成。这两个阶段还分别包括马克思主义在中国的初期、早期传播和马克思主义中国化的第一个伟大理论成果——毛泽东思想的形成。这就是本书第五、六卷的内容。第七、九、十卷的内容是马克思主义在第二次世界大战后的发展。它们的时间段分别是:1945—1978年、1978—21世纪初、1989年以来。每一卷所包含的内容都是在相应时间段内马克思主义的发展状况,其中主要是苏联和东欧各国对社会主义的探索、中国共产党人和马克思主义者对中国社会主义发展道路的探索,特别是改革开放以来邓小平理论、“三个代表”重要思想、科学发展观和习近平新时代中国特色社会主义思想的形成与发展。为了体现马克思主义发展的连续性,第九卷在着重阐述邓小平理论形成发展过程外,用适当篇幅阐述了苏东剧变过程中及之后非资本主义国家马克思主义的曲折发展和理论反思,时间延续到21世纪初。为了完整地和集中地阐释马克思主义中国化时代化最新理论成果,第十卷聚焦中国特色社会主义理论体系的跨世纪发展,对当代中国马克思主义、二十一世纪马克思主义做了重点阐释。马克思主义在非社会主义国家的研究情况比较复杂,时间跨度比较长,为方便读者阅读和了解社会主义国家之外的非社会主义国家的马克思主义研究和发展状况,安排第八卷为1923年以来“马克思主义在非社会主义国家的传播与发展”专卷。

　　“实践没有止境,理论创新也没有止境。”[1] 理论创新没有止境,马克思主义发展史研究就不能停滞不前。十卷本《马克思主义发展史》的出版,不是我们的马克思主义发展史研究的结束,而是新的研究的起点。我们需要根据马克思主义在新的时期新的实践中的发展把马克思主义发展史研究继续下去。

---

① 习近平:《高举中国特色社会主义伟大旗帜　为全面建设社会主义现代化国家而团结奋斗——在中国共产党第二十次全国代表大会上的报告》,人民出版社2022年版,第18页。

　　《马克思主义发展史》（十卷本）的作者们对编写工作提出了很高要求，力求为推动二十一世纪马克思主义发展、开辟马克思主义中国化时代化新境界，奉献一部能够经得起时间考验的马克思主义发展史著作。但是，由于我们的水平有限，马克思主义发展史的有些方面和问题还未完全掌握和深入研究，呈现在广大读者面前的这份研究成果是否能够承担起它应承担的这样一个使命，是否能够为广大读者满意，我们心怀忐忑。我们愿意听到读者的批评意见。

本书总主编
2023 年 9 月 15 日

（梁树发执笔）

目　录

Contents

卷　首　语

马克思主义创立于 19 世纪 40 年代。本卷回顾和再现了马克思和恩格斯从 1840 年至 1848 年间的思想发展轨迹，阐述了马克思主义的创立过程。

马克思主义是时代的产物。它回应了时代提出的问题，凝聚了时代的精神精华。马克思主义的创立者是植根于时代土壤、矗立在人类文明基础上的思想巨人。马克思主义是博大精深的科学理论体系。它的产生具有特定的阶级基础、实践基础和科学基础。本卷用了不小的篇幅，叙述了马克思主义产生的历史背景和理论来源。欧洲资本主义经济的发展，特别是社会化大生产和世界市场的形成与发展、欧洲革命风暴的出现、无产阶级登上历史舞台等一系列重大历史事件，为马克思主义的产生提供了社会条件。近代以来特别是 18 世纪以来的自然科学和人文社会科学的成就，为马克思主义的产生提供了科学基础和思想营养。一方面，马克思主义是资本主义社会矛盾和阶级矛盾发展的产物，是社会主义思潮和实践发展的最高表现，集中映现了现代社会变革和无产阶级解放的历史要求；另一方面，它是近代人文社会科学、自然科学发展的产物，是社会历史研究科学化的最高表现，是人类思想史上的伟大革命。马克思主义的产生是历史的必然。本卷通过丰富的思想史资料，印证了列宁的论断："哲学史和社会科学史都十分清楚地表明：马克思主义同'宗派主义'毫无相似之处，它绝不是离开世界文明发展大道而产生的一种固步自封、僵化不变的学说。恰恰相反，马克思的全部天才正是在于他回答了人类先进思想已经提出的种种问题。他的学说的产生正是哲学、政治经济学和社会主义极伟大的代表人物的学说的直接继续。"[1]

---

[1] 《列宁专题文集　论马克思主义》人民出版社 2009 年版，第 66 页。

马克思主义的诞生和发展经历了艰难曲折的探索过程。对马克思主义创立者思想的研究，就是对伟大探索者思想发展轨迹的探索，就是对他们思想发展的内在逻辑的挖掘与梳理。本卷努力尝试全面和深入地考察和展现马克思恩格斯思想的发展脉络。

其一，把思想发展和社会实践紧密结合起来，深入揭示马克思主义理论的时代性、实践性。无论是在青年马克思和青年恩格斯的亲身实践中，还是在他们的早期思想演进过程中，都可以清晰地看到马克思主义诞生同资本主义时代、无产阶级革命实践之间，以及同马克思和恩格斯实践活动之间的内在联系。

其二，把历史、理论和著作有机结合起来，完整地再现马克思主义诞生的历史逻辑和理论逻辑。一方面，关注史与论的结合，在历史叙述中穿插理论分析；另一方面，注重著作的历史联系和理论逻辑，突出重要著作的在思想发展中的历史地位，以及特定著作中的理论结构和理论建树。

其三，把马克思恩格斯的思想置于思想史的关联或历史语境中考察，充分显示马克思主义赖以产生的思想资源。本卷不同于国内同类著作的一个特点，就是在论及马克思主义产生的理论背景和受到的思想影响时，专门深入地论述了苏格兰启蒙学者和黑格尔派对马克思的深刻影响。

其四，把马克思恩格斯在共同创立马克思主义的过程中的作用联系起来考察，强调二者的一致性。马克思和恩格斯从合作开始，就把科学上的创造同理论上的批判紧密结合在一起。《神圣家族》、《德意志意识形态》、《哲学的贫困》、《共产党宣言》等光辉著作就是这种结合的典范和结晶。例如，《神圣家族》是马克思和恩格斯密切合作的产物。尽管恩格斯完成的内容较少，但是马克思在《神圣家族》中把恩格斯署名为第一作者。恩格斯不仅在政治经济学研究上影响了马克思，而且在唯物史观的思想形成中也影响了马克思。

其五，把握马克思主义理论形成的主要脉络，重点阐述马克思的第一个伟大发现即唯物史观产生的过程。从第五章到第七章，分别以"马克思和恩格斯向唯物史观的迈进"、"新世界观的天才萌芽和马克思的第一个伟大发现"和"新世界观的进一步阐发"为题，集中考察了《巴黎手稿》、《神圣家族》、《关于费尔巴哈的提纲》、《德意志意识形态》、《哲学的贫困》等著作中正在形成和已经形成的唯物史观思想。与此同时，本卷还考察了马克思和恩格斯为创立剩余价值理论所做的理论准备。例如，在《哲学的贫困》中，剩余价值理论虽然还没有以完备的理论形式出现，但马克思却已准确地找到了问题的症结，他通过批判蒲鲁东的"任何劳动必有剩余"的定理，为进一步提出剩余价值理论做好了准备。

其六，揭示马克思主义形成和发展过程的整体性，关注马克思和恩格斯在哲学、政治经济学与社会主义思想方面的整体超越和全面变革，以及唯物史观、剩余价值理论（虽然它当时只是以初步的形式或萌芽出现）和科学社会主义在形成过程中的相互影响与整体推进。《共产党宣言》的公开发表标志着马克思主义的诞生，它是马克思和恩格斯为世界上第一个国际性的无产阶级政党——共产主义者同盟起草的政治纲领。它以其科学的洞见、深邃的思想和磅礴的气势，展示了崭新的世界观，宣告了马克思主义科学理论体系的诞生，开辟了人类思想的新纪元。马克思主义哲学、政治经济学和科学社会主义的基本思想在这部伟大的著作中熔为一炉。它在马克思主义发展史和社会主义运动史上具有独特的重要地位，在人类思想发展进程中具有里程碑的意义。

第一章 马克思主义产生的社会历史条件和科学基础

　　人类对社会和自然界历史发展的认识，走过了漫长的、曲折的探索之路。在资本主义社会之前，或因生产规模狭小、科学技术水平低下，或因阶级地位局限，特别是剥削阶级的偏见及其影响，人类长时期内对社会和自然界的历史发展，只能限于片面的了解。只有在现代大工业、现代科学技术和现代无产阶级产生之后，人类才对社会和自然界的发展作全面的、历史的了解，从而把对它们的认识变成科学。马克思主义正是在这个历史条件下形成的认识世界和改造世界的科学。在这样的意义上，我们完全可以说，没有资本主义的一定发展，没有伴随这种发展而存在的生产力水平、阶级对抗、科学文化达到相应的发展阶段，以及现代工业无产阶级成为推动历史进程的最新、最伟大的力量，马克思主义就不会产生。马克思主义唯有在人类进展到资本主义阶段才能出现，是这一阶段的客观产物。它诞生于资本主义制度在欧洲主要国家普遍确立和普遍发展的 19 世纪上半叶并非偶然。纵观 19 世纪上半叶的社会矛盾和社会理论可以看到，随着资本主义经济和政治制度的建立，无产阶级与资产阶级两大对立阶级的矛盾开始逐步取代资产阶级同封建贵族的矛盾，在整个社会斗争中日益占据主要位置；随着无产阶级队伍的形成、壮大所出现的一系列新的社会问题已经迫切要求人们给以科学的回答，无产阶级本身也急切地渴望科学地认识自己的命运和前途，而当时的各种社会理论都无法实现时代提出的这一理论任务。

　　作为指导无产阶级解放斗争的科学理论体系，马克思主义是无产阶级和全体人民群众根本利益的思想体现。马克思主义包括哲学、政治经济学、科学社会主义三大部分，内容极为丰富、严整、深刻。它诞生于 19 世纪 40 年代，有着深刻的历史背景和社会条件，与资本主义物质技术基础和社会政治制度最终确立，社会矛盾和阶级矛盾激化、成熟并凸显密不可分。资本主义工业革命所引发的社会经济发展以及社会关系的激烈变动为马克思主义产生提供了客观条件。除了客观的历史条件，马克思主义的诞生与当时的思想理论发展同样有着密切联系。在社会科学领域，19世纪的德国古典哲学、英国古典政治经济学、空想社会主义学说成为马克思主义产生的理论源泉，同样，当时的自然科学发展也为马克思主义的产生贡献了极大的理论资源。马克思主义既是资本主义社会矛盾和阶级矛盾激化和成熟的产物，是社会主义思潮和实践的最高表现，集中反映了现代社会变革和无产阶级解放的历史要求，也是近代哲学、人文社会科学、自然科学发展的产物，是社会历史研究科学化的最高表现，是人类思想史上的伟大革命。总之，马克思主义的产生是历史的必然。

第一节　欧洲社会经济发展的转变

当一定的社会发展阶段面临新问题和提出新任务时，一种新的社会思想理论才会应时而生。关于马克思主义的产生，毛泽东同志讲得很清楚，"由于欧洲许多国家的社会经济情况进到了资本主义高度发展的阶段，生产力、阶级斗争和科学均发展到了历史上未有过的水平，工业无产阶级成为历史发展的最伟大的动力，因而产生了马克思主义的唯物辩证法的宇宙观。"[1]这一科学论断不仅概括了马克思主义哲学如何得来，对于理解马克思主义的诞生也是一语中的。马克思主义孕育于资本主义社会。发源于地中海沿岸并向全球疯狂扩展的资本主义生产方式为人类带来了前所未有的巨大生产力和现代文明，也带来了前所未有的贫富分化、社会矛盾和战争灾难，正如狄更斯（Dickens）在《双城记》中所言，"那是最好的时代，那是最坏的时代"。实际上，马克思主义是当时西欧几个主要资本主义国家所固有的内在矛盾——社会化生产和资本主义

---

[1] 《毛泽东选集》第1卷，人民出版社1991年版，第300页。

占有制的矛盾以及无产阶级和资产阶级矛盾激化的产物。在 14 至 15 世纪，资本主义萌芽在地中海的意大利和佛罗伦萨等城市出现，到 16 世纪资本主义发展的基本条件在西欧一些国家形成，再到 60—70 年代最早的资产阶级革命在荷兰爆发。英国资产阶级革命标志着资本主义制度的初步建立，它的胜利标志着人类历史发展到资本主义阶段。

直到 18 世纪中叶，英国建立起了资本主义社会生产力，彻底摆脱了封建生产关系的桎梏。英国资产阶级革命开启了世界历史迈入近现代的大门。随着英国君主立宪制的确立，英国资产阶级加速了圈地运动，产生了大量的"自由"劳动力和国内市场；殖民地的拓展和掠夺式的海外贸易，扩大了商品市场的规模。工厂手工业无法满足巨大的市场需求。于是，一场生产技术的革命呼之欲出。不断扩大的市场需求促进了以机器代替手工业劳动的工业革命；蓬勃发展的工厂手工业，积累了丰富的生产技术知识，培育了大量实践经验丰富的熟练工人，为机器的发明和推广提供了前提；自然科学的发展和积累，尤其是牛顿力学和热力学等学科的出现，为机器的产生奠定了坚实的科学理论基础。

一、英国工业革命的社会意义

工业革命出现和推进使得资本主义迈进到一个新的阶段，极大地变革了当时的生产力和生产关系，是人类的一场重要革命。18 世纪 60 年代的英国工业革命开启了资本主义由手工业工厂阶段向大机器工业阶段过渡的大幕，这个伟大变革是资本主义发展必然进程的产物。在剩余价值规律的支配下，为了获取更多的利润，新兴资产阶级投身技术变革，提升效率，使成本最小化，因此应用大机器生产就成为必须。这个潮流客观上也推动了社会生产力的巨大发展和进步。到 19 世纪 40 年代，英国第一次产业革命基本完成。紧随其后，美国和法国也相应取得资产阶级革命的胜利成果；到 19 世纪中叶，资产阶级革命在德国、俄国和日本等国家也以不同形式得以实现。资产阶级革命在这些国家实现之后，产业革命也随之在各个国家实践成功。

技术革命从英国的纺织业发端。棉纺织业是当时英国最重要的工业部门，在 15 世纪半工半农的手工业在英国广大农村就普遍存在，毛纺织业当时就普遍存在这种现象。来往于城乡之间的呢绒商人为了获取更多的效益，在 15 世纪末开始把单独的家庭手工业联系起来。这样，早期的毛织业手工工场就产生了。同时期法国、尼德兰等国的技术熟练工匠在宗教战争的冲击下不断涌入英国，极大地推动和革新了英国的手工业技术。而当时农民由于圈地运动日益丧失土地，海外殖民掠夺、强盗式贸易、贩卖奴隶和对国内人民的剥削，自由劳动力大量存在与大量资本得以集中，于是集中的手工工场逐渐发展起来。到了18世纪，英国手工工场普遍扩大的结果就是技术分工不断精细化，操作不断细化，专门工作精巧化、熟练化。生产工具的变革在这种结果的推进中逐渐深化，细小而简单的适应专门工作的生产工具出现了，适应这种生产和生产工具的高度熟练的技术工人也产生了。随着手工工场分工的进展，各种专门工作的工具不断出现，手工工场对联接、组合这些专门工具成为机器的迫切性和可能性就出现了。同时，大量有技术、有经验的熟练手工工场工人在生产过程中积累的生产经验也成为机器发明的直接推动力。这些要素就成为机器发明的现实客观物质前提和条件。另外，广大的国内外市场的需求也不断激发和促使当时英国手工工场进行技术变革和尝试发明满足市场需求的生产机器。这样，现实的客观需求为机器发明提出了要求。当时英国棉织业受到印度棉织业的挤压，处境十分艰难，为了强化产品竞争力，必须进行技术革新。而当时国内外市场对那些适合普通大众日常生活、价格低廉的棉纺品的需求量巨大，机器生产的需求更为迫切。显然，棉纺织业更亟须进行新技术推广和应用。于是，英国工业革命在18世纪60年代首先在新兴的棉纺织业行业拉开了技术革命的序幕。

机器的发明经历了一个艰辛的过程。兰开夏郡的织工格哈里夫斯为了提高纺纱效率，在1764—1767年发明了珍妮纺纱机，揭开了工业革命的序幕。1785年，莱斯特郡的牧师卡特莱特在此基础上进行改进和发明了水力织布机，并在1791年建造了世界上第一座水力织布机工厂，极大地促进了棉纺织业产能的提升。1781年，詹姆斯·瓦特设计了第一台可供实用的蒸汽机，并于1785年应用在纺织行业。随着蒸汽机技术的成熟，矿山和冶炼业、采煤业、钢铁的生产，都有了革命性的变化。新的、更大的工厂建立了起来，人们需要更多的机器，制造机器的钢铁的需求量日益增加。为了更快地运输原材料和产品，促进交易和贸易，蒸汽船和蒸汽机车发明了出来。1821年，利物浦和曼彻斯特之间修建的第一条铁路开始运行；1825年，世界上第一条客运铁路试车成功。铁路线的扩建使工业发展获得了新的动力。蒸汽机的发明是工业革命最具有决定性的标志。它促进了大工业工厂的产生，促使资本主义生产方式由工厂手工业生产发展到工厂大机器生产，标志着资本主义的物质技术基础已经建立。19 世纪 30 年代末，工业革命率先在英国完成。

从 18 世纪中叶到 19 世纪中叶，英国工业革命大致用了一百年的时间。它的出现，极大地促进了生产力和生产关系的变革，是一场伟大的"革命"。工业革命进程的一个显著特征就是以发明促进发明，各工业部门随之发生连锁反应。首先从轻工业开始，再到重工业；从工作机开始，再到发动机，可谓环环相扣，相互促进，相互推动，循环往复，形成一个机器生产的完整链。1825年，英国解除了禁止机器出口的禁令，标志着近代大工业生产力已开始逐渐形成直接向世界各地传播的能力。19 世纪初，拿破仑当政的法国开始了工业革命。19 世纪 30 年代，德国也进入了工业革命。社会化大生产的时代开始了，资本主义进入历史发展的"黄金时代"。作为人类工业革命的发源地，英国工业革命不仅对本国的社会政治经济发展具有前所未有的历史意义，而且对其他资本主义国家乃至整个人类社会的发展都产生了巨大影响。

首先，工业革命使得英国生产力发生了巨大变革和飞跃，引发了近代社会的深刻变革。由生产技术大规模变革引起的英国工业革命使得大机器生产成为现实，取代了手工劳动，生产力发生了令人瞩目的提升。生产领域各个环节的革新在英国工业革命的推动下环环衔接，互促互进；新兴工业部分在纺织业革新的带动下不断衍生，不断深化和扩展。生产技术和机器的发明，尤其是蒸汽机的发明、改进和应用，更是激发了工业生产的巨大革命。农业技术革新和资本主义大农业的兴起与发展在工业生产变革的带动下得以实现。同时，科学技术与文化在工业革命的推动下大步向前发展。除此之外，工业革命还引发了整个资本主义社会的深刻变革，引起社会生产关系和社会关系的急剧变革，阶级斗争和物质利益之间的内在联系显露出来，工业资产阶级和无产阶级相互对抗、对立的局面开始出现和形成。

其次，英国工业革命改变了原有的商业工业贸易形式，加强了世界各地的经济联系，促进了世界市场的加速形成，生产和消费日益具有普遍性和世界性。这场技术革新发端于大西洋北部的英国，冲破了种种阻力，打破了固有的地理区域概念，从大西洋跨向欧洲、美洲和亚洲，不断拓展。随着工业革命不断深入和扩展，先进技术、设备和先进的生产方式及理念也不断得以传播和输送。与此同时，工业革命由英国一国向其他国家扩展和繁衍，国家间的分工不断强化。随着工业革命的进行，人口和资金流通也不断冲破地域限制，走向国际化。到 19 世纪中叶，英国被冠以"世界工厂"的称号，这得益于英国工业革命所带来的先进的生产技术、雄厚的经济实力、发达的交通运输网络和大量占有的海外殖民地。"世界工厂"凸显出了英国的世界中心地位，从此形成以英国为中心的世界市场，带动和加强了世界各地经济之间的联系，使世界市场成为可能。

最后，英国工业革命重新确立了世界格局，深刻影响着现代世界体系的塑造。紧随英国革命之后，美法等欧美先进国家也逐渐开始了工业革命，资本主义生产方式先后在这些国家建立。与此相反，亚洲、非洲和拉丁美洲大部分国家则在这些资本主义国家的炮舰下丧失了主权，沦为欧美列强的殖民地，还有一些半殖民地国家，成为机器大生产产品的倾销地，成为资本主义的原料产地和劳动力的来源地，成为欧美列强的投资场所、牟利乐园，彻底沦为资本主义经济的附庸物。资本主义列强对亚非拉地区的侵略，对这些国家产生了双重影响：一方面，资本主义的血腥侵略和残酷殖民剥削，给当地的经济带来了覆灭性的打击，也使当地人民蒙受了深重的灾难，大量劳动力被迫输出，导致这些地区长期以来的贫困和落后。另一方面，随着资本主义的入侵，列强所带来的用于剥削的资本和先进技术、科学文化知识和思想理念在一定程度上也激发了当地国家和人民的觉醒。

历经 100 年的工业革命，世界局势产生了翻天覆地的变革，随着工业革命由一国到多国、由一洲到多洲，不断深入和拓展，这场运动逐渐扩展到西欧和北美范围以外的地方，以空前的速度和广度向世界开展。孕育于这场变革中而出现的无产阶级及其对革命理论的渴求也在不断推动着国际共产主义运动的开展，民族民主解放运动就成为这个进程中不可避免的革命运动，这些进程深刻地改变着人类世界。随着现代世界格局的形成，伴随而来的新的科技革命，更加深刻地影响和改变着人类世界。总之，工业革命对资本主义经济的巨大推动以及社会关系的急剧变动为马克思主义的诞生提供了客观依据。

二、社会化大生产对人类实践的深刻影响

资本主义制度于 19 世纪 40 年代在西欧国家得以巩固和确立，随之开始迈

入社会化大生产时期。世界市场在资本主义社会化大生产的推动下日益迅速开拓和发展，生产和消费不断突破单个国家的限制而走向世界，以往那种地方和民族的自给自足、闭关锁国境况不断消解，民族间、国家间的交往得以实现，相互之间的依赖性不断加强，世界历史取代民族的历史成为社会历史发展的走向。这种变动突破了单一民族、国家社会历史的研究模式，人们能够依托这种改变从不同民族、不同国家社会历史的比较研究中归纳出一些常规性和重复性的现象，进而概括出社会发展的一般客观规律。生产关系和社会关系在资本主义社会化大生产的进程中发生了巨大的变革，凸显了社会历史发展的客观辩证法。这种变革显示出任何一种社会制度都是历史性的范畴，它只是一种暂时性的、相对性的和条件性的存在。对社会发展的这种认知与以往的历史观截然不同，从而打破了形而上学的、唯心主义的占据当时统治地位的历史观。

首先，社会化大生产激发和恶化了资本主义社会的内在矛盾。不同于先前的生产形式，社会化大生产改变了过去单个人使用生产资料的状况，使生产资料被共同使用成为现实，并且将各自独立的生产过程联系起来变成一种联系紧密的社会性活动，使得生产产品成为大家协作创造的社会成果。所以，社会化大生产的出现必然与生产资料资本家私人占有之间出现日益恶化的冲突对抗。随之出现的是一系列严重的社会弊端和社会灾难，比如出现大量失业者，贫困的工人，小资产者不断走向没落破产，生产日益处于无政府状态如大量"生产过剩"的产品被资本家销毁，等等。资本主义社会的周期性经济危机的出现和爆发就是这些矛盾集中表现的产物。比如，即将完成生产革命的英国在 1825 年爆发了世界上第一次以生产相对过剩为特征的经济危机。紧随其后，在 1836 年和 1847 年，波及欧洲各主要资本主义国家的经济危机又相继爆发了。在接下来的一个世纪中，大约每隔十年一次的周期性经济危机伴随着资本主义的发展。这种危机的实质是生产相对过剩造成的生产下降和经济衰退。但其根本原因在于资本主义生产的社会化与私人占有之间的矛盾，这是资本主义社会生产力与生产关系矛盾的集中表现：一是资本主义企业内部生产的有组织性和整个社会生产无政府状态之间的矛盾；二是资本主义生产在剩余价值规律支配下具有无限扩大的趋势与广大劳动人民有支付能力的需求相对狭小之间的矛盾。不断出现的危机及其严重后果说明，生产社会化与私人占有之间的矛盾在资本主义制度框架内是无法得以解决的，日益增长的生产力已经无法与资本主义生产关系相适应、相依存。正如马克思恩格斯所批判的那样："资产阶级的生产关系和交换关系，资产阶级的所有制关系，这个曾经仿佛用法术创造了如此庞大的生产资料和交换手段的现代资产阶级社会，现在像一个魔法师一样不能再支配自己用法术呼唤出来的魔鬼了。"[①] 这表明，"资产阶级用来推翻封建制度的武器，现在却对准资产阶级自己了。"[②] 而资本主义固有矛盾存在和激化，彰显了未来社会革命的方向和性质以及人类历史发展的基本态势。

其次，社会化大生产造就了资本主义社会两大根本对立阶级。大工业资产阶级是工业革命的必然结果，与大工业资产阶级几乎同时出现的无产阶级也在工业革命过程中得以塑造和形成。这是一个与近代大工业相联系，人数远超大工业资产阶级的产业工人阶级。大工业资产阶级在社会化大生产中不断获取和积累大量资本财富、扩展资本力量的同时，贫困的甚至不断失业的工人阶级也不断在积蓄力量进行反抗。两种阶级的强烈对抗使得无产阶级同资产阶级斗争迈入到一个新的阶段。这个阶段出现了许多以往阶级斗争不存在的现象和特征，正是这种变化为马克思主义的产生提供了深厚的阶级基础。资本主义社会孕育了资产阶级和无产阶级这对孪生兄弟，两者之间的对抗从它们出现之日起就存在了。在早期，雇佣工人分散地和自发地与资本家进行斗争，提高工资、改善劳动条件等经济方面的要求成为他们斗争的目标，一开始并没有清晰的政治诉求。因此，那时工人的斗争方式无非是把资本家的机器捣毁，对工厂进行破坏。这种早期斗争形式与资本主义经济发展状况和无产阶级本身的发展程度息息相关。当时资本主义生产方式建立在手工业基础之上，工业企业的规模比较狭小而且十分分散，因而也造成了工人的分散，不可能形成一个独立和团结的阶级，无产阶级尚未成为一个具有明确政治目标的自为阶级。无产阶级不可避免成为资产阶级反对封建制度的拥护者和力量，在当时的运动中只能充当辅助的作用。社会化大生产的发展，极大地发展和繁荣了资本主义经济，同时也极大增加了工人阶级的数量；随着大量工厂的出现及工厂制度的建立，以及由此衍生出的新的城市——工业中心城市的形成，工人阶级的组织性、觉悟性和战斗性也不断得到提升和强化。尤其是阶级关系不断明朗化，资本主义社会日益分裂为两大对立阶级，即无产阶级和资产阶级。两个阶级之间的矛盾日益突出，成为资本主义社会的主要矛盾。在 19 世纪三四十年代欧洲英法两国先后

---

① 《马克思恩格斯文集》第 2 卷，人民出版社 2009 年版，第 37 页。
② 《马克思恩格斯文集》第 2 卷，人民出版社 2009 年版，第 37 页。

爆发的三次大规模的革命运动，不仅深刻地表明了阶级矛盾的激化，更表明无产阶级作为独立的政治力量开始登上历史舞台。

19 世纪上半叶，英国和法国相继出现了规模颇大的工人起义运动。1831 年和 1834 年，法国里昂工人先后发动了两次武装起义，攻占了大城市，有力地打击了统治阶级。虽然起义在各种势力的镇压下没有成功，但这次起义激发和凸显了法国工人阶级的反抗意识和新觉醒。接着，英国工人阶级在 1837 年爆发了声势浩大的宪章运动，以争取普选权作为运动的口号，为自身的政治权利而斗争。历史上工人阶级自己的第一个政治组织——全国宪章协会在这场运动中光荣地诞生了。宪章运动先后持续长达 12 年之久，有上千万人民群众参加这场旷日持久的运动。作为世界历史上第一次广泛的、政治性的无产阶级革命运动，英国宪章运动在人类历史上留下了光辉灿烂的一页。1844 年 6 月，德国工人阶级在西里西亚举行了纺织工人起义。在起义中，纺织工人与西里西亚反动军警进行了英勇的可歌可泣的斗争。这次斗争把私有制当成了起义的直接目标，标志着德国无产阶级第一次独立地进行斗争，马克思曾高度评价这次起义："西里西亚起义一开始就恰好做到了法国和英国工人在起义结束时才做到的事，那就是意识到无产阶级的本质。"①

最后，社会化大生产也激化了资本主义国家之间、资本主义宗主国和殖民地之间的矛盾。英国、法国、西班牙、葡萄牙等资本主义国家为了转移国内矛盾，对亚非拉人民进行疯狂侵略获取超额利润。西方列强殖民者不断压榨殖民地和半殖民地，日益激起当地人民此起彼伏的反抗。比如 1763 年，印度爆发了全国性的反英起义；1775 年，北美爆发了独立战争；从 1779 年起，非洲人民爆发了反荷、英等殖民者的持续一百年之久的"卡弗尔"战争；1790 年，海地爆发革命以及由此引发的拉丁美洲第一次民族独立战争；1825—1830 年的爪哇人民起义和 1840 年中国的鸦片战争；等等。可见，当时反对西方殖民者的斗争成为一场世界性的运动。另外，在资本主义列强内部，由于殖民地的争夺、世界市场和势力范围的利益划分，彼此之间的矛盾也日益显现和激化。英国和荷兰早在 17 世纪 50 年代至 70 年代就爆发过三次争夺世界霸权的战争，分别发生在 1652—1654 年、1665—1667 年、1672—1674 年；从 17 世纪末一直到 18 世纪末，世界上又爆发了四次英法战争（1688—1697 年；1700—1713

---

① 《马克思恩格斯全集》第 1 卷，人民出版社 1956 年版，第 483 页。

年；1740—1748 年；1756—1763 年），同样是为了争夺世界霸权，战争的结果就是英国战胜了法国，成为"日不落"帝国，"世界工厂"——英国称霸世界。19 世纪上半叶，英、法、俄、奥、普等国还多次爆发了争夺欧洲霸权的战争。这些矛盾在一定程度上也推进了资本主义在全球的拓展，同时也使得这些国家逐渐接受资本主义社会化大生产，无产阶级和资产阶级在这些国家中也开始形成。

资本主义经济制度和政治制度在社会化大生产的推动下得以确立、巩固和强化，无产阶级与资产阶级的矛盾已经逐步取代了资产阶级同封建贵族的矛盾而在整个社会斗争中日益占据主要位置，欧洲三大工人革命运动充分表明，无产阶级与资产阶级之间的斗争已发展到一个全新阶段，工业无产阶级日益走向历史舞台，成为人类历史发展的伟大力量。与此同时，三大工人运动最终的结果表明，实践上存有一定的自发性，理论上缺失科学理论的指导。这是三大工人运动带给无产阶级的教训也是收获。因此，在革命实践中，无产阶级开创性地提出的创立无产阶级科学理论体系的要求，为马克思主义的诞生做了准备。

三、世界市场与国际交往的开始

世界市场在资本主义社会化大生产的推动下加速形成和发展，国与国之间、民族之间的联系变得更加紧密，民族间的交往和联系的程度日益增强，一切国家间的生产和消费日益具有世界性，世界历史由此开始。

随着 1492 年哥伦布发现美洲新大陆，欧洲开始了对美洲大陆的开发、殖民和掠夺，直接诱发了欧洲"商业革命"和"价格革命"的爆发。新航路的开辟给西欧国家的殖民掠夺开辟了道路，加速了欧洲商业资本向工业资本的转移，资本主义生产方式在封建社会的母体中逐渐孕育、萌芽直至成熟产生。据此，人类新的阶级——资产阶级开始了新的世界市场的血腥历史进程。对此，马克思曾在《资本论》第一卷中清楚地指出："15 世纪末各种大发现所造成的新的世界市场的贸易需要"。[①]"世界贸易和世界市场在 16 世纪揭开了资本的

---

① 《马克思恩格斯文集》第 5 卷，人民出版社 2009 年版，第 860 页。

现代生活史。"① 不难看出，在马克思看来，现代意义上的世界市场发源于 15 世纪末 16 世纪初，它产生于欧洲资本主义市场经济逐渐取代传统的自然经济的博弈过程中。

世界市场的形成与殖民地的开发和掠夺密不可分。世界市场和国家交往在资本主义国家殖民其他国家的过程中不断得以拓展和深化。殖民地的出现是资本主义生产方式扩张的必然产物。这种"以最残酷的暴力为基础的"殖民制度的扩张，为新生资产阶级提供了极为重要的发展供给，极大地促进了欧美资本主义生产方式的形成和转变。资本主义国家对广大殖民地的侵略给宗主国带来巨大的商业利益如原材料市场供应和劳动力供应，甚至赤裸裸的财富豪取巧夺。殖民地的开发使先进的欧洲资本主义国家把"过剩"的商品倾销到殖民地，殖民地的人民成为这些商品的消费对象；另一方面，殖民地的巨大利益促使欧洲国家争夺、瓜分殖民地的斗争不断加剧，以求达到对殖民地的垄断，并最终实现殖民地利益的垄断。以宗主国、殖民地和半殖民地三者为架构的国际关系格局开始形成，世界市场随着这种关系的出现而不断深化直至扩展到全球。资本主义国家间的争斗也促使资本主义生产关系在更广泛的范围内确立其地位。马克思指出："美洲金银产地的发现，土著居民的被剿灭、被奴役和被埋葬于矿井，对东印度开始进行的征服和掠夺，非洲变成商业性地猎获黑人的场所——这一切标志着资本主义生产时代的曙光。这些田园诗式的过程是原始积累的主要因素。接踵而来的是欧洲各国以地球为战场进行的商业战争。"② 随着英法等国相继爆发和完成了工业革命，由工厂手工业向机器大工业的飞跃，资本主义市场经济的工业文明最终替代自然经济的农业文明。在欧洲工业革命的推动下，欧洲国家的商品生产能力和输出能力全面增强，资本主义市场经济开始主导整个世界市场的发展走向。

1847 年，由英国引发的经济危机导致欧洲国家相继陷入经济危机，也为新工业时代的开启提供了前提条件。随着英国工业陷入危机，法国、德国、美国等国家也出现了各自的经济危机。在危机之后的工商业复苏，标志着新的工业时代的开启。危机带来大量破产，工资及原材料成本下降，技术革新程度加速，垄断程度加深。复苏后的工业和商业促使欧洲国家在交通、通讯技术领域

---

① 《马克思恩格斯文集》第 5 卷，人民出版社 2009 年版，第 171 页。
② ［德］马克思：《资本论》第 1 卷，人民出版社 2004 年版，第 860—861 页。

的革新，资本扩张的速度和世界贸易急剧的空前扩大，"用时间消灭空间"的伟大革命由此开始，而"自 1867 年最近一次的普遍危机爆发以来，已经发生了巨大的变化。由于交通工具的惊人发展，——远洋轮船、铁路、电报、苏伊士运河——，第一次真正地形成了世界市场"①。新的工业时代的发展，运输业的革命，新兴国家和新兴部门卷入国际商品流通，这一时期的世界市场相比以往，商品和资本的输出速度、广度和深度都有着巨大的飞跃。世界各国的民族经济都被纳入到了世界市场的洪流之中，在这种变革中，那些顽固守旧的国家试图依托政治和军事手段闭关锁国来抵御资本主义商品和资本输出无疑显得不合潮流。在世界市场的冲击下，没有哪个国家能够躲开这场宏大的变革，避开世界市场的牵制。经济全球化已初具规模，并成为世界无法逆转的大趋势。因此，人类社会经济形态全球化肇始于世界市场的出现和发展。在马克思眼里，资本主义生产方式对利润的追求和自身矛盾的不可调和性决定了它不可能桎梏于某个民族国家，资本对剩余价值的疯狂渴求决定了它一定要冲破一切牢笼和所有制约，而"夺得整个地球作为它的市场"。所以，"一般说来，世界市场是资本主义生产方式的基础和生活条件。"②没有世界市场的建立和对外全球性的扩张，资本主义也就无从谈起。

机器大工业对世界市场形成起了重要的推动作用。对此，马克思深刻地指出："大工业建立了由美洲的发现所准备好的世界市场。世界市场使商业、航海业和陆路交通得到了巨大的发展。这种发展又反过来促进了工业的扩展，同时，随着工业、商业、航海业和铁路的扩展，资产阶级也在同一程度上发展起来。"③"大工业便把世界各国人民互相联系起来，把所有地方性的小市场联合成为一个世界市场，到处为文明和进步做好了准备，使各文明国家里发生的一切必然影响到其余各国。"④ 在此情况下，"过去那种地方的和民族的自给自足和闭关自守状态，被各民族的各方面的互相往来和各方面的互相依赖所代替了。"⑤ 所以，世界各个民族在世界市场中，在国际分工和国际贸易的推动下建立起密切的联系。这些国家的资本主义生产关系也不断发展和巩固，在《德国

---

① 《马克思恩格斯文集》第 7 卷，人民出版社 2009 年版，第 554 页。
② 《马克思恩格斯文集》第 7 卷，人民出版社 2009 年版，第 126 页。
③ 《马克思恩格斯文集》第 2 卷，人民出版社 2009 年版，第 32—33 页。
④ 《马克思恩格斯文集》第 1 卷，人民出版社 2009 年版，第 680 页。
⑤ 《马克思恩格斯文集》第 2 卷，人民出版社 2009 年版，第 35 页。

农民战争》一文中，恩格斯针对当时德国的情况指出："只有到这时，德国才真正地、不可逆转地被卷入了世界贸易。工业家的资本迅速增加了，资产阶级的社会地位也相应地提高了。"①"资产阶级社会的真实任务是建成世界市场（至少是一个轮廓）和确立以这种市场为基础的生产。"② 在世界市场发展进程中，资本跳出原有国家的界限走上了征服全世界的道路，与之相适应的生产方式也走出国门走向世界，成为占据统治地位的生产范式。此后，随着资本主义生产方式不断的渗透和拓展提升，资本主义生产及其生产关系得到充分的体现，直到发展到资本主义的最高阶段。同时，机器大生产和世界市场的产生也促使了分工、社会分工与国际分工的出现。从根本上讲，分工与社会分工是生产与交换方式发展到一定程度的结果，当社会分工随着世界市场发展到超越国家的界限的程度，国际分工就顺势而生。当然，就单纯的分工形式而言，在前资本主义社会，国际分工就已存在。市场世界进程中的国际分工首先是世界生产力发展的结果，但更是资本主义生产所带来的与之不同的分工形式。从部门分工、地区分工再到国际分工，在资本主义阶段，随着生产力的发展，社会分工经历着巨大变迁，由此导致贸易关系和市场联系也从部门之间、地区之间走向国家之间、国际之间的贸易往来和市场关联之中。

　　建立在社会化大生产和发达的商品经济基础上的资本主义经济不受时空限制，竭力开拓、掠夺更大的国外市场来满足其资本的扩张本性，夺取全球市场，以期实现利润最大化。因此，资本主义工厂手工业向机器大工业的转变，促使着国际分工和国际贸易的形成和发展。"这些工业所加工的，已经不是本地的原料，而是来自极其遥远的地区的原料。"③"现在纺纱工人可以住在英国，而织布工人却住在东印度……分工的规模已使脱离了本国基地的大工业完全依赖于世界市场、国际交换和国际分工。"④ 在列宁看来，只要有分工和商品生产的地方，那里就有市场。在此意义上，国际分工就是世界市场的基础和条件。国际分工发展越深入，国际交换即国际贸易就越发展，马克思说："海上贸易的繁荣、银行业的繁荣，都依赖于工业的繁荣。"⑤ 由此看来，国际分工的

---

① 《马克思恩格斯文集》第 2 卷，人民出版社 2009 年版，第 207 页。
② 《马克思恩格斯文集》第 10 卷，人民出版社 2009 年版，第 166 页。
③ 《马克思恩格斯文集》第 2 卷，人民出版社 2009 年版，第 35 页。
④ 《马克思恩格斯文集》第 1 卷，人民出版社 2009 年版，第 627 页。
⑤ 《马克思恩格斯全集》第 4 卷，人民出版社 1958 年版，第 60 页。

深度和广度在很大程度上制约着国际贸易的规模、范围、方式和速度；而国际贸易的扩展反过来又推动着国际分工发挥更大的效能，激发国际分工创造新的分工，为新的分工的形成提供前提条件。马克思认为，"交换……使不同的生产领域发生关系，从而使它们转化为社会总生产的多少互相依赖的部门。"①因此，国际交换和国际贸易的飞速发展，世界市场的不断拓展，分工和国际贸易也随之向更深的领域和更广的范围扩展。同时，社会化大生产在国际贸易的推动下，大规模的销售成为可能，规模经济效益涌现，分工所带来的效益日益明显。国际贸易还为国际分工条件下的生产有了更为广阔和扎实的产品扩大再生产的条件，规模生产成为现实。生产和投资得以进一步深化，资本集中和垄断得以形成，资本实力不断增长，大规模的跨国经营得以实现。

从维系生产循环不断的实际需求来看，必须不断购买原材料，有充足的劳动力，有足够的机器设备等，并且还要出售最终生产出来的产品实现其价值以获取剩余价值。而解决这些问题需要市场的存在，比如消费市场、原材料市场、劳动力市场，等等。资本的扩张本性决定了单个的民族国家市场无法满足这些要求，因而世界市场的存在就成为必须。世界市场与资本主义发展密切相关，马克思通过对资本主义的剖析，发现世界市场形成的根源在于资本的扩张本性，是资本自身对外不断扩张的必然结果。马克思认为，剩余价值的产生的秘密在于资本，反过来又必须占有剩余价值得以维持资本自身的存在和发展。正是在资本与生俱来的对剩余劳动的追逐和扩张渴求中，处于持续不断膨胀状态的资本使得资本主义生产居于变动不居、不断扩张的进程中。国内市场在资本的这种扩张中必然会成为资本发展的障碍，日益缩小的国内市场与日益扩张的资本之间的矛盾产生了。因而，突破国家的界限迈向世界，就成为资本发展的必然逻辑。资本逻辑促使资本粉碎一切狭隘固步自封的自然经济的基础。伴随资本主义的进一步发展和资本积累，国内资本大量过剩的现象更为严重，原有通过商品输出来实现剩余价值的方式就不足以满足这种资本过剩的局面了。资本输出尤其是生产资本向国外流动和转移的需求就显得极为迫切，唯有将剩余价值的生产遍布于世界各地，才能产生更多的剩余价值。资本大规模跨境跨国跨洲输出就由此开始。由商品流通领域的资本国际化转向生产领域资本国际化就开始了国际化的征程，世界开始出现生产国际化。生产国际化取代商品流

---

① 《马克思恩格斯文集》第5卷，人民出版社2009年版，第407—408页。

通国际化成为决定资本剩余价值产生国际化的决定性要素，世界经济发展中的各个因素和各个环节日益全面国际化，将世界各国的生产联系起来，统一的全球性的世界市场总体形成了。马克思为此指出："各国人民日益被卷入世界市场网，从而资本主义制度日益具有国际的性质。"① 马克思对世界市场总体的本质规定简要和概括地指出："生产以及它的每一个要素都表现为总体。"② "资本一方面具有创造越来越多的剩余劳动的趋势，同样，它也具有创造越来越多的交换地点的补充趋势；……从本质上来说，就是推广以资本为基础的生产或与资本相适应的生产方式。创造世界市场的趋势已经直接包含在资本的概念本身中。"③ 总之，随着商品流通的提升，对外贸易和世界市场的兴起，而发达的商品流通，对外贸易和世界市场的兴起，资本主义的产生与发展实现了快速提升。资本主义的产生与发展则使对外贸易和世界市场隶属于自身并成为自身生活的条件，并使其达到更大的规模。

　　总之，在不到一百年的统治中，资本主义创造了比过去所有时代创造的全部生产力的总量还要多的生产力，世界市场和国际交往在这场前无古人的历史变革中得以产生。在资本主义上升时期，商业、航海业和工业发展需求高涨，濒临崩溃的封建社会内部的革命因素迅速增长；不断扩大的市场规模和日益增加的需求促使资本主义大工业代替了工场手工业，生产方式不断提升；在资本的驱动下，生产出来的商品不断涌向世界，资产阶级对剩余价值的渴望日益增长，开始依照本阶级的诉求来打造一个全新的世界。世界市场和国际交往在这种冲动和建构中不断发展，"首先是当时市场已经可能扩大为而且日益扩大为世界市场，——所有这一切产生了历史发展的一个新阶段。"④ 在资本主义发展后期，资本主义国家依托资本输出使得生产资本走向世界，落后国家日益沦为资本主义发达国家的殖民地或附庸国。就像过去资产阶级把乡村从属于城市那样，欧美资本主义国家使未开化和半开化的国家从属于欧美文明国家，使殖民地、半殖民国家农民从属于资产阶级的民族，使东方从属于西方。在这样一种掠夺式的资本输出中，世界性的总体市场和国际交往不断形成和发展。

---

① 《马克思恩格斯文集》第 5 卷，人民出版社 2009 年版，第 874 页。
② 《马克思恩格斯全集》第 46 卷（上），人民出版社 1979 年版，第 178 页。
③ 《马克思恩格斯全集》第 46 卷（上），人民出版社 1979 年版，第 391 页。
④ 《马克思恩格斯文集》第 1 卷，人民出版社 2009 年版，第 562 页。

第二节 法国大革命以来的欧洲革命风暴

法国大革命是 1789 年爆发的资产阶级革命。君主制封建制度在法国历经多个世纪在资产阶级革命的冲击下于 1794 年走向瓦解，在这个时期，法国的贵族、封建和宗教特权不断受到自由主义政治组织及上街抗议民众的冲击，一个史诗般的转变在这片土地上上演，全新的天赋人权、三权分立等民主思想逐渐取代旧的观念，资产阶级理念在法国建构起来了。法国大革命影响深远，持续时间长，革命过程激烈，结束了法国一千多年的封建统治，推翻了法国的君主专制政体，震撼了整个欧洲的封建秩序。法国大革命经历五年多的时间，从 1789 年巴黎人民攻占巴士底狱开始，法国大革命是一次广泛而深刻的政治革命和社会革命，从巴黎人民攻占巴士底狱到 1794 年热月政变推翻雅各宾派的统治，宣告了法国大革命市民革命的结束，历经五年时间的法国大革命势如破竹，摧枯拉朽。人民群众在革命进程中的力量一次又一次得到体现，一次次从危机中挽救革命，并每次都推动革命向前迈进。法国大革命，传播了资产阶级自由民主平等的思想，有力地促进了资本主义的发展，对欧洲大陆的人民进行了思想革命的洗礼，对整个欧洲封建统治甚至世界历史的发展产生了深刻影响。

一、法国大革命的历史意义

爆发于 1789 年的法国大革命，宣告了统治法国一千多年的君主制封建制度的结束，它是世界近代史上最大规模、革命性最彻底的资产阶级革命。此后，资产阶级的政治统治在法国得以建立，为法国的工业革命的启动提供了经济上的前提条件，推动了资本主义经济的发展。此外，法国大革命有力地促进了资产阶级自由民主平等博爱的思想，深刻地改变着法国社会和人民的思想观念、文化教育理念等。资本主义自由民主思想在法国国土上开花结果，冲击扫荡了法国的封建专制势力。革命期间，一系列代表进步思想的法案予以颁布实施，如《人权宣言》和拿破仑帝国时期的《民法典》（后改名《拿破仑法典》），后者被看成是新社会的出生证书，对整个世界历史都产生了深远影响。这次革命为之后的各国资产阶级革命、民族解放运动树立了榜样，动摇了欧洲其他国家君主专制制度的基础，因此具有世界意义。

首先，法国大革命摧毁了封建统治，建立了资产阶级的统治，人民群众的力量得到充分体现。1789 年的法国大革命是一场"沿着上升路线"进行的最激进的资产阶级革命。"立宪派统治以后是吉伦特派的统治；吉伦特派统治以后是雅各宾派的统治。这些党派中的每一个党派，都是以更先进的党派为依靠。每当某一个党派把革命推进得很远，以致它既不能跟上，更不能领导的时候，这个党派就要被站在它后面的更勇敢的同盟者推开并且送上断头台。革命就这样沿着上升的路线行进。"①

18 世纪，法国部分地区的资本主义已经发展到一定阶段并且相当发达，具有资本主义属性的手工工场数量众多，有些企业开始雇佣数量不等的工人，甚至个别企业有数千名雇佣工人，还拥有一些先进设备。资产阶级取代封建阶级成为法国经济上最富有的阶级，而他们在政治上却与经济上的权力存在巨大的反差，政治权力成为资产阶级最为迫切的追求。在法国，居于统治地位的特权阶级由第一等级的天主教教士和第二等级的贵族构成；而处于被统治地位的阶级则由第三等级的资产阶级、农民和城市平民组成。处在法国整个等级最高代表是波旁王朝的路易十六。到了 18 世纪末，随着资本主义的进一步发展，特权阶级与第三等级之间的矛盾日益凸显。特权阶级顽固守旧，竭力维持其特权地位。在第三等级中，资产阶级依靠其经济实力、政治才能和文化知识处于领导地位，成为革命的领导力量；农民和城市平民是基本群众，后来成为革命的主力。大资产阶级不断博弈，与第一、第二等级达成了妥协，进行了利益重新分配，矛盾有所缓和。但占法国人口大多数的第三等级中的农民和城市平民与特权阶级之间的矛盾依旧无法协调。相反，在两者的斗争中人民发现了自己的重要力量。直到 18 世纪后半叶，法国的资产阶级不断壮大，但资本主义仍然在经济上受到封建社会制度的制约和阻碍，传统的所有制形式、生产和交换方式仍然是资本主义经济发展路上的一块巨石。资产阶级对利润的追求促使他们产生了粉碎阻碍自身发展的封建体制的强烈需求。因此，资本主义替代封建

① 《马克思恩格斯文集》第 2 卷，人民出版社 2009 年版，第 494 页。

主义这个现实问题就摆在资产阶级的面前，要解决这个问题，就必须推翻腐朽的封建制度。这些"束缚生产的桎梏。它必须被炸毁，它已经被炸毁了"①。

从 1789 年 7 月 14 日巴黎人民攻占巴士底狱法国大革命开始，人民群众在革命中发挥了重要的作用。从攻占巴士底狱开始，到成立法兰西共和国，再到反抗欧洲的"反法同盟"，直至热月政变，人民群众成为历次革命斗争的中坚力量，维护了法国资产阶级革命成果。资产阶级在革命中充当起领导者的角色，通过一系列资产阶级革命，在法国建立了资产阶级的统治。雾月政变后以拿破仑为代表的法国资产阶级担负起了扫荡欧洲封建势力、最后巩固法国大革命成果的重任。法国大革命就这样在一次次的革命运动中进行，一批又一批革命力量出现在法国的历史舞台上，第三等级中的资产阶级、人民群众在革命中发挥了各自的历史作用，实现了革命的最终成功。这次革命彻底摧毁了法国封建专制制度，促进了法国资本主义的发展，在法国建立起了资产阶级政治统治。

其次，法国大革命促进了资本主义的发展。在大革命爆发前，什么是阻碍法国资本主义发展的"一切桎梏"呢？第一个毫无疑问是封建的土地所有制。据马赛尔·兰哈德统计：1789 年，法国总人口约 2800 万，其中农民占 86%②。但第三等级中的农民所占耕地的比重仅仅是法国全部耕地的 35%，国家土地大部分都被国王以及特权阶级中的天主教教士和贵族占据。那些无地可种的农民只能租种土地，而租种土地收成的 25% 以上又必须作为地租和什一税上缴给封建主。此外，农民还要承当劳役、领主捐税以及王室的赋税和徭役。法国著名历史学家拉布鲁斯说："法国大革命是一场不幸者的革命，而这种不幸源于税收。"③沉重的负担对法国农民尤其是中小农民的生产和生活产生了严重的影响，生活日益恶化，不得不面临饥荒、负债、破产甚至出卖土地的悲惨命运。"领主的鸽子及猎获物可以任意蹂躏他们的收成。他们住在盖着茅草的土屋子里，有的连烟囱也没有。唯有过节时才能吃到肉，生病时才可以尝点糖。"④农民的

① 《马克思恩格斯文集》第 2 卷，人民出版社 2009 年版，第 36 页。

② [法] 雅克·戈德肖：《近十多年来法国大革命史研究与出版概括》，《世界史研究动态》1985 年第 10 期。

③ Hincker, Francois, *Les, francais, devant I'impot sous I'Ancien Régime*, Paris: Flammarion, 1971, p.11.

④ [法] 亚尔培·马迪厄：《法国革命史》，杨人缏译，商务印书馆 1973 年版，第 27—28 页。

生产积极性被封建土地所有制严重伤害和束缚，农业生产力停滞不前，农村无法成为资本主义经济发展的原材料来源地和商品的消费市场。这种现状严重阻碍着法国资本主义的成长和发展。所以，摧毁封建土地所有制，废除压在农民头上的各种税收，就成为法国资产阶级革命的必要任务。

封建上层建筑成为阻碍法国资本主义发展的另一个"枷锁"。当时，处于特权等级的僧侣只占法国总人口的2%，却把持了全国宗教、军政、司法的各个重要职位，是法国君主专制上层建筑的主要支柱。法国国王成为特权阶级的首领，王权成为法国封建上层建筑的代表。作为第三等级的资产阶级和人民大众深受特权阶级和第二阶级的剥削，资本主义的发展与封建上层建筑的矛盾在政治领域尤为突出，在政治上表现为法国资产阶级和人民大众革封建专制王权的命，推翻封建专制统治。1792年9月，共和制在法国的胜利，标志着推翻封建上层建筑的革命任务已经完成。而雅各宾派在1793年7月17日颁布了有利于农民的土地法，取消了农民身上的一切义务，全部和无偿地废除了法国所有的封建土地所有制，标志着法国封建土地所有制彻底取消。在共和国旗帜下，法国资产阶级革命完成了以上两大任务。因此，法国共和制取代君主立宪制，标志着法国资产阶级革命的彻底胜利。

法国大革命实现了从封建主义到资本主义的华丽转身，走出了一条"真正革命化的道路"。通过彻底废除封建土地所有制和封建残余，废除了压在农民身上的税收大山，也在一定程度上使农民摆脱了村社的束缚。法国大革命通过粉碎行业垄断，把全国市场统一起来。封建土地所有制的废除也意味着小生产者的解放，使得农民群众走向资本和雇佣劳动两极分化。资本主义生产的独立性得以充分体现并最终确立，无论是农业领域还是工业领域，资本主义生产关系都不断渗透。原有的封建生产体系和交换体系被毫不留情地摧毁了，资产阶级所追求的兴业自由和谋利自由被整个社会接受，资本主义道路从此开始了。

另外，法国大革命确立的民主、自由、平等和人权的思想和原则，在世界上产生了深远的影响。在法国大革命期间，自由、平等等口号被资产阶级用来作为鼓动革命的有力武器。后来，法国资产阶级与美国革命者一样，提出了天赋人权的口号，使自由、平等的现代民主原则首次得以张扬并予以实践。法国大革命深刻地影响了世界资产阶级民主革命的进程。在某种意义上，18世纪法国大革命所产生的意义不亚于17世纪启蒙思想运动对人的解放的倡导，它通过实践的方式成为现代民主启蒙的催化剂，强力推动民主观念在法国大地生根发芽，直至向欧洲大陆扩散。所以，与英国工业革命在经济上推动资本主义经济发展对资本主义所产生的重大意义一样，法国大革命在政治制度层面彻底地为法国资本主义制度的确立扫清了障碍。两者构成了近代历史上人类现代化浪潮的两大支柱。

具体说来，与美国的《独立宣言》相比，1789 年法国颁布的《人权宣言》在自由的道路上走得更远，信仰自由第一次以法律的形式予以确立。《人权宣言》还对新教徒和犹太人在法国社会的地位予以肯定和确认。在法案中，公民有权利不信仰任何宗教。另外，在 1794 年 2 月 4 日的法案补充条例中，在所有殖民地废除了"黑人奴隶制"。作为争取平等的革命，法国大革命超越了以往的任何革命。在英国和美国的资产阶级革命中，贵族和资产阶级达成了妥协，共同分享政治权力，但革命的重点不是平等，而是自由。由于法国的封建君主专制的顽固性和等级制度的根深蒂固，所以贵族和封建主、僧侣等统治阶级反抗尤为激烈。因此，为了取得资产阶级革命的胜利，资产阶级把平等置于革命的重要位置，这样就争取到了更多的平民一起参加革命并最终获得胜利。因此，在法国共和二年，一个以资产阶级观念和平民愿望相互妥协的社会民主制诞生了。但是在热月九日事件后，这个平等共和国就淹没在富有资产阶级的愤怒和恐惧中，不复存在。但是，经过平等观念洗礼的法国民众依然坚信：没有平等的自由仅仅是少数人的特权，自由与平等密不可分；当社会处于不平等的状况，政治上的平等只能是一句口号而已。作为资产阶级历史上一次重大革命，法国大革命毫不留情地彻底地废除了封建制和领主制，开启了资本主义社会和自由代议制在法国历史上的先河。作为法国从封建主义过渡到资本主义的必经阶段，法国大革命期间所宣扬的自由、平等、人权等问题的开创性的作答至今依然有积极启示。在资本主义随后的发展中，雇佣劳动者人数不断扩大和集中，在资产阶级严重剥削下，这个群体的阶级意识被逐渐唤醒和激发，权利平等的问题再次成为受剥削群体关注的首要问题。

再次，法国大革命为欧美革命树立了榜样。法国大革命极大地激励和感染了欧洲大陆各国人们的民族感情，各国人民的民族意识和国家意识被充分地调动起来并进一步走向融合，近代民族主义运动的浪潮日益走向高潮。欧洲近代民族主义的兴起是法国资产阶级革命影响超越国界的成果之一。法国资产阶级革命不但在国内激发起民众的普遍热烈的民族主义和爱国主义情感，革命的热情也传播到欧洲其他国家，这些国家民族主义运动风起云涌，最终形成一股欧洲近代民族主义的浪潮。在法国大革命期间，欧洲多次组建反法联军，干预大革命进行。顽强的法兰西军队抵御并多次粉碎了国外干涉，而且大半个欧洲也被法国军队征服。尤其是拿破仑带领法兰西军队横扫欧洲大陆，在其占领的国家和地区进行了富有成效的具有资产阶级性质的改革，清理了欧洲的"奥吉亚斯牛圈"。法兰西军队所到之处，摧毁了封建特权，废除了封建义务，赶走了封建贵族，扶植当地的资产阶级建立自己的政权，有力地破坏了欧洲的封建秩序，带动了欧洲各国资本主义的发展。当然，随着拿破仑战争的不断深入，法国对他国的霸权、侵略越来越明显。当地人民开始拿起武器反抗法国军队的入侵，这些国家的民族主义思想因为外部的侵略奴役、内部的民族压迫和苛捐杂税被激发了出来。反对国内外的民族压迫而产生的民族意识不断觉醒，反民族压迫的革命实践破茧而出。

地处阿尔卑斯山脉的德意志首先受到法国大革命的影响。法国大革命后，法国先进的文化思想、资产阶级思想观念扩展到了德意志，受此冲击和影响，文化民族主义运动开始在德意志兴起。法国文化早在 14 世纪就已经渗入到德意志边境一些地区。到了 18 世纪，法国启蒙运动极大地冲击了法国的封建专制制度和它的精神支柱——天主教教会势力。启蒙思想涉及宗教、哲学、伦理学、经济学、政治学、史学、美学等各个领域，出现了一大批历史上著名的思想家，不仅为未来的政治革命制造了舆论，而且为法国创建了高度的精神文明。法国逐渐成为全欧洲乃至世界的思想文化中心，巴黎大师云集，深刻地影响着其他国家的思想文化。法国文化开始大规模影响德意志。与此同时，法国和德意志爆发了多次战争。在德意志人民抵抗法国入侵的过程中，松散的德意志联邦开始意识到必须建立一个强有力的统一完整的德意志民族国家，来捍卫全体德意志人民的利益。德意志国内一些先进知识分子开始认识到法国的入侵是对整个德意志民族的侵略，他们对祖国和民族的情感被强烈地激发出来。民族主义者在民族情感的感染和支配下，开始有意识地发掘德意志国家的古老历史，从文化视阈和整个德意志历史中搜寻德意志民族精神的起源和德意志民族的优异秉性，从而为建构完整统一的德意志民族国家做了思想准备。

民族主义运动在法国大革命的推动下，快速向东欧、南欧扩展。拿破仑战败后，欧洲列强开始按照各自实力瓜分利益，以强权代替法律，整个欧洲大陆重新笼罩在封建专制制度的迷雾之中。但是，经历了法国大革命思想的洗礼和法国与诸多欧洲国家之间的战争，革命的种子遍布欧洲大陆。民族运动从 1815 年到 1850 年蓬勃兴起。民族运动的第一把火首先在西班牙点燃。西班牙人民经历了战争的淬炼，在拿破仑入侵期间，以游击战的方式，高举抗法旗帜，多次击败法国占领军。即使后来拿破仑亲自带兵镇压，也没能最终平息西班牙人民的反抗斗争。在法国军队退出西班牙之后，以国王为代表的封建复辟势力沉渣泛起。专制统治和宗教裁判所被费尔南多七世国王予以恢复，反法战争期间的一切改革措施和 1812 年宪法一一被废除。以国王为代表的封建统治阶级倒行逆施，引起了西班牙人民和资产阶级的强烈不满。在贵族资产阶级自由派的推动下，部分深受自由思想影响的军官发动起义迫使国王同意恢复 1812 年宪法，同时一系列反封建反天主教会的法令被选举产生的议会发布。

紧接着，受到西班牙革命胜利成果的影响，意大利爆发了革命。意大利的秘密革命组织早在反抗拿破仑的侵略战争中就存在了，取名为"烧炭党"。这个革命组织来源广泛，发展迅速，他们以改变现状、实现国家统一与独立为己任。1820 年，以那不勒斯烧炭党人为首的军官带领军队举行了武装起义。撒丁王国首都都灵爆发革命，迫使国王退位。希腊在 1821 年发生了由秘密革命组织"友谊社"发动的反抗土耳其统治的大规模起义，经过艰苦卓绝的革命斗争，希腊人民最后赢得了独立。巴尔干地区民族解放运动在希腊独立战争的直接刺激和推动下不断爆发。1848 年以来，长期遭受俄国、奥地利和普鲁士等国奴役的东南欧各被压迫民族——意大利、捷克、罗马尼亚、波兰、匈牙利再次掀起波澜壮阔的民族独立运动。从时间上看，1848 年欧洲革命与 1789 年法国革命毫无关联，其实它们中的大多数都受同样的民族主义热忱和相似的政治自由理想的鼓舞。从某种程度而言，1848 年欧洲革命是 1789 年法国革命火种的延续。

纵观整个欧洲近代历史，民族主义的形成经历了两个阶段。从法国资产阶级革命早期阶段开始，一种原生形态的民族主义即近代民族主义在西欧各国反对封建国家、构建近代民族国家的革命中产生和形成。及至第二个阶段，资产阶级不断发展壮大，能够带领全民族全体人民进行资产阶级革命并最终彻底地粉碎了封建君主专制，凸显出了强烈的政治意识——政治民族主义。在这个阶段，政治民族主义的任务是在为建构独立的资产阶级政权而努力，这种民族主义因而具有推动人类历史发展的进步意义。它推动着欧洲各国由封建主义向资本主义社会过渡，具有强烈的示范和带动作用。随着资本主义在 19 世纪 70 年代由自由竞争阶段迈向垄断阶段，资本主义国家之间的竞争逐渐白热化。各国资产阶级为了自身利益，利用本民族的民族主义情结，肆意狂热宣扬民族、种族优越论，进行对外疯狂掠夺和野蛮侵略，瓜分世界，建构起服务于本国资产阶级利益的帝国主义殖民体系。由此，欧洲各国的民族主义就逐步蜕变为极端狭隘的民族沙文主义和殖民主义，为第一次世界大战的爆发埋下了火种。

最后，法国大革命对马克思恩格斯产生了巨大的影响。这场大革命是青年马克思所遭遇的欧洲最大的一次革命，其彻底性、群众性以及深远影响是史无前例的。法国大革命对于马克思总结资产阶级革命中的规律性现象起到了重要作用。马克思的出生地莱茵省深受法国大革命的影响，如果说拿破仑帝国作为法国大革命的"最后阶段"，马克思就出生在这片深受大革命洗礼的土地上，即使法国军队撤离了莱茵地区，但这里留下了大革命深刻的印迹和深远的影响。

法国大革命传播了新的文化思想，使德国的民主思潮得以兴起。马克思在批判黑格尔的过程中，醉心于欧洲历史的研究，而法国的历史部分就占据了二分之一。1789年的法国大革命，对于年轻的马克思而言，是一场史无前例的政治革命。不可否认，马克思最初没有关注法国农民的现状，没有看到法国大革命对这个最大的社会阶级所产生的影响和变化。但随着研究的深入和受德国现实状况的触动，马克思在1843年中断批判法哲学，退回书房，开始冷静、理性地思考国家、革命，并进一步深入研究法国历史。通过法国大革命，马克思开始系统认识大革命的思想政治渊源，分析革命本身，特别是第三等级反封建阶级、第三等级内部的阶级斗争和政治斗争，还重点关注了普通民众在革命中至关重要的作用。马克思借助法国大革命来衔接起无产阶级在法国历史和大革命之间的关系这个重大问题。

法国大革命为马克思主义革命学说提供了重要的经验基础和理论基础，促使马克思恩格斯创立马克思主义理论。

二、自发的阶级斗争和独立的工人政党

工业革命引起生产组织形式的变化，使用机器和雇佣劳动的工厂制取代了手工工场。大机器生产带来了物质财富的迅速增长，生产资料越来越集中在少数人手里，产生了现代资产者；同时，造成了以产业工人为主体的现代无产阶级。无产阶级与资产阶级的斗争从他们产生的那一刻起就存在了。斗争初期，

由于大机器的运用直接使无产阶级生存状况恶化，因此表现在工人捣毁机器、破坏工厂上。后来，这一原始的斗争方式逐渐被工人秘密结社、集会、罢工所取代。罢工的范围起初很小、很分散，斗争的内容也只是提高工资、改善工作条件等。虽然工人阶级还没有意识到资本主义私有制是他们受剥削、受压迫的根源，但他们的斗争促进了无产者的联合，斗争的对象也逐渐从单个资本家发展到整个资产阶级。随着经济危机和资本主义制度所固有的矛盾逐渐暴露出来，无产阶级逐渐采取具有明确目的的斗争方式。

工人决不甘心受剥削、受压迫，但他们最初的斗争是盲目的和自发的。19世纪初期，在英国就出现了鲁德运动，成千上万的工人自称是鲁德——据说是第一个破坏机器的工人——的信徒。他们到处捣毁工厂企业，破坏和砸烂机器。这个运动在1811—1812年遍及英国的约克、诺廷汗和兰开等郡。法国和德国工人也在20年代和30年代开展了捣毁机器的斗争。工人以为他们悲惨的境遇是由于机器代替手工业生产所导致的，因而把仇恨集中在机器上。这种斗争虽然给资本家造成了一定的损失，但并不能改善工人的工作条件和生活处境，反而引起了资产阶级国家的进一步地残酷迫害。英国在1813年制定了对破坏机器者判处死刑的法律。在工人处于捣毁机器的阶段，也有一些示威游行和罢工，但多是自发的，只具有自卫性质并且比较分散，还没有政治口号和明确的斗争目的。由于手工业行会思想的影响，缺乏统一的合作和行动，有时工人之间还因利益竞争而发生械斗，削弱了自己的力量。所以，这些斗争总是以遭到资产阶级的镇压或打击为结局。

在机器大工业早期，工人的反抗形式主要是自发地同直接剥削他们的单个资本家进行斗争，损坏生产设备，焚毁生产车间，殴打工厂主。这种斗争方式首先出现在18世纪60年代的英国部分地区，到18世纪70—80年代广泛发展到英国其他地方，到19世纪初达到高潮，但每次都受到英国资产阶级政府的残酷镇压。这种斗争方式后来逐渐发展到欧洲其他先进国家。但是捣毁机器的方式无法阻止技术革新引发的生产机器的大规模使用；而随着工业城市的不断增加，雇佣工人的数量也随之增加，工人集中程度也增强。经历了多次斗争之后，工人在实践中逐渐认识到，导致工人失业和贫困的根源不是生产机器本身，而是资本家对工人的剥削和压迫。当工人意识到自己必须同其他工人团结起来作为一个整体去为利益斗争的时候，工人的阶级意识就开始产生了。为了阶级利益，就必须变革以往的斗争形式，走向联合团结、共同斗争，形成自己的组织团体——工会来开展罢工。英国各行各业的工人在 18 世纪末 19 世纪初冲破政府禁止结社的法律规定，开始秘密甚至公开的方式联合起来展开工人罢工运动。随着工人运动风起云涌，1824 年英国政府被迫取消禁止结社的法律，允许工会合法存在。此后，在英国的工会组织不断产生和罢工运动如雨后春笋不断爆发。与此同时，在法国，工人们在大部分行业打破政府禁令建立起各式各样的互助会。即使在相对落后的德国也建立了工人秘密团体组织。通过工会组织，展开工人罢工运动，工人在提高个人工资、缩短工作时间、改善工人生活和生产条件等方面取得了一些成果。同时，工人阶级在斗争中彰显了无产阶级的力量，为加强工人团结，激发阶级觉悟起到重要的推动作用。虽然这种斗争已经以资产阶级为斗争对象，但它的范围还仅限于经济斗争。这种斗争目的并不能改变工人在政治上的权利空白处境，也无法从根本上彻底改变工人的遭遇和处境。

在机器大工业后期，工人斗争的形式逐渐转向争取政治权利。随着机器大工业的推动，在 1688 年"光荣革命"之后，英国确立了君主立宪制，并逐渐确立了资产阶级国会制。资产阶级国会制确立了国会作为最高立法机关，还有任命内阁人选、监督内阁施政、决定内阁去留及干预司法工作的权力，与过去相比，国会制使得更多的人参政议政，具有进步意义。但是，由于国会议员产生和选举的方式仍然按照中世纪分区选派的方法，即按原有的郡及国王指定的某些城推举两名代表的方式，导致具有决定权的国会下院被大地主、大资产阶级霸占。随着自身力量不断增强、社会经济地位不断上升和国家经济地理状况的变动，工业资产阶级越来越无法忍受这种腐朽、不民主的选举制度。比如，人烟稀少的"腐朽城镇"仍然持有原有推举议员的权利，而聚居了众多工业资产阶级的新兴的工业城市却无法获得选举议员的权利。经济上富有与政治上贫乏的严重对立不断促使工业资产阶级去改变自身地位，他们迫切期望改变经济实力雄厚的中产阶级尤其是工业资产阶级和工人阶级被排斥在政府之外的现状。早在 18 世纪 60 年代，工业资产阶级就开始争夺选举权，进行国会改革的资产阶级民主运动。在长期的斗争中，工业资产阶级并没有获得想要的结果。革命斗争的经验使工业资产阶级意识到，要真正解决这个问题的办法只能是团结人民，求助于工人一起参加到国会改革运动中来。于是，在托马斯·阿特伍德的带领下，1830 年在伯明翰创办了"伯明翰政治协会"，紧接着，各地纷纷成立了自己的"政治协会"。这些协会把工业资产阶级的利益放在首位，纷纷劝说工人放弃自己的全面要求，把工业资产阶级的选举改革法案放在运动的首位。工业资产阶级呼吁工人们"支援我们来实现修正法案吧。我们一旦有了选举权，就会利用我们的权力来协助你们取得你们的权利"①。一开始，工人们受这些诺言的鼓动，积极参加"伯明翰政治协会"，在工业资产阶级的领导下为选取改革法案而斗争。几乎同一时间，工人的独立组织"工人阶级全国联盟"在伦敦成立。与"伯明翰政治协会"仅仅要求中产阶级进入国会成为议员不同，普选权、无记名投票等权利成为该同盟组织的斗争目标。这些目标仍然带有天赋人权、人人平等的资产阶级民主色彩。但是一个非常简单的事实摆在人们面前，资产阶级的革命软弱性在斗争中淋漓尽致地凸显出来。无论是"伯明翰政治协会"还是"全国政治同盟"，都将忍耐、请愿、发动群众制造声势向国会施压作为唯一的手段。只有当工人阶级参加而且以暴动的方式进行斗争，使国家处于内战边缘时，统治阶级才被迫作出一些让步。

工人阶级早期参与革命斗争却没有获得相应的权益。比如，在英国当工人阶级和广大人民群众推动国会第一次改革，工业资产阶级获得了他们想要的权力，但工人阶级却毫无收获。《贫民卫报》指出："改革无论在哪一方面都满足不了穷人和工人阶级的正当要求，而只是对社会上的一小批特殊人物有利。"②究其原因，首先在于无产阶级在早期的斗争中经验不成熟，是处于资产阶级领导下的自发斗争，并且无产阶级自身的诉求还体现了浓厚的资产阶级思想。从根本上讲，无产阶级是在为中产阶级的利益而斗争，对自己的利益诉求没有清晰的目标。从工人运动成长的过程可以看到，分析工人阶级对资产阶级社会改革所起作用的程度，必须从工人阶级的组织程度、觉悟程度的角度来剖析。法国大革命也充分证明了这个道理。工人阶级的组织、思想觉悟愈高，其对社会改革影响的作用愈大，社会改革就愈彻底。由此说来，资产阶级任何社会改革都和工人阶级的斗争密不可分。

直到19世纪30—40年代，欧洲爆发了历史上著名的三大工人运动，标志着欧洲无产阶级作为一支独立的政治力量登上人类历史舞台。从此，工人运动进入到政治斗争的崭新时期。

---

① [英] R.C. 甘米奇：《宪章运动史》，苏公隽译，商务印书馆2009年版，第3页。
② 《贫民卫报》，1831年9月4日。

三、无产阶级登上历史舞台

19世纪30—40年代，欧洲各国才陆续开始爆发无产阶级的政治斗争运动，无产阶级才开始以独立的政治姿态登上历史舞台。从根本上说，马克思主义正是工业革命和无产阶级反抗阶级斗争的直接产物。19世纪30—40年代，由资本主义工业化造成的阶级矛盾的计划，推动了欧洲工人运动的高涨，其中最著名的是1831年和1834年法国里昂工人的两次起义、1836—1848年英国工人的人民宪章运动和1844年德国西里西亚纺织工人的起义。欧洲三大工人运动的爆发，表明工人无产阶级开始由自发的反抗和经济斗争的斗争形式向有组织有政治目标的政治斗争转变。从此，无产阶级作为一支独立的政治力量开始登上了人类历史前台。随着无产阶级成为一个独立阶级走向历史舞台，世界工人运动蓬勃发展。革命运动对科学理论的需求也日益迫切，空想社会主义如何成为现实就成为工人运动组织者和领导者的重要任务。这是时代提出的伟大任务。但是，把社会主义由空想变成科学，这是一个全面的、综合性的任务。

法国工人实际上提出了建立劳动的、社会的红色共和国的政权要求，同资本的、政治的资产阶级国家纲领分道扬镳；法国1830年的七月革命，结束了波旁王朝的统治。法国工人曾积极参加这一斗争，期望建立共和制度，使自己获得政治权利，改善自己的困难处境。但实际上正好相反，波旁王朝被推翻了，无产阶级和劳动人民的生活不仅没有改善，而且更加恶化了，从而引起工人的普遍不满。1831年11月和1834年4月，在里昂爆发了大规模的工人起义。在具有革命传统的法国，里昂工人起义是由一家丝织品工场的工人发动的，得到其他行业的工人和手工业者的响应。经过三天的英勇鏖战，起义者占领了里昂。但是，由于当时起义者还没有独立的政治组织，一部分参与者对资产阶级政府及官员还抱有幻想，革命胜利的果实没有得到进一步巩固和发展。12月3日，起义就被从巴黎赶来的六万军队镇压了。1834年4月，里昂爆发了第二次工人起义。起义的导火线是政府在当年2月对罢工组织者的审讯和在3月政府宣布取消秘密结社的法令引发了工人的愤怒。这次起义的工人及其支持者打出了争取民主共和的斗争旗号，具有鲜明的政治性质和政治诉求。起义者们宣布要进行一场与资产阶级不同的属于无产阶级"自己的斗争"。工人经过6天顽强的斗争，在4月15日被反动派残酷镇压。无产阶级从此觉醒了！粉碎法国等级森严的制度、终结第三等级的时代成为自觉！无产阶级不再跟在资产阶级后面，只是反对自己敌人的敌人，而是把资产阶级作为直接斗争对象。无产阶级携带自身的政治诉求大步登上政治舞台。从1834—1835年起，法国工人开始有了自己的秘密组织，最初是共和派团体，1837年成立了"四季社"并发动了1839年5月12日的巴黎起义，在1840年、1841年则出现了平均主义工人社和以德·德萨米为组织者的人道派秘密工人团体。法国工人运动开始走上了组织起来的道路。

与此同时，英国工人掀起了宪章运动。这是在西欧发达的资本主义工业国家，工人阶级走上独立政治道路的又一个鲜明标志。英国在19世纪20年代就出现了大规模工人罢工运动，许多生产部门都建立了工会组织。1836年成立的伦敦工人协会在1838年公布了有六项纲领的"人民宪章"，其中包括普选权、选举平等、废除议员候选人资格限制、规定议员薪俸、每年改选议会等内容。英国工人提出了以废除财产资格限制的普选权为核心的《人民宪章》，向构成资产阶级政治制度基础的资本特权发起了挑战。逾百万工人和劳动群众参加的英国宪章运动，是工人运动史上声势浩大的政治运动。与法国里昂工人起义不同，宪章运动没有直接拿起武器进行革命斗争，但斗争的对象同样直接指向资产阶级的政治统治。无产阶级当时以为只要争得议会的多数，就能改革政治制度，使自己的处境得到改善。1840年宪章运动摆脱了资产阶级的影响，当年7月，工人阶级在曼彻斯特建立了全国宪章派协会，这意味着英国最早的无产阶级政党组织产生了。资产阶级的反动政策和1842年夏秋英国经济的恶化，使1842年8月初在曼彻斯特爆发的工人罢工浪潮很快席卷了英格兰各主要工业郡以及苏格兰和南威尔士。这次几乎是全国性的要求实行宪章的罢工，直接导致了不少地方工人群众的武装起义。同样因为没有成熟的无产阶级政党领导，罢工运动在8月下旬被镇压，导致工人运动开始步入低潮。

德国工人则要求废除私有制，矛头直指构成资本主义社会基础的经济制度。德国工人运动开始兴起。德国无产阶级的最初斗争，有它的独特性。由于德意志各邦封建专制主义的统治，资本主义发展比较缓慢，而法国和瑞士的资本主义发展则吸引德国由于封建生产关系逐渐解体所产生的大量的破产农民和手工业者，19世纪30年代，平均每年有10万名以上的德籍工人到法国、瑞士等国去做工，随之出现了革命者的流亡活动。因而，德国工人和手工业者的秘密革命组织最初都是在国外建立的。德国当时国内矛盾盘根错节，资本主义与封建势力的矛盾、无产阶级与资产阶级的矛盾同时并存。德国资产阶级宁愿同封建阶级妥协，共同反对无产阶级。因此，德国无产阶级经受着封建阶级和资产阶级的双重压迫，由此，工人罢工和反对统治阶级的活动日益频繁，如1820 年图灵根工人起义、1830 年莱茵区和萨克森工人起义以及四十年代初柏林、伦兹堡罢工事件。1844 年 6 月爆发了著名的西里西亚织工起义，这次起义的规模虽然不及里昂工人起义和宪章运动，但它十分明确反对私有制，反对资本主义剥削，标志着德国无产阶级的觉醒。

三大工人运动充分显示无产阶级并不是一个单纯的受剥削和压迫的阶级，而是具有强大的革命潜力的历史创造力量，深刻彰显了无产阶级的历史使命。同时，三大工人运动的失败，也暴露出了空想社会主义理论的局限性，提出了空想社会主义从空想向科学转变的迫切需求。随着资本主义社会化大生产的不断发展，无产阶级和资产阶级的矛盾也日益公开化、尖锐化。工人运动的蓬勃发展，也不断促使工人组织相继建立。1840 年，近代史上第一个工人政党——宪章党在英国产生；德国出现了最初的一些工人组织，如在巴黎成立的德国流亡者第一个秘密组织——"被压迫者同盟"，直到后面分化，于 1836 年创建了"正义者同盟"；法国的布朗基于 1837 年领导成立了"四季社"；1840 年 2 月 7日在伦敦成立了一个公开的工人教育协会。无产阶级工人组织的不断建立和出现，标志着工人摆脱分散性、自发性，作为一个独立政治力量的开始。19 世纪上半叶，无产阶级大量开展的以资产阶级为斗争对象的运动表明，无产阶级已经清醒地认识到了自身作为一个独立阶级在历史进程中的地位，开始独立创建自己的政治组织和团体。它的斗争已经成为独立的政治运动，提出了本阶级的独立要求，提出了消灭私有财产制度的战斗口号。如果说欧洲的工人运动在1815 年到 1830 年间还是从属于资产阶级自由主义运动的民主主义斗争的话，那么，1830 年以后它就直接地表现为反对资产阶级的独立的阶级斗争，无产阶级在资产阶级还未把封建贵族完全赶下政治舞台的时候，已经成了"为争夺统治而斗争的第三个战士"。但是，无产阶级的斗争还处于不成熟的阶段。

欧洲工人运动尤其是三大工人运动的失败一次又一次表明，作为独立政治力量登上历史舞台的无产阶级亟须科学的革命理论来指导运动和斗争。同时，在历次革命运动中，工人阶级所展示出来的巨大革命力量和历次工人运动中带给工人阶级的启示和实践经验、教训，又为科学社会理论的形成提供了坚实的阶级基础和理论养料。

第三节 资本主义初创以来的科学成就

人类的历史，不仅是利用、改造自然界的历史，也不仅是推动、变革社会经济形态和政治制度的历史，它还是人类对自身和外部世界的认识不断发展的历史。人们对自然界的认识形成自然科学，这种认识不断深化的过程构成了"自然科学史"；对人类社会自身的认识形成了人文社会科学，这种认识不断深化的过程构成了"人类思想史"。马克思主义的诞生离不开客观的社会历史条件和一定的思想理论条件。一定的思想理论条件就是由当时的自然科学史和人类思想史构成的。马克思主义的诞生不仅有着深刻的社会阶级基础和意识形态前提，而且离不开科学发展的基础。资本主义的发展为近代自然科学的快速发展提供了动力，也带动了近代欧洲的社会历史研究科学化的潮流，其成果集中体现为英法古典政治经济学、近代自然法理论和社会契约论，以及法国复辟时期的历史理论。同时，源于文艺复兴的英国经验主义和大陆理性两大哲学传统的发展，也孕育着新的哲学变革。正是在适应社会历史研究科学化和哲学变革的时代潮流中，马克思批判吸收欧洲近代哲学社会科学精华和自然社会科学成果基础上形成的。19世纪40—60年代，马克思恩格斯实现了人类思想史上的伟大革命，创立了新世界观，对人类先进思想发展进程中已经提出的种种理论作了分析和批判，对资本主义时代的各种社会问题作了科学解答。

一、18 世纪以来自然科学的发展

马克思恩格斯非常关心和密切注意自然科学的发展，重视在哲学上概括自然科学的最新成就。在19世纪70年代以前，马克思和恩格斯理论研究的重点是社会历史问题，对自然科学的研究还是零星的、时停时续的、片段的。19世纪70年代初，恩格斯退出商界并移居伦敦后，便将大部分时间用于研究自然科学。1873年，恩格斯在马克思的支持下，打算写一部关于自然辩证法的巨著，目的在于进一步确立和系统阐明辩证唯物主义的自然观。虽然由于各种原因最终没有完成，但我们从恩格斯的《反杜林论》和《自然辩证法》以及他的书信中仍可以看到许多精湛的思想。由此可见，马克思主义的诞生与 18 世纪以来自然科学的发展密不可分。

15—18 世纪的自然科学主要是通过观察、实验来搜集各种科学材料。自然科学凸显着人类认识自然的深度和广度，能够为唯物主义提供可靠的基石。人类对自然界的认知由低级阶段向高级阶段不断演进，借助对自然界的认知成果反过来为人类不断供给进一步发展的支点。自然界的联系、发展有着自己的规律，人类为了探索这些规律，经历了漫长而曲折的过程。在古代，哲学家们基于对自然现象直观的认识，提出了朴素的、本质上是正确的自然观，从总体上把握了自然界的一般性质。但是，这种自然观不能科学地说明自然界的各个部分和细节。在欧洲中世纪，基督教统治着整个精神世界。教会垄断了对知识、文化的解释权，用信仰贬低理性，崇拜神而贬低人。14 世纪后，随着资本主义商业的发展，文艺复兴和宗教改革重新确立了人的地位，宗教在生活中的影响越来越小，人们开始把对神学的研究转向对自然的研究。从 15 世纪下半叶开始，分门别类的研究已经出现在自然科学研究领域。

16 世纪，培根创立实验科学以后，自然科学走上了独立发展的道路，从哲学中脱离出来。发展到 18 世纪末 19 世纪初，自然科学便已取得了不俗的成绩和较大发展。此时，人类"综合了过去历史上一直是零散地、偶然地出现的成果，并且揭示了它们的必然性和它们的内在联系。无数杂乱的认识资料经过整理、筛选，彼此有了因果联系；知识变成科学"[1]。由此，人们开始以科学的思维和形式来认知自然。唯物主义随之产生，在恩格斯看来，"科学和哲学结合的结果就是唯物主义"[2]，自然科学领域的发展成就推动了唯物主义的产生和进一步发展完善。因为，在自然科学研究不断深化的过程中，天文学、物理学、生物学等研究领域出现了一批对唯物主义和辩证法理论阐述都具有巨大意义的科学发现和学说成果。

近代自然科学的最初发展是在天文学领域，哥白尼的"日心说"是自然科学反抗神学的开始。意大利的天文学家伽利略用自制的望远镜观察天象，证明

① 《马克思恩格斯文集》第 1 卷，人民出版社 2009 年版，第 87—88 页。
② 《马克思恩格斯文集》第 1 卷，人民出版社 2009 年版，第 97 页。

了日心说的正确性。德国的天文学家开普勒提出了行星运动的三大规律。用精确的计算和科学规律证实和发展了哥白尼的日心说。天文学家推动了数学和力学的发展。康德于1755年提出了有关太阳系起源的星云学说，从此，形而上学自然观被这个理论撕开了一个缺口。1795年，拉普拉斯以更为丰富详尽的材料和科学论证进一步发展验证了星云说。天文学家推动了数学和力学的发展。笛卡儿用代数符号学表达几何关系，是科学方法的重大突破。经过帕斯卡，最终由英国的牛顿和德国的莱布尼兹几乎同时创立了微积分，运动被纳入了数学领域。牛顿建立了经典力学体系，即三大力学定律和万有引力规律。在地质学领域，赫顿在1788年出版了《地球论》，第一次提出了地球渐变的思想观点。在1830年发表的《地质学原理》一书中，赖尔进一步推进了赫顿的思想，提出了系统的地球渐变理论。在物理学领域，伦福德、戴维等人在18世纪末依靠科学实验，推翻了燃素说，证明了物质的运动产生热，验证和恢复了热之唯动说的科学性和权威性。在其他领域，电流的化学效应、热效应及电磁互相转化等重要现象和规律也相继被人们发现。自然科学领域的诸多成果，在一定程度上都为世界处于运动、运动处在相互联系中提供了科学依据，并为人类发现能量守恒与转化定律提供了直接条件。此外，化学、光学都得到了不同程度的发展。普列斯特列在18世纪末用实验方法发现了氧气的存在，拉瓦锡在此基础上进一步提出了氧化学说，至此，燃素说被科学的燃烧理论彻底埋葬了。到了19世纪初，物质组成的科学的原子论学说被道尔顿创建，世界统一于物质的观念得以确立。1828年，借助人工方法，维勒合成了有机物尿素，有机界和无机界的联系得以建立。生物学、生理学和医学取得了进步。哈维发现了血液循环。列文虎克用显微镜观察到了微生物。布丰的《自然史》描述了各种生物的形态，林奈对生物进行了分类。在生物学中，18世纪前期，布丰等人就提出了"人猿同祖"的观点，并阐发了一些生物具有变异性，大自然能够从一个原始的类型发展出一切其他的生物种类等生物进化思想。这些观点和思想为后来的沃尔弗·澳肯、歌德等人所推进。1809年，在拉马克的《动物学哲学》里，生物进化的思想得到了初步条理的、合乎逻辑的论述，该书对后来达尔文进化论的创立起着重要的先导作用。19世纪初，生物学界根据对一些事实的观察，产生了一种关于生命起源的自然发生说。这种承认生命的物质性和客观性，承认生物是由非生物转化而来的思想，虽然是粗糙的、不甚科学的，但本质上是唯物的辩证的。上述这些自然科学的重大成果都不同程度地打击了形而上学自然观，为唯物主义和辩证法的兴起及其有机结合提供了自然科学前提。从 19 世纪起，自然科学进入了对科学材料的整理时期。自然科学材料的整理，使人们逐渐形成了对自然现象发生、发展过程的理论性认识。在这一时期，自然科学中最重要的能量守恒和转化定律、细胞学说和达尔文的生物进化论产生了。这些科学史上的著名成就深刻揭示了各自领域内事物发生、发展的规律，催生了人们在世界观和认识论上的根本变革。

在资本主义机器大工业发展带动下，在社会领域和自然科学领域发生了巨大的变化。一方面无产阶级以独立的政治力量登上历史舞台；另一方面，自然科学领域中的数学、力学、物理学、生物学和化学等学科都取得了重大的理论突破和进展。人类进行自然科学研究的方式和手段都大大提升，从研究既成的个体事物向系统地研究事物在自然界中的联系转变，产生了一系列重大研究成果。其中又以细胞学说、能量守恒和转化定律、达尔文进化论三个伟大发现为代表。恩格斯说："有了这三个大发现，自然界的主要过程就得到了说明，就归之于自然的原因。"[1] 三大发现的内容及成就，对宗教神学和唯心主义是一个巨大的打击，也对形而上学观点产生冲击，揭示了自然界一切现象所固有的客观辩证法的存在。在谈到马克思主义哲学的形成时，恩格斯肯定了三大发现的重大影响，"首先是三大发现使我们对自然过程的相互联系的认识大踏步地前进了"[2]。在三大发现和自然科学其他领域巨大进步的推动下，人类揭示出联系不仅存在于自然界中各个领域的过程之间，而且存在于各个领域之间。自然界不是孤立的、静止不变的，而是作为一个有机联系的整体存在。自然界是一个由低级向高级阶段不断演进的过程，处于运动、变化、发展之中。于是"新的自然观就其基本点来说已经完备"[3]。人们开始意识到物质世界是处于一个联系发展的还有待深入挖掘的变动之中。自然科学领域的成就为马克思主义的创立奠定了坚实的基础。自然科学的伟大成就，显示了形而上学的荒谬性和整个自然界的辩证性。没有人会否认自然科学的进步在马克思主义形成过程中担负着重要角色，即使这种作用不是直接的，而要通过一定的中介来产生。这个"中介"就是社会研究、历史研究的科学化潮流。自然科学发展所取得的成就促使

---

① 《马克思恩格斯文集》第 9 卷，人民出版社 2009 年版，第 458 页。
② 《马克思恩格斯文集》第 4 卷，人民出版社 2009 年版，第 300 页。
③ 《马克思恩格斯文集》第 9 卷，人民出版社 2009 年版，第 418 页。

人们日益相信自然界的现象可以用科学规律来解释和揭示。受此鼓舞，人们也迫切希望借鉴利用自然科学研究的方式、方法来研究人类社会、历史这些社会科学领域的东西，也期待能够像自然科学领域中的规律一样，人文社会科学领域同样可以产生类似的"科学成果"，并且这些成果能够像自然科学规律一样精确，普遍适用。另一方面，资本主义的发展引发了社会经济结构和社会关系、社会矛盾的巨大变动。怎样认识这样的变化，怎样回应这样的变化，成为思想家的第一要务。由此催生了在政治、法律、经济和历史等领域中进行科学研究的迫切要求。

通常认为，19世纪的三大发现是马克思主义哲学产生的自然科学基础，恩格斯在《费尔巴哈和德国古典哲学的终结》中也对此进行了相关阐述，这些论述具有支撑自己观点的有力证据。马克思主义的诞生站在两个巨人的肩膀上，一个是科学，一个是哲学。总的来说，马克思主义形成的时代，正处于自然科学发生革命性飞跃进步的重要时期。马克思主义哲学的创建是无法漠视同时期的自然科学所发生的巨大变革和重要成果的。马克思主义哲学所涉及的范畴、概念等或多或少都会受到自然科学的影响，自然科学通过各种方法对马克思主义哲学产生总体性的作用和影响。首先，自然科学领域的物质概念和范畴以及相关研究对马克思主义哲学创立产生了至关重要的影响。18世纪以来尤其是19世纪自然科学领域的进展推动和深化了人类对自然界的认知，马克思主义哲学的实践观和唯物史观正是在这种推动和深化的基础上才得以建构。其次，自然科学实践的本性，体现了人类探索和征服自然的实践活动的成果和发展。科学实验等研究方法以及以客观事物为研究对象的自然科学沉重地打击了形而上学，宣告辩证法的出场，这是自然科学发展的必然产物。处在这个伟大时代的马克思深切地体悟到了这个时代必然性的脉搏跳动和日新月异的发展。当然，这种影响的产生，并不是体现在他们总结、概括、归纳自然科学的新进展、新成就，揭示自然界的辩证联系这个维度，而主要是与他们的思想解放和思维方式革新密切相关。实际上，马克思对当时的自然科学的进步和成就的认知总体上是匮乏的。马克思当时主要关注的是黑格尔哲学。后来，在研究资本主义现况的时候，他们开始涉及了当时自然科学的一些新发展、新成果。这种变化在他们早期的一些著作中可以发现，地质学、生物学和化学的一些相关新成果在其著作中有所引用和论述。由于马克思恩格斯所从事研究关注的重点和对自然科学进展的了解程度，这就使得他们在当时情况下还不能对自然科学的新成就进行专门系统的梳理和总结。但是，自然科学新成就所带给他们的冲击力又使得马克思恩格斯意识到自然科学对于社会历史研究的重要意义。他们深刻地感受到自然科学对人们认识事物方法和思维方式的变革，一个辩证时代由此开启。正是这种思维方式和认知方法的变革，才是自然科学新成就对马克思主义哲学创立最直接和最重要的影响。毫无疑问，没有辩证的思维方式的塑造，就没有科学实践观、唯物史观、辩证唯物论和马克思主义认识论的诞生。

二、19 世纪社会科学领域的成就

研究欧洲 19 世纪上半叶的社会状况，解读当时的政治斗争，解决当时的重要社会问题需要对当时出现的罪恶、对无产阶级备受剥削奴役的悲惨处境如何加以阐明，欧洲思想家面对现实作出了回答。

一种回答是由以英国政论家威廉·科伯特、法国神学家德·梅斯特和德国浪漫主义历史学家萨维尼、缪勒等人为代表的封建贵族和教会的理论家们做出的。19 世纪初，英国政论家威廉·科伯特认为资本主义制度下的工厂的产生和发展破坏了封建时代的"幸福的英国"图景。因此，提出要改革资本主义。法国神权政治论的思想家德·梅斯特认为，欧洲之所以"受难"，是因为它改变了上帝确定的应该是永恒的封建专制制度的结果。德国的浪漫主义历史学家们，如萨维尼、缪勒、哈勒等人认为社会之所以有这么多问题，都是资本主义搞乱了秩序，他们鼓吹中世纪德国是最高的理想，颂扬君主独裁，推崇实行等级制和行会制的中世纪社会。这些思想家都是站在复古和倒退的立场上攻击资本主义的。他们试图以复辟封建阶级统治的方式来解决资本主义社会的问题，显然是不对的。

另一种回答是英国经济学家马尔萨斯，法国思想家鲁瓦埃·科拉尔、历史学家梯也里、基佐以及实证主义者孔德和德国启蒙学者康德、席勒等做出的。英国经济学家马尔萨斯认为，贫穷和社会罪恶是自然规律，谁都无法改变这个规律，因为食物的生产永远赶不上人口增长的速度。功利主义者边沁则指出，如果对穷人进行社会救济、对工人的工作日实行限制、制止剥削行为，会抑制人的主动性的发挥；立法是唯一能够增进社会幸福的方法。法国科拉尔、梯也里等人看到了资产阶级取代封建阶级具有先进性，否认资产阶级剥削和压迫工人群众的反动性，否认资产阶级和无产阶级之间的阶级对抗。法国实证主义者孔德则提出解决社会问题的办法是以资本主义制度的"秩序"和"进步"为前提的"阶级合作"。德意志的思想家们由于其地位的软弱性和两面性，对社会问题的解答往往流于思辨和具有神秘色彩。康德、席勒等人就把一切社会问题的解决归于彼岸世界，力图使现实的社会悲剧在精神王国和美学王国里归于消失，并在其中求得理想社会的虚幻发展。

人类不断追求自身生存、发展和解放的进程构成了一部人类文明史。任何新的科学的产生，都有赖于前人认识的总结并以此为认识的起点，把当时人们在各个领域的最新成果作为认识世界和改造世界的阶梯。站在前人的肩膀上，人类对世界的认识一步步迈向一个新的发展阶段。正是在这样一种生生不息的人类进步史中，人类对宇宙、对自然、对社会的认知才不断攀登上一个又一个高峰。正是在这种发展进程中，人类对自己的认知和解放也不断冲破一个又一个的桎梏，不断解放人，不断释放人的本性和才能。人类文明的成就才能一个个得以创造和展现。我们才能看到，一个又一个璀璨的人类文明在地球上不断涌现。

人的解放进度与科学技术进步以及在社会发展中的生产应用密切相关。回溯历史，人类科学技术每前进一步，社会的整体发展也随之向前挺进，客观上也会给人的解放提供丰富的物质基础。特别是进入 19 世纪以来，科学技术取得了突破性的进展，生产领域也发生了翻天覆地的变化。生产技术革新、生产手段、生产方式乃至产业结构都出现了日新月异的根本性变革。科学技术领域的新发展以及由此带给生产等领域的变化同时也促使人的解放进入一个全新的发展时期。19 世纪 40—60 年代，西欧资本主义国家的经济发展彻底摧毁了封闭保守的封建自然经济，社会生产力获得了极大推动和发展。"资产阶级在它的不到一百年的阶级统治中所创造的生产力，比过去一切世代创造的全部生产力还要多，还要大。"① 显然，这个历史性的变迁，是由当时代表先进生产力的资产阶级承担的。由于资产阶级唯利是图的阶级本性，在这个历史进步的过程中，伴随着资产阶级的世界性的资源掠夺和对殖民地的瓜分。但是，以社会化开发为特征的商品经济，日益成为占统治地位的生产形式。

19 世纪上半叶，自然科学领域的许多重大发现深刻揭示了自然界的事物

---

① 《马克思恩格斯文集》第 2 卷，人民出版社 2009 年版，第 36 页。

发生、发展的规律，催生了人们在世界观和认识论上的根本变革。随着自然科学的发展，人们越来越期待运用社会科学与自然科学一样存在一些具有普遍意义的"规律"来指导人们进行社会历史的研究。另外，资本主义的发展引发了社会经济结构和社会关系、社会矛盾的巨大变化。如何认识这些变化，怎样适应这样的变化，成为思想家的第一要务。人们在这种变化中如何实现人的真正意义上的解放？什么才是人的更好的发展？政治、法律、经济和历史等领域由此也产生了进行科学研究的迫切要求和呼声。

随着地理大发现和世界历史的形成，历史学家借鉴自然科学的方法积累了大量的历史资料。18 世纪涌现了大量历史著作，爱德华·吉本的《罗马帝国衰亡史》、休谟的《英国史》和伏尔泰的《路易十四时代》是其中的佼佼者。越来越丰富的历史资料促进了人们对历史发展的理论解读。伏尔泰的弟子孔多塞在《人类精神进步刚要》中把欧洲历史分为十个阶段，提出了"历史的理性秩序"这个问题。1830 年之后法国王朝复辟时期的历史学家，试图解释社会各个阶级在历史发展中的作用，并开始认识到阶级斗争在历史发展中的意义。法学和政治学随着社会的发展也在不断深化对社会、对阶级和人的问题的认知。16 世纪后期，法国的让·博丹首次提出了国家"主权"的概念，并试图建立法理学，这是现代政治思想的开端。马基雅维利、伊拉斯谟使政治成为一门科学。洛克的《政府论》对英国近一个世纪以来的"政治实验"进行了概括总结。洛克在政治学领域内做的事情，正是他同时代的英国同胞牛顿在物理学领域内所做的。由此开启了政治学、法学的科学化。法国启蒙学者孟德斯鸠写的《论法的精神》（1748）是研究政治问题的第一部科学著作。卢梭的《社会契约论》（1762）则系统阐发了一种激进的人民民主理论。在 17 世纪中后期，代表新兴资产阶级利益的经济理论体系——古典政治经济学，在英国和法国这两个当时资本主义最发达的国家出现了。古典政治经济学产生和发展于资本主义手工业时期，成熟于工业革命的 19 世纪初。它企图对资本主义经济现象进行科学研究，发现其规律，以促使国民财富的增长。该学派的创始人是英国的威廉·配第（1623—1823）和法国的比埃尔·布阿吉尔贝尔（1647—1714），经过亚当·斯密（1723—1790）发展到大卫·李嘉图（1772—1823），在法国从布·阿吉尔贝尔开始，经过弗朗索瓦·魁奈（1694—1774）发展到西蒙·西斯蒙第（1773—1842）。英国的斯密和李嘉图是古典政治经济学家的最主要代表。

马克思之所以能够实现哲学史上的革命性变革，还因为马克思对前人的成果进行了辩证的综合和扬弃。自然科学的伟大成就，有利于马克思恩格斯吸收德国古典哲学的辩证法，克服旧唯物主义形而上学的局限性。对19世纪三大空想社会主义学说的批判和改造，促进了马克思主义哲学的产生。不满于空想社会主义者实行的所谓的"实际实验"，马克思开始寻求共产主义的"理论论证"。马克思把哲学的研究和人类解放结合在一起，认为哲学是人类解放的"头脑"，而无产阶级是人类解放的"心脏"。另外，古典政治经济学家研究资本主义社会的规律，但他们把社会规律看成是永恒不变的，把资本主义社会的规律当做一般社会规律，把资本主义经济范畴视为自然范畴，把资本主义生产方式视为永恒的生产方式。在他们看来，资本和雇佣劳动关系是由人的自然本性决定的，是唯一能够存在的、合乎自然的关系，资本主义制度是天然合理的制度，是超历史的。近代欧洲资产阶级的自由主义政治学家用"自然法"理论来论证资产阶级政治秩序的合法性和永恒性。资产阶级启蒙思想家从人性论出发，将"自由平等是天赋人权"的思想充实到古代自然法理论中，发展出近代的理性自然法理论，并以此提出了社会契约论，认为国家是人们相互之间订立契约而产生的，对新兴的资本主义国家进行了合法性论证。在马克思主义看来，资产阶级的自由、平等和民主、人权并非源自人的"自然权利"或"社会契约"，而是一定历史阶段上人们生产和交往关系的产物和表现，实质上不过是"以物的依赖性为基础的个人的独立性"，不过是一种"物化个性"和"贸易自由"。马克思主义批判自由主义，并不是要否定人的独立性，更不是要返回"人的依赖性"，而是要进一步超越资产阶级的历史局限和不足，实现"建立在个人全面发展和他们共同的社会生产能力成为他们的社会财富这一基础上的自由个性"[①]。

人的解放、人的自由全面发展是人类孜孜不倦的追求目标。从儒家的"大同思想"到西方的"乌托邦"梦想，再到空想社会主义者关于未来社会人的自由、自在全面发展理想，无不是人类在认识自己、认识世界的过程中提出的对人的解放发展的成果，都是对人自身解放的关注和实践。剥削阶级往往都是站在各自的阶级立场上，强调本阶级成员的自由发展和政治解放，这是阶级社会的重要特征。从奴隶主、封建主到资本家，统治阶级追求的解放从来都不是人

---

① 《马克思恩格斯全集》第46卷（上），人民出版社1979年版，第104页。

民群众的发展解放。从人的角度来看社会历史，人类社会经历了从西方古希腊时期的倡导"以人为中心"，到欧洲中世纪的"以神为中心"，从文艺复兴时期"人的觉醒"再到新兴资产阶级"天赋人权"的人权宣言。民主、平等、自由成为资产阶级的政治理想，他们对封建专制制度和神学从学理上和实践上进行了大规模的批判。资产阶级固有的剥削本性决定了他们对社会的批判无论理论还是实践都不可能彻底和真正消灭私有制。于是，与资产阶级相对立的无产阶级开始登上历史的舞台，担负起人类思想解放的重任乃至人类的彻底解放的使命。作为无产阶级的代言人，马克思恩格斯义无反顾地承担起建构指导无产阶级实现全人类解放理论的任务。

　　19 世纪中叶，一种全然不同于资产阶级"个体主义"的价值认同系统，也不同于空想社会主义抽象人性的人类解放思想，在西方世界应运而生，这就是"人类解放"思想。这一思想价值体系发源于欧洲工人运动的发展壮大。以 1831 年和 1834 年法国里昂的丝织工人起义、1836—1848 年间的英国宪章运动，以及 1844 年德国西里西亚的纺织工人起义为代表的欧洲工人运动，标志着无产阶级作为一支独立的政治力量开始登上历史舞台。因此，"人类解放"作为新兴无产阶级的社会文化价值目标理所当然地伴随着社会的发展出现在世人面前。人的解放与社会发展进步相辅相成，携手共进，是历史发展的一体两面。在马克思看来，"全部人类历史的第一个前提无疑是有生命的个人的存在"[①]。通过对象化的实践活动，人类不断推进生产力的发展，并据此建构出人类自身的社会关系，创造自己的社会存在和揭示出社会的发展本质，最终构建出一部人类的璀璨的发展历史。作为对象化活动的实践，使人作用于劳动对象、交往对象而形成新的产物。同时，现实的个人在实践中也得到锻炼和发展。由此出发，马克思指出，"人在积极实现自己本质的过程中创造、生产人的社会联系、社会本质"[②]。在马克思看来，在实践中人"生成"了自我从而创造出人类社会，那么，人类社会历史就是"通过人的劳动而诞生的过程"。人才是社会的主体，人的对象化实践——实践活动不断深化的结果孵化出了社会历史。由是观之，社会历史是人在实践中不断完善与发展自己的内在本质力量即自身发展的历史过程。人类社会发展史就是一部人的发展和解放不断更新的历史。马克思把人

---

①　《马克思恩格斯文集》第 1 卷，人民出版社 2009 年版，第 519 页。
②　《马克思恩格斯全集》第 42 卷，人民出版社 1979 年版，第 24 页。

的解放过程分为三个阶段："人的依赖"阶段、"物的依赖"阶段和人的个性解放的自由自觉阶段。与此相对应的马克思三大历史形态理论则从社会发展的视角，揭示出人的存在形态和发展解放的一般性过程。这一理论为人类从总体上深入思考和研究人的解放问题提供了重要方法论和科学的理论指导。

马克思和恩格斯好学敏求，知识渊博，他们不仅吸收了先驱者们所取得的科学成就，更解决了前人提出却无法得出答案的问题。马克思主义的形成，不仅是当时社会经济、政治和思想发展及无产阶级反对资产阶级斗争的客观需要，而且是马克思恩格斯参加社会实践，转变自己的立场和世界观，进行创造性理论研究的结晶。他们要找到理解人类历史发展的钥匙，阐明资本主义经济关系，为新世界的创立和传播开辟道路，建构了唯物史观的基本原理，创立了唯物辩证法，初步论证了科学社会主义理论。他们站在巨人的肩膀上，传承了人类优秀的思想文化甚至自然科学领域的宝贵遗产，又顺应了时代潮流，紧扣时代的脉搏，解决了人类所遭遇的亟须作答的问题，为全世界无产阶级的解放提供了最强大的理论武器。

第二章　马克思主义产生的理论背景和主要思想来源

　　马克思主义的三个主要理论来源——英国古典政治经济学、法国空想社会主义和德国古典哲学——在马克思思想形成过程中留下了鲜明的印记。这种概括虽然未尽全面细微，却也精彩地勾勒了马克思思想来源的主要轮廓。[①] 在马克思开启其哲学传统的初始阶段，来自英国、法国和德国的思想影响历历在目，当然这些影响更具体地表现为马克思主义哲学与苏格兰启蒙运动、法国革命政治学和青年黑格尔派的思想关系。法国大革命对后世激进左派的影响至今清晰可见，革命、反抗、阶级斗争等话语和思路几乎都来自于法国革命政治学，但马克思在其哲学文本中直接面对的乃是苏格兰启蒙运动和青年黑格尔派，主要体现为一种作为政治哲学的政治经济学—哲学运思。因而，我们在这里主要探究上述两种思想流派的核心要义及其对马克思主义哲学的影响，而在这种语境中考量马克思主义哲学在何种意义上阐发了法国革命政治学话语的时代精神。

[①]　参见 [英] 凯瑟琳·尼尔森、臧峰宇：《关于历史科学与启蒙运动的思想遗产的对话》，《社会科学辑刊》2013 年第 6 期。

第一节 英国古典政治经济学

苏格兰启蒙运动是"启蒙时代"最重要的思想谱系之一，尽管这场运动是一个复杂的思想发生过程，但是，苏格兰启蒙思想家对市场经济、人的科学、经验理性和道德情怀的强调，具有丰富的"公约数"，尤其是他们将市民社会从国家中分离出来的思想对黑格尔和马克思等后世思想家影响深远。青年马克思受黑格尔和青年恩格斯的启发，在阐释市民社会理论的过程中，逐渐形成了实践先于原则的历史唯物主义思想，尽管他稍后在其所在时代的现实层面将市民社会规定为现代资产阶级社会，但实践先于原则的思想方法始终是马克思主义哲学的理论基石。

一、苏格兰启蒙思想家的政治经济学研究

尽管苏格兰启蒙运动是一场回归"常识"的学术思潮，但其对个人自由与社会平等的论述及诸种理论建构具有不可忽视的政治价值，苏格兰启蒙学者在构建市民社会的过程中形成了鲜明的政治哲学主题。他们沿袭了古希腊哲学家对市民社会①的政治—伦理规定，将市民法视为现代社会的文明特征，认为市民既是政治动物，也是有德性的法律意义上的主体，市民社会乃是个人的联合体或曰政治共同体。由于苏格兰和英格兰合并有很多衍生品，把英格兰习惯法纳入苏格兰市民法便是其一，所以，苏格兰启蒙学者从法哲学角度理解市民社会的现实定位，探究市民社会的经济形态及其与国家王权之间的关系。从务实的角度出发，这场致力于改善苏格兰经济社会发展状况的启蒙运动扬弃了纯粹

---

① "civil society"一词的拉丁文来源是"civilis societas"，指的是遵守市民法的文明社会。参见 David L. Sills，*International Encyclopedia of the Social Sciences*，New York：The Macmillan Company & the Free Press，1968，p.201。

理性的思辨原则，在实现物质社会文明化的过程中诉求市民的自由与平等，很多精彩的创见意蕴深远。

（一）苏格兰启蒙学者的市民社会理论

苏格兰启蒙学者并非市民社会概念的提出者，即使在英国学术思想史上也并非首创。据考证，"市民社会"一词在英国最早出现于 1594 年，当时被表述为"ciuill society"，指的是比任何私人团体都更具有人性内涵的社会。但这个表述在当时没有得到人们足够的重视，它成为引人注目的概念乃是 17 世纪末以来的事情，最具代表性的是洛克在《政府论》中的相关阐述。[①] 而它真正成为影响深远的规范概念，是苏格兰启蒙学者的贡献。关于这个问题，福柯的意见值得我们重视，"我们要永远铭记，启蒙运动是一个事件，或者是一系列复杂的历史事件和历史进程，它处于欧洲社会发展的特殊时期。因此，它包括社会变革的元素、社会制度的类型、知识的形式、知识和实践的合理化设计、技术的突变，即使这些现象在今天仍然非常重要"。[②] 福柯意识到归纳启蒙思想的困难，但他强调启蒙运动的政治性，从这个视角发掘苏格兰启蒙运动文献，可以发现近乎被人们淡忘至少是未予重视的内容。

从苏格兰启蒙运动的世界历史意义来看，这场强调市民社会的启蒙思想实践所具有的政治哲学内涵颇为厚重。其中，界定市民社会和国家的区别，是苏格兰启蒙思想家最大的政治哲学遗产。正是由于阐发了市民社会与国家适度分离的启蒙思想，现代社会的发展范式得以确立，而这也意味着政治解放的完成。对市民社会的强调实则指明现代社会的公共领域，使市场经济成为现代社会的宠儿，斯密等苏格兰启蒙思想家试图从市场经济角度提出解决私人领域和公共领域之间矛盾的方案。他们提倡将政治共同体建立在市场经济的基础上，并阐述一种有别于以往的积极的政治哲学，在规范和丰富市民美德的过程中确认具有普遍意义的市民精神。在他们看来，身处市民社会的个人应当崇尚自由且热心公益，法律是维护市民自由的保障。

在苏格兰启蒙思想家看来，社会秩序在人性中具有自然基础，国家是权力

---

① 参见方朝晖：《市民社会的两个传统及其在现代的汇合》，《中国社会科学》1994 年第 5 期。
② Michel Foucault, "What Is Enlightenment?", in The Foucault Reader, ed. Paul Rabinow, London: Penguin, 1984, p.48.

受到限制的服务型公共职能承担者，市场经济的良性运转以公共精神为思想根基。闪耀在市场经济中的"看不见的手"体现了他们对调节国家和市民社会之间关系的高度自信，也表明市民社会对个人尊严的高度重视。"先进思想家似乎有个逐渐一致的共识，认为财富之路寓于让贸易自由，以及使经济生活逐渐解脱国家的干预，因此，亚当·斯密出版《国富论》首卷（1776）的时候，几乎是为整个启蒙运动发言。"① 其实有很多发言者早于斯密，比如弗格森的《市民社会史论》就比斯密的《国富论》早出版 9 年，这本著作使他广受赞誉。可以说，"启蒙运动的基本要素正是在苏格兰被发现的：随着爱国群体和社团将注意力集中在经济和社会问题上，落后的世界和现代的世界存在着年代学和地理学上的相近性。"② 而这个现代的世界正是随着市民社会升起在人们思想和生活的地平线上的。

弗格森将社会发展历程看作"是人类行为的结果，但不是人类设计的结果"③。他认为政治秩序不是原子化的个人以服从、遵守和沉默的方式来维护的社会状态，这样的社会是奴隶制，而不是自由的现代世界。现代人必然在抗争和行动中确立新时代的社会秩序，因为现代市民乃是文明人。他看到个人的世界具有公共性，"人天生是社会的一员，从这一点考虑，个人似乎不是为自己而生。当他的幸福和自由与社会利益相矛盾时，他必须放弃个人幸福和自由。他只是整体的一部分。"④ 可以肯定的是，崇尚"常识"的苏格兰启蒙思想家不是个人至上主义的倡导者，在他们的思想中不难看到自由主义的理想诉求，但对社会利益的强调力透纸背。弗格森已经意识到经济基础和上层建筑之间的关系，市民是承载这种关系的主体，或曰是市民社会良性运转的关键。公共领域不是他者的世界，它在一定程度上甚至就是个人生活本身。

尽管苏格兰启蒙思想家对如何调整私人利益和公共利益关系的看法不同，但是他们大都强调市民社会对个人生活的意义以及个人对市民社会的义务。

---

① ［美］约翰·麦克里兰：《西方政治思想史》，彭淮栋译，海南出版社 2003 年版，第 350 页。

② John Robertson."The Scottish Contribution to the Enlightenment" in P. Wood, ed. *The Scottish Enlightenment: Essays in Reinterpretation*. Rochester: Rochester University Press, 2000, p.38.

③ ［英］弗格森：《文明社会史论》，林本椿、王绍祥译，辽宁教育出版社 1999 年版，第 136 页。

④ ［英］弗格森：《文明社会史论》，林本椿、王绍祥译，辽宁教育出版社 1999 年版，第 62—63 页。

从人性的深处理解社会秩序，就是他们论述相关问题的明显相似之处，休谟在这个方面的阐释最为精彩。如果说《人性论》偏重论述人性的普遍存在样态，那么我们可以在《政治论文选》中看到休谟对政治生活更充分的哲学阐述。在休谟看来，"人诞生于家庭，但须结成社会，这是由于环境必须，由于天性所致，也是习惯使然"①。换言之，市民社会是人性的必然，也是人们生活习惯的自然结果。市民社会的权力是由法律赋予的，下面这段话充分说明休谟对这个问题的看法："政治上有一条大家认为是无可争议和普遍适用的箴言：通过法律授予高级官员的权力，不论这种权力多么大，它对于自由的危险，总是小于强夺和篡夺的权力，即使这种权力很小。因为法律总是对所授予的每种权力给予限制，而且同意接受所授予权力这个事实的本身就树立了授权者的权威，保持了该体制的协调一致。而不经过法律手续获得每一项特权之后，又可以要求另一项权力，而且要求一次比一次便利；第一次篡夺的权力既可以成为以后篡权的先例，又可以成为继续篡权的力量。"② 这种观念提示我们重视"市民"这一概念的法学意义，即"市民"概念在欧洲思想史上得到普遍标注的语义。苏格兰启蒙思想家对法律的规定使市民社会权力失控的可能性降到最低点。

从对市民社会的理论阐释上可以很好地看到苏格兰启蒙思想的理论布局。重视政治经济学乃是出于促进资本和劳动力在经济领域流动的需要，以"看不见的手"调整市场秩序，避免垄断对市场经济产生阻碍作用，彰显了自由理念的现实价值；当然，社会秩序仅靠彰显自由的信任规则来维系是远远不够的，关键在于自律。苏格兰启蒙思想家充分意识到道德的现实功能，作为市民的文明人不是道德世界的局外人，道德在相当大的程度上就是自然秩序中的法律。我们如今从多学科角度来整理苏格兰启蒙思想家的遗产固然更为精细，但从整体理论布局的角度把握各学科交汇点的问题意识同样重要，而这个交汇点就是市民社会。可以说，"政治经济学是一门'立法者的科学'，自然法学（natural jurisprudence）是揭示人类社会的自然正义准则和政治基本原理的科学"③。在这个意义上，人的科学、历史科学和政治科学是贯穿苏格兰启蒙思想家市民社

---

① ［英］大卫·休谟：《休谟政治论文选》，张若衡译，商务印书馆 1993 年版，第 23 页。
② ［英］大卫·休谟：《休谟政治论文选》，张若衡译，商务印书馆 1993 年版，第 115 页。
③ 王楠：《亚当·斯密的社会观：源于人性的自然秩序》，《社会学研究》2006 年第 6 期。

会理论的关键词，崇尚科学是工业革命的必然结果。

斯密的论述最为有力，他的《国富论》和《道德情操论》享誉至今①，这两部分别被归纳为政治经济学和道德哲学的文本具有颇为广阔的视阈。斯密对人的社会性加以感性确证，认为人性中有同情和交换的本能，每个人都有保护自己不受伤害的自然权利，这是市民政府存在的前提。斯密从自然自由的角度规定君主应尽的义务，"第一，保护社会，使不受其他独立社会的侵犯。第二，尽可能保护社会上各个人，使不受社会上任何其他人的侵害或压迫，这就是说，要设立严正的司法机关。第三，建设并维持某些公共事业及某些公共设施（其建设与维持绝不是为着任何个人或任何少数人的利益），这种事业与设施，在由大社会经营时，其利润常能补偿所费而有余，但若由个人或少数人经营，就决不能补偿所费。"②其实，这正是国家对市民社会所尽的义务，国家之所以能够良性运转正是因为符合市民社会的需要。

苏格兰启蒙思想家对市民社会的具体观点各具特色。比如休谟特别是斯密试图在新的社会伦理视阈中审视市民的价值，弗格森则在肯定现代工业文明和商业文明的过程中批判现代社会的道德危机。通过对弗格森、休谟和斯密的相关思想略作归纳，从中看到苏格兰启蒙运动的政治哲学内涵，而这些思想在沙夫茨伯里、哈奇森、斯图亚特等其他苏格兰启蒙思想家的著述中也不鲜见。他们主要从人性层面探究市民社会的自然秩序，认为市场经济是维系市民社会运转的经济基础，道德自律是作为市民的文明人必须具有的现代素养，法律是市民社会和个人避免遭受威胁的保障，市民社会对王权和国家的限制理所当然。这些想法基于苏格兰社会的日常生活状况，而不是纯粹理性设计的结果。苏格兰启蒙思想家对社会形态的规定以及对经济基础的强调，对青年马克思的影响不容忽视。可以说，18 世纪发生在苏格兰的这场思想运动的确为历史唯物主义的思想源头③，而马克思走得更远。

上面已经提到，苏格兰启蒙运动是在苏格兰从贫瘠走向富庶的过程中兴起

---

① 值得指出的是，斯密的市民社会理论远不止在这两部著述中得到体现，我们可以在《法学讲演录》中更为充分地理解他的政治哲学主张。

② [英] 亚当·斯密：《国民财富的性质和原因的研究》下卷，郭大力、王亚南译，商务印书馆 1974 年版，第 252—253 页。

③ 参见 Christopher J. Berry. *Social Theory of the Scottish Enlightenment*. Edinburgh: Edinburgh University Press, 1997, p.93.

的改革思潮。与致力于变革封建政体并推动社会革命的众多法国启蒙思想家不同，苏格兰启蒙学者主要致力于在完善市场经济体系的语境中构建现代社会秩序及其价值原则。弗朗西斯·哈奇森、大卫·休谟、亚当·斯密和亚当·弗格森等思想家在道德哲学中阐释的正义论体现了苏格兰启蒙运动的权利意识和政治取向，其中内蕴的拒斥纯粹理性主义的立场以及原则基于实践的理路对马克思影响深远。马克思在研究苏格兰"启蒙国民经济学"①的过程中开启了历史唯物主义视阈，从中阐释的正义论引起英语学界 40 余年的争论，构成了正义论视阈中的"马克思问题"。解析这个复杂的哲学问题，需要区分道德哲学与历史唯物主义视阈中的两种正义论，分辨英语学界对马克思正义论的误读与重释，进而确认马克思正义论的特质及其时代精神。

在 17 世纪开启现代文明旅程的英国很快成为当时的国际贸易中心，"光荣革命"之后形成的君主制、贵族制和民主制的平衡机制得到社会普遍接受，初兴的市民社会需要促进市场经济繁荣的现代精神与之相适应。与英格兰合并之后，苏格兰开始走上摆脱贫瘠的崛起之路，关于何谓理想国家与市民社会的思考是苏格兰有识之士在改革氛围中的共同关注，他们在频繁的思想互动中试图改变 18 世纪苏格兰—英格兰的时代精神，并为此建立一种新的政治学语言。②可以说，苏格兰启蒙思想在很大程度上是以这种新的政治学语言表达的，因而具有典型的政治气质。在苏格兰启蒙学者看来，正义是市民社会的伦理要义，而构建符合市民社会需要的正义论乃是苏格兰启蒙思想的题中之义。这种面向市民社会的正义论拒斥"公正的永恒法则"，反映了与古典道德哲学、与传统形而上学不同的价值理念。

（二）苏格兰启蒙学者的正义论

毋庸置疑，苏格兰启蒙学者的正义论在这场持续百余年的改革思潮中始终在场。由于这种正义观念是在道德哲学语境中得到表达的，我们通常将其理解为启蒙的道德原则之一。但是，苏格兰启蒙学者对正义的规定并非仅仅指向个人的道德养成，而且更多地关注市民社会政治秩序的构建，"这种政

---

① ［德］马克思：《1844 年经济学哲学手稿》，人民出版社 2000 年版，第 73 页。
② 参见 Roy Porter and Mikulas Teich, eds., *The Enlightenment in National Context*, Cambridge: Cambridge University Press, 1981, p.22。

治境遇来自于苏格兰独特的学术思想气氛。"① 由于寄希望于通过社会改革来强国富民，较之偏重于研究公民权利的法国启蒙思想家而言，苏格兰启蒙学者更看重对市民利益的研究，他们在研究自然规律与历史经验的过程中致力于归纳满足市民合理利益诉求的公共规范，从中形成的正义论涵盖如下基本观念。

首先，正义不同于其他美德，是人们必须严格遵守的社会规范。休谟认为，"没有一种德比正义更被人尊重，没有一种恶比非义更被人厌恶；……正义之所以是一种道德的德，只是因为它对于人类的福利有那样一种倾向，并且也只是为了达到那个目的而作出一种人为的发明。"② 他从基于共同利益的"协议"角度阐述秉持正义原则之必需，这种现实考虑摒弃了源自纯粹推理的契约论及其循环论证。斯密认同休谟将正义理解为一种人为德性，他在对"仁慈"和"正义"的比较中强调后者的分量："对社会的存在来说，仁慈不像正义是那么根本重要。没有仁慈，社会仍可存在，虽然不是存在于最舒服的状态；但是，普遍失去正义，肯定会彻底摧毁社会。……仁慈是增添社会建筑光彩的装饰品，不是支撑社会建筑的基础。……正义则是撑起整座社会建筑的主要栋梁。如果它被移走了，则人类社会这个伟大的结构……一定会在顷刻间土崩瓦解、化为灰烬。"③换言之，正义是维系社会运转的基本道德规范，缺失正义原则的社会在现实中无法正常运行。

其次，私人财产权是建构正义原则的基础，正义原则与个人利益与公共利益紧密相关。苏格兰启蒙学者普遍认为，仅有善意或道德感不足以实践正义原则，合理占有个人财产权并尊重他人财产权是以正义观念行事的前提。破坏财产权的行为之所以被视为不义之举，因为它危害了个人利益和公共利益，进而危害社会。因而，休谟指出，"在人们缔结了戒取他人所有物的协议、并且每个人都获得了所有物的稳定以后，这时立刻就发生了正义和非义的观念，也发生了财产权、权利和义务的观念。……正义的起源说明了财产的起源。"④ 斯密也意识到财产权之于其他权利的基始意义，他认为"侵占他人财产的行为，例

① Alexander Broadie ed., *The Cambridge Companion to the Scottish Enlightenment*. Cambridge: Cambridge University Press，2003，p.163.
② ［英］休谟：《人性论》，关文运译，商务印书馆1980年版，第619页。
③ ［英］亚当·斯密：《道德情操论》，谢宗林译，中央编译出版社2011年版，第104—105页。
④ ［英］休谟：《人性论》，关文运译，商务印书馆1980年版，第531页。

如，窃盗与抢劫，由于是从我们手中取走我们原本拥有的东西，罪行比违背契约严重，后一行为只是使我们期待获得的东西落空。"①纯粹的正义尽管只是消极美德，但它是保障私人财产权的有效原则，较之其他更高尚的道德追求显然对市民社会的稳定发展具有重要的现实价值。

再次，正义原则与法律同源同理，正义是法律的基本价值向度。正义原则被苏格兰启蒙学者视为社会的法律，休谟认为，"我们的财产只是被社会法律、也就是被正义的法则所确认为可以恒常占有的那些财物。"②当时，传统正义论难以引领市民社会，人们自觉遵奉正义的法律，以实现和保护个人利益与公共利益。斯密为此还界定了正义的法律的层次："最神圣的，或者说，被违背时要求报复与惩罚的呼声似乎最高亢的，就是保护我们的邻人的生命与身体的那些法律；接着是保护他的财产与持有物的那些法律；排在最后的是保护他的所谓个人权利的那些法律，这一类法律保护他基于他人的承诺而该获得的某些利益。"③总之，正义原则需要法律保障，而人们之所以遵守法律乃是因为它体现了正义原则，这种贯通正义与法律的思路强化了正义原则的社会约束力。

最后，履行正义的协议以政治正义为前提，市民社会的成员具有剥夺剥夺者的权利。哈奇森对一切形式的不合法权力均作出否定性论证，他认为公民有权剥夺威胁公共利益的统治者的权力，其对反奴役、征服和等级制度的论述甚至有些激进。④这个思路在休谟论述抵抗不正义的统治具有政治正当性的如下表述中也体现得很清楚："人们如果得不到保障和安全，却遭到暴虐和压迫，于是他们就不再受他们的许诺的约束（一切有条件的契约中都是这样），……在我们的全部道德概念中，我们确是不会抱有像消极服从的那样一种荒谬的主张，而都一定承认在罪恶昭彰专制和压迫的情况下可以进行抵抗。"⑤可见，人们的正义观念以及人们对协议的承诺先于服从的义务。对此，斯密含蓄地指出："有时候则是某些专制垄断政府的特殊阶级的利益，会歪曲一些国家制定

① ［英］亚当·斯密：《道德情操论》，谢宗林译，中央编译出版社 2011 年版，第 101 页。
② ［英］休谟：《人性论》，关文运译，商务印书馆 1980 年版，第 531 页。
③ ［英］亚当·斯密：《道德情操论》，谢宗林译，中央编译出版社 2011 年版，第 101 页。
④ 参见 C. Robbins, "When it is that Colonies may Turn Independent", William and Mary Quarterly, 3rd series, 1954:（11）。
⑤ ［英］休谟：《人性论》，关文运译，商务印书馆 1980 年版，第 591—593 页。

的法律，使它们背离自然的正义。"① 鉴于正义是需要严格履行的维护社会秩序
的原则，因而必须取缔不正义的法律，抵制专制垄断政府的压迫，使正义重新
成为法律的价值向度，以保障市民社会的公共利益。

概言之，上述观念在一定程度上体现了苏格兰启蒙学者的正义论的大致轮
廓。当然，苏格兰启蒙学者的正义论并不完全一致，但他们各种具有细微差别
的论及正义的篇章或段落在很大程度上表明正义论的"公约数"及其理解的开
放性。他们将正义视为精密准确的道德规则，力图将实验方法引入道德研究，
因而凸显了这种正义论的规范性。以这种正义论为代表的苏格兰启蒙道德哲学
对后世影响深远，其分量完全可以同法国启蒙思想比肩。在这个意义上，苏格
兰启蒙运动也完全配享以赛亚·伯林对启蒙时代的赞美："通过认真尝试运用
科学的方法调节人类事务，……不正义被避免或阻止……他们的时代是人类生
活中最好的和最有希望的时期之一。"② 这个时代的思想是马克思构建历史唯物
主义的重要学术资源，其中对苏格兰"启蒙政治经济学"的研究实则马克思政
治经济学批判的起点。

二、斯密的古典政治经济学

自 1844 年开始，马克思认真阅读了苏格兰启蒙思想家的著述，在摘录
的同时写下了很多解读和批判的文字。这些思想家在经济发展与社会改革的
语境中构建了现代社会秩序，道出了现代国家富强和长治久安的秘密，其政
治文明观念成为欧洲市民的共识。"苏格兰的欧洲语境往往遭到忽视，同样
的道理，其鲜明的特征只能被用来描绘反对欧洲启蒙运动的轮廓。大卫·休
谟、亚当·斯密、威廉·罗伯逊、约翰·米勒和亚当·弗格森是欧洲思想传
统的微妙门徒，他们对一系列启蒙文化颇为熟识。"③ 他们意识到正在崛起的
现代工商业是市民社会发展的基础，而一个经济繁荣市民社会需要良好的法

---

① [英] 亚当·斯密：《道德情操论》，谢宗林译，中央编译出版社 2011 年版，第 436 页。
② Isaiah Berlin. *The Age of Enlightenment: The 18th Century Philosophers*, New York: The New American Library, 1956, p.29.
③ Alexander Broadie ed. *The Cambridge Companion to the Scottish Enlightenment*. Cambridge University Press, 2003, p.157.

律、商业合作和交易原则以及道德行为机制与之相适应，从而为现代文明人合理的利益诉求提供适宜的社会环境。在这些苏格兰启蒙思想家中，对马克思影响最多的是斯密、弗格森和李嘉图，尽管马克思在不同程度上否定了斯密和李嘉图的经济研究方法和结论，但他确乎从这两位思想家的政治经济学研究中确认了批判的资源，他对弗格森的市民社会理论和阶级体系的赞赏则表明，他对古典政治经济学的研读所看重的乃是当时尚不自觉建构的历史唯物主义的学术资源，对斯密、弗格森和李嘉图所作的简要个案分析似可说明这一点。

深受哈奇森和休谟影响的斯密（1723—1790）因《国富论》而名震欧洲，通常被认为开创了现代政治经济学的起点，而《道德情操论》则使他被看做18世纪最重要的伦理学家之一。他在这两部名著中分别讨论了"经济人"和"道德人"，前者由"看不见的手"支配，后者追求崇高的理念，他们共处于新兴的市民社会中。斯密将追求物质利益的最大化当做人的天性，认为这种自利具有道德的正当性。他是在个人自由的政治基调中论述利我与利他以及道德和利益的关系问题的，这些哲学话语后来在《法学讲演录》和《哲学论文选》中得到了更充分的表达。可以说，斯密对经济自由的肯定实际上孕育着政治自由的前提，即政府的职能乃是为个人自由提供政治环境。

斯密所研究的国民财富的科学和关于道德情操的理论都不仅指向今天的经济学和伦理学，而是一种基于政治经济学的广义人文社会科学，或者说他所探究乃是有道德的自由的"经济人"如何在经济持续发展的市民社会获得幸福。这些问题无论对于政府还是市民都是至关重要的，因而斯密等苏格兰启蒙学者所研究的可谓当时非常有用的学问。斯密认为，人具有社会性，这是由人与生俱来的情操所决定的。他将市民而非君主视为社会的保护者，因为傲慢的君主自以为至高无上，极力扫除实现自己意志的障碍，国家成为他们实现意志的手段，因而不能体现公共精神。斯密看到，公共精神是在现代社会中由市民自觉实现的，作为市民的个人应当使自己成为正义的卫士，履行正义的要求，需要个人的审慎和自我控制，也需要政府在履行其职能的过程中力求规范。

重要的是，斯密的《国富论》、《道德情操论》和《法学演讲录》分别在不同角度论及源自"自然法理学"和"历史法理学"的正义论及其道德基础，即一种德性的正义在经济学、伦理学和法学中的呈现样态及其在不同社会环境中的演化。[①] 受到自然法理论深刻影响的斯密进一步探究了与之关联密切的历史法理论，因为他看到现实中的实证法几乎从来都没有满足过自然法的要求，斯密力图论证日常生活的合理性，从而将正义和道德均纳入可操作的范围内。正是在这样的语境中，斯密所理解的"政治"在很大意义上等同于社会，他致力于建构作为社会的政治结构以及个人在一个合理的政治结构中作为市民彼此相处的原则。市民社会的成员依赖彼此之间的交换，他们其实都是商业社会中的商人，社会治理原则因而必须符合工商业发展的实际情况。

斯密论述社会运行原则时所用的最著名的隐喻是"看不见的手"，尽管这个来自于宗教的话语在斯密的著述中并不常见，但通常被人们用来诠释市民经济的根本特征。在斯密看来，个人对自身利益的追求在客观上实现了社会的利益，这种阐述进一步发挥了曼德维尔在《蜜蜂的寓言》中关于个人恶和社会善之间关系的论述思路。"在这个场合，像在其他许多场合一样，他受着一只看不见的手的指导，去尽力达到一个并非他本意想要达到的目的。也并不因为事非出于本意，就对社会有害。他追求自己的利益。往往使他能比在真正出于本意的情况下更有效地促进社会的利益。我从来没听说过，那些假装为公众幸福而经营贸易的人做了多少好事。"[②] 这样，自利的人为社会利益所作的贡献并非出于自愿，却是历史的必然。对此政府不应过多干涉，而应当更好地为个人利益和社会利益提供必要的保障。这些观点对自由主义政治哲学的影响无疑是重大的。

斯密在此基础上提出社会分工理论，这在苏格兰启蒙思想家中也属首创，他肯定了分工的社会意义，认为"劳动生产力上最大的增进，亦即运用劳动时所表现的更大的熟练、技巧和判断力，似乎都是分工的结果"[③]。马克思同意斯密对分工的社会意义的阐述，认为斯密"代表着一个还在同封建社会的残余进

---

① Knud Haakonssen & Donald Winch, "The Legacy of Adam Smith", in *The Cambridge Companion to Adam Smith*, ed. By Knud Haakonssen, pp.366-374, Cambridge: Cambridge University Press, 2006.

② [英] 亚当·斯密：《国民财富的性质和原因的研究》（下卷），郭大力、王亚南译，商务印书馆1974年版，第27页。

③ [英] 亚当·斯密：《国民财富的性质和原因的研究》（下卷），郭大力、王亚南译，商务印书馆1974年版，第5页。

行斗争、力图清洗经济关系上的封建污垢、提高生产力、使工商业获得新的发展的资产阶级"①。关于这个问题，哈耶克也曾谈到，斯密的学说"冒犯了一种人类从早期朝夕相处的部落社会中继承下来的根深蒂固的本能，人们在这种社会里经过数万年时间形成的情感，在已进入开放的社会时仍然支配着他们。这些遗留下来的本能，要求人们应当致力于为他所认识的同胞（即《圣经》中的'邻人'）提供可见的好处"②。其实，这正是苏格兰启蒙学者的社会使命，他们就是要以务实的思想姿态迎接一个新时代的来临。

当然，斯密对历史一般原则的建构及其对商业社会的特质的阐释之间存在着一定的矛盾，这也许是他们这代苏格兰启蒙学者没有意识到的。他"既相信历史发展阶段性又试图用简单和优雅的牛顿式的原理法来解释社会中复杂的现象，最后只能用不同的社会机制和抽象人性的相互作用这种很含糊的方式来解释所谓的历史发展阶段论，这是所有苏格兰历史学派思想家共有的特点"③。值得提及的是，马克思认为"政治经济学之父"是威廉·配第而不是亚当·斯密，原因大概在于，正是威廉·配第第一次提出"价值就是指劳动，价值量就是指劳动量"的观点。这个观点在西方学界产生的影响当然与《国富论》不可同日而语，但是离历史唯物主义更近。斯密的理论出发点是超国界的，他希望自己对国民财富的性质和原因的研究能够适应于一切时代，这在马克思看来显然是超历史的，而一切超历史的理论都不能提供研究历史的钥匙。因而，当我们在《1844年经济学哲学手稿》中读到马克思对启蒙国民经济学家的批评的时候，极易看到马克思对他们道德理论的历史前提和现实有效性的不满。

马克思通过对当时社会生产生活领域的理论关注与实践考察，实现了对以斯密为代表的古典政治经济学家的理论超越。他看到斯密没有关注在经济活动中呈现的社会关系，而这正是他的政治哲学研究得以茁壮成长的土壤。而从苏格兰启蒙运动内部来看，李嘉图为斯密的劳动价值论提供了崭新的内容，即创造和评价商品价值的要素是一般劳动，进而实现了古典经济学的革

---

① 《马克思恩格斯选集》第1卷，人民出版社2012年版，第234页。
② ［英］弗里德里希·冯·哈耶克：《经济、科学与政治——哈耶克思想精粹》，冯克利译，江苏人民出版社2000年版，第227—228页。
③ 唐正东：《从斯密到马克思——经济哲学方法的历史性诠释》，江苏人民出版社2009年版，第41页。

命性突破。李嘉图对资本逻辑做出了具有唯物主义特质的阐释，他不从任何理论假设出发，而将研究视野投向稀少的社会财富，在丰富劳动价值论的同时，分析了工人和资本家之间的利益差别，甚至谈到了生产力在社会发展过程中的关键作用，被马克思认为具有"科学上的诚实"。马克思认为李嘉图"揭示并说明了阶级之间的经济对立——正如内在联系所表明的那样，——这样一来，在政治经济学中，历史斗争和历史发展过程的根源被抓住了，并且被揭示出来了"①。但是，李嘉图在具有唯物主义的政治经济分析框架中同样没有意识到工人有意识的抗争对社会变革的决定作用，这个台阶是由马克思登上的，当然，另一位苏格兰启蒙学者在这一点上也为马克思提供了独特的思想资源。

三、弗格森的道德哲学和市民社会理论

弗格森（1723—1816）是苏格兰启蒙学者中唯一出生在苏格兰高地的思想家，具有与其他苏格兰启蒙思想家不同的文化性格，高地民风骁勇，这里的人们使用的是与爱丁堡和哥拉斯哥等苏格兰低地大城市都不同的盖尔语。弗格森强调民兵制的勇敢精神和社群纽带在市民社会中的重要意义，显然与他所处的社会环境颇有关系。他深知现代工商业发展和市民的道德自觉推动了社会进步，身处市民社会的成员共同生活在一个商业共同体中，但他的市民社会理论主要是政治性的，或者说他更多地是以一种源自高地的公共精神批判资本逻辑对人类精神的污染，希望繁荣的市民社会的成员能够保持古朴的人性，不至于毁灭高贵的道德情操，从而使文明社会得以持续发展。

弗格森的道德理论和政治哲学比较古典，这与他年少时在圣安德鲁斯学院和爱丁堡大学接受古典教育有关，他时常在古希腊的美德伦理学中寻找塑造现代市民社会的公共精神的启示，以此对抗纯粹追求经济利益的社会行为。弗格森推崇柏拉图的政治哲学和斯巴达式的政治制度，他的罗马史研究专著《论历史的进步和罗马共和国的终结》一度广为流传。他从维护文明社会连贯性的角度指出，"为了增加财富、人口、人类受到腐败的侵蚀，无法捍卫自己

---

① 《马克思恩格斯全集》第 26 卷第二册，人民出版社 1973 年版，第 183 页。

的财产。最终，他们只好受压迫，走向毁灭。我们为了能够使枝干生长，叶子繁茂，把根切断了。"① 也就是说，资本主义促进了社会的经济增长，却败坏了人类的文明。弗格森强调古朴高尚的精神意志的社会作用，认为这是维系社会发展的根本，他经常发表意见的场所是爱丁堡的"拨火棍俱乐部"，这个社交团体做了大量的政治鼓动工作，特别是鼓励上流社会的人士积极赞助建立民兵组织。这些民兵组织的职能是保卫苏格兰的安全，却实在只能在高地得到认同，因为现代社会需要的不是持剑的勇士，而是由专业化士兵组成的现代部队。

马克思对弗格森的赞赏并非出于对具有古典特征的公共精神的肯定，而是弗格森探讨了个人抗争和政治秩序的关系，而且提出了"需求的多样性"和"上层建筑"的概念。他在古典古代的基础上批判美德在文明社会流失的现象，归纳了社会腐化堕落和政治奴役的成因，在一定程度上批判了商业文明，其中很多观点与休谟和斯密的看法不同。弗格森重视整体的社会观念，他的《市民社会史论》概括了启蒙运动的社会语境，"在弗格森的一生中"，市民社会"这一词语获得了新的重要地位和新的意义，指出这一点很重要：与公民传统（civic tradition）相反的是，黑格尔在'市民社会'和'国家'之间作了区分，在私人贸易领域和社会相互作用的个人和政府与法律管辖的公共领域之间作了区分。黑格尔阅读和使用了弗格森的著作，并在弗格森德文译本的帮助下，使'bürgerliche Gesellschaft'概念成为了德国学术圈的显学"②。将"bürgerliche Gesellschaft"直译为英文则是"bourgeois society"，这个概念与古希腊作为城邦社会的市民社会更为接近；而将其译为"civil society"，则成为一个现代性的概念。

弗格森认为建构合宜的政治制度是一件大事，于此人们的权利关系和处事方式将得到规范化，政治制度的有益程度基于其对国民安全与幸福所作的贡献、国民的适应性、对宪政的适应程度以及相关的外在环境。弗格森也意识到，社会冲突导致社会变迁，促进社会文明和政治自由。在他看来，市民内心适度的不安和政治适度的波动都有益于文明发展，弗格森从关系的角度

① 参见［英］亚当·弗格森：《文明社会史论》，林本椿译，辽宁教育出版社 1999 年版，第 9 页。

② 参见 Adam Ferguson. *An Essay on the History of Civil Society*. Cambridge: Cambridge University Press，1995，p.xix。

分析社会分工，也关心分工中存在的冲突问题。"弗格森关于分工的大部分分析构成了马克思后来讨论分工的基础，事实上，马克思也明显把弗格森当做自己观念的一个来源。"① 马克思十分重视弗格森的分工理论，并将他的分工理论与斯密的分工理论加以比较："亚·斯密指出：如果从一方面说分工是人的才能的自然差别的产物和结果，那么，人的才能的这种差别在更大程度上是分工发展的结果。在这个问题上，斯密仿效了他的老师弗格森。……弗格森与斯密的不同之处在于他更尖锐、更明确地揭示了分工的消极方面"。在这个方面，马克思对弗格森的肯定非常明显，"弗格森明确地把'隶属关系'看作'各种技艺和职业相互分离'的结果，资本和［劳动］之间的对立等等［在这里明显地表现出来了］"，他"把这种工业民族同古典古代相比拟，但是他同时强调指出，奴隶制是自由人的充分的、全面的发展的基础"。② 可见，马克思欣赏弗格森的主要是关于资本和劳动力对立等社会冲突的论述，而斯密认为个体对自身利益的理性追求能实现社会普遍繁荣，这种观点的政治哲学基础是启蒙运动的自由理性主义，即道德和政治制度的根本目的是个体利益。

综上可见，马克思深受苏格兰启蒙学者的政治经济学研究的影响，并自觉地在批判的过程中汲取政治经济学研究中的现代文明观念和唯物主义基础。当然，马克思清晰地看到苏格兰启蒙思想在 19 世纪的实际境遇：当资本逻辑愈益加深，工人的劳动在越来越大的程度上被占有的时候，穷人与启蒙思想渐行渐远。因为启蒙思想家所描述的未来是他们在疲惫的劳作之余看不到的，正如恩格斯所说，"同启蒙学者的华美诺言比起来，由'理性的胜利'建立起来的社会制度和政治制度竟是一幅令人极度失望的讽刺画。"③ 因此，马克思将政治经济学研究推至批判的向度，并自觉在哲学语境中研究资本主义社会的经济现象，形成了一种基于德国哲学和英国古典政治经济学研究的政治哲学探索，从根本上改变工人的生活境遇，以自由的精神实现社会平等，体现了马克思政治哲学卓越的价值立场。

---

① Ronald Hamowy, "Adam Smith, Adam Ferguson, and the Division of Labour", *Economica*, New Series, 1968, Vol.35.
② 参见《马克思恩格斯全集》第 32 卷，人民出版社 1998 年版，第 311—314、314、315 页。
③ 《马克思恩格斯全集》第 36 卷，人民出版社 2014 年版，第 273 页。

第二节　空想社会主义

原初意义上的社会主义和共产主义，都是表达关于理想社会的一种观念，其核心诉求是反压迫、均贫富，建立公平正义的美好世界。因为现实社会总是存在这样或那样的矛盾、缺陷和弊端，当人们对现实社会的某种现象表示不满或愤慨时，头脑中就会生发对某种理想社会的向往，甚至产生思想的火花。无论在古代中国还是古代西方，我们都能发现社会主义和共产主义的思想火花的跃动。比如古希腊有关"黄金世界"和"幸福岛"的传说，中国西汉年间的《小戴礼记》有关大同世界的大致憧憬。古人对理想社会的希冀，要么充满返古去智的蒙昧色彩，要么带有虚玄空幻的神话光环，总之，不可避免地带有小农经济的狭隘眼光；但也足以表明，反抗压迫、渴求公平一直以来都是人类社会的内在基因，社会主义的思想火花古已有之，且中外相通，它们是数千年来将勇气和希望照进社会黑暗角落的思想火种。

真正的、现代意义上的社会主义，是以资本主义生产方式的出现为前提的，其思想内容则是扎根于物质的经济的社会事实来批判现实和实现理想的。现代空想社会主义肇始于资本主义萌芽时期的欧洲，并且伴随着资产阶级的日渐强盛和无产阶级的逐步形成，相应地表现为不同阶段的理论形态。尽管对于空想社会主义的历史谱系和表现形式，向来颇有争议。但我们在广义上说的空想社会主义，是指自现代社会主义发端以来未能基于唯物史观进行阐发和实践的社会主义，涵括除科学社会主义以外的所有社会主义学说。

最早揭露资本主义"原罪"的是英国人莫尔（1478—1535）。他在1516年写的《关于最完美的国家制度和乌托邦新岛的既有益又有趣的金书》（简称《乌托邦》），对当时英国和欧洲其他国家的社会经济、政治制度的批判鞭辟入里，对理想社会——乌托邦的描绘令人神往。虽然莫尔对乌托邦的设想带有以农业、手工业为主的自然经济时代的局限，但是他以"羊吃人"的比喻揭露了资本原始积累造成大量游民、盗窃犯，政府却只对游民和盗窃犯苛以重刑的不公平现象。更为可贵的是，他指出这种现象的根源是私有制，为后来深刻批判资本主义制度的社会主义学说指明了方向。

18世纪的摩莱里（约1700—1780）和马布利（1709—1785）发展了社会主义学说，使之"有了直接共产主义的理论"①。在近代理性狂飙突进的年代，摩莱里和马布利不再用文学形式来控诉现实和描绘未来，而是立足理性原则，从理论上论证私有制是一切罪恶的根源，并且拟定一系列理性法则来指导社会改革。但是他们的学说以自然秩序为前提，想要回到私有制出现以前的"黄金时代"，实质上是一种"禁欲主义的、禁绝一切生活享受的、斯巴达式的共产主义"②。这种直接的共产主义理论，是现代社会主义的初级表现形式，主要是富有道德感的知识分子对农民和手工业者不幸遭遇的本能同情与直接抗拒。

空想社会主义的最高发展形式是法国思想家圣西门（1760—1825）、傅立叶（1772—1837）和英国思想家欧文（1771—1858）的理论体系。圣西门在1802年写了第一本著作《一个日内瓦居民给当代人的信》，提出实业制度的一些初步构想；傅立叶在1803年公开发表首篇论文《全世界和谐》，指出现有文明制度将被新的和谐制度所代替；欧文在1800年担任新拉纳克的管理工作，成功实践了生产与生活、经济与道德交互发展的理念。这三个伟大的空想主义者，在各自所处的社会环境下，结合各自的人生经历和思想背景，将社会主义思潮在19世纪上半叶发展到历史高峰，为科学社会主义的诞生提供了直接来源。

他们在19世纪初登上历史舞台，一方面是由当时英法两国的经济发展状况决定的。在18世纪与19世纪相交之际，资本主义生产方式和政治制度率先在英法两国获得确立。英国最早在16世纪的纺织业出现资本主义萌芽，通过圈地运动实现大量原始资本积累，17世纪平稳过渡到资本主义政权，及至18世纪爆发工业革命，机器大生产带动了工业全面发展，极大地提高了社会生产力，崛起的大工业资本家阶级打破了原来贵族地主与资产阶级的力量均衡局面，从根本上改变了社会经济关系和政治制度。

18世纪的法国也在酝酿着剧烈变革。尽管在政治上还是封建主义占据统治地位的农业国家，但资本主义工场手工业发展显著，尤其是纺织业和矿产业已经开始采用机器生产。伴随着资本主义生产方式的蓬勃发展，要求摆脱封建

---

① 《马克思恩格斯选集》第3卷，人民出版社2012年版，第777页。

② 《马克思恩格斯选集》第3卷，人民出版社2012年版，第777页。

王权对人身束缚和对经济盘剥的诉求日益强烈。1789年轰轰烈烈的大革命推翻了波旁王朝的统治，标志着资产阶级在法国获得确立。资本主义生产方式的确立极大地解放了社会生产力，推动英法两国的工商业突飞猛进，也创造了一个人数庞大的产业工人群体。在与精神的和尘世的封建主的斗争中，农民是战斗大军，但是胜利所带来的经济后果却是农民的破产。人们发现，在罗马教权和封建王权坍塌瓦解之后，另一个特权阶级与人数众多的悲苦弱势群体相伴而生。"公开的、无耻的、直接的、露骨的剥削代替了由宗教幻象和政治幻象掩盖着的剥削"①，游手好闲的富人群体和从事劳动的贫穷群体、有产者和无产者、资本家和雇佣工人之间的矛盾凸显出来，使空想社会主义能够"极为天才地发现"②，裹挟在革命浪潮中的不仅是封建贵族和资产阶级之间的阶级斗争，而且是封建贵族、资产阶级和无财产者之间的阶级斗争。

另一方面，三位空想社会主义者对新形势下的社会现实的观察、批判和改造，在理论形态上表现为18世纪启蒙思潮（主要是法国启蒙思潮）的延续和推进。圣西门在青少年时期受过达朗贝尔（1717—1783）和卢梭（1712—1778）的教诲，对孟德斯鸠亦有了解；傅立叶专门研究过伏尔泰（1694—1778）和卢梭等人的著作；欧文则根据爱尔维修（1715—1771）的观点来管理拉纳克工厂。18世纪，在西欧颇有摧枯拉朽之势的启蒙思潮，虽然具有百家争鸣的理论形态特征，但都表达了反对封建专制、反抗信仰禁锢、推动历史进步的启蒙精神。这种传递着理性、自由、平等、独立等价值原则的启蒙精神，在法国革命运动中被浓缩为"自由、平等、博爱"三大口号，并且成为推翻封建专制和宗教压迫的一杆大旗。

然而，《人权宣言》实际上只是宣告资产阶级获得政治解放，大量的社会人口被抛入无产阶级群体，处于实际上的无人权和赤贫状况。资产阶级基于启蒙精神建立起来的社会制度和政治制度竟然成了"一幅令人极度失望的讽刺画"③。这种状况对于深受启蒙思潮影响的三位空想社会主义者来说，意味着解放全人类的启蒙事业尚未终结，启蒙精神的各项价值原则还应当得到更进一步的发展，以及更为彻底的现实展开。

---

① 《马克思恩格斯选集》第1卷，人民出版社2012年版，第403页。
② 《马克思恩格斯选集》第3卷，人民出版社2012年版，第783页。
③ 《马克思恩格斯选集》第3卷，人民出版社2012年版，第779页。

圣西门、傅立叶和欧文对贫困的劳动人民给予了极大同情，不仅指明了启蒙精神在新时代的新制度下实际上的衰落，而且从理性原则出发，对理想社会提出了丰富的制度构想和实践方案，使启蒙精神更好地成为现实。以发展启蒙思潮的各项价值原则为理论形式，三位空想社会主义者对资本主义社会的经济领域、政治制度、道德伦理等方面进行了考察和揭露，并且极富创见地构想了未来社会如何吸收资本主义的有益成果，使社会主义学说达到了前所未有的理论高度。

一、圣西门：实业制度与新基督教

圣西门出生在法国巴黎的一个贵族世家，自小受过良好教育。由于家庭教师大多深受启蒙思潮影响，他在少年时期便确立了唯物思想和理性高于信仰的信念，为后来积极改善人类处境、为全社会造福的伟大事业埋下了伏笔。

1779 年，圣西门志愿参加美国独立战争并立下军功。独立战争结束后，他辗转回到法国，不久便离开军队到处游历。1789 年大革命爆发，他闻讯立即从西班牙回国投身革命，积极宣传自由平等思想，呼吁废除封建特权，还公开声明放弃伯爵头衔，改名为"公民包诺姆"（意为庄稼汉）。但是，圣西门很快发现，大革命并没有解决最重要的土地问题，地主仍然是所有者，农民依旧要缴纳苛捐杂税，而且革命中出现了很多野蛮行径，暴民的残忍和破坏使得圣西门对革命产生了厌恶和反思，转向寻求和平的方式来改组社会。

从 1790 年到 1797 年，圣西门在动荡的革命局势中发现了巨大商机，通过投机买卖土地赚得一笔财富。这体现了他的商业头脑。但于他而言，追求财富不过是一个组织巨大的实业机构，创立完善的科学学派的手段。从 1798 年开始，圣西门到瑞士、英国和德国从事科学活动，考察人类理性发展的现状和研究发明的历史，主要就是到各个大学广泛结交科学家、艺术家，直至散尽资财。

即便生活困窘，圣西门仍不辍理想，在 1802 年写了《一个日内瓦居民给当代人的信》，初步构思了通过科学实业来消除资本主义危机的改良方案。此后又陆续发表了《十九世纪科学著作导论》（1808）、《人类科学概论》（1813）、《论万有引力》（1813）、《论欧洲社会改组》（1814）、《论财产和法制》（1818）、《政治家》（1819）、《组织者》（1819—1820）、《寓言》（1819）、《论实业体系》（1821）、《实业家问答》（1823—1824）、《论文学、哲学和实业》（1825）和《新基督教》（1825）等著作，充分论证和阐释了自己的社会主义学说。

（一）作为未来社会形式的科学实业制度

受 18 世纪法国启蒙思想家的影响，圣西门的世界观带有机械唯物主义色彩。他认为一切事物都是由处在万有引力规律支配下的物质构成的，社会发展也像数列一样体现着规律，是由低级社会形式向高级社会形式进步的。人类社会已然经历了偶像崇拜的原始社会、多神教的奴隶社会、基督一神教的封建社会，还会向更完满的社会形式发展。所谓的"黄金时代"，不在过去而在未来。

圣西门认为，人类社会发展的规律就在于人类理性的发展程度，这取决于天才人物的智识。有天才的人必须保持独立自主，不至因私人利益而出卖自己，方可成为全人类的火炬。他认为，对于人类理性进步发挥最重要作用的，就是哲学家。哲学家的主要任务，是认识最适于当时当地的社会组织体系，以使被统治者和统治者共同采纳。正如他所说，"哲学家站在思想的顶峰，他由这里俯瞰世界，观察世界过去是什么样子和将来应该变成什么样。他不仅是一位观众，而且是一个剧中人。他是在道德世界中起最主要作用的角色，因为他对世界将来应该变成什么样所持的观点支配着人类社会。"[1] 当然，圣西门相信自己也是吝啬的大自然撒向人类社会的罕见天才人物之一。这个天才人物所认识到的最适宜的社会组织体系，就是科学的实业制度。在他以实业为旨归的社会主义学说中，以萌芽状态包含了"后来的社会主义者的几乎所有并非严格意义上的经济学思想"[2]，亦足以印证其天才的头脑和伟大的创见。

首先，圣西门的实业制度是一种依靠科学、艺术和工艺来使劳动造福于社会的政治体系。他说的实业，泛指一切对社会有益的工作，包括脑力劳动和体力劳动，不仅有理论也有应用，还包括银行家的金融活动。实业家，则是从事生产或向全体社会成员提供各种财富以满足他们需要的人，既包括工厂主、农场主、商人和银行家，也包括工人和农民。他还提出，未来的实业制度要重建

---

[1] 《圣西门选集》第 1 卷，商务印书馆 1985 年版，第 110 页。
[2] 《马克思恩格斯选集》第 3 卷，人民出版社 2012 年版，第 783 页。

所有制，除了实业财产之外不存在任何其他财产。人人必须劳动，按能力和贡献实行分配，废除一切特权，根绝不劳而获的寄生现象。

实业界的政治精神在于联合。法国大革命就是所有被统治者联合起来共同反抗统治者的斗争。其中，学者和艺术家是这场运动最初的发起者，因为他们想要实现理想秩序却遭遇旧势力反抗，于是广泛发动了人民群众。尽管圣西门看到了无财产者是法国大革命的主要生力军，但是，他在尚未成熟为无产阶级的无财产者身上只看到了愚昧无知和暴力破坏，因而主张学者和艺术家应当与优秀的实业家联合起来，共同充当人类理性发展进程的调节者。他们的具体分工如下：艺术家是那些想象力丰富的人，他们以诗情画意的形式向人们报知人类的未来；学者的主要工作是观察和判断，把政治变为对人类科学的一种补充；实业家则把全部思想都集中在生产领域，判断艺术家和学者联合制定的计划哪些可以立即实现；至于执行工作的领导权，则交给掌握财政动向的银行家。在圣西门看来，这样的联合，可以创造满足社会的精神需要和物质需要所必需的一切条件。

其次，实业制度的目的是让一切社会成员都得到最大限度的自由和普遍的福利。强大的物质生产力量是摆脱专制、实现自由的先决条件。实业致力于生产能够满足社会需要的有益物品，是扩大自由的前提条件，也是消除寄生阶级的唯一途径。圣西门认为，现实的和已经被明确认识到的需要，对自由事业起着指导作用。从法国资产阶级的现实发展历程来看，物质的生产者可以从作为消费者的统治阶级手里购买"专横权利"①，财政拮据的政府为了获得大量资金财富，不得不遵从这些被统治者的意志。这种赎买来的自由反过来又促进了实业的发展，增强力量后的资产阶级便可以进一步扩大自由。

然而，法国大革命偏离了对自由的热爱，逐渐转变为对政权的憎恶，忽视了应当继续发展实业，因而最终结果是政权衰落了，自由却没有确立起来。因此，法国大革命只不过是从封建社会向科学的实业制度发展的合乎规律的过渡阶段，它本应该确立科学的自由的社会制度，却偏离正确道路，产生了新的奴役组织，滋生了一群贪婪逐利、游手好闲的富人。基于对1789年法国大革命的反思，圣西门还朦胧地意识到，资本主义新兴时期生产关系的变化是引发政治、社会等上层建筑变革的原因，物质生产对政治制度具有更为基础的地位和

① 《圣西门选集》第1卷，商务印书馆1985年版，第176页。

作用。他说，由于法国人民经历了全面的动荡，使民族成员之间的一切现存关系变得捉摸不定，还出现了一切灾难中最严重的灾难——无政府主义。无论在生产领域还是在流通领域，都呈现出灾难性的无政府状态，到处肆意制造破坏，造成经济危机和普遍贫困。如何消除这种本来是欧洲各民族都要遭受的而世界上没有任何力量可以防止的动荡危机呢？圣西门认为问题的症结在于政治经济学家大肆宣扬的自由竞争上。只要通过科学的生产计划和合理的组织生产，就能逐渐消除全面动荡。

最后，圣西门提出，现代的政治学就是关于生产的科学。在实业制度下，政府唯一而长远的目的，是运用科学、艺术和工业成就，来满足所有社会成员的需要，增进社会普遍福利。因为完美无缺的政治方案必须满足两个条件：（1）有利于社会，给社会带来实际效益；（2）同社会现状相适应。

在中世纪及以前，很多人还处在无知蒙昧状态，关于如何控制全体人民的统治能力，被看做是有益于社会组织的主要才能。然而，在文明昌盛的现代社会，科学和实业的才能成为最有益于社会的才能。因此，政治制度要从过去对人的统治为主转变成对物的管理和对生产过程的领导为主。实业制度下的社会虽然是自由平等、富足友爱的协作社，但仍然需要政府机构，它主要是为实业发展而服务，政务活动则降低到从属地位，仅限于维护社会治安。他主张学者和实业家共同承担对生产过程的领导，学者从事脑力劳动，掌握精神权力，管理科学和文化教育事业，实业家从事体力劳动，掌握世俗权力，管理行政、生产和财政等方面。可是在现实社会中，如何才能让学者和实业家掌握领导生产过程以及管理协作社的权力呢？

（二）新基督教：为了改善最穷苦阶级的生活状况

尽管圣西门基于深入社会物质现实的考察和分析，推演了一个按照事物的独自发展进程和人类理性发展规律将自然而然形成的政治体系，富有天赋地表达了许多被唯物史观科学地证明了的真理萌芽。然而，圣西门并没有找到实现理想社会的现实力量。他主张为了改善社会状况所能做的唯一重要的事情，就是唤起舆论为建立实业制度而大声疾呼。为此，他重新改造基督教，试图借助宗教手段在政治活动中形成道德和舆论的力量。

圣西门对宗教进行了批判性考察，指出宗教的源头在人而不是神，宗教是人类历史的阶段性产物。当人处于理性发展还不完善，科学知识还很缺乏的阶段，对身边发生的现象无法解释时，就会对这一切作出神性的解释。在实证科学产生之前，僧侣阶级是社会成员中"唯一有些知识的等级"，所以他们"必然取得控制人们思想的全权，主宰人们的信仰"。① 一旦客观规律被人的理性所认识，科学领域取得巨大成就后，信仰就成了多余的东西。

可是，他又提出，理性状况本身是文明进程的直接结果。基督教的规范相较于纯粹理性和自然规律而言，具有"更一般、更简明和更具有人民性"② 的特征。虽然圣西门明确地反对神学禁锢和宗教迫害，但他看到了基督教在欧洲人民群众中的深远影响，没有盲目轻率地主张取缔宗教信仰。受孟德斯鸠和卢梭等启蒙思想家影响，他认为，应重视作为一切道德基础的宗教观念。基于对宗教情感在道德领域发挥作用的认识，圣西门认为，要唤起人们认识基督教的真正精神和道德本质，要让人们重新认识基督教的唯一原则是"要把自己的社会组织得可以保证最穷苦阶级的精神和物质生活得到最迅速和最圆满的改善"③。这一结论是他通过分析基督教的起源和演变历史得出来的。

首先，就道德情感而言，他把人分为两大类：一类是博爱主义者，另一类是利己主义者。博爱，正是曾经鼓舞过基督教奠基人的主要精神，他们是把道德看作真正崇高和神圣的东西的人。圣西门称赞早期的基督徒在勇敢、坚定和明智方面都走在了古代社会的前列，不仅说服了罗马皇帝承认基督教的精神权力，而且确立了人人兄弟相待、互爱互助的道德原则，使之成为每个人都应当服从和遵守的社会关系指南。这些反对利己主义、不断改进社会最下等阶级身心状况的伟大先驱者，应当被视为当代人的榜样。

在圣西门看来，从基督教衍生出来的任何一个教派都没有履行创始人的指示。僧侣阶级的贪婪堕落使基督教演变成僧侣阶层和世俗权贵共同统治、压迫穷苦阶级的工具。发展壮大了的基督教也显露出在组织社会和保护社会完整方面的强大力量。圣西门认为，这种力量来自于欧洲人民普遍信奉基督教，他们"接受了一切民族和一切人都应当促进人类的共同幸福的原则"④，也就是说，他们接受了基督教精神和道德原则。社会因此具有了宗教和道德合一的体系特征。博爱，作为基督教的道德精神，成了联系人们之间关系的纽带，促使社会

---

① 《圣西门选集》第 1 卷，商务印书馆 1985 年版，第 272 页。
② 《圣西门选集》第 3 卷，商务印书馆 1985 年版，第 164 页。
③ 《圣西门选集》第 3 卷，商务印书馆 1985 年版，第 166 页。
④ 《圣西门选集》第 1 卷，商务印书馆 1985 年版，第 302 页。

组织趋于进步和完善，促进了实证科学的长足发展。而掌握精神权力的僧侣阶级和掌握世俗权力的封建贵族，本来应该利用他们从人民那里取得的权力来发展实证科学，增进社会整体福利，却走向了基督教精神的反面，成了异教，因而必然伴随世俗社会的崛起而不可避免地走向衰落。

新基督教不仅要恢复早期基督教精神，还要适应世俗社会发展的新形势，因此，宗教活动的目的就是引导社会最迅速地改变最穷苦阶级的命运。而这需要组成新的精神权力和新的世俗权力，即把精神权力委托给那些最能教导他人学习有用东西的人，把世俗权力交给那些最关心维持和平和改善人民处境的有能力的人，使精神的和物质的力量都掌握在研究实证科学的人手上，才能有效增进社会的普遍福利。

由此可见，圣西门在抽象人性论的基础上重构的新信仰体系，实质上是一种为实业服务的道德体系。新基督教的落脚点，是推动实业制度的建立。"必须使科学体系、宗教体系、法律体系和艺术体系联合起来，在总的公益体系的指导下建立最有利于大多数人的社会组织，建立最有益于发展一切有益的才能的社会组织。"①

圣西门认为，新基督教有一点是跟此前的"异教"相似，即仍然保留宗教仪式和教理，但它们只是作为阐述和吸引人们注意博爱思想和博爱情感的手段。这个新的信仰体系的一切道德原则都来自于"人人都应当兄弟相待"这个早期基督教义，这是最初的、最一般的、唯一的神的道德原则。"新基督教的使命，是在一般的道德原则同人们的损公肥私的企图发生冲突时，让一般的道德原则获得胜利。"②也就是说，重建新基督教的目的是高扬博爱精神，反对利己主义对人们心灵的占有。圣西门还强调，新基督教徒哪怕像早期基督徒那样遭受暴力镇压，也要坚持以道德和舆论的方式回应，任何时候都不能动用武力。

圣西门也反对当代的博爱者们去推翻世袭王权，主张君主是应当争取并且可以争取的同盟。他就曾向欧洲君主发出呼吁，希望他们倾听神的声音，重新做善良的基督教徒，放弃由"雇佣军、贵族、异教僧侣和心术不端的法官"③

---

① 《圣西门选集》第 2 卷，商务印书馆 1985 年版，第 316 页。
② 《圣西门选集》第 3 卷，商务印书馆 1985 年版，第 192 页。
③ 《圣西门选集》第 3 卷，商务印书馆 1985 年版，第 206 页。

组成的封建神学制度，为实现全体社会成员的共同利益和绝大多数人的切身利益而推行政治改革。他强调，这是博爱者唯一可以运用的手段，也是实业制度唯一的实现途径。

圣西门以为，实业制度不仅依据新基督教而具有了神性的道德原则，而且获得了世袭王权的合法认可，便可以在社会成员中达成普遍共识，畅行无阻地施行起来。尽管他表明，最终目的是为了尽快提高穷人的社会福利，为了争取工人阶级的解放，但是，将推行政治改革的希望完全寄托在有教养的统治阶级身上，归根结底还是主张通过道德和舆论的力量来实现理想社会，以为依靠理性、道德和教育便足以推动历史变革。实际上，这并不能从根本上改变工人阶级的糟糕境况，而科学实业制度推广无果也证明了，其饱含天才创见的社会主义学说带有空想性质。

二、傅立叶：法郎吉与新和谐世界

傅立叶出生于法国东部贝桑松的一个富商家庭，早年丧父，根据当时法律，必须继承父业才能获得遗产。因此，从 1790 年起，他先后在里昂、巴黎、卢昂等城市当商店学徒和店员，接受商业熏陶的同时对社会矛盾有了初步观察和认识。1792 年，20 岁的傅立叶回到家乡独立经商。根据所学商业知识，傅立叶在 1793 年法国社会革命所造成的动荡局势中，察觉到商机，从马赛贩运物资到里昂倒卖，但商店和货物均被里昂吉伦特党人征用，他也被迫当了"叛军"。同年 10 月，雅各宾派攻占里昂，傅立叶被捕，资产悉数查抄，偶然逃脱方才捡回性命。这次经历使他怀疑以往的政治科学和道德科学，开始寻求另外的科学来实现社会幸福，同时也导致他对革命专政和阶级斗争抱持反感态度。

虽然只受过中等教育，但是为了发现和建立新的科学，傅立叶广泛阅读哲学、经济学、政治学、历史学、伦理学、文学、教育学等各领域书籍，对近代自然科学取得的成就也有所了解，甚至知晓一些中国的历史和社会情况。他还经常开展广泛的调查研究，随身携带纸笔，记录与底层人民的交谈情况。通过在知识领域的广泛涉猎和在商业生活中的丰富阅历，傅立叶逐渐找到了医治社会弊病的新科学。据他回忆，大致在 1798 至 1802 年形成自己的一套社会主义学说，而此后的 30 年所做的工作，就是把早期偶然领悟到的这个理论萌芽予以通俗化。

1803 年，傅立叶在《里昂公报》发表首篇论文《全世界和谐》，同年发表致政府的公开信，表达现存文明制度将被和谐制度取代的观点。1808 年，他发表首部专著《关于四种运动与普遍运动的理论。关于发现的说明和解释》（简称《四种运动论》），在系统阐述世界观和历史观的基础上论证未来社会制度，初步提出社会运动规律。此后相继发表《论家务和农业协作社》（1822，再版时更名《宇宙统一论》）、《经济的和协作的新世界》（1829）等著作，进一步全面而系统地论述新和谐世界，包括法郎吉经济制度和未来社会组织等方面的问题。1832 年和 1836 年，他与信徒先后创办《法伦斯泰尔》和《法郎吉》杂志。1837 年 10 月卒于巴黎，留有《论商业》手稿。

总体上说，傅立叶是一个性格纯真、热爱生活、热切求知、喜爱艺术和一切美好事物的人，连住所都要用鲜艳的色彩和花卉布置得像花房一样。这样的性格特质，使他在揭露资本主义社会弊病时，不仅深刻如一个优秀的批判家，而且笔触诙谐风趣，堪称自古以来最伟大的讽刺家之一。虽然与闪耀着天才光芒的圣西门相较而言，傅立叶的学说略显晦涩，在驾驭语言表达新思想方面稍微欠缺些。但是，正如恩格斯所指出的，傅立叶的学说包含了更多有价值的东西，他用自己非凡的智慧研究了人类社会制度，将空想社会主义从圣西门的"社会诗歌"深入到"社会哲学"。①

（一）基于"情欲引力"批判资本主义社会

近代以来自然科学获得了许多翻天覆地的研究成果，使唯物主义在 18 世纪和 19 世纪成为法国思想界的主要底色。傅立叶有关社会历史的思想就明显带有这种时代痕迹。他认为世界是运动的，运动不仅具有规律而且可以认识。有四种运动，分别是社会运动、动物运动、有机运动和物质运动，它们按照不同的规律发展，而牛顿发现的"万有引力"只是第四种运动的规律。他声称发现了社会运动的规律是"情欲引力"，即社会发展是人类情欲的结果。傅立叶所说的情欲，是指由人的本性所产生的欲望，是生而固有并且永恒不变的。

首先有 3 种最基本的情欲，第一种是感官的情欲，又称奢侈欲；第二种是爱恋的情欲，又称合群欲；第三种是分配的情欲，又称谢利叶欲。在这 3 种基

---

① 参见《马克思恩格斯全集》第 1 卷，人民出版社 1956 版，第 577—578 页。

本情欲之上又分出 12 种二级情欲，即感官的情欲产生视觉、听觉、味觉、嗅觉和触觉；爱恋的情欲产生荣誉、亲情、友谊和爱情；分配的情欲产生创造、竞赛和追求多样化；其中，前 5 种属于肉体情欲，后 7 种属于更为主要的精神情欲。而 12 种二级情欲的总策源地或曰情欲主干就是统一欲。"统一欲是每个人要把自己的幸福同周围的一切以及全人类的幸福协调起来的意向，尽管今天的人类如此可恨。统一欲是无限的博爱，是宇宙的善举。"[①] 基于 12 种二级情欲又分出 32 种三级情欲，复又产生 134 种四级情欲，以此类推，最后能区分出 810 种不同的情欲。傅立叶分出种类繁多的情欲，是为了说明人类天生具有多元的情欲，因而有多种多样的性格特征，不能整齐划一地对待。他说，过去的社会制度都在某种程度上使人的自然而然的情欲受到压制，而以前的哲学家往往也将情欲视作负面因素，试图用道德抑制情欲。这些都是对自由天性的打压。自然的和正常的情欲总是要摆脱非自然的和不正常的东西所施加的影响，因此便形成了人类社会发展的动力。

毫无疑问，基于这种抽象的人性论来解释社会历史发展，带有很大程度的主观臆想，为了消除独断论色彩，傅立叶把情欲引力视作上帝的安排，甚至宣称改变情欲是不可能的，上帝办不到，人也办不到。这就为情欲引力规律增添了神秘主义光环。须知，所谓人的本性或本质，并不是单个人所固有的、永恒不变的抽象东西，"在其现实性上，是一切社会关系的总和"[②]。撇开抽象的人性论不谈，我们还是应当看到，在傅立叶冷静的、系统的、科学的社会哲学中，包含了当时历史条件下难能可贵的辩证因素和唯物主义思想。

第一，傅立叶提出，人类社会就像人类一样，必然经历童年、成长、衰落和凋谢 4 个阶段，其中童年和凋谢阶段分别历时 5000 年，且各自包括 7 个时期；成长和衰落阶段分别是 35000 年，且各自包括 9 个时期。如此说来，人类社会必然要经历 32 个时期，总计寿命为 8 万年。这看似无稽之谈，却体现了辩证思维在历史研究领域的运用。他反对那种认为人类社会无限趋于完善的乐观思维，辩证地看到了每个历史时期乃至整个人类社会既有上升期也有衰落期。恩格斯对此表示赞赏："正如康德把地球将来会走向灭亡的思想引入自然

---

① 《傅立叶选集》第 1 卷，商务印书馆 1979 年版，第 60 页。

② 《马克思恩格斯选集》第 1 卷，人民出版社 2012 年版，第 139 页。

科学一样，傅立叶把人类将来会走向灭亡的思想引入历史研究。"①

傅立叶提出社会兴衰论的用意并不是危言耸听、制造恐慌。在他看来，19 世纪的人类社会尚处在童年阶段的第 5 个时期，即文明时期。之前的 4 个时期分别是原始时期、蒙昧时期、宗法时期、野蛮时期。他主要是基于经济发展水平对历史时期进行划分的：原始时期的人类在大自然中采集生活资料，主要靠渔猎为生，还没有孤立的家庭经济；蒙昧时期的人类发展了畜牧业，开始出现直接的物物交换；到了宗法时期，小工业出现了，基于中介的间接交换标志着原始商业形成了；野蛮时期开始有大规模的生产，商业领域出现了高价、垄断现象；文明时期则以大工业为主导，它包含了之前历史时期的有益成果，发展了更大规模的工业生产。然而，文明时期也不是无可怀疑或永恒稳固的。

第二，傅立叶巧妙诙谐地揭露了资本主义文明带有虚伪性和欺骗性，他指出资本主义是人类所建立的社会制度中最丑恶的一种。首先，他认为文明时期的经济制度是反社会的，造成个人利益与集体利益尖锐对立。医生希望病人增多，律师希望家家打官司，建筑师梦想城市在灾难中损毁，裁缝和皮匠盼望人们的衣服鞋子很快穿坏……这些坏念头的原因在于，总有一些人的幸福要建立在另一些人的痛苦之上。然而，每个人都要追求幸福，这是推动社会发展的动力。其次，他指出在文明的工业社会，产生了"温和的监狱"和"贫困的温床"。一是工人的劳动不是出于自愿，而是迫于贫困、饥饿甚至死亡的威胁，他们并不关注自己的劳动成果，反而对劳动过程感到厌恶，想要逃避；二是工人创造了大量产品，但是获得的回报只够勉强生存；三是富裕产生贫困，随着工业愈加发达，竞争迫使工人不得不接受更低的工资，同时商业狡诈的手段愈加完善，因而富者更富、贫者更贫。再次，他指出文明时期的政治制度和舆论都是为富人压迫穷人服务的。例如，法律可以容忍一个窃取国家巨额财富的投机商人，却要处死一个仅仅偷了几颗白菜的穷人。最后，他指出商人以次充好、弄虚作假，是到处欺骗和撒谎的吸血鬼。商人是工业的海盗，什么也不生产，却把社会收入的大部分攫为己有。商人还是殖民贩奴的罪魁祸首，他们的可恶罪行据傅立叶统计就有 36 种，简直无奇不有，罄竹难书。因此，傅立叶把狡诈的寄生商人列为文明制度最根本的弊端之一。虽然他看到了工业资本与雇佣劳

---

① 《马克思恩格斯选集》第 3 卷，人民出版社 2012 年版，第 784 页。

动、资本家与工人之间的对立，却把工业与商业的对立看作社会的根本弊端，然而商业只是资本主义经济领域的派生部分，在根本上是服务于工业资本的。

第三，对于资本主义大工业的看法，傅立叶尽管不可避免地受到所处时代的历史局限，但也不乏深刻独到的批判性见解。他亲历了1825年在英国爆发的资本主义首次经济危机，洞察到生产过剩是经济危机的实质，并且指出危机会越来越严重地周期性爆发。造成生产过剩的根本原因就是大工业生产的分散性和不协调。在分散的、不协调的生产状况下，不仅生产领域呈现无政府状态，流通领域也混乱无序，因为追逐个人利益的人们必然会展开竞争，影响产品价格和供应，乃至出现宁可销毁产品也不售卖的奇怪现象。在傅立叶看来，工业生产的分散性和不协调，是文明时期两大根本性弊端的首要方面。

基于情欲引力规律，傅立叶得出资本主义社会反自然情欲因而不合理的结论。他主张，自然体系中存在和谐的秩序，合理的社会体系也应当形成和谐的制度，即保障人类情欲得到自然而然的发挥和正常的满足，各人的利益不致产生矛盾。为此，就要克服工业化生产的分散性和不协调，使人们自发地联合起来协作劳动。

傅立叶认为历史发展是渐进积累的过程，因此，协作劳动也是逐渐完善起来的。在人类社会的第5个时期——资本主义社会之后，还要经历保障时期、协会时期，才能到达第8个时期——和谐世界，正式进入人类社会的成长阶段。保障时期、协会时期与和谐时期的共同经济特征是人们自愿组织起来进行生产，区别是协作社的发展程度不同，保障时期的协作社比较原始，是半协作社；协会时期的协作社是简单协作；而和谐时期的协作社则是比较完善的复杂协作。傅立叶把前两个时期看作由资本主义社会向和谐世界的过渡环节，其理论重心是建构作为理想社会形态的和谐时期。

（二）和谐时期的基层组织：法郎吉

在傅立叶的构想中，和谐世界不仅意味着工业领域协调生产，消除无政府状况与经济危机，还意味着所有人协作劳动，没有掠夺和欺诈，总之每个人的自然情欲都能得到正常满足，连穷人都比文明时期最强大的皇帝还要快乐。

他说，每个人都希望在自己的情欲作用方面保持均衡，以便使每种情欲的自由发展有利于其他情欲的发展，这种强烈的统一欲是使个人幸福与他人幸福以及全人类的幸福相协调的动力。而和谐世界就是使统一欲得到满足的理想社会形态，其基层组织叫做法郎吉。"法郎吉"源自希腊语，本义上指有重型装备的步兵队列。傅立叶用它来表示和谐世界的基层组织是合理、和谐的生产——消费协作社。在其中，自然的情欲得到充分发挥和合理满足，劳动变成一种快乐和需要，资本主义的竞争被合乎人性的竞赛所取代，城乡二元结构被打破，家务由公共服务代替，妇女彻底实现解放，穷人与富人实现了和谐的融合……

具体而言，第一，法郎吉大约占地 1 平方法里，成员们共同劳动和生活在统一规划、合理安排的"法伦斯泰尔"大厦中。大厦的中央是公共场所，有食堂、图书馆、俱乐部、商场、花园等公共服务设施，大厦的一侧是工厂区，另一侧是生活住宿区。到那时，由于大规模且富有效率的生产发展，人们对吃穿住行等方面都很讲究，即使最穷的法郎吉成员都能在法伦斯泰尔中享有相当高标准的保障，比如每天的菜肴种类至少有 30 种。此外，由于家务劳动都被公共服务事业所代替，妇女获得了彻底解放，可以与男人一样平等地参与社会生活。在这里，傅立叶"第一个表述了这样的思想：在任何社会中，妇女解放的程度是衡量普遍解放的天然尺度。"[1]傅立叶不仅将性别平等纳入理想社会的考量范围，而且非常智慧地构想了教育问题。他将生产劳动和儿童的健康成长紧密相连，提出儿童的养育和教育从出生开始就由社会承担，满三岁后开始学习各种生产劳动和艺术创作，长大了个个都是多才多艺、全面发展的人。

第二，和谐世界有许多法郎吉，彼此没有农村和城市之分，也没有农业和工业之分。法郎吉内部则以农业生产为主，不局限于粮食作物，还包括其他各种作物和肉食品生产。法郎吉的成员也从事工业生产，但工业劳动的时间只有农业劳动的三分之一。这样的划分并不是基于经济生产水平，而是因为人们对农业的爱好天生三倍于工业。傅立叶还表示，协作制度使工业效率大幅提高，能轻松满足人们高标准的物质需求，因而只需要把工业生产看作是对农业的补充。除了农业劳动和工业劳动，在法郎吉中还有商业劳动、家务劳动、教育劳动、科学劳动、艺术劳动，总计 7 种劳动形态。

第三，傅立叶还明确论述了劳动权的思想。他将劳动视为最主要的天赋人权，证明每个人天生具有一种偏好某种劳动的习性，因此没必要像现存社会制度那样去强迫人们劳动，只需要给人的天性予以正确指导就可以了。

---

[1] 《马克思恩格斯选集》第 3 卷，人民出版社 2012 年版，第 784 页。

首先，他设想每个法郎吉由 1620 人组成。这是基于人类性格有 810 种，而每种性格又分男女两性而得出的最小公约数。这样组织起来的法郎吉可以保证每个人都能找到自己偏好的工作。其次，在法郎吉中，有若干个专业的劳动单位"谢利叶"。在谢利叶中，劳动是以人们的情欲为依据而组织的，劳动过程要适应劳动者肉体的和精神的需求，才能引发他们的创造热情，所以劳动变成了一件快乐的事，变成了在谢利叶情欲推动下的自由自在、自满自足的活动。最后，谢利叶中又分出若干个由于相同的创造需求和劳动爱好而自由自愿联结起来的七八人小组。由于人类天生的好胜心，各人、各小组、各谢利叶之间存在自然合理的竞赛，这种竞赛并不牵涉任何利益关系，也不会滋生欺诈和盘剥，因而是有利无害的，能够更加激发人们的创造热情，使劳动成为享受。在情欲引力的作用下，就算是最富有的人也不愿意坐享其成，而自愿投入劳动生产。

第四，傅立叶反对平均分配，认为那会滋生懒惰和寄生现象，最终导致协作社完全破裂。在法郎吉中仍然保留私有制，而且允许资本参与分配。每个法郎吉拥有资本 400 万法郎，依靠招股的方式募资，而投资者就是法郎吉的成员，他们享受协作社的一切权利和待遇，包括劳动权。法郎吉的全部产品遵循劳动、资本和才能按比例分配的原则，5/12 给劳动者，4/12 给资本股东，3/12 给提供理论和实际智识的人。此外，考虑到工种的差异性，那些从事最令人厌恶的工种的成员，可以获得最高的报酬。在他看来，既然劳动在收入分配中占比最高，那么人人都会变成劳动者，人人都是有产者。而且，在人们的共同劳动中，同情与相爱的情欲会发展起来，穷人与富人之间的关系会趋于亲密，从而达到阶级融合与社会和谐。

向往一切自然美好事物的傅立叶醉心于和谐秩序，厌恶暴力革命的他对于任何群众斗争都持反对态度，认为这些都不是解决问题的方法。那么，如何实现和谐世界呢？傅立叶说，只要法郎吉遍布全球各地，和谐世界也就最终实现了。在他的预期中，只要建成几个试验性法郎吉，向人们证明自己理论的正确性后，在不到四五年的时间内，就能吸引全国甚至全世界的人们自愿组建许多法郎吉。

1832 年，在他的指导下，其门徒组建了一个试验性法郎吉，但资金、人数、志愿者种类等各方面都离理想方案甚远，运行过程也极其不畅。及至次年秋天，这场试验就以失败告终了。傅立叶没有因此灰心沮丧，他曾不止一次地向拿破仑一世、大资本家、议员等人宣讲自己的学说，呼吁他们帮助实现这项计划，还通过报刊广而告之：如有富豪自愿加入法郎吉试验，可以在任何一天的中午12点来找他。他唯一的希望就是通过宣传和劝告来让富翁、政治家相信并支持自己的学说，帮助建成法郎吉。然而，尽管他的批判之笔并没有触及私有制，尽管他在未来社会图景中许给入股的富人可观回报，尽管他每天雷打不动地准时在家等候，但是直到去世都没有等到一个相信并支持他的富有志愿者。可见，如果依靠不能赖以实现的社会力量，设计得再周全的和谐社会方案也不过是一厢情愿的空想。

三、欧文：拉纳克工厂和性格陶冶馆

欧文出生在英国威尔士蒙哥马利郡一个手工业者家庭，9岁开始给人当学徒，后来受聘去经营工厂，在改进生产过程和提高产品质量方面凸显组织才能。1799年，与人合伙盘下拉纳克地区一家可谓是英国工业革命缩影的大棉纱厂。在那里，2500人聚居在工厂区，人员构成极其复杂，包括破产农民和小手工业者、流浪者和乞丐，还有500多名来自孤儿院的童工。他们工作时间长，居住条件差，物质生活极端贫乏，文化水平低下，同时还有酗酒、赌博、打架等恶习丛生。

欧文从1800年1月起出任新拉纳克工厂的经理，实施了一系列举措来化混乱为有序。一方面，他缩减工时，提高工资，不再雇用低龄童工；另一方面，他拿出部分利润全面改善工人的工作环境和生活境况，开办食堂、医院、杂货铺等公共服务，使工人的物质生活和精神面貌有了显著改善，将藏污纳垢的贫民窟改造成模范社区。生产效率也大幅提升，股东们分得更多利润，社会名流乃至一些君主、大主教都慕名前来参观。

然而，以慈善闻名欧洲的欧文，真正的诉求是全面改造社会，使个人和社会整体都能获得幸福。他在1812年发表的第一部著作《新社会观》中，呼吁采取适当的办法来改造人的性格；1815年，在群众集会上要求议会制定劳动法案，限制工时，禁止雇用童工；1817年，他向下院济贫法委员会提交《致工业和劳动贫民救济协会委员会报告书》，提出建立没有私有制、阶级和剥削的合作新村来消灭失业和贫困；1820年，他撰写《致拉纳克郡报告》，系统阐述自己的公有制社会主义学说。为了证明自己学说的合理性，他在 1824 至 1829 年到美国建立"新和谐"公社。在失败回国后，他又在工人阶级中进行了 30 年活动，继续宣传和试验自己的理论。1836 年，欧文出版《新道德世界》，1839 年发表《罗伯特·欧文论婚姻、宗教和私有财产》，1839 至 1845 年进行"协和大厦"和"皇后林新村"公社试验，1849 年出版《人类思想和实践中的革命》，1857 至 1858 年出版最后一部著作《自传》。

（一）新和谐公社：基于性格陶冶学说的公有制合作

在欧文所处的时代，英国工业革命已经如火如荼开展。在感受机器大生产的惊人力量的同时，欧文也目睹了广大工人群体的悲苦状况。20 多年管理企业的经历，使欧文广泛接触和观察了受到上流社会鄙弃的工人群体，发现人的性格是由不受他们控制的客观环境决定的。客观环境既包括出生之前的环境，也包括出生之后的环境，比如原生家庭、后天教育等等。当人们处在恶劣贫苦的环境中，就会倾向于愚昧无知、道德败坏；如果有人能够改造他们的生活环境，一方面进行启蒙教育，另一方面加以熏陶，便可以使他们明智而高尚起来。他因此得出一个结论：对世事有影响的人运用适当的方法，可以为任何社会以至整个世界形成任何一种普通的性格。其实，欧文所说的性格并不是什么抽象的人性，而是从对生活中遇到的人的言行举止中的观察获得的对人性的理解，主要指外在的生活习惯和内在的智识情感。他认为这两方面是导向幸福或苦难的主导因素，但其形成不受个人控制，是由外在环境造成的。

首先，性格陶冶学说的形成与欧文数十年来管理企业过程中的思考与实践紧密相连。1816 年在新拉纳克工厂成立的"性格陶冶馆"是该学说最为系统的应用，其中包括托儿所、儿童学校、成人夜校、图书馆，还定期举办各种体育、文化活动。相较于陶冶和改造成年人的性格，欧文更加重视儿童教育，因为儿时受到的教育会影响后来一生的性格。在新拉纳克推行改革举措的过程中，欧文曾遭遇各方面阻力，比如工人的偏见和旧习、股东的不满等。这些在他看来都是因为过去受到了错误的教育，而类似的错误教育遍及社会各个角落，造成各种苦难与罪恶。他慨叹："为了这个两三千人的村社的幸福所做的一切，同人类如果实现未受错误教育就很容易实现的情形相比，还差得很远。"① 为了实现普遍的幸福，欧文决定将性格陶冶学说贯彻到社会改造领域。

其次，欧文认为，继启蒙运动之后，任何排他性的制度再也无法长久存在。一方面，他主张个人的幸福或苦难完全取决于他的性格；另一方面又深刻地指出，个人的幸福只有通过必然促进社会幸福的行为才能获得真正的实现与持久的存在。因为任何排他性的制度必然会破坏被排斥者的幸福，"使得完全有理由感到自己受了伤害的被排斥者产生对抗情绪，排斥愈厉害，对抗愈强烈……"② 而劳动阶级占据人口的绝大多数，他们的普遍觉醒将意味着排他性制度的全面崩塌。欧文呼吁上层社会要设法改造广大劳动阶级的人性，不要把全部心思都放在发明较好的"死机器"上，也要费心寻找使"活的机器"不断优良化的方法，将培养每个国民的性格提升到关涉国家最高利益的重要地位，在社会领域培养真正的公共精神。

再次，欧文在揭示利润来源的基础上，指出劳动阶级的奴役状况。这是通过对新拉纳克工厂经营状况计算得出的。针对当时有人提出人口增长超过生活资料增长是导致社会贫苦的原因，欧文指出，新拉纳克工厂里 2500 人生产出来的财富，相当于半个世纪前 60 万人生产出来的财富，而这 2500 人所耗费的生活资料却明显少于那 60 万人。这中间的差额部分原来是作为利润被资本家占有了。可见，其他阶层的所谓幸福，实际上建立在对工人阶级劳动成果的剥夺基础上，他们不劳而获而且贪婪攫取，造成了劳动阶级的贫苦现状，使工人处于被奴役、被剥削的境况。

最后，为了使劳动阶级摆脱剥削和奴役，就要建立实行公有制的合作公社。合作公社不仅是理想社会的最佳途径也是基本组织。每个公社都是基于公有制而形成的农、工、商、学一体化大家庭，规模在几百人到几千人不等。全体成员按年龄大小从事相应劳动，各尽所能，按需分配，公社内部没有商品买卖，废除奴役剥削和不劳而获。公社重视文化道德教育，每个成员在德智体方面都能获得良好发展，成为获得理性、智识和幸福的新人类。欧文认为，当一批批受公社环境熏陶的新人类成长起来后，就会有越来越多的合作公社遍布世界，那就再也没有什么能阻止理想社会实现了。

19 世纪的思想家强调人类身心的自由解放，这在欧文那里得到了体现和

① 《欧文选集》第 1 卷，商务印书馆 1984 年版，第 65 页。
② 《欧文选集》第 1 卷，商务印书馆 1984 年版，第 17—18 页。

贯彻。为了改善工人群体的身心状况，他向下院济贫法委员会提出一项补救措施，即建立许多以生产资料公有制为基础的合作社。然而，最后遭到下院济贫法委员会一致反对。欧文并没有气馁，在《致拉纳克郡的报告》中明确把建立合作公社看作实现理想社会的最好途径，希望通过理性的澄明来唤醒政治阶层。然而事与愿违，从慈善家转变为社会主义者的欧文，很快失去了往昔的名望和地位，也失去了振臂一呼的效应，还遭到报刊的冷遇甚至封锁。游说欧洲上流阶层碰壁后，欧文改变策略，决心建成一个试验性公社来证明自己学说的正确性。

1824年，欧文举家到美国印第安纳州，倾囊购买了3万英亩土地，建立实行生产资料公有制的"新和谐"公社。公社成员约有1000人，还吸引了美国的一些著名人物，但也混进了贪图私利者和泼皮懒汉。在公社经历了几次分分合合的内部纷争后，欧文于1829年同名存实亡的"新和谐"公社正式脱离关系。后来，他又进行了两次公社试验，均以失败告终。

建立在性格陶冶学说上的"新和谐"公社之所以失败，一个重要原因是过分强调环境对人的作用。毫无疑问，环境对人的性格具有重要的影响。欧文试图通过陶冶和教育来塑造人，不仅在苏格兰的新拉纳克地区，而且在巴伐利亚的慕尼黑等地都获得了较好的实践效果。但是，过分强调外部环境甚至主张教育万能论，就滑向了环境决定论。欧文以为掌握了贯彻启蒙精神的绝对真理，却走向了理性自负。他忽略了一个重要方面，即环境是由人来改变的，而教育者首先是被教育者，他们都不是脱离于社会之外或凌驾于社会之上的。那么依靠那些深受当下社会环境影响的人如何可能塑造出合乎未来理想社会的新人类呢？这种凌驾于社会之上的教育万能论，必然使得欧文在现实中到处碰壁。

（二）领导工人运动和社会改造

1829年，欧文回到英国后发现，英国工人阶级革命热情高涨，接受并且积极推行他的合作方案，于是开始尝试将自己的理论与工人运动相结合，并且成为英国工人运动的领导者。"当时英国的有利于工人的一切社会运动、一切实际进步，都是和欧文的名字联在一起的"①。尽管他还是坚持滑向唯心主义的性格陶冶学说，但那并不足以掩盖其思想的璀璨光辉。他在资本主义最发达的

① 《马克思恩格斯选集》第3卷，人民出版社2012年版，第788页。

英国所进行的观察、研究和实践都是抵达社会现实的真切智慧和宝贵经验，极大地推动了工人阶级觉醒和社会主义运动进程。

欧文指出，科学的发展和机器的推广，既创造了大量社会财富，也挤占了工人的就业机会，导致购买力萎缩，引发生产过剩危机，而生产过剩危机反过来又影响企业生产决策，致使更多工人失业，形成恶性循环。为了解决资本主义经济危机和失业问题，欧文在 1832 年和 1833 年分别采取了两项措施来联合工人群体改造资本主义制度。

第一是领导成立"劳动公平交换市场"，用劳动券代替货币交易，让商品直接按照自身所包含的劳动时间进行交换。这是对李嘉图的劳动价值理论的创造性运用和发挥，是用劳动经济学代替财富经济学的重要尝试。其目的在于纯净流通领域，让商品的交换价值回归劳动本身，实现公平交易。欧文把货币看作人为的价值尺度，与劳动和产品对立起来，认为货币破坏了自然秩序中的等价交换原则。他主张用自然的价值尺度——劳动时间，代替货币这个人为价值尺度，认为这样工人就能摆脱工资和市场的剥削与压榨，同时也使投机钻营和欺瞒诈骗失去用武之地。劳动公平交换市场成立后，确实促进了合作运动的发展，也引起了工人和其他个体劳动者的浓厚兴趣，通过该市场流通的商品价值总额最高时达到一万英镑。然而，在资本主义社会，尽管这个流通市场是有组织的，但是整个生产领域和全部流通依然处于追逐私人利益的无政府状况。在竞争、垄断和投机的冲击下，劳动券本身变成了买卖对象和投机手段。劳动公平交换市场在经营不过两年时间后，不得不宣告破产。

第二项措施是 1833 年领导成立全国生产大联盟。欧文认识到，如果不对生产领域加以组织协调，要想建立有组织的交换是不可能的。按照他的设想，这个联盟应当把各部门生产管理的权力掌握在自己手里，并且按照合作社原则组织生产，由此实现彻底改造资本主义制度，和平过渡到社会主义。这是在伦敦举行的全国合作社和职工会的代表大会上宣布成立的，可谓是最早的全国性总工会。联盟成立后，成员人数发展到了几十万，短短数个月内推动工人运动和生产合作社蓬勃发展。据统计，当时伦敦和英国其他地方有 300 多个合作团体。但是，工人运动直接触及了资本家的切身利益，联盟也引起资本家和政治家的联手抵制打击。企业主使用同盟歇业的办法，强迫工人签署保证不参加生产联盟的契约，政府则宣布生产联盟非法，逮捕了生产联盟的很多成员。1834 年 8 月，生产联盟被迫解散。

尽管两项举措都很快遭遇失败，但是它们成功推进了工人阶级的觉醒。欧文不仅证明，商人和工厂主绝不是不可缺少的人物，而且将公有制取代资本主义私有制的信念深植人心，在英国社会播下了合作制的种子。马克思在1864年国际工人协会成立大会上高度评价了合作运动，认为"对这些伟大的社会试验的意义不论给予多么高的估价都是不算过分的"，它们证明了"带着兴奋愉快心情自愿进行的联合劳动"注定要取代被剥削、被奴役的雇佣劳动。①

在三位现代空想社会主义者中，欧文处在资本主义最发达的英国，对资本主义社会现实的认识和把握因而最为深刻，批判力度也最为彻底。他不仅明确提出了废除私有制要求，而且把工人看作实现理想社会的主体，积极引导和参与工人运动。然而，在欧文看来，公有制是理想社会的最佳途径和基本特征，解放工人阶级是解放全体人类的重要环节与必经之路，但它们都不是目的本身。欧文把启蒙精神完全投射在其所希望建立的新世界里，那是一个健康、节制、智慧、美德和幸福的乐园。他充分意识到这个美好愿景无法一蹴而就，需要依靠渐进的全面参与的启蒙事业点滴推动。"我所要求的一切只是：让变化逐渐发生，并以纯真的仁慈精神来实行，不让任何人的心灵、身体和财产受到损害。"②因此，极富浪漫色彩的欧文希望工人继续服从现有法律，等着政府发现实际上可以废除那些产生祸害的法令并制定性质相反的法律。他对后来工人运动走向宪章运动抱持消极态度，1848年革命期间，他还在巴黎印发了许多小册子宣传自己的社会主义学说，试图把激烈的革命斗争引向温和的改造之路。然而，公社试验和合作运动的多次失败充分证明了，如果不诉诸无产阶级革命专政，只是通过和平改造是无法实现理想社会的，必须彻底打碎旧的世界，在其废墟上才能建立起新的世界。

圣西门、傅立叶、欧文对当时的政治、经济和社会状况都有比较清醒的观察和相当深刻的认识。他们不仅极富感染力地揭穿并声讨资本主义社会，而且饱含热情地设计并宣传了理想制度。他们的学说深刻体现了近代主体性确立以来所发展的各项原则和理想，继承并推进了启蒙思想。处在启蒙思潮和科学理性高昂的时代，他们秉持进步历史观，积极推动人类社会向更高级阶段发展。尽管他们各自对未来社会的设计存在差异，实现的途径也颇不相同，但是他们

---

① 《马克思恩格斯选集》第3卷，人民出版社2012年版，第8—9页。
② 《欧文选集》第1卷，商务印书馆1984年版，第296页。

对当时社会的批判都深入社会现实，触及物质生产和经济制度，并且意识到资产者和无产者之间的阶级对立和斗争；他们都要求废除剥削制度，消灭人对人的奴役状况；在揭露现实弊病之后，他们既没有诉诸禁欲主义、平均主义，也没有局限在书房里构思理想的社会制度，而是试图进行社会试验，为社会主义实践提供可贵的经验材料。在资本主义发展初期，三位伟大的天才思想家通过鞭辟入里的分析和洞察如炬的揭露，推动越来越多的人形成进一步改造现存社会的愿望和力量。

然而，空想社会主义之所以带有空想的性质，首先在于他们只是从理性原则、抽象人性和道德情感出发来批判资本主义社会，没有真正认识和把握社会历史发展的客观规律，没有看到资本主义社会制度的客观必然性和历史合理性。其次，社会主义在当时还被看做是"绝对真理、理性和正义的表现"①，而不是现实社会运动的本身要求，只是被看做天才人物在头脑中的灵光闪现。然而，"人应该在实践中证明自己思维的真理性，即自己思维的现实性和力量"②。无法在现实社会土壤中扎根繁育的学说，即使具有理论自洽性，也找不到实现的力量。

关键的问题在于，在关于改变现状的科学途径和有效力量方面，他们偏离了对社会现实的批判考察，离开了社会存在本身去寻求社会改造的方法。他们没有看到工人阶级在社会发展进程中的潜在力量和历史作用，都反对暴力革命，反对激进变革，将改造社会的希望寄托于资产阶级的仁慈和博爱，寄托于理性原则的充分阐述和普遍掌握，仿佛只要这样，社会主义就能自然而然地征服世界。

一方面，我们应当看到，空想社会主义作为尚不成熟的社会主义理论，是与尚不成熟的资本主义发展阶段和尚不成熟的阶级状况相符合、相适应的。19世纪的资本主义生产方式还处在新兴发展阶段，资本主义社会的基本矛盾才初步形成，无产阶级还没有完全从小生产者、农民等社会群体中分离出来，解决社会问题的办法尚且隐藏在还不发达的经济关系中，因而空想社会主义者们只能诉诸理性的头脑，诉诸宣传教育。放在历史的视域下，我们应当承认，尽管三位空想社会主义者的学说"含有十分虚幻和空想的性质，但他们终究是属于

① 《马克思恩格斯选集》第3卷，人民出版社2012年版，第788页。
② 《马克思恩格斯选集》第1卷，人民出版社2012年版，第138页。

一切时代最伟大的智士之列的"①，他们有很多天才的思想火花在后来得到了马克思和恩格斯的科学论证，为科学社会主义的诞生提供了重要的来源。另一方面，我们也要看到，科学社会主义不仅继承了圣西门、傅立叶和欧文的空想社会主义学说，而且继承了康德、费希特和黑格尔的哲学思想。马克思和恩格斯多次表示，由黑格尔完成了的德国古典哲学，最大的功绩就是恢复了最高思维形式——辩证法。作为理解人类社会发展的一般原理和基本思想的唯物主义历史观，以及作为唯物主义历史观"在现代的无产阶级和资产阶级之间阶级斗争上特别应用"的科学社会主义，只有借助于辩证法才有可能。②

第三节　德国古典哲学

德国古典哲学是 18 世纪末和 19 世纪初德国新兴资产阶级的哲学，是欧洲资产阶级革命时代的精神产物，集 2000 多年来欧洲哲学发展之大成，无论在自然观、认识论、辩证法、逻辑学、美学还是在历史观、政治观、伦理观和宗教观上，都达到人类理论思维的新高峰，正是在对德国古典哲学的批判性继承的基础上，马克思主义哲学的基本理论框架得以确立。德国古典哲学是马克思主义哲学的直接理论来源。德国古典哲学的主要代表人物有：伊曼努尔·康德（1724—1804）、约翰·特利勃·费希特（1762—1814）、弗里德里希·威廉·谢林（1775—1854）、乔治·威廉·弗里德里希·黑格尔（1770—1831）以及路德维希·安德列斯·费尔巴哈（1804—1872）。

18 世纪末 19 世纪初，欧洲社会发生了巨大变革。英国的资本主义取得空前发展，发动并完成了工业革命；法国在 1789 年实现了资产阶级革命，从根本上动摇了封建统治秩序的基础，并对欧洲政治格局产生重大影响。同英、法两国相比较，当时的德国在政治和经济上都十分落后：在政治上，18 世纪的德

---

① 《马克思恩格斯选集》第 3 卷，人民出版社 2012 年版，第 37 页。
② 《马克思恩格斯选集》第 3 卷，人民出版社 2012 年版，第 746—747 页。

国尚未形成统一的民族国家，虽然号称"神圣罗马帝国"，但实际上却是由无数的小邦，即无数的王国、选帝侯国、公国、大公国侯爵、伯爵领地以及帝国自由市场所组成；在经济上，现代大工业生产体系尚未建立，经济仍然以农业为主导，容克地主阶级势力雄厚，各地尚保留中世纪的关卡，没有形成统一的市场、货币和度量衡。18 世纪末 19 世纪初，法国入侵德国，在客观上推动了德国资本主义的发展，带动了工业、技术和科学的进步。德国资产阶级在 19 世纪正式登上历史的舞台，它虽然向往资本主义制度，有革命性的一面，但在政治上依然处于软弱状态，缺乏勇气和力量同封建制度决裂，只是希望通过自上而下的改良使封建君主专制转变为资产阶级君主制，因此不可避免地具有动摇性、两面性、革命的不彻底性。

作为德国资产阶级愿望的理论表现，德国古典哲学是在当时德国资本主义发展的独特条件下产生的，然而，就其所反映的社会内容来看，德国古典哲学的理论视野并不限于德国，它准确并深刻地反映了当时西欧正经历着的社会经济和政治上的重大变革。德国古典哲学家们热情歌颂法国大革命，他们高举"理性"的旗帜，称自己所处的时代为"批判时代"，坚持只有经得起理性检验的东西才能博得理性的尊敬。德国古典哲学家强烈要求改革德国的政治和经济制度，不仅实行经济和政治的统一，而且实现资产阶级民主、自由和平等的权利，这些理论主张使当时在经济上落后于英、法的德国以哲学上的成就而达到欧洲先进国家的水平，因此，正如马克思和恩格斯所指出的，德国的革命是从哲学家的头脑开始的。但另一面，德国思想家对于革命的热情带有纯粹形而上学的性质，德国古典哲学的唯心主义和抽象思辨形式是德国资产阶级的软弱性和妥协性在理论层面的反映，德国人只是用抽象的思维活动伴随了现代各国的发展，在行动上却没有积极参加这种发展的实际斗争。

一、康德的理性批判

康德是德国古典哲学的创始人，他一生过着平淡而有规律的生活，然而，德国诗人海涅却把康德与法国大革命领袖罗伯斯庇尔相指并论，他指出，如果说罗伯斯庇尔处置了一个国王的话，那么康德却处置了一个上帝；罗伯斯庇尔在政治上进行摇撼世界的事业，康德则用哲学上的成就震惊了全欧洲；罗伯斯庇尔破坏了旧制度，康德哲学则破坏了一切。康德的理论活动可以分为两个时期：1770 年以前，他关注于自然科学研究，基本上是一个唯物主义者和可知论者，这个时期一般被称为"前批判时期"；1770 年以后，康德进入了"批判时期"，发表了三本著作《纯粹理性批判》（探讨知识的本源以及知识在什么条件下才能成为可能）、《实践理性批判》（用先验唯心主义原则研究人的道德行为，以说明道德原则为什么是先天的、先验的）和《判断力批判》（用先验唯心主义研究"美"的问题），建立了以真、善、美为中心的先验观念论体系。

从思想倾向上看，康德的哲学观点具有二元论的特点。他承认有某种不依赖于人的意识而独立的"自在之物"存在，但又认为"自在之物"本身在原则上是无法认识的，因而陷入不可知论。在认识论上，康德抛弃了"认识必须与对象一致"的传统假定，他强调认识过程中主体的能动作用，他认为认识的过程并不是被动地从自然界抽引出规律，而是主体不断建立客体并认识客体的过程，人为自然界立法，积极主动地参与到知识的构成之中。

康德深入探讨了主体认识的能动性结构，他明确地把人的认识分为三个阶段：在感性阶段，人借助于先天的感性直观的纯形式，即时间和空间，把由"自在之物"作用于感官而产生的混乱状态整理出来，使之成为时空中的现象；在知性阶段，人使用先天知性范畴对感觉表象作进一步加工整理，使之带有条理性和规律性，形成具有普遍性和必然性的真正知识；在这里，康德系统地阐述了范畴的来源、分类和功能，研究了范畴的本性以及范畴之间的从属关系，力求确定概念和判断之间的相互关系，力图使认识同逻辑学相结合。然而，在理性阶段，当人们不再满足于知性所获得的知识并试图超越现象世界而去认识"自在之物"（灵魂、世界、上帝）时，却将陷入自相矛盾而遭受失败。此外，康德在伦理学和美学上也取得了重要成就，尤其是他提出"人是目的"的主张，认为"人……任何时候都必须被当作目的"，"你的行动，要把你自己人身中的人性，和其他人身中的人性，在任何时候都同样看作是目的，永远不能只看作是手段"①，这些思想在当时具有重要的进步意义。

---

① ［德］康德：《道德形而上学原理》，上海人民出版社 1986 年版，第 80、81 页。

二、费希特的自我意识哲学

费希特是一位具有强烈现实意识的哲学家，他一生中做了大量的公开演讲，如"当前时代的基本特征"、"论学者的本质"、"至乐生活指南"、"对德意志人民的讲演"等，获得了很高的社会声誉。在哲学上，费希特最初是康德的信徒，但他反对康德把思维和存在割裂开来的二元论倾向，认为"自在之物"是一个多余的假设。基于此，费希特取消了康德哲学中的唯物主义因素，创立了彻底的唯心主义体系。在费希特看来，哲学是一切知识的基础，其任务是要说明"一切经验的根据"，因此，他把哲学称为"知识学"。费希特认为，在人们所谓的"经验"中，物和理智不可分割地结合在一起，而探求"经验的根据"就意味着从经验中抽去一个方面，保留另一个方面。如果把物抽掉，就是唯心论，如果把理智抽掉，就是独断论。在费希特看来，唯心论比独断论具有理论上的优越性，因为"每一种哲学的对象，作为解释经验的根据，必定是在经验之外，这是哲学的本质所要求的，绝不应当使某一体系蒙受不利"①。

费希特因此选择理智作为"经验的根据"，并把"自我"作为自己哲学的出发点，进而设定了哲学的三条基本原理：第一，"自我设定自身"，自我是不证自明的、唯一的实在，它不依赖于任何东西，而是自我产生、自我肯定的；第二，"自我建立非我"，"非我"是与"自我"相对立的周围世界的一切事物，它以"自我"的存在为前提，在形式上与"自我"一样是无条件的；第三，"自我设定自我和非我的统一"，"自我"和"非我"的统一即"绝对自我"，"绝对自我"设定有限的"自我"与有限的"非我"的意识，只有有了"自我"与"非我"的统一之后才有知识。在这三个命题中，费希特实际上提出了一个正、反、合的辩证发展关系，在"自我"与"非我"的辩证发展中论证了对立面的存在与矛盾思想。当然，费希特的哲学是建立在唯心主义的基础之上的，他以自我意识作为出发点，又以自我意识为终点，所以他的哲学是"关于意识的意识"。但在这一唯心主义哲学体系中也包含着合理的因素，特别是关于人的主观能动性的思想。费希特强调"行动"，认为"自我"不仅是认识着的主体，更是行动着的主体，主体的能动作用不仅表现为"理性认识"，而且表现为"自我"克服"非我"的"实

---

① 《西方哲学原著选读》下卷，商务印书馆 1982 年版，第 325 页。

践活动"，他说："不仅要认识，而且要按照认识而行动，这就是你的使命"，"你在这里生存，不是为了对你自己作无聊的冥想……你在这里生存，是为了行动；你的行动，也只有你的行动，才决定你的价值"①。

三、黑格尔的辩证法

黑格尔是德国古典哲学唯心主义的集大成者。在青年时代，黑格尔深受法国大革命的影响，颂扬理性、平等和人的自由与尊严，反对基督教对民众的专制，谴责普鲁士国家的独裁专断，希望恢复古代民主共和制度；中年时期，黑格尔经历了拿破仑战争以及与之相伴的资产阶级民主改革，他对这位"骑在马背上的世界精神"充满敬意，认为拿破仑是用武力执行"世界精神"所赋予的历史使命，是法国革命的继承者，是旧的封建社会的摧毁人，正是拿破仑将资本主义法典带到被征服的国家，为资本主义在德国的发展开辟了道路，因此，黑格尔称拿破仑为"巴黎伟大的宪法律师"；老年黑格尔的思想日趋保守，虽然同情革命者，但对激进的革命运动持反对态度。他的思想得到普鲁士政府的赏识，并受聘于柏林大学。此时的黑格尔主张哲学应该为国家服务，并为普鲁士专制的合理性进行辩护。

在哲学上，黑格尔根据其所处时代的精神实质，研究并吸取哲学史上一切主要思想流派的精华，批判并改造了康德、费希特和谢林的哲学，创立了庞大而逻辑严密的辩证唯心主义哲学体系。黑格尔反对康德关于思维与存在、"现象"与"物自体"、理念与现实的二元论观点，坚持思想与事物相符合的一元论主张，然而，他把思维与存在同一的基础归于思维，认为思维统摄存在，不仅为人类的主观精神所具有，更是一种超人的客观实在，他称之为"绝对精神"。"绝对精神"是自然、社会和人类思维的内在本质和基础，是万事万物的本原和根据。"绝对精神"在自我发展中外化为自然界和人类社会，又通过进一步的发展克服了外化，在人类的精神生活中回到自身，最后在精神发展的最高阶段认识自身。对于黑格尔，"绝对精神"既是实体又是主体，它能产生自己，并创立自己的对象，同时又能扬弃自己的对象，返回到自身，是处于自我

① [德] 费希特：《人的使命》，商务印书馆1982年版，第79页。

发展过程中的实体。

黑格尔的思维和存在的同一论是彻底的唯心主义，他的哲学形式是唯心的，内容却是现实的，其中包含着丰富的辩证法思想构成了马克思哲学思想的"合理内核"。首先，正如恩格斯所评价的，黑格尔的哲学功绩在于他第一个把整个自然的、历史的和精神的世界描写为一个不断的运动、变化、转变和发展的过程，并试图揭示这种运动和发展的内在联系，从而有力地批判了形而上学的思维方法。对于黑格尔，辩证法是绝对理念运动、发展和转化的一般规律，而绝对理念的发展是通过逻辑体系展开的，是从一个概念到另一个概念的逻辑推演过程，从这方面说，它也是逻辑学；同时，绝对理念的发展过程又是它自我认识的过程，因而又是认识论。这样，黑格尔就在唯心主义基础上提出了辩证法（本体论）、逻辑学和认识论三者同一的思想。其次，黑格尔还在哲学史上第一次全面地、有意识地叙述了辩证法的一般运动形式。他继承了前人丰富的辩证法思想，并加以系统化，阐明了新方法的基本规律：黑格尔是最先把质量互变作为一条普遍规律提出来的哲学家；黑格尔着重阐述了对立统一即矛盾学说；黑格尔批评了康德把矛盾只限于理性本身的观点，提出矛盾的客观性和普遍性，矛盾存在于一切事物之中，是一切运动和生命力的根源。黑格尔还强调，具体概念都是对立的统一，概念要实现其自己，必须经过一个矛盾运动的过程，亦即"否定之否定"的过程。在黑格尔看来，"否定之否定"同时也是"辩证的否定"，抽象的概念通过否定自身的抽象形式而走向具体，然而，概念的本性又是抽象和具体的统一，因此，否定必须再次被否定，重新回到肯定，使否定和肯定，即具体和抽象结合起来，这就是"否定之否定"。"否定之否定"是对原来概念的扬弃，使原有概念具有更丰富的内容，获得新的发展，同时，每一次"否定之否定"也是对原来概念的说明和返回，又是新的发展的出发点。

马克思从黑格尔哲学中汲取的不仅仅是其深刻的辩证法思想，也有对于黑格尔哲学中"内容"部分的反思和批判性继承，其中最重要的部分就是黑格尔的法哲学思想和历史哲学思想。青年马克思认真仔细阅读了黑格尔的《法哲学原理》，并对其进行了系统的批判，从而逐步确立了自己的唯物主义哲学立场：他批判黑格尔市民社会从属于政治国家的观点，得出了市民社会决定政治国家的著名结论；他批判黑格尔主张君主、官僚决定国家制度的英雄史观，阐明了人民创造国家的思想；他批判黑格尔在国家发展问题上否认有质变的缓慢进化论，提出必须经过真正的革命来建立新国家的观点。此外，黑格尔的历史哲学也对马克思思想的发展产生过重要影响。黑格尔把整个人类历史看作是有内在联系的有机体，反对把社会历史看作是无数偶然现象的堆砌，认为人类社会历史上各个时代各个民族的相互更替和相互变迁是合乎规律向前运动的过程，从而提出了"世界历史"的思想。黑格尔不满意用人的思想、意见去说明历史的观点，认为历史人物的表面动机和真实动机都不是历史事变的最终原因，人类历史发展的最终原因是绝对精神，它的本质是自由，精神的一切属性都是为了获得自由，伟大的英雄人物只是"绝对精神的代理人"。在马克思主义看来，黑格尔历史哲学的形式尽管那么抽象和唯心，但他的思想发展却总是与世界历史的发展紧紧平行着，现实的内容到处都渗透到黑格尔的历史哲学中，人们完全可以从对黑格尔历史哲学的辩证批判中得到唯物主义的历史观念和结论，因此，黑格尔的历史观可以说是新唯物主义的直接理论前提。

四、费尔巴哈的人本学唯物主义

费尔巴哈是 19 世纪上半叶德国唯物主义哲学家，他的主要贡献在于彻底批判了宗教神学，打破了黑格尔的唯心主义思辨哲学体系，重新恢复和发展了唯物主义原则。费尔巴哈的人本学唯物主义对青年马克思哲学思想的形成影响深远，构成了马克思恩格斯从黑格尔式的唯心主义者向唯物主义者转变的中间环节。

费尔巴哈出生在德国巴伐利亚的一个刑法学教授家庭，他少年时代信仰基督教，1823 年进入海德堡大学学习神学，1824 年转入柏林大学神学系。在柏林大学，费尔巴哈聆听黑格尔讲授哲学，并为后者深邃而广博的哲学素养所折服，他把黑格尔看作思想上的"第二个父亲"，开始从一个上帝的崇拜者转变成为一个理性的崇拜者。1828 年，费尔巴哈在爱尔兰根大学获得博士学位，开始在哲学观点上同黑格尔拉开距离，初步形成唯物主义和无神论思想的萌芽。1830 年，费尔巴哈匿名出版了《论死与不死》，此书的出版引起了宗教界的愤怒和指责，当作者身份被查明后，费尔巴哈被大学辞退，只能到法兰克福一所中学任教。1837 年，费尔巴哈结婚并隐居乡村，但他仍然继续自然科学和哲学的研究，先后出版了《黑格尔哲学批判》、《基督教的本质》、《未来哲学原理》、《幸福论》等著作。晚年的费尔巴哈也阅读过一些社会主义文献，甚至研究过马克思的《资本论》。1870 年，费尔巴哈加入德国社会民主党（爱森纳赫派）。1872 年，费尔巴哈去世，德国社会民主党的代表以国际工人协会和马克思、倍倍尔与李卜克内西的名义献了花圈。

费尔巴哈本人曾这样回顾自己的哲学道路："我的第一个思想是上帝，第二个是理性，第三个也是最后一个是人"①，这个总结极其精确地勾勒出费尔巴哈的思想路径：批判宗教神学、批判黑格尔的唯心主义学说、建构人本学唯物主义。首先，在费尔巴哈的一切著作里始终贯穿着对宗教的批判。在费尔巴哈看来，人们信仰上帝的宗教情感不是天赋的，也不是偶然的，而是具有深刻的心理根源、主观根源和客观根源。人的依赖感是宗教产生的心理根源，人们知道或相信他的生活依赖于什么东西，他就把这个东西尊奉为神；利己主义是宗教产生的主观根源，没有利己主义就没有依赖感。所谓利己主义就是对幸福的追求，正是人的幸福欲让人们在幻想中得到满足，因此，想像力是宗教的主要工具，人们正是借助想像力并按照人的尺度来塑神。那么，人为什么要想像并构筑神的观念呢？费尔巴哈将之归因于现实生活中的主客观矛盾。在现实生活中，人在意志与能力、愿望与获得、目的与结果、有限与无限之间发现自己的主观意志总是受阻，为了突破这种客观阻力实现人的主观愿望，于是想像并构造了无所不能的神的观念。因此，费尔巴哈得出结论，宗教是从人生发出来的，上帝乃是人的创造，属神的本质乃是人的本质的异化，是人把自己的本质从个体的、现实的、属肉体的自身分裂出来并使之升华为统治人的精神实体。费尔巴哈关于宗教是人的本质的异化的思想，深刻揭示了宗教产生的秘密，对马克思和恩格斯的无神论思想产生了重要影响。

费尔巴哈对于黑格尔唯心主义哲学的批判蕴含在他对于以理性主义为特点的近代哲学的总体批判之中。在费尔巴哈看来，近代哲学的起点是宗教改革中产生的新教，终点是黑格尔哲学，其特点是扬弃了人格化的上帝实体，同时把人的理性、思维当做上帝，因此，思辨哲学与宗教就有着本质的联系。费尔巴哈把黑格尔的哲学叫做"理性的神秘论"，他批评黑格尔"纯存在"概念的抽象性，认为这样一个没有任何规定性、脱离了个别存在的事物而又成为事物产生的根源的概念与基督教"神创造世界"的逻辑如出一辙，这种从抽象到具体、从哲学到经验的形而上学体系的构造是"任意的"，等于用语言呼风唤雨，用

---

① 《费尔巴哈哲学著作选集》上卷，商务印书馆 1984 年版，第 247 页。

语言移动山岳，用语言使瞎子复明。从哲学史的角度，费尔巴哈对黑格尔的批判具有伟大的历史功绩，它结束了黑格尔唯心主义哲学在德国的统治地位，恢复了唯物主义的权威，但是，费尔巴哈在批判黑格尔的时候没有把形而上学体系和辩证法区别开来，因而没有发现黑格尔方法中的合理内核，无法从根本上克服黑格尔的哲学。

人本学唯物主义是费尔巴哈对于德国古典哲学的独特贡献，他反对17—18世纪以来的庸俗唯物主义，认为只有人类学才是真理。费尔巴哈把自己构造的人本学唯物主义哲学称为"未来的哲学"，认为"未来哲学应有的任务，就是将哲学从'僵死的精神'境界重新引导到有血有肉的，活生生的精神世界，使他从美满的神圣的虚幻的精神乐园下降到多灾多难的现实人间"①。费尔巴哈主张把人的至高无上的本质返还给人，把"神性"与"理性"都还原为"人性"。在费尔巴哈看来，人是感性的、有血有肉的现实存在者，人的感性本质就是维持人生命的东西。同时，人也是肉体和灵魂的统一体，是有意识的生物，理性、意志、爱构成了人的"类本质"。不仅如此，费尔巴哈还强调人的社会性，认为人不是一个孤独的"自我"或"主体"，任何一个人只有作为人类的一分子才能存在，只有社会的人才是人。但是，在对人的社会性进行具体分析的时候，费尔巴哈却把人的社会性仅仅归结为"你"和"我"的关系，归结到男人和女人的关系，这表明费尔巴哈在真正接触现实社会关系中的具体的人时，其思想是多么的贫乏，他对人的社会本质的理解是多么的肤浅。

第四节　青年黑格尔派

马克思在思想近乎达至巅峰时，仍然称自己是黑格尔这位大师的"学生"，而在他全部哲学写作中几乎都能看到黑格尔思想的印记。马克思迈入黑格尔哲学门槛，固然源于大学期间选修的课程以及对黑格尔著作的阅读，而青年黑格

① 《费尔巴哈哲学著作选集》上卷，商务印书馆1984年版，第120页。

尔派可谓促进马克思从自我意识角度理解黑格尔的关键，他们的博士俱乐部使
马克思接受了自我意识哲学，并以之作为反对保守主义并寻求自由的思想武
器。1837 年秋，患病的马克思在写给他父亲的信中说，"我从头到尾读了黑格
尔的著作，也读了他大部分弟子的著作。"① 这里所谓"大部分弟子"主要指的
是青年黑格尔派成员。可以说，青年黑格尔派对马克思的影响至少持续了七年
之久，即使后来走出黑格尔思想迷宫的马克思开始清算已沦为"自由人"的部
分青年黑格尔派成员的思想，但这段经历确乎使马克思认识到黑格尔哲学中的
自由内涵，成为他哲学研究的起点。

一、鲍威尔的宗教观、自我意识观

　　青年黑格尔派在德国社会掀起的是一场激进的启蒙运动，虽然这场运动的
历史影响和现实影响都不及康德、莱辛等德国思想家温和绵长的启蒙那般深
远，但对当时德国社会特别是德国思想界的冲击是惊人的。恩格斯在评述费尔
巴哈对他和马克思的影响时说，那是他和马克思的"狂飙时期"，其实这个时
期属于当时整整一代德国思想精英，他们试图唤起沉醉在思辨生活与封建文化
气息中的德国社会。因而，对这场历时不长的启蒙运动，应当从哲学角度进行
较为充分的研究。

　　纵观青年黑格尔派的理论著述可见，尽管他们所探讨的并非苏格兰启蒙时
代的问题，但他们的哲学理念在很大程度上类似于苏格兰启蒙学者的政治研
究，既不将哲学视为马基雅弗利式的现实政治研究，也并未将其纯粹化为规范
的学理阐释，而是在一场思想运动中对现存政治的"副本"作理论批判。究其
缘由，"他们自由主义的革命倾向，在当时还很软弱并且具有保守情绪的德国
资产阶级那里，未能得到 18 世纪法国百科全书派曾在法国资产阶级那里得到
的支持。因此，他们也像德国思想家过去所做的那样，把政治问题和社会问题
的解决转移到精神领域内，这就必定使他们的活动具有明显的空想性质。"② 而

---

① 《马克思恩格斯全集》第 47 卷，人民出版社 2004 年版，第 15 页。
② ［法］奥古斯特·科尔纽：《马克思恩格斯传》第 1 卷，刘丕坤等译，生活·读书·新知三
联书店 1963 年版，第 152 页。

且，青年黑格尔派似乎有些自觉地远离现实政治，而沉浸在激进理论中，从鲍威尔写给马克思的这封信中就可见一斑："如果你想要献身于实际的事业，那将是不智的。理论现在是最有力的实践，而我们还不能完全预见，它将在怎样广泛的意义上变成实践。"① 理论批判就是一种实践，这是很多青年黑格尔派成员都曾认同的观念。

虽然青年黑格尔派并未直接投身于德国社会的"原本"，我们却不能因此忽视他们所处的德国政治现实，无此不足以理解他们在当时德国思想界所产生的影响。李卜克内西这段话大致描述了当时德国人的自我意识的实际境遇："在德国，政府是与人民分开的，并且作为一种至高无上的东西凌驾于人民之上。这似乎是某种最高的存在物，违反任何逻辑，它被说成是具有无所不能、无所不知、大慈大悲、绝对正确这样一些特征的……然而人民被剥夺了任何独立思考和判断的能力，他所承担的义务只有一个——那就是盲目信任和盲目服从政府。"② 因而，唤醒人的自我意识，就会摒弃盲目信任和盲目服从，就会启发民众认识到自己的实际处境，寻找实现自由个性的可能。这个思潮对当时的德国来讲无疑是激进的，它一度担当的历史角色有些类似于革命政治学在法国思想界的位置。青年黑格尔派的思想确乎受到法国启蒙运动的深刻影响，甚至他们有时候也以此自视。莱奥就曾说他们是"新式的百科全书派和法国革命的英雄"③，而法国革命政治学对他们思想浸染的最主要因素就是政治平等。

因而，尽管青年黑格尔派对德国思想界的直接影响只有十年，但我们不能忽视作为该学派主要理论的宗教批判理论与自我意识哲学曾发挥的启蒙作用。而且我们应当从欧洲启蒙运动角度理解青年黑格尔派思想所受到的影响因素，正如马克思所指出的："如果埃德加尔先生把法国的平等和德国的'自我意识'稍微比较一下，他就会发现，后一个原则按德国的方式即用抽象思维所表达的东西，就是前一个原则按法国的方式即用政治语言和具象思维的语言所说的东

① 参见 [法] 奥古斯特·科尔纽：《马克思恩格斯传》第 1 卷，刘丕坤等译，生活·读书·新知三联书店 1963 年版，第 173 页。

② 参见 [苏] 尼·拉宾：《马克思的青年时代》，南京大学外文系俄罗斯语言文学教研室翻译组译，生活·读书·新知三联书店 1982 年版，第 33—34 页。

③ 参见 [英] 戴维·麦克莱伦：《青年黑格尔派与马克思》，夏威仪等译，商务印书馆 1982 年版，第 25—26 页。

西。自我意识是人在纯思维中同他自身的平等。平等是人在实践领域中对他自身的意识，也就是说，人意识到别人是同自己平等的人，人把别人当做和自己平等的人来对待。"① 当马克思后来在《共产党宣言》中阐明这段话——"代替那存在着阶级和阶级对立的资产阶级旧社会的，将是这样一个联合体，在那里，每个人的自由发展是一切人的自由发展的条件"② ——的时候，我们似乎能够看到青年黑格尔派对自由与平等的关系问题的论述对马克思的影响，当然，马克思引入的阶级分析对实际政治的影响是青年黑格尔派望尘莫及的。

晚年恩格斯在为鲍威尔逝世所写的一篇文章中所作的评价颇有些盖棺定论的味道。恩格斯提出了两个问题，一是"为什么罗马帝国的民众，在一切宗教中特别爱好这种还是奴隶和被压迫者所宣扬的无稽之谈，而好大喜功的君士坦丁竟认为接受这种妄诞无稽的宗教，是自己一跃而为罗马世界专制皇帝的最好手段"；二是"在基督教中形成了一种体系的那些观念和思想，是从哪里来的，而且是怎样取得世界统治地位的"。在回答这两个问题之前，恩格斯首先分别做出的说明是："在解答这个问题方面，布鲁诺·鲍威尔的贡献比任何人大得多"；"鲍威尔毕生从事于这个问题的研究。"③ 可以说，关于鲍威尔的宗教批判，恩格斯的评价几乎完全是正面的。当然，他在这篇文章中并没有提及自我意识哲学这个更能代表鲍威尔思想功绩的理论，因为在他看来，这个理论与历史唯物主义大相径庭，在解释当时的社会政治问题上已经乏善可陈。在这个意义上，青年黑格尔派的宗教批判具有强烈的进步色彩，而他们的政治哲学批判因具有明显的空想色彩，对当时德国政治走向的影响是相当有限的。

作为青年黑格尔派的思想领袖，布鲁诺·鲍威尔（1809—1882）是自我意识哲学的主要提出者，此前他曾在柏林大学神学系学习四年，还曾由于写过一篇黑格尔拟定的题为《根据康德哲学论美的原则》而获得哲学系奖金，黑格尔称赞他的文章"非常有说服力……思想发展有连贯性，而且作者还成功地揭示了康德的互相排斥原则的矛盾。"④ 他还一度成为"一个正统的新教神学家，甚

① 《马克思恩格斯文集》第 1 卷，人民出版社 2009 年版，第 263—264 页。
② 《马克思恩格斯文集》第 2 卷，人民出版社 2009 年版，第 53 页。
③ 《马克思恩格斯全集》第 19 卷，人民出版社 1963 年版，第 328 页。
④ 参见［波］兹维·罗森：《布鲁诺·鲍威尔和卡尔·马克思——鲍威尔对马克思思想的影响》，王谨等译，中国人民大学出版社 1984 年版，第 21 页。

至担任过《思辨神学杂志》的编辑"①。因而，当鲍威尔以黑格尔主义方式批判宗教时，实际上对宗教的内在逻辑和外在功能均有深刻的认识，他以自我意识代替神作为世界历史的唯一权力，历史被视为自我意识的生成过程，从而在很大程度上完成了宗教批判的任务。这使他成为当时颇有影响的启蒙思想家，据说，一个奥地利警察曾在 1842 年 8 月向政府密告："许多人都拥有鲍威尔的书……更糟糕的是，他的思想渗透到教育界的心脏并成了它的重要组成部分。"② 可以说，当鲍威尔在 1841 年出版两卷本《复类福音作者的福音史批判》和《对黑格尔、无神论者和反基督教者末日的宣告》时，是代表整个青年黑格尔派作自我意识哲学的宣言。

自我意识哲学具有明显的政治向度，实际上体现了当时德国的政治激进主义，这从鲍威尔写给他弟弟埃德加尔的一封信中可见一斑："由于哲学同国家之间的关系，哲学至今是受惠于国家的，因而是受束缚的；由于哲学看来似乎被赋予了自由并且受到政府的恩惠，也就是受到政府的优遇，因此它就自己给自己规定了界限。但是，当它将被戴上脚镣手铐时，它就会冲破一切枷锁和障碍"③。哲学必须始终保持理性，不能让渡自我意识，当国家剥夺了哲学的自由时，哲学要冲破枷锁。处于欧洲现代化进程中的国家，正是现代政治哲学的研究对象，鲍威尔的上述话语为青年黑格尔派思潮抹上了浓重的自由色彩。摆脱普鲁士国家的束缚，使德国以自己的方式与英国和法国经历世界历史，无疑具有很强的思想感召力。

在马克思政治思想发展的过程中，鲍威尔的作用无可替代。有一个细节也许不应忽视：在 1839 年底至 1842 年底这三年间，他们有过不少通信，其中鲍威尔写给马克思的有 12 封。马克思曾希望鲍威尔帮助他获得一个在大学任教的机会，但随着鲍威尔被解除大学教职，这个希望破灭了。

直至 1843 年马克思撰写《黑格尔法哲学批判》时，我们还能约略看出鲍威尔的影响，自我意识哲学所强调的人在世界历史中的主体性地位已经深深

---

① 参见 [波] 兹维·罗森:《布鲁诺·鲍威尔和卡尔·马克思——鲍威尔对马克思思想的影响》，王谨等译，中国人民大学出版社 1984 年版，第 7 页。

② 参见 [波] 兹维·罗森:《布鲁诺·鲍威尔和卡尔·马克思——鲍威尔对马克思思想的影响》，王谨等译，中国人民大学出版社 1984 年版，第 4 页。

③ Briefwechsel zwischen Bruno Bauer und Edgar Bauer während der Jahre 1839 bis 1842 aus Bonn und Berlin, Charlottenburg, 1844, p.36.

印在马克思的脑海中。但是，当青年黑格尔派解体后，鲍威尔被马克思看作是一个虚无主义的思辨神学家，因为他回到了神学本身。这个从批判神学开始的哲学家最终将自我意识哲学装扮成了新的神学，正如黑格尔用哲学否定神学，又用新的神学否定哲学一样，鲍威尔也为自己的思想划定了一个作为无神论的新神学的圆圈。他认为自我意识是"一切"，世界历史就是自我意识的呈现史，因而仅有批判就够了，思想的批判就是实践本身，不必在意现实的社会条件和群众的力量。这实际上是黑格尔历史理论的翻版，当马克思越来越多地接触到物质利益的难事时，他已经深知这种颇富自信的理论在现实问题面前的乏力。

在《论犹太人问题》中，马克思公开表明与鲍威尔的分歧，后来又在《神圣家族》和《德意志意识形态》中对鲍威尔的神学思想进行了近乎彻底的批判。马克思意识到，"鲍威尔对'犹太人问题'的探讨宣布为真正神学的探讨和虚假政治的探讨"，"甚至在政治上研究的也不是政治，而是神学。"① 这个评价表明马克思曾经对鲍威尔自我意识哲学的迷恋是一场误会，他一直将这场思潮当作具有更大历史作为的政治激进主义来看待，而竟然发现这场思潮的发起者并未真正面对现代历史，特别是他未能认识到历史的剧作者和剧中人，未能合理地看待哲学批判的社会功能。马克思要以哲学点燃无产阶级的激情，如果"与资产阶级不同的那部分群众认为，在革命的原则中并没有体现他们的现实利益"，那么这样的理论无法唤起民众，而"历史活动是群众的活动，随着历史活动的深入，必将是群众队伍的扩大。"② 在这个意义上，马克思重新理解哲学与无产阶级以及哲学与世界的关系，确立了有别于自我意识哲学的政治哲学向度。

二、赫斯的实践观、异化观及社会主义观

当马克思转入柏林大学次年，莫泽斯·赫斯（1812—1875）来到马克思曾学习过的波恩大学注册，并出版了他的处女作《人类的圣史》。他们真正相识是在 1841 年 8 月底或 9 月初，这时马克思已经获得博士学位，赫斯可谓马克

---

① 《马克思恩格斯文集》第 1 卷，人民出版社 2009 年版，第 306 页。
② 《马克思恩格斯文集》第 1 卷，人民出版社 2009 年版，第 287 页。

思结识的第一个社会主义者。赫斯曾参与筹办马克思主编的《德法年鉴》并为该刊撰稿，而且为《德意志意识形态》撰写过批判卢格和库格曼的章节。回顾青年黑格尔派对马克思思想产生的影响，赫斯的作用同样无人替代，他关于异化、实践和社会主义的观念在马克思很多早期文本中几乎得到重现，有学者认为这是马克思将《1844 年经济学哲学手稿》束之高阁的原因①，也有学者从为马克思思想的原创性正名的角度疾呼：我们是否真的需要"回到赫斯"？② 无论如何，赫斯确乎对青年马克思的哲学研究产生了深刻影响，而马克思也在指出赫斯根本误区的过程中抵达了哲学新的思想高度。

赫斯在《人类的圣史》中将德国哲学与法国社会主义联姻，这与他早年在法国游历并接触到法国社会主义有很大关系，他认为德国哲学和法国社会主义分别代表了"自由的精神活动"和"自由的社会活动"，而这两种自由的活动都在人们彼此的"交换"、"交往"和"协作"中得到体现，它们作为人的本质，"不仅是他们理论的本质，即现实的生活意识，而且，也是他们的实践的本质，即现实的生活活动。"③赫斯意识到人们最基本的社会关系是物质交往关系，而"现代肮脏交易世界的本质，即金钱，是现实化了的基督教的本质"，利己主义者眼中的上帝就是"世俗的资本"。④ 当这种状态趋向极端，一部分人是以残忍的食人的方式维系生活的，当"钱袋是立法者"，人与人之间的关系体现为钱袋和钱袋的关系，异化成为必然，改变这种卑污的生存境遇，需要"行动的自我意识"。

赫斯在《行动的哲学》中划分了三种"自我意识"：不开放的自我意识、决裂的自我意识和行动的自我意识。他认为鲍威尔等人的自我意识哲学未能摆脱神学国家的束缚，仍然停留在原则中，不能自觉地将思想引入实践。关键是在生活中行动起来，行动的哲学体现了自由的精神，"这种自由精神恰好只能被理解为行动的自由精神，它不会停滞于既得的成果，即把它固定化、具体化

---

① 参见侯才：《青年黑格尔派与马克思早期思想的发展》，中国社会科学出版社 1994 年版，第 223 页。

② 参见韩立新：《我们是否真的需要"回到赫斯"——赫斯与马克思的关系研究史回顾》，《哲学动态》2011 年第 3 期。

③ 参见 Moses Hess, Philosophische und sozialistische Schriften:1837–1850: eine Auswahl, Akademie-Verlag Berlin 1980, S.330–331.

④ 参见 Moses Hess, Philosophische und sozialistische Schriften:1837–1850: eine Auswahl, Akademie-Verlag Berlin 1980, S.339.

和物质化，以及把它作为自己的财富保存起来，而是作为一种力量始终超越有限物、特定物，以便始终把自己视为行动者……"① 赫斯由此将青年黑格尔派的思想启蒙转化为改变历史的实践思维，并在这种语境中思考国家与市民社会的关系问题。他看到，"迄今为止的历史仅是抽象的普遍即国家和个人的利己主义即市民社会间的盲目的、自发的斗争。只是在市民社会中，个人的所有制原则才以纯净的形式统治。"可是，"由于法国家还有市民社会作为敌对的对立面，它自身尔后必然同样骤然转化为它的反面。"② 因而，应当有一个符合人的本质的社会关系的社会取而代之，而社会主义真正解决了国家与市民社会的矛盾，使人类走出了彼此伤害的动物世界。

赫斯在《社会主义与共产主义》一文中将社会主义的本质与自由和平等结合起来，即将法国的平等政治学与德国的自由精神融会贯通，实际上就是将思想启蒙与政治实践紧密地联系起来。"如果不同时给予人民现实的、社会的自由，而想从精神上解放他们，这是无益和徒劳之举"，"如果人民没有从精神奴役中、从宗教中解放出来，而把人民提升到现实的自由，使他们分享此在财富，同样也是无益和徒劳的。"③ 赫斯将理想的社会主义理解为在精神和实践同样丰富的社会结构，这种社会主义与宗教社会主义和哲学社会主义不同，后两者要么具有宗教的命定论色彩，要么沉浸在理想的原则中，而真正的社会主义是在这两者基础上的升华，在赫斯看来，它应当是一个"爱的新世界"④，没有私欲和仇恨的人们和谐地生活在一起，这是人们在尘世中可能进入的天国。

"真正的"社会主义即伦理社会主义通常被看作赫斯思想发展的极致，尽管他在《货币的本质》中阐释的异化论也获得广泛赞誉。赫斯在建构"真正的"社会主义理论时，对资本主义进行了深刻的批判，他认为资本主义不仅陷入了"道德困境"，"而且现在开始统治的肉体都一方面建立在社会财富的发展、

---

① 参见 Moses Hess, Philosophische und sozialistische Schriften:1837–1850: eine Auswahl, Akademie-Verlag Berlin 1980, S.219。

② 参见 Moses Hess, Philosophische und sozialistische Schriften:1837–1850: eine Auswahl, Akademie-Verlag Berlin 1980, S.207。

③ 参见 Moses Hess, Philosophische und sozialistische Schriften:1837–1850: eine Auswahl, Akademie-Verlag Berlin 1980, S.227。

④ 参见 Moses Hess, Philosophische und sozialistische Schriften:1837–1850: eine Auswahl, Akademie-Verlag Berlin 1980, S.284。

一方面建立在社会贫困的增长之上。"① 赫斯希望通过有意识的行动改变社会贫困和道德困境,建立一种和谐的"财富共同体",为自由和平等确立物质根基,这无疑深刻地诠释了实现社会主义的历史前提。但赫斯未能找到实现这种政治理想的实践路径,他的"真正的"社会主义理论由泛爱论、宗教说和改良主义组成,具有很强的斯宾诺莎主义情结。赫斯将希望寄托在教育和劳动组织上,将此二者作为实现社会主义的必要手段,认为现代知识分子而非无产阶级是历史的主人公。

这种理论构建使赫斯的思想走到了他起初强调实践的反面,具有明显的空想性质,难以在现实中对象化。赫斯后来意识到自身的理论缺陷并试图反省,认为自己的哲学缺乏"实证科学的中介","漂浮在纯思想的空中",而马克思的哲学"有对于基本现状实证认识的丰富材料"②。这时他早已与马克思分道扬镳了。1846 年 3 月,因为在布鲁塞尔共产主义通讯委员会关于如何处理魏特林的问题上与马克思产生了分歧,次年 10 月赫斯发表《无产阶级革命的结果》,与马克思的冲突升级,曾彼此欣赏的这两位思想家渐成陌路。马克思在汲取赫斯创造性探索之后走出了赫斯,他的政治哲学确实包含着经过改进的赫斯思想的有益要素,因而,没有必要回避赫斯对马克思曾产生过的多重影响,这些影响离历史唯物主义很近,却始终差一公分。在开辟无产阶级革命道路的理论征途上,历史选择了马克思。

三、卢格的政治哲学

在深刻影响青年马克思的青年黑格尔派成员中,卢格(1802—1880)同样是一位不可忽视的思想家,在审视马克思政治哲学起点的时候,我们有必要回到卢格,这位比其他青年黑格尔派成员都年长的思想家活跃在思想舞台的同时,一直从事具体的政治实践。在马克思幼年的时候,卢格就曾因倡导"自由的意志",作为"蛊惑家"被普鲁士政府判处 15 年监禁,后因弗里德里希·威

---

① 参见 Moses Hess, Philosophische und sozialistische Schriften:1837–1850: eine Auswahl, Akademie-Verlag Berlin 1980, S.62。

② 参见 E. Silberner."Zur He β -Bibliographie, mit zwei bisher unveroeffentlichten Manuskripten ueber Marx", in Archiv fuer Sozialgeschichte Bd. VI–VII, 1966–1967, S.283。

廉三世赦免而被减为 6 年监禁。他在狱中翻译了索福克勒斯和修昔底德的文献，开始探索德国的希腊化之路，并描绘了自由和富有责任心的公民意象。卢格认为古希腊人是"彻底的政治性的人"，希望在德国能够实现"希腊式的审美自由"和"法国式的政治自由"的统一。①

出狱后的他早于鲍威尔担任大学讲师，起初他曾以黑格尔的方式为普鲁士政府辩护，认为自由和哲学的自我意识在德国"稳固地建立于 1838 年的政治现实中"②。这时的卢格对普鲁士抱有幻想，他觉得"普鲁士还在发挥着它的作用"，市民应赞赏"普鲁士的明智"。很快，他的观点发生了急转，原因在于愈演愈烈的普鲁士专制制度打破了他的幻想。从此，卢格成为青年黑格尔派中反封建的旗手。在他看来，等级森严的普鲁士国家制度就如同天主教会，君主享有主教般的特权，市民在政治生活中没有实际的参与权。这样，青年黑格尔派的宗教批判在卢格这里被转化为对普鲁士国家制度的政治批判，他的言辞和立场愈加激烈，因为他看到普鲁士国家制度将市民沦为"庸人"，社会生活中充斥着庸俗的空气，而市民的反抗力量在不断增长，他们是颠覆普鲁士专制制度的根本力量。

卢格因政治激进主义立场而被逐出哈雷大学，此后他最重要的身份是一个出版家。他编辑的《哈雷年鉴》自创刊起就为批判精神代言，该刊发表了很多青年黑格尔派成员的檄文，更新了当时德国社会的公共话语。在《哈雷年鉴》1841 年合订本的序言里。卢格这样写道："一切都以之为依据的那个原则，就是精神的自律，这在学术上就是理性主义的进一步发展，在政治上就是自由主义的进一步发展……在政治领域内，这种理想主义即这种时代的实在构成已经变成实践的了。所有的国家都在不同程度上动作起来，用政治矛盾的活力保持着蓬勃朝气，或者，至少是在理论上，充满着自由主义和它的进一步发展的精神。但是理论已经抛弃了它的无害性，没有政治自由的科学——那是胡说！"③

当施特劳斯被拒绝在苏黎世得到教授职位，而鲍威尔被波恩大学神学系开

---

① Arnold Ruge. *Aus früherer Zeit*, vol.3. Berlin: Verlag von Franz Dunder.1863, p.160.

② Harold Mah. *The End of Philosophy*, *the Origin of the "ideology": Karl Marx and the Crisis of the Young Hegelians*. Berkeley and Los Angeles, California: University of California Press.1987, p.110.

③ 参见 [法] 奥古斯特·科尔纽:《马克思恩格斯传》第 1 卷，王以铸等译，生活·读书·新知三联书店 1965 年版，第 182—183 页。

除时，卢格激烈地谴责普鲁士政府，甚至在《哈雷年鉴》中讨论鲍威尔被开除一事，他主编的这本刊物也越来越受到普鲁士政府的关注，以至于他不得不为了逃避书报检查令而将刊物转移到萨克森的德累斯顿，并将其改名为《德国年鉴》。新版刊物的政治激进主义色彩更加浓重，因此引来萨克森的检察官的重视。后来，卢格邀请马克思在巴黎创办《德法年鉴》，该刊物吸引了赫斯等重要的青年思想精英。卢格的哲学理想是让自由的个人生活在自由的国家，废除普鲁士的书报检查令等不合理性的制度，向往在社会改革中获得英法资产阶级所具有的自由和民主权利。这在他的黑格尔国家学说和法哲学批判中得到了生动的体现。他在《黑格尔法哲学和当代政治》一文中指责黑格尔法哲学的神秘化，认为黑格尔的政治逻辑是从概念派生的，而不是从历史理性角度出发的。特别是他指出黑格尔政治哲学缺乏对具体的政治自由的阐释，而真正的自由应当在政治实践中得到保障。卢格深刻地揭示了普鲁士国家的专制主义和市民社会的利己主义，他拥护共和主义，希望市民自由地参与民主政治，试图融合市民社会和国家、经济和政治以及私人领域和公共领域，在德国实现一种体现自由和平等精神的理性政治。值得提及的是，在《自由主义的自我批判》一文中，卢格聚焦自由主义和德国左翼思想的冲突，认为关键在革命的实践。卢格的思想颇具启发性，他称自己是"思想领域里的批发商"，而恩格斯曾说他"不失为时代的旗帜"。

卢格多次评价马克思和恩格斯的学术贡献，例如，他在1844年5月15日写给费尔巴哈的信中这样评价马克思："他读了许多书；他正在非常勤奋地写作并且具有批判的才能，而这种才能有时变成过度的辩证法狂热，但一无所成；工作总是半途而废，然后又总是重新沉没到无边无际的书海里，目前马克思非常急躁易怒，特别是在他累病了和一连工作三四夜不睡觉以后。"他还说，"马克思想首先从共产主义的观点对黑格尔的自然法进行批判性的分析，然后写一部国民工会的历史，最后批判所有的社会主义者。他总是想写他刚刚读过的东西，但是随后却继续读下去，并作新的摘录。我仍然认为他可能会写出一部条理井然的相当大部头的书，而把他所搜集的全部材料填充进去。"①他曾认为当时匿名发表小册子的恩格斯是哲学博士，并致信这样称呼他，恩格斯为此回

---

① 参见［法］奥古斯特·科尔纽：《马克思恩格斯传》第2卷，王以铸等译，生活·读书·新知三联书店1965年版，第16页。

信纠正，"我决不是什么博士，而且永远也不可能成为博士；我只是一个商人和普鲁士王国的一个炮兵；因此请您不要对我用这样的头衔。"① 在《德法年鉴》中发表的马克思致卢格的三封信，也应被看作不容忽视的政治哲学文献，因为这些书信体现马克思在政治哲学形成时的思想转变过程。

马克思恩格斯后来将卢格这位"流亡中的大人物"看成是一个不折不扣的哲学庸人，因为卢格也没有彻底打碎现存制度的决心，而只是寄望于以资产阶级的方式改良社会面貌。卢格蔑视德国工人，认为他们短见而没有政治灵魂，因而始终以工人的教育者自居。卢格没有充分认识到当时欧洲工人运动的趋势，没有看到起义的德国工人已经具有了阶级自觉意识，甚至开始体现社会理智。马克思指出："政治灵魂的观点就是国家的观点，即抽象的整体的观点，这种抽象的整体之所以存在只是由于它离开了现实生活。"② 受卢格思想启发的马克思致力于在现实的政治哲学阐释中开启改变世界的无产阶级革命，他和恩格斯将政治哲学理论与现实的运动融合为一，在新的思想启蒙中使开始具有政治理智的无产阶级成为世界历史的主人，而这其实正是他与包括卢格在内其他青年黑格尔派思想立足点的真正差异所在。

四、施蒂纳、契希考夫斯基与科本

麦克斯·施蒂纳生于德国巴伐利亚的拜洛伊特。他是小资产阶级无政府主义的创始人之一，也是虚无主义、存在主义、后现代主义的先驱。1826年，20岁的施蒂纳进入柏林大学，学习语言学、哲学和神学，并在那里聆听了黑格尔的讲座，这些讲座对施蒂纳产生了深刻的影响，由此黑格尔的哲学成为了他一生的追求和思想源泉。施蒂纳的主要哲学作品有《唯一者及其所有物》、《反动的历史》等。作为青年黑格尔派的代表人物之一，施蒂纳的哲学也对同时代的其他哲学家们产生了巨大的影响。

在《唯一者及其所有物》中，施蒂纳指出了利己主义存在的必然性和必要性。根据对整个人类历史的宏观架构和对个体不同发展阶段的分析，施蒂纳指

① [德]曼·克利姆：《恩格斯文献传记》，中央编译局译，湖南人民出版社1986年版，第7页。
② 《马克思恩格斯全集》第3卷，人民出版社2002年版，第395页。

出，现代社会的个人都受到各种固定思维，包括宗教、真理等思维方式的束缚。尤其在宗教改革之后，现代社会的人都受到了宗教思想的制约，而费尔巴哈对于宗教的批判也未能将人的本性从宗教的枷锁之中真正地解放出来。施蒂纳认为，费尔巴哈只是将人的本质固化为对于人性的教科书式的理解，由此改变了造物主的具体形式，但实质上只是用一种新的"宗教"取代了原有的宗教。在他看来，真正能将人从既定的思维枷锁的束缚中解放出来的，只有利己主义。

区别于一般意义上的利己主义，施蒂纳提出了他的利己主义观。他认为现代人要经历利己主义的三个转向，即"通常理解的利己主义者"、"自我牺牲的利己主义者"以及"自我一致的利己主义者"[①]。他认为，只有从前两个阶段过渡到"自我一致的利己主义者"，"我"才能成为"唯一者"。在他那里，"我并非空洞无物意义上的无，而是创造性的无，是我自己作为创造者从这里面创造一切的那种无。"[②] 因此，作为"唯一者"的"我"是具体的，是实际存在的人，并非费尔巴哈所提出的"类"，并非是抽象的人。施蒂纳认为，"我"是实际存在的具体者，一切的创造者，而"我"也无往不在创造与确立自身之中。"我并不以我为前提，因为我每一时刻均在首先确立和创造自己，而只是由于我并非是被作为前提而被确立，而且只是我在确立我自己的那一刻被确立，我才存在着，这就是说我集创作者和被造者于一身"[③]。通过对于作为"唯一者"的"我"的表述，施蒂纳确立了"我"的最高地位。

在这个意义上，施蒂纳反对共产主义，并提出了他的无政府主义的观点。正是因为"我"是一切的核心，"我"是自己的主人，在"我"之上没有任何能够限制"我"的，因此任何束缚"我"的，包括民族、国家、和法律等等，都是应该被抛弃的。施蒂纳认为，共产主义是对于个人的一种限制，而他捍卫的是个人的绝对自由，为了获得个人自主权，个人必须摆脱一切力量，如意识形态、宗教、伦理、他人甚至自己的欲望的控制。

尽管在《唯一者及其所有物》中，施蒂纳在对自我与世界的关系上得出了

---

① [德] 麦克斯·施蒂纳：《唯一者及其所有物》，金海民译，商务印书馆 2007 年版，第 78—86 页。

② [德] 麦克斯·施蒂纳：《唯一者及其所有物》，金海民译，商务印书馆 2007 年版，第 5 页。

③ [德] 麦克斯·施蒂纳：《唯一者及其所有物》，金海民译，商务印书馆 2007 年版，第 164 页。

与黑格尔完全相反的结论，但是黑格尔对施蒂纳的影响是毋庸置疑的。在《精神现象学》的"绝对知识"章，黑格尔指出，"事物就是我；在这个无限判断里事物事实上是被扬弃了；事物并不是自在的东西；事物只有在关系中，只有通过我以及它与我的关系，才有意义。"①黑格尔对于"我"的定义，在施蒂纳那里，被内化成了利己主义的表征，但是其本质是一样的，以至于在接下来对于"唯一者"的论述中也是如出一辙。在施蒂纳看来，世界是为了"我"才被创造出来的，一切事物只有与作为"唯一者"的"我"联系起来才会有存在的意义，因此"我"是一切的核心。对于作为"唯一者"的"我"的理解，既是理解施蒂纳利己主义的关键，也是理解该书理论内涵的核心。

在施蒂纳之后，另一个深受黑格尔影响的是契希考夫斯基。契希考夫斯基侧重对于黑格尔世界历史观的研究，他以独特的视角重新解读了黑格尔的历史理论，并创立了"行动哲学"，这一理论对马克思实践观的形成有重大影响。

在契希考夫斯基在世的 80 年间（1814—1894），从 1838 年到 1848 年这十年是他成果颇丰的时期。这十年不仅仅是他基本思想的形成时期，而且他的文学作品也大多是在这一时期完成的。1838 年，24 岁的契希考夫斯基在柏林发表了他一生中最重要的哲学著作《历史哲学导论》；1839 年，他又在巴黎发表了他的经济学论著，以法语出版的《信贷和循环》；然后在 1844 年，另一部法语著作《贵族和现代贵族制度》也出版了，后来在 1848 年他又出版了《我们的父亲》。其中，《历史哲学导论》既是契希考夫斯基第一部也是最重要的一部哲学作品，在该书中，"契希考夫斯基第一次提出了历史哲学（Historiosophie）这一概念，确立起以行动为基础的新历史哲学，成为促成青年黑格尔派实践问题转向的第一人"②。

契希考夫斯基批判地继承了黑格尔对于人类历史的划分，对应精神发展的三个阶段，最终将从中世纪开始的人类历史分为了三个层次，即古代、现代和未来。从没有经验身心二分的古代，到开始反思的现代，感官直观经验了普遍和抽象的内在和外在的双重转向，而上帝和尘世、精神和物质以及行动和思维之间不可调和的论争在某种意义上是现代社会的典型特征③。历史发展的未来

---

① ［德］黑格尔：《精神现象学》下卷，贺麟、王玖兴译，商务印书馆 1997 年版，第 260 页。

② 马凤阳：《契希考夫斯基和马克思历史哲学的比较》，《浙江学刊》2015 年第 1 期。

③ Benoit P. Hepner."History and the Future: The Vision of August Cieszkowski", *The Review of Politics*, Vol.15, No.3.（Jul., 1953），pp.328–349.

阶段被称为"后黑格尔时代",在这个时代,随着二元论的消解,精神的自我实现,哲学将会终结。

在关于未来的理解上,契希考夫斯基认为,人们虽然不能精准地预测将来发生的具体事件,但是对未来整体进行预测是可能的。在契希考夫斯基看来,历史是一个有机体。正如古生物学家仅凭借一颗牙齿就能够推断出史前怪兽的完整的身体结构,过去的历史阶段也能够成为人们展望未来的前提,而过去的行为则是重建历史的"化石"。历史是由过去、现在和未来构成的有机体,其各个组织和"骨骼"之间是相互关联的。因此,过去的行为在变成"化石"之后,也成为了重组历史的"骨骼"。通过"化石"的不断累积,根据对于过去的行为的分析,重建现代社会的历史架构是可能的,并且在此基础上绘制未来的大体轮廓也是可能的。由此,过去的缺陷可以成为未来的优势,在经历了古代到现代的转变,现代社会的人已经拥有足够的智慧,分析历史的"化石",重构历史有机体。因此,契希考夫斯基指出,决定未来的并非感觉,也不是思辨思维,而是行动。

契希考夫斯基接受了黑格尔根据精神发展的过程划分世界历史的理论。黑格尔将精神的自我显现看作是自在的和自为的,它就是它本身的最高价值,"因为世界历史是'精神'在各种最高形态里的、神圣的、绝对的过程的表现"[①]。因此,对于世界历史的考察也就是对精神的发展过程的考察,世界历史的发展过程无外是自由意识发展的结果,而对自由意识的研究总是要在必然性中得出的。契希考夫斯基进一步发展了黑格尔的观点,他指出,精神通过感觉、意识和行动而得以发展,因此对于历史阶段的认识就离不开对这三者的考察。存在是由物质本身决定的,而感觉和意识是经验的,因此,精神只可能是根据行为来决定的。通过这样的方式,契希考夫斯基确立了行为在精神和精神对应的世界历史中的主导地位。精神发展的最终阶段,是一切对立面的统一。而在历史发展的最终阶段,二元对立会被消解,使思维与存在达成统一的是"行为"。在《法哲学原理》中,黑格尔指出意志是"把自己转变为定在的那种思维,作为达到定在的冲动的那种思维",另一方面他又指出"理论的东西本质上包含在实践的东西之中"[②],基于此,契希考夫斯指出,思维在意志之前,

---

① [德] 黑格尔:《法哲学原理》,范扬、张企泰译,商务印书馆 1979 年版,第 49 页。

② [德] 黑格尔:《法哲学原理》,范扬、张企泰译,商务印书馆 1979 年版,第 13 页。

意志可以使思维转化为存在，而行为则是意志的表现。由此，行为使思维与存在达成了完美的统一，精神取得了实践活动的形式。

这里，还应提到另一位青年黑格尔派的代表人物卡尔·弗里德里希·科本（Karl Friedrich Köppen，1808—1863）。科本出生于一个牧师家庭，随后在一所中学任教。1837 年，他遇到了卡尔·马克思，作为青年黑格尔派小组的领路人，他一直与马克思和恩格斯保持着亲密的友谊，并深受马克思思想的影响。科本与卢格一起编辑了《德意志年鉴》，并为其撰写了很多政治评论。其代表作有《弗里德里希大帝和他的反对者》、《评利奥的〈法国革命史〉》[①] 等。

青年黑格尔派试图将人的本质从神学和宗教中解放出来，寻求人的本质的复归以及社会的"自由"和"自在"地发展。在这一点上，科本基本上承袭了黑格尔的观点，无论是在对宗教神学的批判上，还是对"自觉"的人的本质的追求上，科本如同启蒙思想所强调的那样，追求人的主体地位和人区别于神的人性本质。但是对于唯物主义与唯心主义的分歧上，科本却表现出了远不同于其他青年黑格尔派成员的态度。这一点，在科本的《弗里德里希大帝和他的反对者》中表现得尤为突出。

18 世纪以来，自然科学的发展使以伊壁鸠鲁的原子论为基础的唯物主义哲学得到了社会广泛认可，但区别于一直萦绕于德国的形而上学体系，唯物主义长久以来都是德国哲学所批判的对象。黑格尔在《哲学史讲演录》中指出，"我们可以不推崇伊壁鸠鲁的哲学思想，或宁可认为他根本没有值得我们推崇的思想。"[②] 尽管这一点被青年黑格尔派承袭了，但是在对待唯物主义的观点上，科本却表现出了不同的态度。在《弗里德里希大帝和他的反对者》中，科本将古希腊哲学中朴素的唯物主义与启蒙时代的到来联系起来，认为伊壁鸠鲁哲学是对宗教和神学的本质的批判，人的本质因而得以从宗教中剥离，并最终成为近代启蒙的开端。科本指出："启蒙运动中所有的人物实际上在许多方面都同伊壁鸠鲁有联系，就如同他的反对者所认为的，伊壁鸠鲁学派主要地使自己表现出是古代的启蒙人物。"[③] 科本并没有陷入当时流行的浪漫主义思潮之

---

① 《马克思恩格斯全集》第 37 卷，人民出版社 1971 年版，第 312—313 页。

② ［德］黑格尔：《哲学史讲演录》第 2 卷，贺麟、王太庆译，商务印书馆 1960 年版，第 295—298 页。

③ ［美］约翰·贝拉米·福斯特：《马克思的生态学》，高等教育出版社 2006 年版，第 45—46 页。

中，他从唯物主义对现代自然科学的奠基作用，到伊壁鸠鲁学派对于抽象的人的本性的发展，在本体论上站在了唯物主义的角度，提出了与德国浪漫主义不一样的论调，并在该书中建立起了不同于其他青年黑格尔派的思想体系。值得一提的是，科本后来指出，《弗里德里希大帝和他的反对者》中的基本思想都来自于马克思，他最终将该书献给了马克思。而该书中的唯物主义思想，毫不夸张地说，也可以被视为马克思摆脱黑格尔的哲学视域，树立唯物史观的思想起点。

　　概言之，马克思受到欧洲启蒙思想的深刻影响，或者说欧洲启蒙运动是马克思政治哲学生长的思想土壤。但是，社会现实变迁和马克思对自由与平等问题的深刻洞察使他对启蒙思想始终保持一种有限的接受态度，他的努力在于从学习和批判中探索改变世界的哲学并使之对象化。正如马克思所言他离开青年黑格尔派的真正原因："尽管青年黑格尔派思想家们满口讲的都是'震撼世界'的词句，而实际上他们是最大的保守分子。……这些哲学家没有一个想到要提出关于德国哲学和德国现实之间的联系问题，关于他们所做的批判和他们自身的物质环境之间的联系问题。"[1] 他对苏格兰启蒙运动的不满早已跃然纸上，关键在于改变世界，而改变世界的主人公是无产阶级。忽视马克思对欧洲启蒙思想的批评，以及欧洲启蒙运动对马克思的实际影响，都无助于理解马克思的政治哲学。尽管马克思洞察到这些思想的弊端，并最终走出了上述观念的樊篱，但从思想的发生学角度说，马克思汲取了这些思想的精华，它们在很大程度上促使马克思开创出独特的政治哲学传统。马克思和他的后继者一度唤醒了世界范围的无产阶级，使政治哲学理念成为现实，成就了一场新的思想启蒙。

---

[1] 《马克思恩格斯全集》第3卷，人民出版社1960年版，第22—23页。

第三章　马克思早期思想发展轨迹

　　1818 年 5 月 5 日，卡尔·马克思出生在德国莱茵地区特里尔城的布吕肯巷 664 号的一幢小楼中。特里尔是摩泽尔河畔一座德国最古老的城市，它作为"城市"已经超过了两千年的历史，保存着古罗马以来各个时代的大量文明遗迹，有著名的"黑门"、圣彼特教堂、圣母教堂、罗马皇家浴场和行宫，以及公元 2 世纪建造的横跨摩泽尔河的罗马老桥等。歌德曾在 18 世纪末到过这个城市并这样描述它："城墙之内，教堂、小礼拜堂、修道院、修士会、神学院、骑士团体和教友组织的建筑物鳞次栉比。城墙之外，又有许多修道院、寺院和其他教会机构的屋宇层层围绕。"[①] 特里尔是一座风景如画的城市，这里几乎没有什么工业，因为是著名的摩泽尔—萨尔—乌沃葡萄酒产区，城外低缓的红砂岩山丘上布满了葡萄园。当时，特里尔城里有 12000 多居民，大部分是官员、商人和手工业者，他们为周围农村居民服务，过着平静的生活。

---

① 参见 [德] 海因里希·格姆科夫等：《马克思传》，生活·读书·新知三联书店 1978 年版，第 52 页。

第一节 理论生涯的初始阶段

马克思出生的时候，德国还是一个社会经济发展落后、政治上四分五裂的欧洲国家。在经济上，封建土地所有制和农民对土地领主的人身依附制约着农村经济的发展，而中世纪的行会制度和以手工劳动为基础的家庭手工业又严重束缚生产力发展。1815年建立的德意志邦联，实际是由34个王国侯邦和4个自由城市组成的松散联盟，各个邦国都有自己的政府、法律、海关、货币制度和度量衡制度。国家的分裂束缚了资本主义经济的发展。然而，莱茵地区无论在经济上还是在文化上，都是德国最先进的省份。它靠近法国，早在1795年，法国革命军队曾短暂地占领过这里，从那以后，莱茵地区的居民享受到了法国大革命所带来的成果。封建等级制度和各种捐税义务被废除，所有成年男子都成了法律上平等的公民，甚至在形式上法律还规定了教学自由和新闻出版自由。在这样的环境中，诉求自由平等的种子很快就在特里尔人的心中扎下了根。在普鲁士王国收回这个地区后，普鲁士国王和封建贵族十分害怕莱茵地区的资产阶级及其自由主义的发展损害了自己的利益，对这一地区实行了极端反动的普鲁士化政策，但任凭当局怎么压制，也不能阻止特里尔人对自由平等的追求。

一、家庭境况

（一）特里尔的亨利希·马克思一家

卡尔·马克思正是在普鲁士黑暗统治的反动时期出世的，但他诞生在一个充满启蒙精神的家庭。从家族事业来说，马克思出身于犹太律法学家的家庭。他的祖父马克思·列维就是特里尔的一名犹太律法学家，负责研究和解释犹太教教律，裁断有关教律的争执问题等。他的祖母叶娃·莫泽斯·里沃夫的祖先中也有一些著名的律法学家。这对夫妇生了三个儿子，小儿子希尔舍，即卡尔·马克思的父亲，生于 1782 年，很早就摆脱了犹太教的束缚，与父亲和家族决裂。他学习法律，通过艰苦的拼搏，成为特里尔的一名律师。后来担任政府法律顾问和特里尔律师公会会长。他接受了基督教洗礼，取名为亨利希·马克思，因为为人温和正派，工作勤勉可靠，"以自己的纯洁品格和法学才能出众"，① 深受本城居民的尊敬。

卡尔·马克思的母亲罕丽达·普雷斯堡出身于荷兰的一个古老的犹太律法学家庭。她与亨利希·马克思婚后生了四子五女，卡尔是第三个孩子。长子莫里茨·达维德在 1819 年夭折了，卡尔成了家里的长子。亨利希·马克思一家虽然人口众多，但生计并不困难，甚至还较为宽裕。除卡尔·马克思父亲的原因外，还因为他的母亲是一位会操持家务、对一家人生活体贴入微的人。这从 1835 年 11 月 18 日亨利希·马克思给卡尔·马克思的信上，母亲附笔中就可以看出："我很想知道你是怎样安排你的小家务的，这一点你不应当看成是我们女人的弱点。节俭在大小家务中都是顶重要的事情，也是绝对必要的。亲爱的卡尔，我还想提醒你注意，不要把清洁和整齐看成是小事，因为健康和快乐都取决于它们。要注意经常收拾你的房间，安排出一定时间来做这件事。亲爱的卡尔，你每星期都要用海绵和肥皂洗一次澡。"② 马克思是父母最宠爱的孩子，他精力充沛，才华横溢，母亲称他为"幸运儿"，因为他做任何事情都很顺利。父亲则希望他能像自己一样，成为一个受人尊敬的、富有理性的律师或大法学家。马克思的童年是在无忧无虑中度过的。

（二）自由观念和莎士比亚思想的陶冶

在少年时代，马克思在思想上受两个人的影响较大，一个是他的父亲亨利希·马克思，另一个是他的岳父路德维希·冯·威斯特华伦。

亨利希·马克思深受法国启蒙精神的影响，他学识渊博，爱好古典文学和哲学。在文学领域，他对歌德、席勒、莱辛和莎士比亚的作品研究颇深，并经常在家中诵读这些作家的作品。在父亲的熏染下，马克思特别喜爱莎士比亚的著作，连其中不起眼的人物形象，他都十分熟悉。直至后来马克思自己有了家

---

① 《马克思恩格斯全集》第 30 卷，人民出版社 1974 年版，第 499 页。
② 《马克思恩格斯全集》第 47 卷，人民出版社 2004 年版，第 520 页。

庭和儿女，对莎士比亚的热爱也传承了下去，马克思的小女儿爱琳娜在回忆说："至于莎士比亚的作品，那是我们家必读的书，我们常常阅读并谈论这些作品。我六岁的时候就已经能背诵莎士比亚剧本中许多场的台词了。"①在哲学领域，亨利希·马克思悉心研究过法国启蒙思想家卢梭、伏尔泰的学说，精通洛克、莱布尼茨、斯宾诺莎和康德的著述，是一位康德派的拥护者。在马克思少年时期，父亲也经常向他讲述这些著作的内容，使马克思从小就受到资产阶级自由民主思想的教育。

在政治领域，亨利希·马克思是一位理性主义者和温和的自由主义者，希望在普鲁士能够有自由主义宪法和代议制制度，但却把这些愿望的实现完全寄托在普鲁士国王的开明上。他是特里尔自由主义反对派中心"文学俱乐部"的成员。1834年1月，"文学俱乐部"为配合南德的拥护自由主义宪法的行动，组织了一次宴会，亨利希·马克思是这次宴会的主办人之一。在宴会上，他发表了一篇演说，称颂普鲁士国王的宽宏气度，让第一批人民代议机构得以存在，并表示自己深信国王会永远善意地接受本国人民的正当合理的要求。他不愿意采取革命暴力的手段消灭封建贵族统治。尽管如此，普鲁士政府还是怀疑他。因为在宴会上，激昂的人们高唱了反对派的歌曲，亨利希·马克思也在其中。几天后，在庆祝俱乐部成立周年纪念的宴会上，亨利希·马克思等人还向法国国旗致敬并高唱马赛曲。这使得普鲁士政府十分震怒，亨利希·马克思被看作是"可疑分子"接受了审讯。

马克思汲取了父亲身上的理性主义和自由精神，学到了丰富的哲学和文学知识，继承了严谨的学风，但他却有着刚毅的个性。这一点总是让他的父亲很担忧，特别是在马克思读大学后，他的革命倾向越来越强烈，这让亨利希·马克思感到不安，时常写信告诫儿子要谨慎。有一次，在信中谈到马克思的法学观点时，亨利希恳切地说："你的法律观点不是没有道理的，但如果把这些观点建立成体系，就很可能引起一场风暴，而你还不知道，学术风暴是何等剧烈。如果在这件事情上那些令人反感的论点不能全部消除，那么至少在形式上应当弄得缓和、令人中意一些。"②

---

① 苏共中央马克思列宁主义研究院编：《回忆马克思恩格斯》，胡尧之、杨启兰、兰德毅等译，人民出版社1957年版，第287页。

② 《马克思恩格斯全集》第47卷，人民出版社2004年版，第536页。

路德维希·冯·威斯特华伦男爵是普鲁士政府枢密顾问官，于 1816 年春被委派到特里尔。路德维希·冯·威斯特华伦也是一位学识渊博、思想开明的人。他的父系方面原是出身于德国平民阶层，只是到了父亲一辈才因军功卓著被封为贵族，家族传统使他与那些地位相当的多数官僚不同，没有那种思想贫乏但又狂妄自大的秉性。来到特里尔后，威斯特华伦一家住在罗马街，离马克思家只有几分钟的路程。两家成了好友，两家的孩子，姐姐燕妮·冯·威斯特华伦和弟弟埃德加尔·冯·威斯特华伦与索菲亚·马克思和卡尔·马克思不仅经常在一起交往游玩，而且也非常愿意与双方的父亲交谈。亨利希·马克思非常喜欢与孩子们交流读书心得，把自己珍藏的图书拿出来供孩子们阅读。路德维希·冯·威斯特华伦痴迷希腊诗人荷马的史诗《伊利亚特》和《奥德赛》，时常给卡尔和燕妮大段大段地背诵。他还懂得多种语言，能讲流畅的法语、西班牙语、拉丁语和希腊语，能用英语和德语背诵莎士比亚的剧本，把自己对文学的热忱传染给几位求知若渴的少年。路德维希·冯·威斯特华伦十分喜爱卡尔·马克思，每到傍晚，在威斯特华伦家中，男爵给马克思读诗歌、讲故事。他还十分关心社会问题，欣赏空想社会主义圣西门的学说，是最早和马克思谈论圣西门思想的人。卡尔·马克思终生都对路德维希·冯·威斯特华伦怀着崇敬而感激之情，把他称作是一位"充满青春活力的老人"，能够"以神一般的精力和刚毅坚定的目光，透过一切风云变幻，看到那在世人心中燃烧着的九重天"①。马克思在博士论文《德谟克利特的自然哲学和伊壁鸠鲁的自然哲学的差别》的扉页上写道："谨将本文献给敬爱的慈父般的朋友政府枢密顾问特里尔的路德维希·冯·威斯特华伦先生以表达子弟的敬爱之忱"。之后，马克思还用一大段献词表达了自己的景仰。

二、中学毕业论文

1830 年秋天，12 岁的马克思进入特里尔中学学习。特里尔中学从 1815 年起就由普鲁士文化部领导，但这所中学始终盛行着向往自由的启蒙精神。这首先应归功于校长约·维滕巴赫，他教历史和哲学，学识丰富，治学严谨，

---

① 《马克思恩格斯全集》第 1 卷，人民出版社 1995 年版，第 10 页。

同时也是康德学说的拥护者，他尽力想使学校的教学建立在理性主义的原则上，而不是依靠宗教信仰的原则，这在当时是非常出格的行为。他聘请一些优秀的学者和科学家做学校的教师，例如数学教师施泰宁格尔、希伯来语教师施涅曼等，他们崇尚自由平等思想，深切厌恶封建专制主义。维滕巴赫校长建立了正规的教学秩序，对学生提出了严格要求，学校的整体教学水平非常高。

马克思天资聪颖，领会力强，在学校里的学习成绩总体来说比较不错。六年级的时候，他的古代语受到表扬；八年级的时候，他的德语作文又受到表扬。他不用怎么费力就能掌握学校课程中最难懂的地方，善于独立思考，具有非凡的创造性。马克思从中学起就表现出极高的语言天赋。他精通德语，掌握丰富的德语语法知识，在《特里尔中学毕业证书》里，教师给他的评语是："该生的语法知识，也和他的作文一样，很好"。① 根据《特里尔中学毕业证书》记载，马克思还很好地掌握了拉丁语、希腊语和法语。他的拉丁语"对在校所学古典作家作品较容易的地方，不经准备也能熟练而严谨地翻译和解释；如经过适当准备或者稍加帮助，即使对较难的地方，特别是那些不是在语言特点而是在内容和思想联系方面难于理解的地方，也常常能够做到这一点。"② 希腊语差不多和拉丁语一样好，法语语法知识相当好；稍加帮助，也能读较难的东西，口头表达方面也比较熟练。马克思一辈子都十分重视学习外语，而且由于他系统研究过语言的起源、发展和结构，所以并不认为学习语言是一件困难的事情。在后来的革命实践中，为了更好地与论敌进行斗争，他掌握了许多种语言。马克思"用英文或法文写作就像一个英国人或法国人一样；就是发音差一些。他给《纽约每日论坛报》写的文章用的是典范的英文，他用来回答蒲鲁东的《贫困的哲学》而写的《哲学的贫困》，用的是典范的法文；该书付排前他请来校读原稿的那位法国朋友，对原稿改动的地方很少。……在伦敦他会学习俄文，克里米亚战争时期，他甚至想学阿拉伯文和土耳其文，但没有实现。像一切想真正掌握一种语言的人一样，他主要是着重于阅读。记忆力强的人（马克思的记忆力是罕见的，他从不忘记什么）只要多读，很快就能学得一种语

---

① 《马克思恩格斯全集》第 1 卷，人民出版社 1995 年版，第 932 页。
② 《马克思恩格斯全集》第 1 卷，人民出版社 1995 年版，第 932 页。

言的成语和字彙"①。

此外，马克思的历史、地理和数学知识也十分出色，在毕业证书中都给出非常高的评价。特别值得提及的是，马克思终生都对数学保持浓厚的兴趣，从19世纪40年代起直到逝世前，马克思数十年如一日地利用闲暇时间学习和钻研数学，留下了近千页数学手稿，其中有读书摘要、心得笔记和述评，以及一些研究论文的草稿。马克思曾对恩格斯说："在工作之余——当然不能老是写作——我就搞搞微分学。我没有耐心再去读别的东西。任何其他读物总是把我赶回写字台来。"② 在燕妮身患重病时，他给恩格斯写信说："写文章现在对我来说几乎是不可能了。我能用来使心灵保持必要平静的唯一的事情，就是数学。"③ 马克思对数学的特殊爱好，一方面与他后来从事政治经济学的研究有关。1858年1月11日马克思在给恩格斯的信中说："在制定政治经济学原理时，计算的错误大大地阻碍了我，失望之余，只好重新坐下来把代数迅速地温习一遍。算术我一向很差，不过间接地用代数方法，我很快又会计算正确的。"④ 另一方面则与他从事哲学研究有关。马克思和恩格斯都非常明确地认为，数学是建立辩证唯物主义哲学的一个重要基础。例如，马克思在考察了微分学的具体历史发展过程后，曾做出这样的论断："新事物和旧事物之间的真实的从而是最简单的联系，总是在新事物自身取得完善的形式后才被发现。"⑤

在中学读书的时候，马克思的同学多半是资产阶级和官吏的子弟，但也有不少手工业者和农民的子女，较大部分同学都希望将来当牧师或政府官员。跟他有往来的主要有两个人，一个是爱米里希·格拉赫，这个人后来成为特里尔的会计局局长；另一个就是埃德加尔·冯·威斯特华伦，他未来的内弟。在课余或假日，除了经常拜访威斯特华伦男爵，马克思还与同伴们到城市各处游览。特里尔城中的建筑他都十分熟悉，能够详细地向同伴们讲解。有时他们也到郊外旅行，在种满葡萄的园子里做游戏。

1835年8月，马克思通过了中学毕业考试。目前，保存下来的有7篇笔

---

① 苏共中央马克思列宁主义研究院编：《回忆马克思恩格斯》，胡尧之、杨启兰、兰德毅等译，人民出版社1957年版，第102—103页。

② 《马克思恩格斯文集》第10卷，人民出版社2009年版，第229页。

③ 《马克思恩格斯全集》第30卷，人民出版社1975年版，第113页。

④ 《马克思恩格斯全集》第29卷，人民出版社1972年版，第247页。

⑤ ［德］马克思：《数学手稿》，人民出版社1975年版，第144页。

试考卷：德语自由题材作文，关于奥古斯都元首政治的拉丁语作文，宗教作文，拉丁语即席作文，希腊语翻译，法语翻译和数学考卷。①《马克思恩格斯全集》中文版第 2 版第 1 卷收录了前三篇作文。

我们首先来看一下马克思的宗教作文。宗教作文指定的题目是《根据〈约翰福音〉第 15 章第 1 至 14 节论信徒同基督结合为一体，这种结合的原因和实质，它的绝对必要性和作用》。在这篇文章中，马克思没有落入世俗的套路从宗教的角度来分析，而是从道德的角度探讨问题。他写道："因此，同基督结合为一体可使人内心变得高尚，在苦难中得到安慰，有镇定的信心和一颗不是出于爱好虚荣，也不是出于渴求名望，而只是为了基督而向博爱和一切高尚而伟大的事物敞开的心。可见，同基督结合为一体会使人得到一种快乐"。② 在少年马克思的思想倾向中，宗教并不占多少重要地位。但他对唯心主义哲学的热爱在这里反映明显。他称"神圣的柏拉图"为古代最伟大的哲人，而把伊壁鸠鲁主义称为"肤浅的哲学"③。过不了多久，马克思在博士论文中将会以无神论的观点出现，并对伊壁鸠鲁的唯物主义哲学给予最高评价。马克思的这篇宗教作文的成绩相当于中等水平，在班里居第五位。教师对作文的评语是"思想丰富，叙述精彩有力"，不过对同基督结合为一体的实质和原因论述不够充分。④

关于奥古斯都元首政治的拉丁语作文的题目是《奥古斯都的元首政治应不应当算是罗马国家较幸福的时代?》。这样的问题设置不仅让马克思显露出丰厚的历史功底，还反映出他对各种国家政体的熟悉和掌握。在研究方法上，马克思运用了综合分析法和比较研究法，他写道："要想研究奥古斯都时代是怎样一个时代，有几种可以用来对比作出判断的方法：首先，可以把它同罗马历史上的其他时期加以对比，……其次，需要研究古代人们对这个时代作了哪些评价，异国人对这个帝国是怎么看的，他们是否害怕它或者轻视它；最后，还得研究各种技艺和科学的状况如何。"⑤ 接下来，马克思对比了古罗马的三个历史

---

① 参见 K. Marx, F. Engels, Historisch-kritische Gesamtausgabe, Band I/1.2, Berlin: Marx-Engels-Verlag G. M. B. H., 1929, S.449–470。

② 《马克思恩格斯全集》第 1 卷，人民出版社 1995 年版，第 453 页。

③ 《马克思恩格斯全集》第 1 卷，人民出版社 1995 年版，第 449、453 页。

④ 《马克思恩格斯全集》第 1 卷，人民出版社 1995 年版，第 1040 页。

⑤ 《马克思恩格斯全集》第 1 卷，人民出版社 1995 年版，第 461 页。

时期：布匿战争以前的时代、奥古斯都时代和尼禄时代。通过考察每个时代的特点，作出独立的结论。

公元前 5 世纪到公元前 3 世纪是布匿战争以前的罗马时代，典型特征为在城邦国家的基础上出现了奴隶社会条件下的共和制。当时的自由公民被认为是最高政权的代表者，他们通过议会和元老院表达自己的意志；主要权力集中在监察官（他们被称为元老）和最高执政官——执政官、全权执政官、大法官、护民官的手中。由于不能使用"共和国"一词（在当时的普鲁士中学里是不能用的），马克思称这个时代是"最美好的"和事实上的幸福。"由于风尚纯朴、积极进取、官吏和人民公正无私而成为幸福时代的"；那时教育和艺术根本不受重视，因为"那时最卓越的人们辛勤努力从事的是农业"，而论辩术是多余的，"因为人们对应该做些什么用不了几句话即可表明，谈吐不要求文雅，只注重说话的内容……可是，这整个时代充满着贵族和平民之间的斗争……"①

公元前半世纪到公元 1 世纪初是奥古斯都时代，这个时代属于罗马历史的顶峰，是共和制最终衰落和帝国兴起的时代，帝国不断扩展辽阔空间并需要中央集权的统治。奥古斯都对国民的独裁实行了温和的统治方式，在古希腊文化的影响下，罗马的科学、哲学、法学、文学和艺术得到了快速发展。马克思写道："往昔为护民官、监察官和执政官所拥有的一切权力和荣誉都转入了一人之手，所以各种自由，甚至自由的任何表面现象全都流失了，尽管如此，罗马人还是认为，是他们在进行统治，而'皇帝'一词只不过是先前护民官和执政官所担任的那些职位的另一种名称罢了，他们没有觉得他们的自由受到了剥夺。……至于各种科学和技艺，任何一个时期也没有这样繁荣过：在这个时代生活过许多作家，他们的作品成了几乎所有民族从中汲取教益的源泉。"②

公元 1 世纪的 50—60 年代，迎来了尼禄时代。这是一个残暴荒淫的时代，不仅奴隶主残忍地对待奴隶，而且奴隶主彼此之间因权力争斗的残酷也达到了顶峰。席卷了拥有 50 万人口的罗马大火成为敲响了其未来衰落的丧钟。这场悲剧被统治者利用作为实行新的残暴的借口：尼禄的政治宿敌指责他纵火，而尼禄则把纵火的罪过推给了基督徒，并对其进行无情的镇压。马克思写道："既然那时最优秀的公民被杀害，到处专横肆虐，法律受到破坏，罗马城遭到

---

① 《马克思恩格斯全集》第 1 卷，人民出版社 1995 年版，第 461—462 页。
② 《马克思恩格斯全集》第 1 卷，人民出版社 1995 年版，第 462、464 页。

焚毁……这是怎样一个时代，还有谁不清楚呢？"①

马克思在对三个历史时期的多方面比较中得出结论："奥古斯都的元首政治应该算是最好的时代……"②，但不能认为这个时代就是幸福的。"……奥古斯都时代不应该受到我们的过分赞扬，以致我们看不到它在许多方面都不如布匿战争以前的时代。因为，如果一个时代的风尚、自由和优秀品质受到损害或者完全衰落了，而贪婪、奢侈和放纵无度之风却充斥泛滥，那么这个时代就不能称为幸福时代"。③ 在作文中，马克思表现出自己对国家政体的偏好，即对共和国制的偏好。同时，也可以看出父亲和岳父身上的自由启蒙主义精神对他的影响，即承认开明君主的优点而厌恶暴虐的统治形式。

根据记录，这篇作文的成绩是"良好"，超过了班级的平均成绩。在这篇作文的考卷上，主考人在许多地方加了着重号。页边上加了一些涉及作文内容的拉丁语评语，由校长维滕巴赫以及拉丁语和希腊语教员勒尔斯签署的总评语是："除了上述我们加上评语的地方特别是结尾处的几个错误以外，这篇作文不论在素材的处理方面，在显示出来的历史知识方面，还是在力求以通顺的拉丁语来表达思想方面总的说来都很不错。但书写太糟糕！！！"④

1835 年 8 月 12 日上午 7 时到 12 时，特里尔中学的 32 名毕业生在考试中写了一篇德语自由题材作文——《青年在选择职业时的考虑》。这篇作文反映出校长维滕巴赫对学生的影响。

在这篇文章中马克思首先分析了人区别于动物具有为达到目标而进行能动性选择的能力，他指出："自然本身给动物规定了它应该遵循的活动范围，动物也就安分地在这个范围内活动，而不试图越出这个范围，甚至不考虑有其他范围存在。神也给人指定了共同的目标——使人类和他自己趋于高尚，但是，神要人自己去寻找可以达到这个目标的手段；神让人在社会上选择一个最适合于他、最能使他和社会变得高尚的地位。"⑤ 这正是人比动物优越的地方。但是，这种职业的选择不能完全随心所欲，也不能仅仅依据物质利益和自私虚荣的目的来考虑，青年人必须把认真权衡职业的选择作为首要责任。他写道：

---

① 《马克思恩格斯全集》第 1 卷，人民出版社 1995 年版，第 462 页。
② 《马克思恩格斯全集》第 1 卷，人民出版社 1995 年版，第 464 页。
③ 《马克思恩格斯全集》第 1 卷，人民出版社 1995 年版，第 463 页。
④ 《马克思恩格斯全集》第 1 卷，人民出版社 1995 年版，第 1041 页。
⑤ 《马克思恩格斯全集》第 1 卷，人民出版社 1995 年版，第 455 页。

"我们的使命决不是求得一个最足以炫耀的职业，因为它不是那种可能由我们长期从事，但始终不会使我们感到厌倦、始终不会使我们劲头低落、始终不会使我们的热情冷却的职业，相反，我们很快就会觉得，我们的愿望没有得到满足，我们的理想没有实现，我们就将怨天尤人。"①

其次，马克思提出了选择职业时必须考虑的因素。在这里，马克思除了写要听取父母对职业选择的建议，要考虑个人体质情况和能力素质等基本因素之外，最亮的闪光点在于，马克思第一次表述了社会关系在人类生活中的意义："……我们并不总是能够选择我们自认为适合的职业；我们在社会上的关系，还在我们有能力决定它们以前就已经在某种程度上开始确立了。"② 据资料显示，"在社会上的关系"这个词组没有在其他特里尔中学毕业生的作文中发现，在维滕巴赫的"学校评语"中也没有。很明显，少年马克思较之他的同龄人，甚至老师，赋予了"关系"这个术语更加广泛的意义。这表明，那时的马克思已经具有一种实事求是的求实精神，如果一个人让步于生活的猛烈冲击而选择了一个对于他来说力不胜任的职业，那么，结果就会自愧无能，轻视自己。

最后，马克思谈到了自己对选择职业的主要目标的理解。这就是要把自己生活的意义和幸福与为全人类的利益而工作联系在一起。他写道："在选择职业时，我们应该遵循的主要指针是人类的幸福和我们自身的完美。……人的本性是这样的：人只有为同时代人的完美、为他们的幸福而工作，自己才能达到完美。……历史把那些为共同目标工作因而自己变得高尚的人称为最伟大的人物；经验赞美那些为大多数人带来幸福的人是最幸福的人；宗教本身也教诲我们，人人敬仰的典范，就曾为人类而牺牲自己……"③ 马克思的信念是："如果我们选择了最能为人类而工作的职业，那么，重担就不能把我们压倒，因为这是为大家作出的牺牲；那时我们所享受的就不是可怜的、有限的、自私的乐趣，我们的幸福将属于千千万万人，我们的事业将悄然无声地存在下去，但是它会永远发挥作用，而面对我们的骨灰，高尚的人们将洒下热泪。"④ 马克思用一生践行着他在 17 岁时就形成的座右铭。对于这篇作文，校长维滕巴赫给出的总评语是："相当好。文章的特点是思想丰富，布局合理，条理分明，但是

① 《马克思恩格斯全集》第 1 卷，人民出版社 1995 年版，第 456 页。
② 《马克思恩格斯全集》第 1 卷，人民出版社 1995 年版，第 457 页。
③ 《马克思恩格斯全集》第 1 卷，人民出版社 1995 年版，第 459 页。
④ 《马克思恩格斯全集》第 1 卷，人民出版社 1995 年版，第 459—460 页。

一般来说作者在这里也犯了他常犯的错误，过分追求罕见的形象化的表达……叙述时就缺乏必要的鲜明性和确定性，往往还缺乏准确性"。[①]

在中学毕业时，马克思还不知道，他将从事什么职业，他喜欢什么样的职业。亨利希·马克思建议儿子走他自己所走的路，即从事法律工作或法律学研究。马克思听从了这个建议，1835 年 10 月，他进入波恩大学法律系学习。

第二节　转向黑格尔主义

波恩大学是莱茵省的精神文化中心，这里的一切对于马克思来说都是十分新鲜和生动的。强烈的求知欲让马克思坚定决心"做一些有用的事情"，他"勤奋努力"，一下子就选修了 9 门课程，以致他的父亲写信给他说："9 门课程，在我看来多了一点，并且我不希望你学东西超过你的身体和精力所能承受的限度。不过，要是你对这并不感到困难，那［可能］也不错。知识的领域是无限的，可时间是短暂的。"[②] 由于过于用功劳累，1836 年年初，马克思就病倒了。此后，他逐渐找到了适合自己的学习方法，那就是按照自己的计划进行自学。这种学习习惯不仅是他在柏林的学习方式，而且也让他后来成为知识广博的多面手，受益终生。

一、与青年黑格尔派的交往

马克思不是一个整天埋头故纸堆的书呆子。从父亲给他的书信中可以看出，他在波恩的生活是丰富多彩的：参加大学生的各种活动，创作诗歌并当众朗诵，学习击剑和骑马，和大家一起高歌痛饮，还被选为特里尔同乡会的会

---

①　《马克思恩格斯全集》第 1 卷，人民出版社 1995 年版，第 1041 页。

②　《马克思恩格斯全集》第 47 卷，人民出版社 2004 年版，第 517 页。

长，眼看学业就要荒废。马克思自由散漫的习气让他的父亲深感忧虑，第一学年结束前，亨利希·马克思致信波恩大学："我的儿子卡尔·马克思下学期要进柏林大学，继续攻读在波恩选修的法律和财政学。这不仅得到我的准许，而且是我的意愿。"①

1836 年 10 月，卡尔·马克思进入柏林大学法律系学习。这次转学对于马克思思想发展具有转折性的意义。柏林作为普鲁士的首都，是波恩所不能比拟的。柏林当时已有 30 余万居民，是德国最大的城市，决定城市面貌和命运的是王宫和贵族，到处都笼罩着厚重而压抑的气氛，这让作为天生爱好自由的莱茵省人的马克思感到厌恶。而柏林大学是德国学术活动的中心，也是德国思想舆论斗争中心，这里不仅建筑宏伟巍峨，图书馆藏书异常丰富，而且教授中有许多是享有盛誉的学者，1818—1831 年间，黑格尔曾在这里讲过学。因此，从整体上说，柏林大学的学术研究氛围深厚，费尔巴哈曾评价说："在这里根本用不着考虑饮宴、决斗、集体娱乐之类的问题。在任何其他大学里都不像这里这样普遍用功，这样对超出一般学生事件之上的事物感到兴趣，这样向往学问，这样安静。和这里的研究环境比起来，其他大学简直就是酒馆。"②

马克思到达柏林注册入学后，在大学附近租了处房子，"兴致索然地"拜访了他父亲的几位朋友，便"专心致志于科学和艺术"。③ 在第一个学期，马克思选修了三门课程，爱德华·甘斯讲授的刑法，费里德希·卡尔·冯·萨维尼讲授的罗马法史和斯特芬斯讲授的人类学。在这些教授中，只有甘斯对于当时还胸怀着浪漫主义的马克思转向黑格尔哲学起到过一些影响。甘斯是黑格尔的学生，他发展了黑格尔关于逻辑发展和历史发展之间具有关联这一哲学思想，力图说明观念在世界历史时代更迭中的历史发展。不过他是一个具有自由主义和民主主义思想的人，他积极参加一切自由主义的示威行动，并且他的自由主义信念更接近于社会主义，认为社会问题是最重要的问题，并丝毫不掩盖自己对工人阶级的同情。甘斯具有出色的演说才能和思辨精神，他的课堂不仅仅讲纯学术的知识，还评述当时最重要的问题和事件，传播他在著作中未必能

---

① 《马克思恩格斯全集》第 47 卷，人民出版社 2004 年版，第 527 页。

② 参见［法］奥古斯特·科尔纽：《马克思恩格斯传》第 1 卷，刘丕坤等译，生活·读书·新知三联书店 1963 年版，第 12 页注释 69。

③ 参见《马克思恩格斯全集》第 47 卷，人民出版社 2004 年版，第 6 页。

表达出来的东西，因此，他的课在众多学生、职员和军官中受到极大的欢迎。马克思认真地听甘斯的课，研读甘斯在讲课时期发表的《人物与事件的回顾》。在课程考评中得到了"极其勤勉"的评语。①

马克思柏林的 9 个学期中共修了 12 门课程，主要是法学必修课。但实际上，就这 12 门课他也很少去听，因为自学研究的方法已经是他主要的学习方式。他通过自学研究了大量法学、哲学、历史、艺术等领域的文献典籍，甚至还自学了外语。在读书时，每本书马克思都要做提要和摘录，写下自己的心得，过些时日，再重新翻阅笔记，澄清自己的思想。在广泛的学习中，哲学，特别是黑格尔哲学逐渐成为马克思的主要兴趣所在。这可以从目前保存下来的马克思大学时代唯一的一封家信中看出。

1837 年 11 月 10—11 日，马克思在写给父亲亨利希·马克思的信中说："我必须攻读法学，而首先渴望专攻哲学。这两门学科紧密地交织在一起"。②接着，他在信中谈到了决定从事哲学研究的原因。一方面，他研读了海奈克齐乌斯和蒂博的法学著作和大量文献，还把《罗马法全书》的头两卷译成德文，并试图在法的领域建立一种法哲学体系，写了大约 300 张纸后，发现了其中的错误，不得不中断。马克思向父亲详细地介绍了这个体系的大纲，并用他所掌握的哲学话语对这个体系加以批判："这里首先出现的严重障碍同样是现有之物和应有之物的对立，这种对立是理想主义所固有的，是随后产生的无可救药的错误的划分的根源。最初我搞的是我慨然称之为法的形而上学的东西，也就是脱离了任何实际的法和法的任何实际形式的原则、思维、定义，这一切都是按费希特的那一套，只不过我的东西比他的更现代，内容更空洞而已。在这种情况下，数学独断论的不科学的形式从一开始就成了认识真理的障碍，在这种形式下，主体围绕着事物转，议论来议论去，可是事物本身并没有形成一种多方面展开的生动的东西。"③也就是说，马克思发现了理想主义的根本缺陷，他以黑格尔哲学的辩证思维解释说："在法、国家、自然、全部哲学方面，情况完全不同：在这里，我们必须从对象的发展上细心研究对象本身，而决不允许任意划分；事物本身的理性在这里应当作为一种

① 参见 [法] 奥古斯特·科尔纽：《马克思恩格斯传》第 1 卷，刘丕坤等译，生活·读书·新知三联书店 1963 年版，第 88 页。
② 《马克思恩格斯全集》第 47 卷，人民出版社 2004 年版，第 7 页。
③ 《马克思恩格斯全集》第 47 卷，人民出版社 2004 年版，第 8 页。

自身矛盾的东西展开，并且在自身中求得自己的统一。"① 虽然马克思自己都对"这部倒霉的作品""加以摒弃"，同时这也使马克思明白，"没有哲学就无法深入"，② 但他还不能彻底接受黑格尔哲学"那种离奇古怪的调子"③，于是他"心安理得地"重新投入康德和费希特哲学的怀抱，马上尝试建立一个新的形而上学的体系，但在该体系的结尾处又一次不得不认识到"它和我以前的全部努力都是错误的"。

两次体系建构的失败让马克思转向了文学和艺术。他以自己为一切读过的书作摘录的独特方式，大量阅读各种文艺评论，包括莱辛的《拉奥孔：或论绘画和诗歌的界限》、佐尔格的《埃尔温。关于美和艺术的四问答》、温克尔曼的《古代艺术史》、卢登的《德意志民族史》。他还翻译了塔西佗的《日耳曼尼亚志》和奥维狄乌斯的《哀歌》，并借助语法学习英文和意大利文。到学期末，他又转向"缪斯的舞蹈和萨蹄尔的音乐"，还撰写过幽默小说《斯考尔皮昂和费利克斯》，以及不成功的剧本《乌兰内姆》。后来他还投入了诗歌创作的怀抱。

这一切都没有使马克思充实起来，他不得不再次回到哲学。这一次他决定面向黑格尔哲学，"我想再度潜入大海，不过有个明确的目的，这就是要证实精神本性也和肉体本性一样是必要的、具体的并有着坚实的基础；我不再练剑术，而是要把真正的珍珠拿到阳光之下。"④ 马克思"费尽脑筋"，研究了自然科学、谢林哲学和有关历史，用黑格尔哲学体系写了一篇将近 24 张纸的哲学对话《克莱安泰斯，或论哲学的起点和必然的发展》，试图将"彼此完全分离的艺术和科学在一定程度上结合起来"。但是，由于他还没有真正理解和掌握黑格尔哲学的精髓，这次的努力又失败了。这次失败对马克思的打击更大，"由于烦恼，我有好几天根本无法思考问题，发疯似地在'冲洗灵魂，冲淡茶水'的肮脏的施普雷河旁的花园里乱跑"，甚至和房东一起去打猎！⑤

可以说，在柏林大学的第一个学期，马克思"熬过了许多不眠之夜"，他的思想"经历了许多斗争，体验了许多内心的和外在的冲动"。过度的脑力劳

① 《马克思恩格斯全集》第 47 卷，人民出版社 2004 年版，第 8 页。
② 《马克思恩格斯全集》第 47 卷，人民出版社 2004 年版，第 11 页。
③ 《马克思恩格斯全集》第 47 卷，人民出版社 2004 年版，第 13 页。
④ 《马克思恩格斯全集》第 47 卷，人民出版社 2004 年版，第 13 页。
⑤ 《马克思恩格斯全集》第 47 卷，人民出版社 2004 年版，第 13 页。

动和一次次无情的打击，使马克思病倒了。1837 年 4 月，在医生的劝告下，马克思来到柏林郊外的施特拉劳休养。在这里他获得了人生里程碑式的收获。

1837 年春，马克思在养病期间研读了黑格尔的全部著作和他大部分弟子的著作，这促使他的思想迅速向黑格尔哲学转变。同时，"由于在施特拉劳常和朋友们聚会"，马克思接触到了"博士俱乐部"，结识了俱乐部的许多成员，其中包括神学讲师布鲁诺·鲍威尔、历史学教员卡尔·弗里德里希·科本、地理学教员阿道夫·鲁滕堡等人。当时，马克思同鲁滕堡的来往比较密切，称他为"最亲密的柏林朋友"，他们之间的通信一直持续到 1842 年初。

"博士俱乐部"是 1837 年在柏林出现的青年黑格尔派激进分子小组，是一个松散的学术组织，成员们经常聚集在柏林大学附近的施特黑利咖啡馆里热烈地争论各种玄妙思辨的哲学问题，"这里在争论中暴露了很多相互对立的观点，而我同我想避开的现代世界哲学的联系却越来越紧密了"。① 这时，马克思更加致力于对哲学的研究，阅读了大量哲学著作，包括黑格尔的自然哲学、亚里士多德的《论灵魂》，斯宾诺莎的《书信集》，以及莱布尼茨、休谟等哲学家的著作。他不仅积极参加青年黑格尔派批判封建专制和反对宗教的运动，还十分注重研究现实问题，讥评时政。每逢这种时候，马克思的深刻、大胆和敏锐总是能够引起人们的注意，很快他就成为俱乐部里有影响的成员。

当时，马克思刚刚进入大学二年级，是俱乐部成员中年岁最小的一个，但在其中的影响却不可小觑。布鲁诺·鲍威尔起初对马克思有过强烈的影响，但很快他们就可以共同讨论问题，相互谈心求教，甚至鲍威尔同马克思拟定了未来的计划，准备创办激进的报刊，写一系列文章向社会广泛宣传自己的主张。卡尔·弗里德里希·科本不仅把自己在 1840 年撰写的《弗里德里希大帝和他的敌人》一书题赠给马克思，而且 1841 年 6 月 3 日写信给马克思称其为"思想的仓库、制造厂，或者按照柏林的说法，思想的牛首"②。莫泽斯·赫斯在 1841 年 9 月 2 日写给作家奥艾尔巴赫的信中说："你应该准备着去会见一位最伟大的哲学家，也许是当今活着的唯一真正的哲学家，这位哲学家虽然初露头角（在权利上或在讲坛上），但很快就会把整个德国的眼光吸引到自己身上。

---

① 《马克思恩格斯全集》第 47 卷，人民出版社 2004 年版，第 15 页。
② ［法］奥古斯特·科尔纽：《马克思恩格斯传》第 1 卷，刘丕坤等译，生活·读书·新知三联书店 1963 年版，第 187 页。

他无论在思想上或在哲学的精神的发展上都不但超过了施特劳斯，而且超过了费尔巴哈"。"我希望能经常有这样一个人作为我的哲学老师"。他还说："如果把卢梭、伏尔泰、霍尔巴赫、辛莱、海涅和黑格尔结合为一人(我说的是结合，不是凑合)，那末结果就是一个马克思博士。"①

促成马克思与青年黑格尔派结合的基础是黑格尔哲学对应有和既有、理想和现实的辩证观点，以及他不能再满足于康德、费希特的渺茫的脱离现实实际的理想主义和浪漫主义对现存普鲁士国家反动政治的妥协。"我从理想主义——顺便提一下，我曾拿它同康德和费希特的理想主义作比较，并从中吸取营养——转而向现实本身去寻求观念。如果说神先前是超脱尘世的，那么现在它们已经成为尘世的中心。"②值得提及的是，马克思对黑格尔哲学的态度从一开始就是既崇敬又批判的，这种态度可以从 1837 年马克思献给父亲 60 寿辰诗作集中的一首《黑格尔·讽刺短诗》中看出：

> 因为我发现了最崇高的智慧，
> 领会了它深邃的奥秘，
> 我就像神那样地无与伦比，
> 像神那样披上晦暗的外衣，
> 我曾长久地探求真谛，
> 漂游在汹涌的思想海洋里，
> 在那儿我找到了表达的语言，
> 就紧抓到底。
> ……
> 康德和费希特喜欢在太空遨游，
> 寻找一个遥远的未知国度；
> 而我只求能真正领悟
> 在街头巷尾遇到的日常事物！
> ……

---

① 参见 [苏] 捷·伊·奥伊则尔曼：《马克思主义哲学的形成》，潘培新译，生活·读书·新知三联书店 1964 年版，第 111 页。

② 《马克思恩格斯全集》第 47 卷，人民出版社 2004 年版，第 13 页。

> 我们已把黑格尔的学说潜心钻研,
> 却还无法领略他的美学观点。①

马克思把黑格尔哲学形容为"汹涌的思想海洋",内容丰富,包罗万象;同时,黑格尔哲学又不像康德和费希特那样在"太空遨游",把理想和现实割裂开来,而是深入到"街头巷尾遇到的日常事物"。但他又批判了黑格尔思想为表示自己的高深莫测借以表达的复杂形式和晦涩语言,将其形容为"像神那样披上晦暗的外衣"。

在鲍威尔自我意识哲学引领下的青年黑格尔派举起批判的武器,从理论上与当时的统治观点和制度进行激烈的斗争,以此达到改变现存事物的目的。青年黑格尔派对政治现实的批判是通过对宗教的批判开始的,因为普鲁士国家是政教合一,基督教作为普鲁士王国的国教,起到了维护王权的政治作用。青年黑格尔派弘扬自我意识,批判宗教和普鲁士国家,既吸收了黑格尔思想中的革命萌芽,又突破了黑格尔保守思想的藩篱。马克思接受了青年黑格尔派的自我意识哲学,并以之作为反对保守主义并寻求自由的思想武器。而马克思阐述自己对青年黑格尔派观点的理解的是通过他的博士论文《德谟克利特的自然哲学和伊壁鸠鲁的自然哲学的差别》实现的。

二、《博士论文》:哲学的世界化与世界的哲学化

黑格尔在《哲学史讲演录》中曾提出伊壁鸠鲁派、斯多亚派和怀疑派是古代的自我意识哲学家的观点。以布·鲍威尔为首的青年黑格尔派不仅接受了黑格尔的观点,而且超越了黑格尔,利用这一观点表达了他们自己的政治意见和哲学见解。1839 年初,马克思在鲍威尔的影响下开始研究伊壁鸠鲁哲学,于1839 年底至 1840 年初写了七本《关于伊壁鸠鲁哲学的笔记》。这七本笔记摘录了伊壁鸠鲁哲学的精髓,以及大量主要和伊壁鸠鲁哲学有关的一些古代哲学家,如斯多亚派和怀疑派的著作。其中还涉及伊壁鸠鲁的自然哲学同黑格尔的自然哲学的关系,以及同德谟克利特的自然哲学的联系,但二者的差别在笔记

---

① 《马克思恩格斯全集》第 1 卷,人民出版社 1995 年版,第 736 页。

中还不是重点。

《关于伊壁鸠鲁哲学的笔记》由七个笔记本和一些补充前四个笔记本的片段组成。需要说明的是，笔记本中只有一些内容在博士论文中被利用。例如，博士论文中引用的卢克莱修、普罗塔克、鲁齐乌斯·安涅乌斯·塞涅卡、塞克斯都·恩披里柯、亚历山大的克莱门斯、第欧根尼·拉尔修、西塞罗、斯托贝对伊壁鸠鲁哲学的记载，都是马克思从笔记本中摘引来的。另外，马克思还利用亚里士多德及其门人西姆普利齐乌斯等人对伊壁鸠鲁哲学的记载。因此，当时马克思已经掌握了一切所能掌握的资料，为自己撰写博士论文准备了绝对充分的有关文献。[①]

（一）博士论文的写作与发表

根据鲍威尔 1839 年底和 1840 年初写给马克思的几封书信来看，这时马克思正在研究海尔梅斯主义，还打算出一本书对其进行哲学的批判。但是，鲍威尔想把马克思引进到他所在的波恩大学任教，便督促马克思尽可能快地参加柏林大学的最后一次考试，并尽快获得博士学位。鲍威尔写道："对像考试那样的无聊事情，那样的闹剧，不要再拖延了。"他还把有关如何获得哲学博士学位和各种学术职务的手续告诉了马克思。[②]1840 年，马克思专门研究了德谟克利特的自然哲学和伊壁鸠鲁的自然哲学的差别，特别是关于德谟克利特的最重要资料的引文都是《关于伊壁鸠鲁哲学的笔记》中所没有的。马克思动笔撰写博士论文大概是在 1840 年下半年。可惜的是，他准备写作博士论文时所写的摘录笔记和草稿，都没有保存下来。

1841 年 3 月底，马克思完成了博士论文《德谟克利特的自然哲学和伊壁鸠鲁的自然哲学的差别》。他原本打算将论文付印，并在柏林大学申请学位，因此还请了一位不知名的人替他誊清文稿，马克思在上面做了修改和补充。但后来，马克思决定不在柏林大学答辩，因为当时柏林的政治氛围很紧张，他不愿意"跟那些精神的臭鼬，那些只是为了到处寻找新的死胡同而学习的家伙打交道"[③]，而选择了耶拿大学。此外，耶拿大学申请学位的手续比较简便，而且

---

① 参见鲁路：《马克思博士论文研究》，中央编译出版社 2007 年版，第 103—104 页。

② 参见［波］兹维·罗森：《布鲁诺·鲍威尔和卡尔·马克思——鲍威尔对马克思思想的影响》，中国人民大学出版社 1984 年版，第 152 页。

③ 《马克思恩格斯全集》第 27 卷，人民出版社 1972 年版，第 424 页。

还有一位教授伯恩哈德·沃尔弗愿意为马克思提供帮助。[①]4月6日，马克思将博士论文寄给耶拿大学哲学系主任卡尔·弗里德里希·巴赫曼教授，巴赫曼教授向哲学系系务委员们写了一份评价极高的推荐书："谨向诸位推荐特里尔的卡尔·亨利希·马克思先生这位完全合格的学位应考生……学位论文证明该考生不仅有才智、有洞察力，而且知识广博，因此，本人认为该考生完全有资格获得学位。"[②]委员们一致同意推荐书的意见，于4月15日，在马克思本人未到场的情况下，以《德谟克利特的自然哲学和伊壁鸠鲁的自然哲学的差别》这篇论文授予他耶拿大学的哲学博士学位。

马克思博士论文手稿没有保存下来，现存的博士论文就是准备付印的誊清稿，这里缺少论文目录中所提到的第一部分第4章、第5章和附录第2章的注释。马克思取得博士学位后，再度打算刊印他的博士论文，为此大约在1841年7月移居波恩后到1842年3月2日路德维希·冯·威斯特华伦去世前写下了新序言（片断），但后来他又放弃了这一打算，因此，这篇博士论文在马克思生前没有发表。它第一次发表在弗·梅林编辑的《卡尔·马克思、弗里德里希·恩格斯和斐迪南·拉萨尔的遗著》1902年斯图加特版第1卷，但是删掉了绝大部分附注。全文第一次发表于《马克思恩格斯全集》1927年历史考证版（MEGA¹）第Ⅰ部分第1卷第1分册。

（二）《博士论文》的结构和内容

马克思的《博士论文》包括给路德维希·冯·威斯特华伦的献词、两篇序言、第一部分：德谟克利特的自然哲学和伊壁鸠鲁的自然哲学的一般差别、第二部分：德谟克利特的自然哲学和伊壁鸠鲁的自然哲学的具体差别，以及附录：评普卢塔克对伊壁鸠鲁神学的论战。

在序言中，马克思首先揭示了在哲学史上基本没有人研究德谟克利特和伊壁鸠鲁的自然哲学的事实，指出无论是西塞罗、普卢塔克，还是伽桑狄，他们都不能真正地理解伊壁鸠鲁哲学。而伊壁鸠鲁主义、斯多亚主义和怀疑主义各个体系对于理解希腊哲学史和整个希腊精神具有重大意义，"这些体系是理

---

① 参见马克思于1841年4月7日致奥斯卡尔·路德维希·伯恩哈德·沃尔弗的信，载《马克思恩格斯全集》第47卷，人民出版社2004年版，第20页。

② 《马克思恩格斯全集》第1卷，人民出版社1995年版，第942页。

解希腊哲学的真正历史的钥匙"①。虽然黑格尔总结了这些体系的概况和一般特点,但缺乏对个别细节的具体认识。其次,马克思解释了附录批评普卢塔克对伊壁鸠鲁神学的论战的原因,批判了"神学化的理智对哲学的态度"②,确立了哲学的独立性和在人类社会中的最高地位,用普罗米修斯的自白"我痛恨所有的神"来宣告哲学代表的是"人的自我意识",具有"最高的神性"。③

《博士论文》的第一部分包括五个问题,论述德谟克利特的自然哲学和伊壁鸠鲁的自然哲学的总体差别:"论文的对象"、"对德谟克利特的物理学和伊壁鸠鲁的物理学的关系的判断"、"把德谟克利特的自然哲学和伊壁鸠鲁的自然哲学等同起来所产生的困难"、"德谟克利特的自然哲学和伊壁鸠鲁的自然哲学一般原则差别"和"结论"。不幸的是,最后两章遗失了。

在第1章"论文的对象"中,马克思提出,自己的研究对象——亚里士多德之后的伊壁鸠鲁派、斯多亚派和怀疑派——在哲学史上是不被重视和遭到诸多误解的,将其视为折衷主义体系,标志着古希腊哲学的终结。马克思认为,这种理解是不对的,亚里士多德之后的哲学体系是以古希腊早期哲学为理论基础的,这不是折中,而是发展。更为重要的是,伊壁鸠鲁派、斯多亚派和怀疑派都用不同的表现充分反映自我意识,体现了这一时期的哲学是古希腊哲学的主观形式。马克思计划写一部专门的著作对"关于伊壁鸠鲁派、斯多亚派和怀疑派哲学的全部概况,以及它们与较早的和较晚的希腊思辨的总体关系"④进行详尽的阐述,而在博士论文中仅就伊壁鸠鲁和德谟克利特的自然哲学的关系进行分析。

在第2章"对德谟克利特的物理学和伊壁鸠鲁的物理学的关系的判断"中,马克思主要列举了哲学史上对伊壁鸠鲁的各种指责和评价,包括斯多亚派的波西多尼乌斯、尼古拉和索蒂昂,学院派的科塔、西塞罗、普卢塔克等古代作家,中世纪的塞克斯都·恩披里柯,近代作家莱布尼茨等。马克思指出,他们一致认为"伊壁鸠鲁的物理学是从德谟克利特那儿抄袭来的"⑤。

在第3章"把德谟克利特的自然哲学和伊壁鸠鲁的自然哲学等同起来所产

① 《马克思恩格斯全集》第1卷,人民出版社1995年版,第11页。
② 《马克思恩格斯全集》第1卷,人民出版社1995年版,第11页。
③ 《马克思恩格斯全集》第1卷,人民出版社1995年版,第12页。
④ 《马克思恩格斯全集》第1卷,人民出版社1995年版,第17页。
⑤ 《马克思恩格斯全集》第1卷,人民出版社1995年版,第20页。

生的困难"中,马克思首先指出上述指责和评价的不合理之处,即将伊壁鸠鲁和德谟克利特等量齐观是"多么不合逻辑"!然后,他提出自己的观点:"在一切方面,无论涉及这门科学的真理性、可靠性及其应用,还是涉及思想和现实的一般关系,他们都是截然相反的。"① 在关于人类知识的真理性和可靠性上,德谟克利特是怀疑论者,而伊壁鸠鲁是独断主义者;德谟克利特把感性世界看作是主观假象,而伊壁鸠鲁把感性世界变成客观现象。在关于科学的可靠性和科学对象的真实性上,即在实践活动上,德谟克利特注重经验的观察和实证知识;而伊壁鸠鲁则在哲学中寻求内在的满足和幸福。在思想同存在的关系问题,德谟克利特注重必然性,认为必然性是万物的主宰,只有在涉及世界起源的问题上这个必然性概念同偶然性便没有差别了;而伊壁鸠鲁则强调偶然性,认为在必然性中生活有了偶然才有自由。在马克思看来,在有限的自然里,必然性是一种相对的必然,它只能从一系列条件、原因、根据等实在的可能性中推演出来,因此,德谟克利特重视实证研究。偶然是一种具有可能性价值的现实性,是抽象的可能性,只要对象是可能的,凭借主体的思维想象就行,不会对主体真实的活动产生限制,也无所谓是否会最终实现。这符合伊壁鸠鲁的目的:"求得自我意识的心灵的宁静,而不在于对自然的认识本身。"②

在《博士论文》的第二部分里,马克思以原子学说为重点,揭示了伊壁鸠鲁原子理论的三种原子运动形式,论证了自我意识的绝对性和自由。这一部分也分为五章。

第1章论述原子脱离直线而偏斜。马克思总结了伊壁鸠鲁原子理论的三种原子运动形式:直线式的下落,原子偏离直线运动和原子的互相排斥运动。他指出第二种原子运动形式,即原子偏离直线运动,或偏斜运动是德谟克利特的原子运动学说所没有的,这既是伊壁鸠鲁与德谟克利特在原子运动学说上的差别,也是西塞罗、皮埃尔·培尔等人因不理解这一理论而嘲讽伊壁鸠鲁的原因。马克思认为,在历史上,只有卢克莱修是"唯一理解伊壁鸠鲁的物理学的人",因为卢克莱修揭示了原子偏斜打破了"命运的束缚",体现了"自由意志"的思想。马克思论述了关于原子偏斜运动的规律,并指出一个极其重要的问题,"这就是,原子脱离直线而偏斜不是特殊的、偶然出现在伊壁鸠鲁物理

① 《马克思恩格斯全集》第1卷,人民出版社1995年版,第20页。
② 《马克思恩格斯全集》第1卷,人民出版社1995年版,第28页。

学中的规定。相反，偏斜所表现的规律贯穿于整个伊壁鸠鲁哲学，因此，不言而喻这一规律同现时的规定性，取决于它被应用的范围。"①

第2章阐述原子的质。在这一章里马克思着重对比了伊壁鸠鲁和德谟克利特关于原子的特性的看法，指出伊壁鸠鲁揭示了原子自己运动的原因。伊壁鸠鲁认为，原子作为概念而言，本身是不发生变化的；而原子作为一种存在而言，由于处在互相排斥的状态，原子必定是具有特性的，即特殊的质。这就形成了作为概念的原子和作为存在的原子之间的矛盾。马克思指出，这个矛盾正是伊壁鸠鲁的主要兴趣所在，"由于有了质，原子就获得同它的概念相矛盾的存在，就被设定为外化了的、与它自己的本质不同的定在。"②而德谟克利特从来都没有从作为存在的原子本身来考察原子的特性，而只是从现象世界的差别的形成关系上进行思考，因此，原子具有外形、位置和次序的差别。相反，伊壁鸠鲁则分别从体积、形状和重力三种原子所具有的质上进行说明，从而从原子内部说明了原子运动的原因。

第3章论证不可分的本原和不可分的元素。马克思指出，伊壁鸠鲁的一种研究手法是"喜欢把一个概念的不同的规定看作不同的独立的存在"③，对于原子的概念，伊壁鸠鲁就区分了双重含义。一方面，原子是本原，是纯粹的概念，是通过理智认识的原子，不占有任何空间，不被感觉所感知；另一方面，原子是元素，是物体的基本粒子，是具有空间性的现象的基础。但在历史上，由于各个哲学家对伊壁鸠鲁哲学的记载混杂凌乱，伊壁鸠鲁的原子概念的双重含义就给人们造成了一种印象，似乎伊壁鸠鲁在讲两类不同的原子，作为元素的原子对立于作为本原的原子。马克思否定这种说法，他指出，"原子概念中所包含的存在与本质、物质与形式之间的矛盾，表现在单个的原子本身内，因为单个的原子具有了质。由于有了质，原子就同它的概念相背离，但同时又在它自己的结构中获得完成。于是，从具有质的原子的排斥及其与排斥相联系的聚集中，就产生出现象世界。"④也就是说，伊壁鸠鲁发现了原子概念中的矛盾，并将从本质世界（原子）到现象世界（具体事物）的过渡中这一矛盾的最尖锐的实现对象化。德谟克利特与伊壁鸠鲁的区别在于，前者仅认识到原子是

① 《马克思恩格斯全集》第1卷，人民出版社1995年版，第35页。
② 《马克思恩格斯全集》第1卷，人民出版社1995年版，第39页。
③ 《马克思恩格斯全集》第1卷，人民出版社1995年版，第47页。
④ 《马克思恩格斯全集》第1卷，人民出版社1995年版，第49页。

一种"元素",一种物质基质意义,因此,他也只能局限在自然哲学的基础上讲原子论;而后者认识到原子具有双重规定,所以他才能在自然哲学的基础上讲述自我意识。

第4章阐释时间问题。在原子论里,时间问题是必须解释的问题,因为如果将时间同原子联系在一起,原子就不是永恒的和独立的了,而将时间同原子分开,原子是物质的载体,物质的变化、生灭就说不通了。在德谟克利特看来,将时间规定为永恒的东西是一劳永逸的方法,这样就可以保证原子在时间中的永恒性,同时又确保物质的变化和生灭。马克思指出,德谟克利特讲的永恒的时间,实际上是哲学意义上的绝对时间,是人对时间永恒性的主观体会,不是客观意义上的时间,"而与世界本身毫不相干了"①。伊壁鸠鲁则把时间看作是"现象的绝对形式"。他辩证地解释了现象与本质之间的关系。马克思指出,物体是由原子组合而成,但这仅存在于表象中,存在于经验现象中,因为彼此独立的原子间本身并不发生组合关系。而时间代表着物体的变化、生灭,在经验现象中起着主动的作用,它将现象和本质区分开来,因为时间仅有效于现象而无效于本质,同时它又赋予现象以变化、消逝的特点,使之返回到自身的根据,即本质中来。因此,马克思得出结论:"第一,伊壁鸠鲁把物质和形式之间的矛盾看成是现象自然界的性质,于是这个自然界就成了本质自然界即原子的映象。……第二,只有在伊壁鸠鲁那里,现象才被理解为现象,即被理解为本质的异化,这种异化本身是在它的现实性中作为这种异化表现出来的。……最后,因为在伊壁鸠鲁看来,时间是作为变换的变换,是现象的自身反映,所以,现象自然界就可以正当地被当作客观的,感性知觉就可以正当地被当作具体自然的实在标准,虽然原子这个自然的基础只有靠理性才能观察到。"② 这样,伊壁鸠鲁借助对时间的认识,从本体论论述过渡到认识论论述。在伊壁鸠鲁那里,感性是现象世界的自身反映,是它的形体化的时间。由此可以得出结论,原子是抽象的自我意识的自然形式,感性的自然也只是对象化了的、经验的、个别的自我意识,即感性的自我意识。

第5章研究天象。马克思在这一章论述了伊壁鸠鲁哲学中的自我意识归宿。马克思指出伊壁鸠鲁与其他希腊哲学家在天象的认识上的不同。伊壁鸠鲁

---

① 《马克思恩格斯全集》第1卷,人民出版社1995年版,第51页。
② 《马克思恩格斯全集》第1卷,人民出版社1995年版,第52—53页。

反对关于天象理论的传统观点，即认为天体是永恒的、和谐的，以神话为代表的对天体的解释是充分的。因为这种解释和观点并不能给人的福祉提供理论依据，相反，由于天体的永恒与和谐与人间万物短暂而纷乱的现象相对立，人们无法理解天体，必然会令人产生内心的恐惧，不得不对外界形成依赖感。伊壁鸠鲁认为，"绝对的准则是：一切扰乱心灵的宁静、引起危险的东西，不可能属于不可毁灭的和永恒的自然。"①因为天体的永恒性会扰乱自我意识的心灵的宁静，所以它们并不是永恒的。在这里，伊壁鸠鲁用自己的原子论的逻辑提出了他关于天象的理论。在伊壁鸠鲁认为原子是具有独立性、个别性形式的物质，贯穿着本质和存在、形式和物质的矛盾，但在天体中，这些矛盾消除了，天象实现了个别性与普遍性的统一，体现在天象的原子不再印证个别的自我意识，而是印证了对个别自我意识的扬弃。也就是说，自我意识走向了自身的根据，与自然和解。

这样，在自然面前无所恐惧的人们可以摆脱天体对心灵宁静的干扰，而伊壁鸠鲁也因此被马克思看作是"最伟大的希腊启蒙思想家"②，因为他以自我意识的理性否定神的存在，其宗教批判具有否定专制制度的启示意义。

最后，马克思在附录中评论了"普鲁塔克对伊壁鸠鲁神学的论战"，这个只包括第一部分的残篇的焦点是"人同神的关系"。普鲁塔克指责伊壁鸠鲁不信神和免于恐惧的快乐，认为这样可能使人敢于作恶并不感到懊悔，而只有神赐的愉快才是真实的。为此马克思提及"关于神的存在的证明"这个经典的宗教哲学命题，他认为这种证明"不外是对人的本质的自我意识存在的证明，对自我意识存在的逻辑说明"③。其实，这种证明是以思想的方式确认"神不存在"，而现实中的个人应该有勇气运用自己的理智。在这个意义上，他以人民的名义反对天国和尘世的统治者，"反对一切天上的和地上的神"，在运用自我意识哲学解读伊壁鸠鲁自然哲学的过程中倡导自由与解放，从而以宗教批判的方式表达了政治批判。

青年马克思在世界历史视野中实现哲学的社会理想与现实的政治实践的融合，从而彰显了哲学的政治性和政治的哲学性。因为"世界的哲学化同时也就

---

① 《马克思恩格斯全集》第 1 卷，人民出版社 1995 年版，第 59 页。
② 《马克思恩格斯全集》第 1 卷，人民出版社 1995 年版，第 63 页。
③ 《马克思恩格斯全集》第 1 卷，人民出版社 1995 年版，第 101 页。

是哲学的世界化，哲学的实现同时也就是它的丧失，哲学在外部所反对的东西就是它自己内在的缺点，正是在斗争中它本身陷入了它所反对的缺陷之中，而且只有当它陷入这些缺陷之中时，它才能消除这些缺陷"①。哲学研究的意义在于改变世界，哲学对外部世界的改变并非外部反思，而是在现实的斗争中扬弃既成的缺陷，同时反观并否定哲学内在的缺点，在旧世界的废墟上建立新世界，从而实现哲学和现实的生成。

第三节　《莱茵报》时期的新闻出版活动

1841 年夏天，马克思获得了耶拿大学的哲学博士学位。他原本打算在波恩大学从事教学工作。然而，当时德皇威廉四世加强思想控制，几乎所有大学都背叛了讲学自由原则。1841 年 10 月 14 日，鲍威尔因其对福音书的激进批判而被剥夺教职赶出波恩大学。马克思考虑到即使登上大学讲台，也不能公开宣传自己的信念，因而打消了在大学谋取教职的念头，投身到现实的政治斗争中。"马克思以一篇论新闻自由的文章和一篇回击反对派报纸（因《莱茵报》发表哲学和宗教方面新颖意见，这家报纸对其进行攻击）的文章，开始了与《莱茵报》的合作。"②《莱茵报》全称为《莱茵政治、商业和工业日报》，由当地一些富有的资产者集资创办于 1842 年 1 月 1 日。《莱茵报》公开宣称的目标是保卫拿破仑法典和法律面前一切公民一律平等，反对普鲁士宗教政策和半封建的专制主义。青年黑格尔派一开始就发挥了重要作用。正是由于"鲍威尔 1 月份曾问马克思为什么没有给《莱茵报》撰稿；3 月，在荣克的催促下，马克思开始把主要精力从卢格的杂志转到《莱茵报》"③。

在《莱茵报》时期，马克思发表了一系列揭露普鲁士政府专制统治，剥削

---

① 《马克思恩格斯全集》第 1 卷，人民出版社 1995 年版，第 76 页。
② [英] 戴维·麦克莱伦：《马克思思想导论》，中国人民大学出版社 2008 年版，第 5 页。
③ [英] 戴维·麦克莱伦：《马克思传》，中国人民大学出版社 2008 年版，第 37 页。

和压迫人民的文章。从 1842 年 1 月至 1843 年 3 月，马克思公开发表的文章共计 32 篇，其中有 29 篇刊登在《莱茵报》上。通观马克思在"《莱茵报》时期"所撰写的文章，可以归为两大类型：第一类文章的主题是倡导新闻出版自由。这类文章主要有《评普鲁士最近的书报检查令》、《第六届莱茵省议会的辩论（第一篇论文）关于新闻出版自由和公布省等级会议辩论情况的辩论》、《〈科隆日报〉第 179 号的社论》和《历史法学派的哲学宣言》等。第二类文章主题是现实的物质利益问题，内容主要是有关林木盗窃法和摩泽尔地区农民的状况。第二类文本主要包括了《第六届莱茵省议会的辩论（第三篇论文）关于林木盗窃法的辩论》和《摩泽尔记者的辩护》等文章。

一、倡导新闻出版自由

普鲁士的书报检查制度是德皇威廉三世按照卡尔斯巴德决议于 1819 年 10 月 18 日颁布的。在它颁布后的 20 多年里，德国资本主义在封建制度重压下苦苦挣扎，废除书报检查制度成为资产阶级争取政治自由的重要组成部分。德皇威廉四世为了缓和矛盾于 1841 年 12 月 24 日颁布了虚伪的新书报检查令。当时的自由主义知识分子没有发现其虚伪的本质，而热烈欢迎这个检查令。例如鲍威尔就说"现在，春天回到每个人的心上了，被埋葬的愿望重新苏醒了，麻痹了的希望重新燃起。人们显得更自由、更有生气了，他们昂起了低垂的头，彼此相视着，意识到自己的力量。所有的人都变了样。他们已经不是我们早先遇到的那些人；他们更矫健、更欢愉地行走着。希望的晨曦呈现在一切人的脸上，闪烁在一切人的眼睛里；看来，似乎每一瞬间都可能从大家的胸怀中迸发出欢乐的呼声。"[1]鲍威尔完全被书报检查令的自由主义假象所迷惑，以为新闻出版自由的春天到来了。马克思辛辣地揭露了新书报检查令的虚伪性，肯定了"没有出版自由，其他一切自由都是泡影，"[2]为倡导新闻出版自由而斗争。他明确提出"整治书报检查制度的真正而根本的办法，就是废除书报检查

---

[1]　参见［法］科尔纽：《马克思恩格斯传》第 1 卷，刘丕坤等译，生活·读书·新知三联书店 1963 年版，第 208—209 页。

[2]　《马克思恩格斯全集》第 1 卷，人民出版社 1995 年版，第 201 页。

制度。"①

马克思针对书报检查令做出了深刻的批判。他认为 1841 年书报检查令序言中表达了"为了使新闻出版现在就能摆脱那些未经许可的、违背陛下旨意的限制,国王陛下曾于本月 10 日下诏王室内阁,明确反对使写作活动受到各种无理的约束。国王陛下承认公正的、合乎礼貌的公众言论是重要的而且必需的,并授权我们再度责成书报检查官切实遵守 1819 年 10 月 18 日书报检查法令第 2 条的规定"。那么,我们不禁要问这个 1819 年制定有效期本来只有 5 年却一直实行的法律有效性问题。如果 1819 年的书报检查令良好执行却出现了"种种未经许可的限制",那么再度责成书报检查官切实执行又有什么意义呢?如果 1819 年的书报检查令在现实中没有得到执行,那么再度责成书报检察官执行就能真正提高执法效率吗?这种把过错推到书报检查官身上的行为不仅败坏了书报检查官的名誉,而且败坏了普鲁士国家和普鲁士作者的名誉。马克思得出了"虚伪自由主义的表现方式通常总是这样的:在被迫让步时,它就牺牲人这个工具,而保全事物的本质——当前的制度。这样就转移了表面看问题的公众的注意力"②。

1819 年的书报检查令和 1841 年的书报检查令之间的关系如何呢?马克思不同意当时的"同质论"与"翻新论",而是强调从检查令自身进行分析,从而揭示 1841 年书报检查令更为保守、偏执以及更令人厌恶。"根据这一法律〈即根据第 2 条规定〉书报检查不得阻挠人们对真理作严肃和谦逊的探讨,不得使作者受到无理的约束,不得妨碍书籍在书市上自由流通。"针对"严肃"与"谦逊"的探讨规定,马克思提出了"难道真理探讨者的首要义务不就是直奔真理而不要东张西望吗"的质疑。什么是严肃,什么是谦逊呢?谁又能给出严肃与谦逊与否的标准呢?马克思一针见血地指出了书报检查令窒息真理与限制真理的本质。"如果谦逊是探讨的特征,那末,这与其说是害怕虚伪的标志,不如说是害怕真理的标志。谦逊是使我寸步难行的绊脚石。它是上司加于探讨的一种对结论的恐惧,是一种对付真理的预防剂。"③新闻出版自由是一种意志自由的表现,是公共精神的展现。这种公共精神是普遍的,不

---

① 《马克思恩格斯全集》第 1 卷,人民出版社 1995 年版,第 134 页。
② 《马克思恩格斯全集》第 1 卷,人民出版社 1995 年版,第 109 页。
③ 《马克思恩格斯全集》第 1 卷,人民出版社 1995 年版,第 110 页。

属于任何个人所有，而为大家共有。不是任何个人占有真理，而是真理占有个人。因此，任何个体性的展现必须以真理为最终依据，而不是对个体性的风格本身进行限制。

马克思曾用阳光露水进行过比喻，"每一滴露水在太阳的照耀下都闪耀着无穷无尽的色彩。但是精神的太阳，无论它照耀着多少个体，无论它照耀着什么事物，却只准产生一种色彩，就是官方的色彩。"①如果只能用严肃与谦逊的风格，那么这种风格的对应者必须为天才，即使是天才，"天才的谦逊就是要用事物本身的语言来说话，来表达这种事物的本质的特征。天才的谦逊是要忘掉谦逊和不谦逊，使事物本身突出。精神的普遍谦逊就是理性，即思想的普遍独立性，这种独立性按照事物本质的要求去对待各种事物。"②因此，我们可以得出的结论是：对严肃与谦逊这种风格的强调，只能诉诸检查官的脾气，只能剩下"官方色彩"。因此，"新闻出版被剥夺了批评的权利，可是批评却成了政府批评家的日常责任。"③而对新闻出版自由的限制，实质上就是"既不准报刊对官员进行任何监督，也不准报刊对作为个别人组成的某一阶级而存在的机构进行任何监督"④。

马克思还从真理和信仰、道德和宗教对立的角度，批判书报检查令用基督教精神反对真理和道德。马克思强调，只有人民立法的道德国家才是真正的国家。从理性主义的立场出发，会推断出反宗教的结论。这个问题在康德乃至黑格尔那里都曾遇到过。马克思认为新书报检查令与旧书报检查令不同的地方标志着从理性主义立场的倒退，这同样是启蒙主义的倒退。新书报检查令把基督教的精神确立为国家精神。政治解放后的国家重新退回到基督教国家。也就是说，新书报检查令把宗教这种私人领域的事情重新确立为公共生活的唯一合法来源，而这种宗教仅仅特指基督教。君权神授的国家观与启蒙运动之后确立起来的理性国家观之间的冲突在新书报检查令中表现得十分明显。马克思进一步指出这种维护基督教国家观背后隐藏着对特权对自己无限权力的崇拜。因为宗教在一切问题上有决定权，就是无限权力或者绝对权力依然属于人民主体的对立者。这是对人民理性国家观的反动。马克思进一

① 《马克思恩格斯全集》第1卷，人民出版社1995年版，第111页。
② 《马克思恩格斯全集》第1卷，人民出版社1995年版，第112页。
③ 《马克思恩格斯全集》第1卷，人民出版社1995年版，第122页。
④ 《马克思恩格斯全集》第1卷，人民出版社1995年版，第125页。

步揭示到"新的书报检查令的正统精神还以其他方式同旧的书报检查法令的理性主义发生冲突"①。

新书报检查令将旧书报检查令关于不许损害道德和良好习俗的规定改成不许破坏"礼仪、习俗和外表礼貌",这样道德原则就被完全取消了,就被宗教所覆盖,道德就只剩下表面形式了。马克思深刻地指出,"道地的基督教立法者不可能承认道德是一种本身神圣的独立领域,因为他们把道德的内在的普遍本质说成是宗教的附属物。"②从道德敬畏感这个视角可以发现:道德敬畏的是内在的神,抑或者可以说是"自律"。宗教敬畏的是外在的神,抑或者可以说是"他律"。马克思反对新书报检查令用宗教代替道德的主要原因,就是道德感作为人的本质性特征,不能被对尊敬外在于人的神所代替。如若那样,人的理性自律将被彻底泯灭,人所珍视的自由道德也将被外在宗教束缚所代替,人将丧失人之为人的最重要的维度。新书报检查令不仅减弱了人的道德良心,增强人的宗教良心,而且对人的倾向性本身进行审查。

"追究思想的法律不是国家为它的公民颁布的法律,而是一个党派用来对付另一个党派的法律。追究倾向的法律取消了公民在法律面前的平等。这不是团结的法律,而是一种破坏团结的法律,一切破坏团结的法律都是反动的;这不是法律,而是特权。"③谁来对倾向性进行判断呢?无疑普鲁士政府掌握了这项特权,普鲁士政府要求书报检查官注意作家的倾向性,这必然构成了对出版自由的破坏,构成了对思想自由的侵蚀。马克思要求思想自由、言论自由、出版自由,这种自由当然会构成对当时普鲁士政府的批判。"即使公民起来反对国家机构,反对政府,道德的国家还是认为他们具有国家的思想方式。"政治权威自身彰显的是公共性权威。政治权威涉及的群体性,超越于个体性的权威,因此,针对政治权威这种涉及他者的权威就必须允许不同意见。因为我们不能判断这种意见在表达之前是幼稚、主观任性的,还是富有建设性的。从中可见,"马克思反对追究倾向,反对惩罚思想方式,反对书报检查,都是站在革命人民的立场上,矛头指向普鲁士的专制政府,洋溢着革命民主主义精神。"④

---

① 《马克思恩格斯全集》第1卷,人民出版社1995年版,第119页。

② 《马克思恩格斯全集》第1卷,人民出版社1995年版,第119页。

③ 《马克思恩格斯全集》第1卷,人民出版社1995年版,第121页。

④ 陈先达、靳辉明:《马克思早期思想研究》,中国人民大学出版社2016年版,第37页。

　　书报检查令把人的学术能力以外的东西作为衡量作者和编辑的标准。学术研究的标准只能来自思想本身，这种针对思想的判别标准只能来自学术共同体自身的判断，而以学术能力为唯一标准。"学术才能成为报刊作者唯一的和必要的条件，这正是精神的使命，而不是保护特权，也不是要求遵守惯例"①。那么，书报检查令把学术能力排除出去就显得格外让人难以理解。旧书报检查令侧重外在的、物质的保证金，只要缴纳一定数额的保证金，即使不适合的人也能成为编辑。新书报检查令对编辑的选择更是具有"浪漫主义"的任性。因为选择编辑凭借"政府的先见之明、当局的异常谨慎和洞察力"。书报检查令将"不确定性、敏感的内心世界和主观的激昂情绪"等浪漫主义当做决定性的东西，使得过去交保证金这种实际的、物质性的保证变成了浪漫的观念上的保证，变成了想象的地位上的保证。

　　书报检查官并不精通学术，但却对作者的作品横加指责、百般挑剔。马克思讥讽道，这些书报检查官虽然在学术界是无名之辈，但政府却把他们当做"万能天才"，认为他们能够对各种学术作品做出恰当的判断，能够拥有对各种学术研究进行管理的职权。马克思讽刺道，既然书报检查官具有万能的才华，就让他们自己发表学术论文，这也省得对学术写作进行检查了。恰恰相反，那些书报检查官是写不出来的，他们在学术界发不出自己的声音。即使把书报检查官当做万能的天才，这些天才的挑选者又会有着"多么神秘的法术呢"。事实上，这些书报检查官是新闻出版事业发展的绊脚石，国家任命这样的人越多，新闻出版事业就越难以改变。因此，马克思深刻地揭示出："学术才能是一般要求，这是多么明显的自由主义啊！地位是特殊的要求，这是多么明显的非自由主义啊！把学术才能同地位扯在一起，这又是多么虚伪的自由主义啊！"②

　　马克思认为书报检查所产生的恶果不应当归咎于个别检查官的不法行为，而是书报检查制度本身的缺点。马克思为争取出版自由，反对普鲁士的书报检查令，将斗争矛头直指普鲁士的整个封建专制制度。"在新闻出版法中，自由是惩罚者。在书报检查法中，自由却是被惩罚者。书报检查法是对自由表示怀疑的法律……书报检查法只具有法律的形式。新闻出版法才是真正的法律。新

---

① 《马克思恩格斯全集》第 1 卷，人民出版社 1995 年版，第 129 页。
② 《马克思恩格斯全集》第 1 卷，人民出版社 1995 年版，第 129 页。

闻出版法是真正的法律，因为它是自由的肯定存在。它认为自由是新闻出版的正常状态，新闻出版是自由的存在。"① 书报检查令不仅是违反新闻出版法，更是对自由的侵害。马克思通过对比理性国家与普鲁士政府、出版法与书报检查令、法官与书报检查官等，论述了书报检查令的颁布所带来的后果就是"所有的客观标准都已经消失了"。书报检查所建立的基础就只剩下了"警察国家对它的官员抱有的那种虚幻而高傲的观念之上的"内容。

1842 年 5 月的《第六届莱茵省议会的辩论（第一篇论文）》是马克思在《莱茵报》上正式发表的第一篇论文。这是马克思正式为《莱茵报》撰稿的开始。马克思在致卢格的信中说："联系关于出版的辩论，我又回到书报检查和出版自由的问题上来，不过我是从另一些观点来考察这个问题的。"马克思通过分析省议会各等级代表关于新闻出版自由的辩论，进一步抨击了新的书报检查令，更加明确地阐述了新闻出版自由在社会政治生活中的重要地位和作用。

第一，马克思分析了省议会代表对出版自由的态度与其自身的等级利益紧紧联系在一起，反映了等级特殊利益与自由普遍利益之间的对立。即使新闻出版自由的辩护者也受到特殊的等级观念的局限，缺乏普遍的自由精神，缺乏对新闻出版自由的喜爱和向往。诸侯等级的代表以强硬的态度反对新闻出版自由，赞颂德国的精神发展，并将其归功于书报检查制度。诸侯等级是出版自由的死敌，书报检查令的绝对拥护者。骑士等级的代表把等级议会的权利视为唯一的权力，把整个省的权利变成省等级议会的特权。他们以人民思想不成熟为借口，反对新闻出版自由。市民等级具有"不彻底的自由主义的天生软弱性"。他们从自身盈利的观点出发，把出版自由仅仅理解为新闻职业的自由。只有农民等级代表大胆地发出了"检查制度过时了"、检查制度是"令人痛恨的强制手段"等呼声。马克思的上述考察包含着"新闻出版要成为一个相异于国家政治生活和工商业的谋利活动的独特的公共舆论领域的思想，他的这一思想在他不久后探讨的摩泽尔河沿岸地区贫困问题时得到进一步阐发"②。

第二，新闻出版自由是人的普遍权利，是人的精神自由的体现。马克思反

---

① 《马克思恩格斯全集》第 1 卷，人民出版社 1995 年版，第 175 页。
② 李淑梅：《政治哲学的批判与重建——马克思早期著作研究》，人民出版社 2014 年版，第 59 页。

对贵族等级代表企图把自由解释为少数人的特权，而不是人民的普遍自由。谴责他们把"普遍理性和普遍自由"当做"有害的思想"、"'逻辑地构成的体系'的幻想"，"为了拯救特权的特殊自由，他们就斥责人类本性的普遍自由。"马克思强调自由的自我意识性、自觉性。"自由不仅包括我靠什么生活，而且也包括我怎样生活，不仅包括我做自由的事，而且也包括我自由地做这些事。"①马克思高度重视新闻出版自由，尤其是新闻出版在社会舆论上带来的政治作用。只有通过公众精神的发展，通过报刊等公共辩论的场所，才能澄清公共利益。他进一步主张充分发展公众精神、社会舆论，使新闻出版成为一个相对独立的领域，获得自由的发展。

第三，新闻出版自由反映了人民的呼声，表达了人民的愿望和要求。马克思认为自由报刊在本质上是人民的报刊，它是人民自我认识、自我教育的一面精神上的镜子。通过自由报刊，人民把物质利益的斗争变为思想的、理论的斗争，从而使人民对自己的处境、利益和要求有清晰、全面的认识，使人民受到思想文化上的教育。"自由报刊是人民精神的洞察一切的慧眼，是人民自我信任的体现，是把个人同国家和世界联结起来的有声的纽带，是使物质斗争升华为精神斗争，并且把斗争的粗糙物质形式观念化的一种获得体现的文化。"自由报刊既是人民发表自己的意见的重要场所，又是对人民的自由理性精神的提升，这种来自人民的"公共理智"为议会和政府机构传达民声和民意，成为"真正的政治议会"和立法的来源，使法律成为人民意志的自觉表现。

第四，通过新闻出版自由的斗争，解释等级议会制同人民代议制的对立，确立新闻出版自由需要自由法律的保护。马克思看到争取出版自由不仅是要废除书报检查制度，而且要在根本上改变现存的等级代议制。他强调新闻出版自由的斗争是制度之争，因此更强调法律对自由的保护作用。法律的本质是维护人的自由，那些违反人的自由的东西，即使冠之以法律的名义也不是法，而是非法，书报检查令就是一种非法的、拙劣的警察手段，是恐惧自由、反对自由的东西。法律由独立于政府的法官来执行，而书报检查令则由政府官员实施；在现实社会政治生活中应该预防任性，而任性却被提升为书报检查法令；法律应是人的自由存在的表现，是人的自我立法和守法，而书报检查令却是"预防的法律"，即是预防自由的法律，是把不法当做法律。"法律是肯定的、明确的、

① 《马克思恩格斯全集》第 1 卷，人民出版社 1995 年版，第 181 页。

普遍的规范，在这些规范中自由获得了一种与个人无关的、理论的、不取决于个别人的任性的存在。法典就是人民自由的圣经。"正如卢格所说："关于出版自由，以及在捍卫出版自由方面，从来没有甚至也不可能有比这说得更深刻更透彻的了。在我们的时论中，出现了这样有真才实学、有气魄、善于理清普通概念混乱的文章，真是值得我们庆幸。"①

二、首次触及物质利益的难事

马克思在《〈政治经济学批判〉序言》中对自己这段时期的思想历程做了简要回顾。"1842—1843 年间，我作为《莱茵报》的编辑，第一次遇到要对所谓物质利益发表意见的难事。莱茵省议会关于林木盗窃和地产析分的讨论，当时的莱茵省总督冯·沙培尔先生就摩泽尔农民状况同《莱茵报》展开的官方论战，最后，关于自由贸易和保护关税的辩论，是促使我去研究经济问题的最初动因。"马克思关于物质利益问题的探讨现在保存下来的核心文本主要是《第六届莱茵省议会的辩论（第三篇论文）》和《摩泽尔记者的辩护》。其实在马克思讨论新闻出版自由的问题时，他已经涉及物质利益方面。"虽然在出版自由问题上，马克思已经看到了各等级的特殊利益支配着他们各自的政治态度，但是，反映在出版自由问题上的物质动机毕竟还是多少被掩盖着的，它还不足以完全动摇马克思在法权问题上的唯心主义观点。"②

马克思要求辩论的代表们转变自我的政治立场，不应该为物质利益所左右，而应该服从于对自由精神的统一认识。马克思这时依然强调精神、理性的作用。精神"无所不及，无处不在，无所不知。它是从真正的现实中不断涌现而又以累增的精神财富汹涌澎湃地流回到现实去的思想世界"。然而，一旦接触到现实的、直接的物质利益问题，青年马克思的观念就会同客观现实产生冲突，这迫使他探索、思考，进而在这个决定性的问题上取得初步的突破。马克思对私人利益问题的看法存在一个转变，而这个转变促使马克思

---

① [德] 弗·梅林：《马克思传》上卷，罗稷南译，生活·读书·新知三联书店 1956 年版，第 53—54 页。

② 孙伯鍨、侯惠勤：《马克思主义哲学的历史与现状》（上卷），南京大学出版社 2004 年版，第 42 页。

从唯心主义转变到了唯物主义。在林木盗窃案中，马克思极度反对私人利益，而面对摩泽尔地区的贫困问题，马克思对私人利益的态度发生了转变。因此，针对物质利益难题的"困难不在于他因缺乏政治经济学方面的知识而不好表明自己的态度、发表自己的看法，而在于尽管他始终如一地站在贫苦民众的立场上，但他对'物质利益'的解释上却又不尽一致，有自相矛盾之处。他意识到了这一问题，但一时又找不到解决问题的方法，从而陷入苦恼之中"①。

19世纪40年代，所谓的林木盗窃问题显得十分严重。在普鲁士政府审理的20万件左右的刑事案中，大概有15万件属于林木盗窃和违反森林、狩猎与牧场的立法"罪行"。可以看出当时社会利益冲突的严重性。矛盾冲突双方分别是生计无着的贫困农民与林木占有者。这个冲突的社会背景则是资本主义在农村的发展，失地农民不得不依靠在森林中捡拾枯木树枝维持生计。然而为贵族地主效劳的省议会还认为农民这种行为是盗窃林木行为，对这种行为不断增加惩罚力度，予以追究法律责任。仅仅停留在道德层面的谴责不能解决问题，还必须给予现实层面的驳斥。

马克思以枯树枝和活树的对比，来比喻贫富分化和对立："自然界本身仿佛提供了一个贫富对立的实例：一方面是脱离了有机生命而被折断了的干枯的树枝树杈，另一方面是根深叶茂的树和树干，后者有机地同化空气、阳光、水分和泥土，使它们变成自己的形式和生命。这是贫富的自然表现。"②因此，贫民捡拾枯木树枝是他们的基本生存权利。枯木树枝与林木具有本质区别，枯木树枝已经不再作为树枝而与林木共同属于生命有机体，捡拾枯木树枝也不能算做盗窃林木。同时，在森林中捡拾枯木树枝，是农民多年的习惯权利。"我们为穷人要求习惯法，而且要求的不是地方性的习惯法，而是一切国家的穷人的习惯法。我们还要进一步说明，这种习惯法按其本质来说只能是这些最底层的、一无所有的基本群众的法。"③贫民的习惯法是合乎法的行为习惯，它向来为所有者所许可。

贫民就像是那些被落在地里的谷穗一样，没有社会地位，苦于生活所迫，

---

① 李淑梅：《政治哲学的批判与重建——马克思早期著作研究》，人民出版社2014年版，第94页。
② 《马克思恩格斯全集》第1卷，人民出版社1995年版，第252页。
③ 《马克思恩格斯全集》第1卷，人民出版社1995年版，第248页。

谷穗、枯木树枝等等就成为他们的温饱来源，成为维持生存的基础。这是大自然对穷人的施舍，是穷人应得的，用来满足穷人的正当欲望与需求。另一方面，财产具有完全的确定的界限，这是富人的权利。由于枯木树枝的不确定性、偶然性，枯木树枝不属于确定的财产形式，不属于富人的所有范围，而农民又由于习惯而对这些枯木树枝优先先占，根据先占权，拾拣枯木树枝就应当是穷人的权利。

以贵族为代表的议员要取消贫民的习惯法，使原来合乎法律的行为成为违法行为，而受到法律的制裁。这是赤裸裸的强盗逻辑。"法律本应该体现人民的普遍利益，可它却只保护林木所有者的私人利益；法律本应该体现民众对不法行为的惩罚，可它却把惩罚的主体变为被惩罚的对象，把民众的惩罚变为对民众的惩罚，这是对法和自由的肆意践踏。"① 这不得不促使马克思对国家理性与私人利益之间的逻辑关系进行批判性思考。马克思这时还从黑格尔的理性国家观出发对私人利益进行批判，认为"私人利益的空虚的灵魂从来没有被国家观念所照亮和熏染，它的这种非分要求对于国家来说是一个严重而切实的考验。如果国家哪怕在一个方面降低到这种水平，即按私有财产的方式而不是按自己本身的方式来行动，那么由此直接可以得出结论说，国家应该适应私有财产的狭隘范围来选择自己的手段……任何现代国家，无论它怎样不符合自己的概念，一旦遇到有人想实际运用这种立法权力，都会被迫大声疾呼：你的道路不是我的道路，你的思想不是我的思想！"② 马克思发现，私人利益是不遵循理性而受到物质欲望直接驱使的。"私人利益就其本性来说是盲目的、无节制的、片面的，一句话，它具有无视法律的天生本能。"③

马克思进一步分析了作为疯狂物欲的私人利益是一种拜物教。马克思批判道，"如果自私自利的立法者的最高本质是某种非人的、异己的物质，那么这种立法者怎么可能是人道的呢？"它把"特定的物质和特定的奴隶般地屈从于物质的意识的不道德、不理智和无感情的抽象物抬上王位"④。拜物教表面是一种对物的崇拜，是一种"物质的意识"，实则是狭隘的等级意识，是以拜物的

---

① 李淑梅：《政治哲学的批判与重建——马克思早期著作研究》，人民出版社 2014 年版，第79页。

② 《马克思恩格斯全集》第 1 卷，人民出版社 1995 年版，第 261 页。

③ 《马克思恩格斯全集》第 1 卷，人民出版社 1995 年版，第 288 页。

④ 《马克思恩格斯全集》第 1 卷，人民出版社 1995 年版，第 289 页。

形式表现出来的等级崇拜。它抹杀了人与动物之间的本质区别，相反却把人与人之间的等级差别绝对化而成为不同个体之间的本质性差别。这种等级崇拜实质上是一种特权崇拜，是一种违反人性的动物丛林法则。特权崇拜者殊不知在贬低他人自由的时候，其实也是对自己的贬低，是人的自由、尊严和价值的泯灭。因此，拜物教会破坏一切政治的、伦理的关系，破坏人与人之间的精神纽带与国家理性的纽带。

马克思发现了两种逻辑的存在。一方面是理性国家作为应然的存在，私人利益应当受制于理性国家。因为理性国家代表的是社会普遍性，是公共利益，而私人利益则是特殊利益。另一方面则是私人利益自身成为代替理性国家的特殊性存在，理性国家则成为了虚假的共同体。究竟如何理解这种冲突的逻辑呢？马克思当时的看法是复杂的。一方面，马克思从黑格尔国家观出发，把私人利益对国家与法律的控制斥之为"下流的唯物主义"，是"违反人民和人类神圣精神的罪恶"；另一方面，他又看到了私人利益对国家和法的不可抗拒的决定作用，"应该为了保护林木的利益而牺牲法的原则呢，还是应该为了法的原则而牺牲林木的利益，——结果利益占了法的上风"，"为了保证自己对森林条例违反者的控制，省议会不仅打断了法的手脚，而且还刺穿了它的心。""'物质利益'问题向他的单纯理性的世界观提出了尖锐的挑战，而这种理性世界观却很少能够直接对'物质利益'问题作出有内容的判断，在问题的解决方面甚至是完全无能为力的。"① 而这种苦恼的意识在《摩泽尔记者的辩护》中得到了更明显的展现。

1842 年 12 月，《莱茵报》刊登了该报记者关于摩泽尔地区葡萄酒农大量破产，生活困苦的两篇通讯。莱茵省总督沙培尔指责《莱茵报》文章报道失实"是企图煽起不满情绪并削弱当局和臣民之间的联系"，责令作者用具体的事实作出答复。马克思担负起与沙培尔论战的责任。马克思深入调查研究的结果显示摩泽尔地区的贫困是真实的，倒是莱茵省特里尔地区专员在极力歪曲事实真相。林木盗窃案体现的是私人利益与底层人民基本生活保障之间的冲突，马克思诉诸于国家理性来对私人利益进行谴责。而在这次关于私人利益与理性国家之间的冲突中，下流的显然不仅仅是私人利益。摩泽尔地区的贫困状况是国家治理原则的结果。贫困问题不仅仅是一种自然的结果，还是人为的社会性结

① 吴晓明：《马克思早期思想的逻辑发展》，上海人民出版社 2016 年版，第 159 页。

果。这种贫困就显示出了"现实和管理原则之间的矛盾"。

那么，这种管理原则的失范与缺陷是个别官员造成的吗？原因出在个别官员的不称职上吗？马克思显然不同意这种看法。他认为"在研究国家生活现象时，很容易走入歧途，即忽视各种关系的客观本性，而用当事人的意志来解释一切。但是存在着这样的一些关系，这些关系决定私人和个别政权代表者的行动，而且就像呼吸一样地不以他们为转移。只要我们一开始就站在这种客观立场上，我们就不会忽此忽彼地去寻找善意或恶意，而会在初看起来似乎只有人在活动的地方看到客观关系的作用"①。马克思显然发现了个别行政人员背后的社会关系的客观作用。行政人员并非作为个人而发挥作用，而是某种确定性关系的代理者。那么这种客观性关系与现实之间的作用又是如何的呢？"这些本质的关系就是管理机构内部的官僚关系以及管理机构和被管理机构之间的官僚关系。"马克思进而指出，官僚制度实际上就是等级制度，它把公民分为积极主动的管理者和消极被动的被管理者两类，管理者等级构成一个狭隘的利益集团，官员的管理工作只对这一集团负责。被管理者的贫困问题超出了官员的利益范围，因而与之无关。

相比较《关于林木盗窃案的辩论》中对私人利益的批判，马克思的思考无疑更加深入且复杂化。马克思开始探求国家制度和管理原则的客观基础，提出了决定整个国家制度的是不以个人意志为转移的客观关系。另一方面，马克思并没有放弃真正的理性国家作为普遍利益的代表。然而，他却发现了政府官员同样也是一个独立的利益集团，而不能直接代表国家作为普遍利益的代表。在处理摩泽尔地区葡萄经营者的私人利益与官员的私人利益之争这个问题上，马克思确实遇到了难题。马克思这时还没有从劳动是人的本质，从经济关系角度来处理私人利益之争，他认为这种贫困状况"必然产生对自由报刊的需要"。只有通过自由报刊，该地区的贫困问题才能引起公众的普遍关注，才能维护他们的生存权利。自由报刊以人民的现实生活为源泉，为人民争取自己的生存权利而斗争。

马克思主张用作为第三种因素的自由报刊来打破管理机构与被管理者之间的主从关系的等级制度。马克思认为自由报刊具有两个特征：一方面，它属于政治的因素、公共的生活，但又同官方的因素保持距离；另一方面，它也属于

---

① 《马克思恩格斯全集》第1卷，人民出版社1995年版，第363页。

市民社会的因素、民间的组织，它与大众"阅读的群体"的形成与发展相联系，又同市民的私人利益和物质需要保持距离。马克思写道，"管理机构和被管理者都同样需要有第三个因素，这个因素是政治因素，但同时又不是官方的因素，这就是说，它不是以官僚的前提为出发点；这个因素也是市民的因素，但同时又不直接同私人利益及其迫切需要纠缠在一起。这个具有公民的头脑和市民的胸怀的补充因素就是自由报刊。"①"自由报刊是社会舆论的产物，同样地，它也制造这种社会舆论。"②自由报刊具有理性批判的功能。一方面，它能够披露市民生活中的问题，批判私利膨胀；另一方面，它能够对法律建构中的问题进行批评，批评政府中存在的违反人民意愿的措施，促使法律的改进和国家的发展。"在报刊这个领域内，管理机构和被管理者同样可以批评对方的原则和要求，然而不再是在从属关系的范围内，而是在平等的公民权利范围内进行这种批评。"③

马克思在《莱茵报》时期的活动对其思想的发展产生了重大影响。讨论新闻出版自由、物质利益这些现实问题对于马克思超越黑格尔思想具有重大意义。这也是为什么马克思在晚年回顾自己思想发展过程的时候依然会追溯到《莱茵报》时期的经历。正是这一时期的问题意识成就了马克思对德国古典哲学的超越。这一时期的问题意识成为马克思阅读古典政治经济学的动力。

第四节 转向唯物主义与共产主义

科耶夫在巴黎主持的研讨班可谓哲学史上的一个重要事件，此后对黑格尔与马克思学术关系的研究成为马克思学界的热点。"因为，在他们看来，对黑格尔的研究可以深化对马克思的理解，回到黑格尔意味着回到马克思。……在

① 《马克思恩格斯全集》第1卷，人民出版社1995年版，第378页。
② 《马克思恩格斯全集》第1卷，人民出版社1995年版，第378页。
③ 《马克思恩格斯全集》第1卷，人民出版社1995年版，第378页。

马克思的政治哲学和经济学思想受到关注的今天，国外学者又试图使他回到《法哲学原理》及其讲义笔记。"① 回到《法哲学原理》及其讲义笔记，就意味着回到《黑格尔法哲学批判》，甚至意味着回到马克思哲学研究的入口，因为马克思的哲学起点正是在学习法哲学的过程中确立的。

一、克罗伊茨纳赫时期对历史与哲学的研究

19世纪上半叶，普鲁士陷入了一场旷日持久的拉锯战之中。拥护民主的自由主义者希望建立一个统一的联邦德国，而保守党则固守君主立宪制的政体，以期维系德国各州以及普鲁士和奥地利之间长久以来的和平关系。自由主义运动和学生运动的兴起，并没有改变普鲁士的现状，君主和贵族阶级仍然控制着普鲁士的国家、法和政治。但是，普鲁士政府对古典自由主义运动和青年黑格尔派的不满却日益强烈。

1842年，马克思来到了科隆，为《莱茵报》撰稿。在《莱茵报》工作时期，影响马克思思想转变的重大事件之一是关于林木盗窃案的辩论。马克思发表了《关于自由贸易和保护关税的辩论》和《第六届莱茵省议会关于林木盗窃法的辩论》，论证了普鲁士政府宣判结果的不合理。同时，马克思开始认识到普鲁士政府和国家不同于理性国家，并开始思考关于国家本质和立法原则的问题。另外一件影响马克思的重大事件是普鲁士政府颁布的新的书报检查令。马克思为此发表了一篇名为《评普鲁士最近的书报检查令》的文章。他在文章中指出，书报检查令中要求的"划分等级、攻击整个阶级和使用党派名称的做法都是不能容忍的"，不仅如此，就连法律本身也是可疑的，根据"理性国家"的规范，"法律不是压制自由的手段，……恰恰相反，法律是肯定的、明确的、普遍的规范，不取决于个别人的任性的性质。法典就是人民自由的圣经。"② 但是，现实的法却成为束缚市民自由的工具。对于法和现实的不满，使得马克思开始区分现实国家和理性国家，并发现在二者之间存在着不可逾越的鸿沟。

---

① 韩立新：《回到黑格尔——由"国外马克思学译丛"的出版所想到的》，《晋阳学刊》2010年第5期。

② 《马克思恩格斯全集》第1卷，人民出版社1995年版，第71页。

　　此后，马克思发表了一些关于批判欧洲右翼思潮的文章，引起了普鲁士政府的不满，《莱茵报》因此面临被查封的命运。1843 年，马克思退出了《莱茵报》。同年 7 月来到了克罗伊茨纳赫，"从社会舞台退回书房"。克罗伊茨纳赫时期是马克思思想发生转变的重要时期。正是在这一时期，马克思逐渐摆脱了黑格尔唯心主义思想的枷锁，开始转向唯物主义，并从资产阶级的民主主义逐步开始转向共产主义。如果说《关于费尔巴哈的提纲》和《德意志意识形态》标志着马克思对以往哲学信仰的全面清算以及思想转变的完成，那么马克思思想发展的萌芽则植根于克罗伊茨纳赫时期的思想转变，而这一切首先是从对黑格尔哲学的重新解读和批判开始的。

　　着手批判黑格尔哲学，就必须深入了解黑格尔的辩证法体系和历史哲学，同时了解欧洲国家的历史。在克罗伊茨纳赫的短短两个月的时间里，马克思阅读了大量的历史和国家理论的书籍，共有近 24 本，其中包括英国、法国、德国、瑞典等一系列欧洲国家的历史、法律甚至政策等书籍，而对于历史的考察主要集中在对法国史的考察。具体说来，以国别史划分，研究法国历史的著作有克里斯托夫·格·亨利希的《法国历史》、路德维希的《最近五十年的历史》以及威廉·瓦斯穆斯的《革命时代的法国历史》等，以及发表的相关论文；关于德国的著作有利奥波德·兰克的《宗教改革时代的德国历史》、约翰·克里斯蒂安·普菲斯特的《德国历史》和贾斯特斯·墨瑟尔的《爱国主义的幻想》；研究英国的著作有约翰·罗素的《英国政府和宪法的历史》等。

　　首先，在克罗伊茨纳赫时期，马克思的研究成果是《克罗伊茨纳赫笔记》。现存可确定的笔记总共有五本。其中，第一本笔记和第三本笔记以"历史—政治笔记"为标题，第二本笔记则命名为"法国史笔记"，第四本笔记和第五本笔记并没有标名。这些笔记大多写于 1843 年 7 月至 8 月间，其中第五本笔记并没有记录明确的时间，但是内容基本与前几本一致。这些笔记大多是马克思在阅读了 24 本历史理论书籍之后所做的笔记，因此是以摘录和思路整理为主，并没有写作太多自己的评论和观点，只有第四本笔记上留有一些论述 ①。

　　这些笔记虽然是以摘要各国历史著作为主，但是从马克思阅读的内容和笔记的内容来看，其中的主线是法国史，尤其是法国大革命这一阶段的历史。除

---

① 　参见《马列著作编译资料》第 11 辑，人民出版社 1980 年版，第 74 页。

第三本笔记外，这些笔记基本都涉及关于法国的历史。其中，在第四本笔记中，马克思在摘录兰克主编的《历史政治杂志》中《论法国的复辟时期》之后，附上了笔记中最长的评论。而对于法国革命的论述和历史的考察，则具体地反映了马克思思想的变化。对于国家制度的思考，以及对于革命的反思，让马克思联想到更为深刻的哲学问题："当黑格尔把国家观念的因素变成主语，而把国家存在的旧形式变成谓语时——可是，在历史真实中，情况恰恰相反：国家观念总是国家存在的形式的谓语——他实际上只是道出了时代的共同精神，道出了时代的政治神学"[1]。马克思开始意识到，黑格尔对于君主立宪制国家政体的论述，在现实上是主谓倒置的。在黑格尔那里，君主立宪制的国家制度是最符合理性的国家制度。但是，通过对资产阶级革命的历史的研究，尤其是对法国大革命的研究，马克思发现，"这个议会借口把主权转交给人民，却从王权手中把主权夺了过来，留在它自己手中……第一次可以看到由选民们选出的议员，他们想自己当选民，可以看到树梢培育出树根，泉水选择源头。"[2]资产阶级革命带来的并不是普通市民地位的根本变化，取代贵族等级制度的是另一种权贵等级制度。同时，为了维护统治的权威，上层阶级不断培育自己的势力，并将国家的实权和法律政策的倾向全部归于自己的盟友阵营之中，国家由此通过另外一种较为隐性的形式成为统治工具。在经历革命之后，国家性质并没有发生根本变化。黑格尔的"理性国家"并没有兑现它的承诺，君主和人民、国家和市民之间仍然存在着不可调和的矛盾，这矛盾越来越不可被隐藏。相反，在现实的国家中，在国家存在实现了它本身之后，与它相对应的"国家观念"才被确立起来。事实上，并不是"国家观念"决定了"国家存在"，而是"国家存在"决定着"国家观念"。

真正使马克思开始重新审视黑格尔哲学之根本，促成马克思思想转变的，并不仅限于马克思在这一阶段对于各国历史的学习。对马克思具有重大影响的是费尔巴哈的《关于哲学改造的临时纲要》。早在阅读《基督教的本质》时，马克思就产生了对于费尔巴哈哲学的兴趣，其中，费尔巴哈对于宗教的批判，让马克思更清晰地认识到了人的本质问题，并对自然主义、唯物主义感兴趣。费尔巴哈论述道："若要问上帝如何创造，那间接就等于怀疑上帝之创世。谁

---

① 《马克思恩格斯全集》第 1 卷，人民出版社 1995 年版，第 368—369 页。

② 《马列著作编译资料》第 12 辑，人民出版社 1980 年版，第 65 页。

提出这样的问题，谁就是走向无神论、唯物主义、自然主义了。"①从对宗教的批判着手，费尔巴哈论述了自己的唯物主义观，马克思也同意这样的观点。同时，在克罗伊茨纳赫时期，马克思在看到了费尔巴哈的《关于哲学改造的临时纲要》之后，终于从黑格尔的唯心主义泥沼中抽出身来。费尔巴哈从对唯心主义和唯物主义的区分开始，赋予二者以特殊的意义，并指出作为感性直观的唯物主义和理性思维的唯心主义二者之间的根本区别。尽管费尔巴哈对于唯物主义和唯心主义的看法仍然存在偏差和缺陷，但是他对黑格尔哲学的批判和自然决定论的唯物主义在此时使马克思受到启发。

在克罗伊茨纳赫时期的历史学研究中，马克思越来越深刻地体会到，在个人与国家的对比中，在私人的物质利益与普遍利益的比较中，市民及其自身利益总是居于次要位置。在现实中，理性观念并没有强大到足以使"自我"得到"自在"和"自为"的发展，相反，市民总是要臣服于国家、法和政治。决定个人命运和维护人之所以为人的本质的，是国家和法，而国家和法的本质却落脚在经济之上。在《克罗伊茨纳赫笔记》中，马克思多次提及国家的法和政治的出发点和最终落脚点都是经济，"国家制度的许多改革，（其起源）与其说归功于开明的政策，不如说归功于自私自利的打算"②，而经济制度的变更也带来了社会结构和阶级的变更，"由于财产状况而具有影响的一切东西……在债主、封建者、承租者、企业头头身上变成了中间的权力，政府依赖它并不比臣民差"③。经济成为了决定个人正当利益是否应当被维护的指标，而国家的政策和法也是为经济上更有优势的阶层和群体服务的，"在这里，财富就是封号"④。通过对社会历史的考察，马克思逐渐意识到，实现理性国家的重点并非在如何树立，而是在更根本的东西，即"是什么"和"为了谁"，而对于这一问题的解答不在黑格尔那里，应该在经济学之中。

不久，马克思到法国主编《德法年鉴》，开始发表关于社会主义和评价费尔巴哈唯物主义的观点，逐步实现了思想上的重大转变，而这一转变的发源地正是克罗伊茨纳赫。

---

① [德]费尔巴哈：《基督教的本质》，荣震华译，商务印书馆1984年版，第288页。
② 《马列著作编译资料》第12辑，人民出版社1980年版，第64页。
③ 《马列著作编译资料》第12辑，人民出版社1980年版，第65页。
④ 《马列著作编译资料》第12辑，人民出版社1980年版，第65页。

二、《黑格尔法哲学批判》中对市民社会与国家关系的研究

1818 年，黑格尔到柏林大学任教，接续此前的费希特哲学教席，三年后出版了最后一部著作《法哲学原理》。与他的很多著作一样，这部著作也是为学生讲课准备的提纲，包括前言、导论和"抽象法权"、"道德"、"伦理生活"三部分内容，共 360 节，"后两个部分来自更早的《精神现象学》中对康德的抽象道德观点的批判以及对他自己的相应伦理观点的论述。"① 这些论述从多角度构建了法学的思辨体系，对包括马克思在内的很多思想家产生了深远的影响，至今在法学和哲学领域仍具有经典的学术价值。

1835 年 10 月 5 日，马克思被波恩大学法律系录取，此后直至次年 8 月的两个学期里，他听的法学课包括普格讲的法学全书、国际法和自然法，瓦尔特讲的罗马法和德意志法学史，伯金讲的罗马法学纲要，也听了达尔顿讲的近代艺术史以及黑格尔主义者加布勒尔讲的逻辑学。在这段时间，马克思开始对法的本质进行形而上学探究。一年后，马克思转学柏林大学法律系，从此直至1838 年 10 月，他听的课程包括萨维尼讲的罗马法全书、甘斯讲的刑法、普鲁士民法、鲁道夫讲的继承法、海夫特尔讲的宗教法和刑事诉讼法。② 其中，对马克思影响最深的是甘斯，从听课效果上看，甘斯对马克思的学习感到满意，两门课的考语都是"异常勤奋"。作为黑格尔的弟子，甘斯的讲授带有黑格尔的思辨风格，让马克思感到高兴。期间，甘斯编辑的黑格尔《历史哲学》于1837 年出版，马克思不仅读了"黑格尔哲学片断"，而且在这一年患病期间"研究了萨维尼论占有权的著作、费尔巴哈和格罗尔曼的刑法"，"民事诉讼法，特别是教会法"，"从头到尾读了黑格尔的著作，也读了他大部分弟子的著作"③。1839 年 11 月，马克思根据黑格尔《哲学全书》作《自然哲学提要》，④ 这项研

---

① [美] 汤姆·罗克摩尔：《黑格尔：之前和之后》，柯小刚译，北京大学出版社 2005 年版，第 193 页。

② 参见 [苏] 弗·阿多拉茨基主编：《马克思生平事业年表》，本书翻译组译，生活·读书·新知三联书店 1977 年版，第 4—10 页。

③ 《马克思恩格斯全集》第 47 卷，人民出版社 2004 年版，第 13—15 页。

④ 参见 [苏] 弗·阿多拉茨基主编：《马克思生平事业年表》，本书翻译组译，生活·读书·新知三联书店 1977 年版，第 11 页。

究对一年半之后他完成博士论文起到了重要作用。因而，梅林所撰《马克思传》第二章的名字就是"黑格尔的弟子"。

从家庭熏染方面看，亨利希·马克思给马克思的影响至少有法学思维训练和对启蒙运动的热爱，同样是启蒙运动崇拜者的马克思一度认为康德和费希特的法学思想比黑格尔的法哲学更有用，他当时的想法是提出先验的法学概念，然后在现行法中研究这个概念的发展。他在这段时间深思罗马法的意义，研究海尼克修斯和提波的著作，甚至把罗马法全书的前两卷译成了德文，认为现行法的荒谬随处可见，但罗马法与现行法都不是通过先验原则确立的。这个问题引起亨利希·马克思的担忧，他在给儿子的信中说，"你的法律观点不是没有道理的，但如果把这些观点建立成体系，就很可能引起一场风暴，而你还不知道，学术风暴是何等剧烈。如果在这件事情上那些令人反感的论点不能全部取消，那么至少在形式上也应当弄得缓和、令人中意一些。"① 亨利希·马克思指出了颠覆体系的学术风险，这个殷切的告诫并未引起马克思足够的重视，迫使马克思改变思路的是他的现实际遇。

黑格尔对现存事物的肯定使他与传统形而上学家不同，但他这种理论旨趣主要是从维护普鲁士国家角度立意的。他在《法哲学原理》序言中指出，"必须绝对避免把国家依其所应然来构成它，……哲学的任务在于理解存在的东西，因为存在的东西就是理性。"② 马克思决定弄清楚黑格尔哲学是否能够经受彻底的批判，为此写了一个对话体短篇《酷烈安斯特，或者关于哲学的出发点和必然的发展》，这个短篇与他致力于探究法哲学原理的《法的形而上学体系》一样没有保存下来，关于这个短篇的立意，马克思在给父亲的信中说得很清楚了："我最后的命题是黑格尔体系的开端。……这个在月光下抚养长大的我最可爱的孩子，就像狡猾的海妖，把我诱入敌人的怀抱。"③ 旨在批判黑格尔的马克思这时发觉，自己的创作实际上重演了黑格尔哲学的故事。

在这段时间，给青年马克思深刻影响的青年黑格尔派著作也间接使马克思加深了对黑格尔哲学的理解。马克思早年与施特劳斯、鲍威尔等青年黑格尔派成员有很多交往，这从他在《博士论文》中阐述的自我意识哲学就能清晰地感

---

① 《马克思恩格斯全集》第 47 卷，人民出版社 2004 年版，第 535—536 页。

② [德] 黑格尔：《法哲学原理》，范扬等译，商务印书馆 1961 年版，第 12 页。

③ 《马克思恩格斯全集》第 47 卷，人民出版社 2004 年版，第 13 页。

受到。1841 年 4 月中旬，刚获得博士学位的青年马克思从柏林返乡，途经科隆时遇到赫斯，两人均为对方的才学而折服。这一年 7 月初，深深影响过马克思的鲍威尔因宗教著作触怒官方，普鲁士国王威廉四世下令禁止鲍威尔在波恩大学或其他任何大学任教。原本打算通过鲍威尔到大学任教的马克思也放弃了最初的职业设计。从这一年 9 月开始到次年 2 月，马克思打算和鲍威尔合写一本论黑格尔的宗教艺术与国家法律理论的书，而且写作了《从信仰的观点批判黑格尔的宗教与艺术的学说》，为此深入解读黑格尔的法哲学理论。①1842 年 3 月 5 日，马克思致信卢格说，我正在写一篇文章，"是在内部的国家制度问题上对黑格尔自然法的批判"。据马克思回忆，这件事一直持续到当年 8 月，"这篇文章的主要内容是同立宪君主制这个彻头彻尾自相矛盾和自我毁灭的混合物作斗争。"② 这篇文章是否被马克思移入《黑格尔法哲学批判》已经不得而知，但可知马克思在前一年已经开始进行相关思考了。

1842 年 5 月，马克思在《莱茵报》上发表的《关于出版自由和公布等级会议记录的辩论》是他生平第一篇政论，比马克思大 16 岁的卢格认为该文"关于出版自由，以及在捍卫出版自由方面，从来没有、甚至也不可能有比这说的更深刻更透彻的了。"马克思在这一年春天完成的《法的历史学派的哲学宣言》除"婚姻篇"没有通过书报检查之外，其余内容都在这一年 8 月 9 日的《莱茵政治、商业和工业日报》（简称《莱茵报》）上匿名发表了。此外，他还在这一年 12 月 19 日的《莱茵报》上发表了《论婚姻法草案》。马克思"在《莱茵报》上论证了康德哲学是法国革命的德国理论。但是当他返回这个问题时，他的政治和社会眼界已经为黑格尔的历史辩证法所打开而大大地丰富了"③。《莱茵报》时期基本上是马克思法学理论的实践时期，他运用黑格尔的逻辑分析普鲁士的社会现实，力图把握"事物的法的本质"。

《莱茵报》是马克思早年发表作品最多的媒体，这张起初用来对付宗教力量的报纸一度没有什么影响力，马克思思想的注入激发了这张报纸的活力。马克思曾推荐鲁滕堡担任《莱茵报》主编，可是"差劲"的鲁滕堡不胜任主编之职，于 1842 年 10 月 15 日辞职，马克思取而代之。上任后的马克思第一篇文章就

---

① 参见 [苏] 弗·阿多拉茨基主编：《马克思生平事业年表》，本书翻译组译，生活·读书·新知三联书店 1977 年版，第 16 页。

② 《马克思恩格斯全集》第 47 卷，人民出版社 2004 年版，第 23 页。

③ [德] 弗·梅林：《马克思传》，樊平译，人民出版社 1965 年版，第 54 页。

是反驳《奥格斯堡通报》指责《莱茵报》宣传共产主义。《莱茵报》时期的新闻评论工作使马克思直面事实，"我们想把我们的全部叙述都建立在事实的基础上，并且竭力做到只是概括地说明这些事实。"①这段经历对马克思产生了深切的影响。在批判林木盗窃法的时候，"马克思仍然遵循着黑格尔的法哲学和国家学说。……他用从黑格尔的哲学前提中引申出来的理想国家来衡量普鲁士国家。马克思认为，国家是一个伟大的机体，在这个机体中体现着法律的、政治的和精神的自由，而每个公民在遵守国家的法律时，仅仅是在遵守自己的人的理性的自然规律。"②关于林木盗窃法的辩论使马克思关心物质利益，开始解决这个难事。

　　1842年11月底，马克思与由青年黑格尔派蜕变的柏林"自由人"小组决裂，因为"自由人"打算将《莱茵报》办成没有现实政治批判意义的思辨报纸，他们对政治发展的观点是不现实的，因而没有价值。马克思看到，基督教国家是现实的、理性的国家的对立物，因为历史表明，现实的、理性的国家不是通过宗教而是通过哲学批判得到发展的。③随后，马克思转向同样与"自由人"决裂的卢格和费尔巴哈。因为卢格的影响，马克思在创作中注入了更多的政治哲学话语；因为费尔巴哈的影响，马克思不再笃信黑格尔的思辨体系，他的思想开始唯物主义的转向。可以说，这时的马克思开始从现实中寻找思想，对法哲学的态度也开始从传统形而上学转向批判的政治哲学。

　　费尔巴哈的姓氏本意为"火流"，他对马克思的影响与众不同。1822—1823年之交，黑格尔在柏林大学讲历史哲学，费尔巴哈是他的学生之一，他曾将自己的博士论文《论统一的、无所不包的、无限的理智》（1828）献给老师黑格尔。但是，他在此后的研究中日益质疑黑格尔的形而上学体系，并在1839年出版了《黑格尔哲学批判》。这种对黑格尔哲学"这个神学的最后的避难所和合理的支柱"的批判引起了马克思的高度重视，他一度赞扬费尔巴哈，称费尔巴哈为"当代的炼狱"，这种赞美一直持续到撰写《关于费尔巴哈的提纲》之前。马克思尤其重视费尔巴哈的《关于哲学改造的临时纲要》，虽然他当时已经意识到费尔巴哈的缺陷。1843年3月底—8月，离开《莱茵报》之后的马

① 《马克思恩格斯全集》第1卷，人民出版社1995年版，第371页。
② ［德］弗·梅林：《马克思传》，樊平译，人民出版社1965年版，第57页。
③ 《马克思恩格斯全集》第1卷，人民出版社1956年版，第116—120页。

克思运用费尔巴哈《预拟提纲》的方法对黑格尔《法哲学原理》第 261—313 节的内容进行批判①，足见至少在写作方法乃至思维方法上已经深受费尔巴哈的影响。

　　1843 年 5 月底，马克思来到特里尔东部 70 多公里的克罗伊茨纳赫，与燕妮结婚，直至当年秋天，马克思对照甘斯编的《法哲学原理》撰写《黑格尔法哲学批判》。同时阅读《君主论》、《论法的精神》、《社会契约论》等政治哲学名著。值得提及的是，他在这段时间还阅读了包括兰克的《德国史》、汉密尔顿的《论北美》和瓦克斯穆特的《革命时代的法国史》在内的历史著作，这敦促他重视历史事实对哲学思考的影响，深思历史事件背后的政治意义，摘录《克罗伊茨纳赫笔记》与撰写《黑格尔法哲学批判》手稿的最后部分几乎处于同一时期。对历史的研究并没有直接地干预马克思的法哲学写作，尽管"马克思在写作手稿特别是手稿的最后几节时，直接利用了在研究历史过程中获得的具体材料。这些笔记对手稿的影响还表现在马克思对等级制的分析和他提出的关于城乡对立的原理中，特别是表现在谈到贵族院的最后一节中。由此可以得出结论：随着对黑格尔《法哲学》中涉及的那些社会政治问题的分析的深入，他感到了在历史方面的知识不足，这是促使他研究历史著作的直接原因"。②但是，马克思在此时间以及稍后的时光中仍然重视理论批判的现实作用，他对鲍威尔的《犹太人问题》和《当今犹太人与基督徒解放的能力》所作的批判可见一斑。而且，这时的马克思意识到生命付诸于冀望实践的理论批判之必要，正是在这一年，他"必须经受特殊的考验：普鲁士政府通过首席枢密顾问官埃塞尔(马克思已故父亲的朋友)给马克思一个薪俸不低的高级官职"③。这份薪俸对于马克思来说是必要的，但为了实现自己的政治理想，马克思放弃了。

　　由目前的研究可见，马克思的历史研究在一定程度只是他从事政治哲学批判的理论铺垫，甚至可以说对作为理论铺垫的史料研究也是从政治哲学的角度立意的。因此，《克罗伊茨纳赫笔记》被 MEGA² 编者认为是用来准备"以黑

---

① 参见 [苏] 弗·阿多拉茨基主编：《马克思生平事业年表》，本书翻译组译，生活·读书·新知三联书店 1977 年版，第 30 页。

② [苏] 尼·拉宾：《马克思〈黑格尔法哲学手稿〉的写作时间》，王治平译，《马列著作编译资料》第 6 辑，人民出版社 1979 年版，第 77—78 页。

③ [苏] 尼·拉宾：《马克思的青年时代》，南京大学外文系俄罗斯语言文学教研室翻译组译，生活·读书·新知三联书店 1982 年版，第 132 页。

格尔法哲学批判的形式对法学和国家学说进行的批判"的文本。① 通过两个文本的语言比对可见，"从语言上可证明直接利用'历史—政治笔记'的只有少数几处：即黑格尔法哲学批判的结尾部分；关于天赋人权的段落；关于作为私有制的政治制度的论述；关于城市与乡村的对立，有关这一问题摘录了布隆茨利发表在《历史—政治杂志》上的文章。关于等级制度的分析也是专门通第四本笔记相联系提出来的，在这本笔记中，它的索引表明，在近代的法国等级区别是当作主要问题之一。"② 也就是说，马克思是在历史语境中开启法哲学的政治性书写的，但他并没有使自己的批判性著述成为法学史意义上的文本，他看重法哲学表达的历史依据，但更看重这种表达的政治哲学属性及其现实功能。

只要浏览《黑格尔法哲学批判》手稿的轮廓，就可以看到这是一部典型的政治哲学文本，因为对官僚政治的批判与对民主政治的呼吁贯穿字里行间。马克思写作这个手稿的时候没有写书名，现在的手稿题目是梁赞诺夫在 1927 年出版该文本时确定的，由于这个文本是马克思于 1843 年春夏之间（著名马克思学家拉宾的意见是在 1843 年夏天）主要在克罗伊茨纳赫写成的，因此又称《1843 年手稿》或《克罗伊茨纳赫手稿》，手稿共 39 张（156 页），但第一印张手稿遗失了。因此，我们无法知道马克思对第 260 节研究的全貌，但马克思在第二印张手稿的开头写道，"上一节已经告诉我们，具体的自由在于（家庭和市民社会的）特殊利益体系和（国家的）普遍利益体系的同一性（应有的、双重的同一性）。现在应当更详细地规定这些领域的关系。"③ 从这段承上启下的过渡语来看，马克思在第一印张手稿中关心的问题主要是私人利益和国家利益的关系问题。还要提及的是，与《1844 年经济学哲学手稿》等马克思哲学残篇一样，马克思最初想将《黑格尔法哲学批判》整理成书出版，但后来由于学术研究兴趣转移以及生活经历的变迁，《黑格尔法哲学批判》的写作搁浅了，很多打算在这个文本中阐述的观点——比如"体系的发展的二重化"、"逻辑的神秘主义"、"作为主体的观念"——后来在其他文本中得到探讨。

马克思并未像费尔巴哈那样对黑格尔全部思想作批判，甚至也没有对黑格

① *Marx-Engels-Gesamtausgabe*, Band I/2, Berlin: Akademie Verlag, 1982. S.314.
② 《马克思早期思想研究译文集》，熊子云、张向东译，重庆出版社 1982 年版，第 68 页。
③ 《马克思恩格斯全集》第 3 卷，人民出版社 2002 年版，第 7 页。

尔的全部法哲学思想作批判，他选择的批判内容是《法哲学原理·伦理·国家·国家法》第 260—313 节，也就是具有政治哲学指向的内容，其中主要是国家与市民社会的关系问题，关于官僚政治的深切批判以及民主政治的阐述都是围绕这个问题展开的。这个文本的重要哲学价值在于颠倒了黑格尔全部哲学，使国家决定市民社会的逻辑转换为市民社会决定国家。另外，这部手稿还附有"索引"，这个"索引"被认为是马克思 1842 年在波恩为本·孔斯旦《论宗教》一书摘要时使用的笔记本第 31 页，其中所列页码为《批判》手稿页码，因而其写作时间不可能早于 1843 年夏，最迟至 1844 年秋。可以说，以 MEGA^2 为基础的《黑格尔法哲学批判》是马克思在 1841—1844 年研读黑格尔法哲学时撰写的文本群，这个文本群之所以得到学界高度重视，原因不仅在于这部手稿反映了马克思哲学思维方式转变的特殊时期，而且也是马克思从法哲学角度开启哲学研究并具有典型政治哲学风格的经典文本。

毋庸置疑，《黑格尔法哲学批判》是马克思青年时期未完成的政治哲学文本，但正是这个残篇对我们理解马克思的政治哲学及其哲学转向的历程是非常重要的。在列宁看来，《黑格尔法哲学批判》使马克思"刚刚成为马克思"。也就是说，这个文本印证了马克思思想的成熟，这种成熟并非《德意志意识形态》那种提出历史唯物主义的理论成熟，而是政治哲学的思维方式与理论观点的鲜明呈现，这个文本是马克思离开《莱茵报》后为解决苦恼的疑问而撰写的第一部手稿，对孕育历史唯物主义当然具有重要的学术价值。

马克思在《〈政治经济学批判〉序言》中确认了这个文本的学术价值，他指出，"为了解决使我苦恼的疑问，我写的第一部著作是对黑格尔法哲学的批判性的分析，这部著作的导言曾发表在 1844 年巴黎出版的《德法年鉴》上。我的研究得出这样一个结果：法的关系正像国家的形式一样，既不能从它们本身来理解，也不能从所谓人类精神的一般发展来理解，相反，他们根源于物质的生活关系，这种物质的生活关系的总和，黑格尔按照 18 世纪的英国人和法国人的先例，概括为'市民社会'，而对市民社会的解剖应该到政治经济学中去寻求。"① 这个表述在《资本论》第 1 卷德文第 2 版"跋"中得到进一步确认，"将近 30 年以前，当黑格尔辩证法还很流行的时候，我就批判过黑格尔辩证法的神秘方面。但是，正当我写《资本论》第一卷时，今天在德国知识

---

① 《马克思恩格斯选集》第 2 卷，人民出版社 2012 年版，第 2 页。

界发号施令的、愤懑的、自负的、平庸的模仿者们（指德国资产阶级哲学家毕希纳、朗格、杜林、费希纳等人——编者注），却已高兴地像莱辛时代大胆的莫泽斯·门德尔松对待斯宾诺莎那样对待黑格尔，……辩证法在黑格尔手中神秘化了，但这决没有妨碍他第一个全面地有意识地叙述了辩证法的一般运动形式。在他那里，辩证法是倒立着的。必须把它倒过来，以便发现神秘外壳中的合理内核。"① 而且，这个表述也得到恩格斯的高度认同，恩格斯在写于 1869 年的《卡尔·马克思》中指出："马克思从黑格尔的法哲学出发，得出了这样一种见解：要求获得理解人类历史发展过程中的锁钥，不应当到被黑格尔描绘成'大厦之顶'的国家中去寻找，而应当到黑格尔所蔑视的'市民社会'中去寻找。"② 黑格尔蔑视的市民社会正是现代思想展开的经济基础，尽管市民社会是终将被超越的历史形态，但对资本主义的研究离开市民社会的根基是很难找到答案的。

因此，在这段时间，马克思还系统地研究亚·斯密、让·巴·萨伊、弗·斯卡尔贝科等学者的政治经济学著作并作摘录和评述。应该说，马克思从法哲学进入哲学研究，而且一开始就以市民社会为着力点展开关于官僚政治批判的政治哲学阐释，并探究政治观念产生的经济基础，这个立意是很值得称道的，他在批判黑格尔将现实世界神秘化、黑格尔政治哲学的内在矛盾、黑格尔保守的国家观、黑格尔的官僚政治论的过程中，指出黑格尔深邃的哲学论证存在着严重的悖谬，这个悖谬固然可以通过思想的方式纠偏，但从现实的经济生活出发显然更有说服力。正是基于对政治观念产生的经济基础的深入研究，马克思破解了黑格尔法哲学思辨秘密的根源，指出官僚政治延续的前提及其危害，阐述了通过革命的实践创建"新国家"的政治主张，因而使这个文本在法哲学思想史上具有里程碑的意义。

以法哲学为入口研究哲学问题的马克思在青年时代有很多重要的残篇，在探究"德谟克利特的自然哲学和伊壁鸠鲁的自然哲学的差别"过程中阐释自我意识乃至自由思想的《博士论文》，与致力于阐述人的异化及其扬弃路径的《1844 年经济学哲学手稿》都是可资深入解读的政治哲学残篇，但这两部重要的残篇都没有介于其间写作的《黑格尔法哲学批判》手稿更集中地探讨政治哲

① 《马克思恩格斯文集》第 5 卷，人民出版社 2009 年版，第 22 页。
② 《马克思恩格斯全集》第 16 卷，人民出版社 1963 年版，第 409 页。

学命题，都没有对阻碍德国民主进程的官僚政治作充分的批判，都没有在揭示黑格尔政治哲学思辨秘密的过程中论述国家的理想形态，而马克思在《莱茵报》时期写作的很多精彩的政论也因为文体等问题没有展现政治哲学的理论布局。因而，《黑格尔法哲学批判》是马克思青年时代最重要的政治哲学残篇，这个残篇中的很多理论观点与论证思路贯穿在马克思其后的政治哲学书写中，具有重要的学术价值。

在对第 262 节的解读中，马克思批判了黑格尔的两个错误，一是将观念视为主体，另一个则是将作为现实观念化身的国家视为主体，因而构成了两种视域的悖谬。改正第一个错误，需要将观念论转换为实践论，马克思在这时已经意识到问题之所在，但真正克服观念论传统，是在《德意志意识形态》中确立"现代唯物主义"的时候完成的。这时马克思致力于改正的主要是第二个错误，即主体是市民社会而不是国家，因为"政治国家没有家庭的自然基础和市民社会的人为基础就不可能存在。它们对国家来说是必要条件"[1]。黑格尔颠倒这个关系并为之合理论证的全部秘密就是以神秘主义的方式构建国家决定市民社会的政治逻辑，因而马克思在这里的最后评价是："这一节集法哲学和黑格尔整个哲学的神秘主义之大成。"[2]

秘密已经被揭示了，马克思将黑格尔冗长的表达翻译为三句话："家庭和市民社会是国家的构成部分。国家材料是'通过情况、任意和本身使命的亲自选择'而分配给它们的。国家公民是家庭的成员和市民社会的成员。"[3] 同时，他清楚地表明与黑格尔不同的观点，家庭和市民社会是国家的前提和动力。在接下来对第 263—266 节的批判中，马克思揭示黑格尔"从本质领域到概念领域的过渡"的逻辑学特征，从中推导出《法哲学》的逻辑，即"家庭和市民社会到政治国家的过渡在于：本身就是国家精神的这两个领域的精神，现在也是作为这种国家精神来对待自身的，而且作为家庭和市民社会的内在东西本身，是现实的"[4]。问题在于，黑格尔不是从家庭、市民社会和国家的特殊规定出发的，而是从自由和必然性的普遍逻辑出发的，因而这种阐释更多的并非旨在解决问题，而旨在完善语言表达的逻辑。

---

① 《马克思恩格斯全集》第 3 卷，人民出版社 2002 年版，第 12 页。
② 《马克思恩格斯全集》第 3 卷，人民出版社 2002 年版，第 12 页。
③ 《马克思恩格斯全集》第 3 卷，人民出版社 2002 年版，第 11 页。
④ 《马克思恩格斯全集》第 3 卷，人民出版社 2002 年版，第 13 页。

在这个意义上，马克思对黑格尔的批判不仅是对其语言表达的批判，因为语言形式是思想内容的反映。费尔巴哈在《黑格尔哲学批判》中已经从自然哲学层面正视过这个问题，马克思则主要是在政治哲学层面解析这个问题，前者停留在自然观中，后者则进入了社会历史领域。在对第267节的批判中，马克思明确指出黑格尔的主谓结构，"政治信念是国家的主观实体，政治制度是国家的客观实体。可见，从家庭和市民社会到国家，这种逻辑发展纯粹是一种外观"。① 因为没有具体化的家庭的信念与家庭的设制，没有具体化的市民的信念和各种社会设制，没有各种要素之间何以发生联系的具体说明。有的只是逻辑的自洽，以及将理论逻辑的自洽转换为现实的逻辑关系的成立，而并未确认上述逻辑关系的现实落脚点。

在这里，从家庭和市民社会到政治国家的过渡并非现实的过渡，由于在黑格尔哲学语境中政治实践的发展是在观念中展开的，因而这种过渡在事实中并不存在，它是在想象中完成的。这样，当马克思在批判第268—269节时质疑黑格尔话语中的政治信念即"爱国主义"就顺理成章了。黑格尔将政治制度视为国家机体，视为有理性的生命存在，这种理解得到马克思的肯定，但马克思反对黑格尔从政治观念中引申出现实的差别，而不是在现实的差别中产生政治观念。在批判黑格尔神秘主义的同时，他指出黑格尔的语法问题，"政治制度是国家机体，或者国家机体是政治制度。任何机体的有差别的方面，都处于由机体的本性所产生的必然的联系之中，这种说法纯粹是同义反复。因为政治制度被规定为机体，这种制度的各个不同方面、各种不同的权力，就作为有机的规定而相互对待，它们就处于合乎理性的相互关系之中，这种说法也是同义反复。"② 黑格尔的政治观念不是对现实政治的理性归纳和反思，而是政治领域中的抽象观念，马克思并不反对从具体到抽象的思维演进，他反对的是从抽象到抽象的纯粹想象，由于黑格尔的抽象观念只是普遍逻辑的结果，因而对政治问题的解释是无效的，他没有直接触及任何与现实政治有关的社会问题。

马克思拒斥黑格尔主谓颠倒的政治哲学理路和缺乏现实性的观念，甚至批判黑格尔句式中的连词所反映的逻辑悖谬。例如，黑格尔在第269节中说，"信

---

① 《马克思恩格斯全集》第3卷，人民出版社2002年版，第14页。
② 《马克思恩格斯全集》第3卷，人民出版社2002年版，第15页。

念从国家机体的各个不同方面取得自己特定的内容。这一机体是观念向自己的各种差别及各种差别的客观现实性的发展。由此可见，这些有差别的方面就是各种不同的权力及其职能和活动"。马克思认为从前两句话推导不出后面的话，"'由此可见'这么几个字造成逻辑顺序、演绎和阐释的假象。"① 这种论证模式在马克思看来仍然是神秘主义的产物，他进而用很大的篇幅在两种话语情境中解读黑格尔的句式，除了上述话语情境之外，马克思论证下面这些话与上述前两句话的关系，"通过它们，普遍东西不断地创造自己，而且以必然的方式创造自己，因为这些差别是由概念的本性规定的；又因为这一普遍东西是自己的创造活动的前提，所以也保留着自己。这种机体就是政治制度。"② 这里的问题是，国家机体的各个不同方面被看作观念差异的外化，它们都是由概念规定的，所有的政治活动因而都是政治观念的对象化，它们是普遍逻辑的自我创造，只有陷入这种前提的纯粹想象，才可能推导出其逻辑结论。

马克思这时并不高估缺乏哲学反思的经验描述，即使在黑格尔的语言迷宫里，偶尔闪现的经验描述也遭到他诟病。比如黑格尔论及国家各个不同的方面实则各种不同的权力，在马克思看来，"这一命题是经验的真理，不能冒充为哲学上的发现，也决不是作为先前阐释的结果产生出来的。"③ 黑格尔提出这一命题的目的是，致力于将想象中的政治观念与现实政治权力对接，但是缺乏有效的中介。如果只是从思维层面把握想象中的现实，附以单向度地将政治制度和抽象观念联系起来，那么这种政治理念设计与现实政治制度的桥梁只能是海市蜃楼。政治哲学的反思对象是政治生活本身，还是政治观念植入想象中的现实之后产生的理论假想呢？答案不言自明。黑格尔显然把政治制度理解为政治观念的历史环节了。

这样，黑格尔所理解的政治权力就不再反映自身的本性，而只是反映其政治观念的权力图式了。由于颠倒了政治生活和政治哲学的主谓关系，黑格尔这种缺乏现实对象的法哲学研究只是一种解释世界的方案，其有限性就很明显了，他"不是从对象中发展自己的思想，而是按照自身已经形成了的并且是在抽象的逻辑领域中已经形成了的思想来发展自己的对象"④。马克思所要做的正

---

① 《马克思恩格斯全集》第3卷，人民出版社2002年版，第16页。
② 《马克思恩格斯全集》第3卷，人民出版社2002年版，第17页。
③ 《马克思恩格斯全集》第3卷，人民出版社2002年版，第18页。
④ 《马克思恩格斯全集》第3卷，人民出版社2002年版，第18—19页。

是在颠倒的过程中超越这种有限性。"马克思对黑格尔的所谓'颠倒',既非费尔巴哈'头足倒置'意义上的'翻转',也非黑格尔对立统一意义上的理性跃迁,而是一种基本视域的转换:即从理性的思维过程转向现实的批判过程;从理论意义上的解释世界转向实践意义上的改变世界。"① 超越黑格尔之后的马克思政治哲学出场了,这种出场是否意味着全然否定了黑格尔政治哲学的理路与方法呢? 回答这个问题,需要从政治经济学层面把握黑格尔政治哲学的理论底蕴。

三、《德法年鉴》中首次阐述人类解放与无产阶级的历史使命

马克思在《德法年鉴》中发表了《论犹太人问题》和《〈黑格尔法哲学批判〉导言》,他在其中探究了犹太人问题、拜物教问题、人类解放问题等在当时为人们所关注的现实问题,首次阐述了人类解放与无产阶级的历史使命。

(一)《论犹太人问题》与拜物教批判

"犹太人问题"在 19 世纪欧洲政治生活中凸显,因为它在相当程度上反映了追逐物质财富的现代人在市场化浪潮中遭遇的社会问题及其群体心理。例如,1816 年 5 月 4 日,德国颁布了一项剥夺犹太人担任国家公职的法律,德国新闻界为此展开激烈论辩。后来,普鲁士政府又于 1822 年颁令取消犹太人从事自由职业的权利。② 基于对各种解决"犹太人问题"方案的归纳研究,鲍

---

① 崔唯航:《重思"颠倒"之谜——从马克思对黑格尔的"颠倒"问题看辩证法本质》,《南京大学学报》2011 年第 6 期。

② 1842 年,普鲁士政府因战时需要颁布敕令,允许犹太人在接受德国人姓氏和商业记录的前提下获得"本地人"身份,但这项为犹太人提供平等希望的法令在战后被废除了,德国犹太人在相当长的时间内不能担任公职或从事教育事业,改信基督教被视为犹太人转变命运的佳境。参见 David Leopold, *The Young Karl Marx*, Cambridge University Press,2007, pp.106–107。但是,犹太大富商和宫廷犹太人则是例外,事实上宫廷犹太人"不仅比其余几乎仍然生活在中世纪约束下的犹太人生活条件更好,而且比他们的非犹太人邻居们好得多。他们的生活水准大大高于同时代的中产阶级,在大多数情况下,他们的特权也多于其他商人"。参见 [德] 汉娜·阿伦特:《极权主义的起源》,林骧华译,生活·读书·新知三联书店 2008 年版,第 47 页。

威尔撰写了《犹太人问题》一文,他认为"犹太人问题"反映了宗教和国家的关系问题,具体表现为犹太人在犹太教中的自我异化,因此犹太人的解放要以宗教消亡为前提。这篇文章因当时德国书报检查制度未能及时发表,而在次年印成小册子发行。1843 年 10 月中旬至 12 月中旬,马克思撰写了一篇以批判鲍威尔这篇文章及其相关文章《现代犹太人和基督徒获得自由的能力》为主调的文章《论犹太人问题》。这篇文章在《德法年鉴》发表后影响深远,不仅被视为犹太人问题研究的经典文献,而且被看作"也许是近两百年来关于政治哲学的最重要和最具影响的作品之一"①,它意味着深入研究经济和政治问题的马克思与鲍威尔的宗教批判和自我意识哲学诀别的开始。

作为犹太人的马克思并非旨在从民族意识角度论述犹太人问题②,尽管他在一些论战中经常因自己的犹太人身份而遭到论敌的嘲讽,他在这篇文章中批判的乃是作为现代人普遍逐利弊端的"犹太人问题"。面对德国犹太人因遭受歧视和被强制征收沉重赋税而开始为争取权利进行抗争的趋势,鲍威尔认为解决问题的有效思路是宗教批判,犹太人或者消灭基督教国家,或者放弃犹太教。此举看似解决了因宗教问题而导致的现实政治问题,实际上割裂了犹太人与其宗教信仰的历史联系,犹太人实际上也不可能因放弃本民族的宗教而获得解放。这种思路的根据是犹太教与基督教的特殊关系,凡是在以基督教为国教的国家,犹太人的政治权利都会遭到严重限制。因此,犹太教信徒这个特殊的社会群体只能通过解决宗教问题而获得解放,从中可见鲍威尔以自我意识哲学展开的宗教批判理路。

由于宗教是当时德国社会两个现实的领域之一,宗教批判当然具有现实性,但不是所有的德国社会问题都要通过宗教批判来解决。宗教问题确实是犹太人问题的成因之一,但在欧洲工业革命和政治革命的语境中,德国多数犹太人烦恼的症结是他们对金钱的占有与其所获得的政治权利之间不平衡,换言之,犹太人感受到的压迫并非宗教压迫,而是世俗的政治压迫,他们只有克服

---

① [英]乔纳森·沃尔夫:《当今为什么还要研读马克思》,段忠桥译,高等教育出版社 2006 年版,第 3 页。

② 与作为犹太人建国先驱的青年黑格尔派重要成员莫泽斯·赫斯不同,马克思是否认同其犹太人身份是颇具争议的问题,很多学者因马克思批判犹太人问题而将他视为早期"反犹主义者"。参见 H. H. Ben-Sasson ed., *A History of the Jewish People*, Cambridge: Harvard University Press, 1985, p.806。

世俗的桎梏，才能摆脱宗教狭隘性。在这个意义上，鲍威尔将犹太人问题的本质视为神学问题，马克思则将其视为世俗的政治问题，解决问题的思路并非单纯的宗教批判，而是朝向未来的人类解放。马克思正是在这里最初提出人类解放的设想，而在这个设想的开端，他就充分意识到消灭私有财产而不是沉浸于宗教批判对人类解放所具有的基础性意义，在缺乏必要的经济和政治前提的情境中与宗教信仰作斗争并非人类解放之佳途。

马克思关于犹太人问题的论述延续了他自 1843 年以来研究国家哲学、法哲学和历史学的基本思路，关于"国家和教会的关系"问题，马克思曾在《黑格尔法哲学批判》中表明，"留待以后再谈"①，而这个问题在《论犹太人问题》中得到了充分论述。而且，他在《克罗伊茨纳赫笔记》中摘录的内容在《论犹太人问题》中也得到再次强调或进一步阐释。这些内容涉及汉密尔顿的《美国人和美国风俗的习惯》、卢梭的《社会契约论》和《论文集》、瓦克斯穆特的《革命时期的法国史》、兰克的《宗教改革时期的德国历史》、毕舍和卢—拉维涅编纂的《法国革命议会史》（共 40 卷）以及迪福、杜韦尔日耶和加代编纂的六卷本《欧洲和南北美洲各国宪法、宪章和基本法汇编》第 1 卷。"马克思在《论犹太人问题》一文中与鲍威尔的论战所依据的一切材料几乎都源于克罗伊茨纳赫笔记。"② 在这个意义上，马克思对犹太人问题的研究乃是基于欧洲社会史的政治哲学研究，即使其中涉及宗教问题，也并非从神学研究抑或宗教批判的角度立意的。

马克思在这篇文章中所持观点受到欧洲革命和启蒙运动的深刻影响，他援引欧美宪法宪章以及博蒙、托克维尔、汉密尔顿等政治学家的相关论述批判当时德国政治制度，认为相对于当时的德国制度而言，英国、法国与美国的政治制度是进步的，在这些国家的宪法中所代表的自由、平等、民主和人权的精神在德国相当匮乏。他这时仍然以费尔巴哈的"哲学的改造"作为基本思路批判鲍威尔，尽管他在这一时期对费尔巴哈哲学的现实性的理解是一种误会，但费尔巴哈批判黑格尔思辨哲学的方式确实为马克思所灵活运用。正如阿尔都塞所言，"《论犹太人问题》和《黑格尔法哲学批判》这些文章只有在费尔巴哈的总

---

① 《马克思恩格斯全集》第 3 卷，人民出版社 2002 年版，第 19 页。

② [苏] 尼·拉宾：《马克思的青年时代》，南京大学外语系俄罗斯语言文学教研室翻译组译，生活·读书·新知三联书店 1982 年版，第 208 页。

问题的背景下，才能够被理解。"① 此外，赫斯的《论货币的本质》对马克思这时论犹太人问题所产生的影响显而易见，由对金钱的占有及人的利欲心所导致的人的异化在这篇文章中得到鲜明的体现。

马克思在《论犹太人问题》中分别批判鲍威尔的《犹太人问题》和《现代犹太人和基督徒获得自由的能力》，他不仅以深刻的笔触逐一批判了鲍威尔论述逻辑的悖谬，而且揭示了其中最关键的问题，那就是鲍威尔根本没有找到解决问题的出路，从而转换了通过宗教批判解决犹太人问题的思路。正如伯尔基所说，"由马克思在《论犹太人问题》中完成的概念突破毫无疑问是他思想成果中最令人印象深刻的。"② 在马克思看来，在现代国家中讨论犹太人问题，归根结底是市民社会成员和现代国家的关系问题。在此岸世界讨论犹太人的现实问题，应当考量犹太教的此岸性，而不是单纯从神学角度思考犹太人问题，那样至多是建构了一种没有经济基础和现实根基的空中楼阁，无非是表达一种意识形态的幻想。

马克思在解读鲍威尔《犹太人问题》的开端便指出首先应当正视的问题："德国的犹太人渴望解放。他们渴望什么样的解放？公民的解放，政治解放。"③ 相反，鲍威尔给出的回答是，犹太人的解放并非一种现代市民的普遍解放，而是一种作为"利己主义者"的特殊解放，其前提是犹太人在德国获得基督教信徒的平等权利。在鲍威尔看来，"犹太人的劳碌与历史进步没有任何关系"④，他们的努力并非旨在科学发展、法律完善与教育进步，而只是为自己牟利。犹太人有必要在德国申请获得基督徒的权利吗？如果德国基督徒都没有权利获得自由，犹太人这种通过申请作为基督徒而获得自由的愿望岂不是徒劳无益吗？马克思看到，犹太人之不能获得解放反映了德国旧制度的本质，而鲍威尔强调即使不考虑德国的制度因素，犹太人的本质就决定了犹太人不能获得解

---

① [法]路易·阿尔都塞：《保卫马克思》，顾良译，商务印书馆 2006 年版，第 28—29 页。

② [英]伯尔基：《马克思主义的起源》，伍庆、王文杨译，华东师范大学出版社 2007 年版，第 159 页。

③ 《马克思恩格斯全集》第 3 卷，人民出版社 2002 年版，第 163 页。

④ Bruno Bauer. *Die Judenfrage*. Braunschweig, 1843, S.10. 全然不同于这种看法的论著不胜枚举，例如，美国学者托马斯·卡希尔以大量社会调查数据为基础指出，"欧洲犹太人对西方文化与科学做出的杰出贡献与他们相对减少的人口极不成比例。"参见[美]托马斯·卡希尔：《上帝选择了犹太人——一个游牧部落如何改变了世界的思考和感受的方式》，徐芳夫译，世界知识出版社 2001 年版，第 18 页。

放，犹太人大概只有首先摆脱宗教对立，首先放弃犹太教信徒的资格，才能与德国公民一同追求自由，在德国公民的解放中获得自己的解放。

鲍威尔在强调以宗教批判的方式实现犹太人解放之前，梳理并批判了此前关于犹太人解放的诸种方案，随后他追问何为期待解放的犹太人和解放犹太人的基督教国家的特性以及基督教国家的本质问题。马克思认为，"他把这一切都做得大胆、尖锐、机智、透彻，而且文笔贴切、洗练和雄健有力。"马克思还简要概括了鲍威尔解决犹太人问题的基本逻辑："我们必须先解放自己，才能解放别人。"①鲍威尔认为解决犹太人问题的前提是，消除犹太人和基督徒之间最顽固的对立，而这只有通过消除宗教才能实现，当宗教消除之后，犹太人和基督徒之间的关系"就不再是宗教的关系，而只是批判的、科学的关系，人的关系"②。也就是说，德国的犹太人问题并非德国这个特殊政治国家的普遍问题，而首先是一个宗教问题。在鲍威尔看来，即使在经过政治革命的法国，"犹太人问题也还没有得到解决，因为法律上的自由——公民一律平等——在生活中受到限制，生活仍然被宗教特权控制和划分开来"③。所以，犹太人获得解放首先要放弃犹太教，就像基督徒要获得自由首先得放弃基督教一样。

马克思并未从宗教批判角度分析犹太人问题，但他在批判鲍威尔的过程中作出了一个关于宗教问题的重要论断：宗教在政治上的废除是否意味着宗教的完全废除？"以宗教为前提的国家，还不是真正的、不是现实的国家。"④鲍威尔关心的只是谁解放谁的问题，而没有关注这个解放的本质和条件，犹太人的解放是一种宗教解放吗？对于已经基本完成宗教解放和尚未完成政治解放的德国来说，欧洲的前途是人类解放，犹太人的解放只能顺应欧洲社会发展的潮流。"只有对政治解放本身的批判，才是对犹太人问题的最终批判，也才能使这个问题真正变成'当代的普遍问题'。"⑤在这里，鲍威尔对犹太人问题的理解片面而矛盾。他的论述只是限于宗教问题之一隅，将本应对政治解放的批判置换为指责宗教对立的神学问题，尽管这种批判是对基督教和犹太教的双重批判，而且批判也很有力，但这个批判没有指向问题的根本：如何批判不彻底的

① 《马克思恩格斯全集》第 3 卷，人民出版社 2002 年版，第 165 页。
② 《马克思恩格斯全集》第 3 卷，人民出版社 2002 年版，第 165 页。
③ 《马克思恩格斯全集》第 3 卷，人民出版社 2002 年版，第 166 页。
④ 《马克思恩格斯全集》第 3 卷，人民出版社 2002 年版，第 167 页。
⑤ 《马克思恩格斯全集》第 3 卷，人民出版社 2002 年版，第 167 页。

政治解放，进而分析人类解放的合理思路。

马克思之所以强调德国的犹太人问题首先是德国问题，因为这个问题在德国的呈现形式是模糊而令人误解的，这个问题在当时北美的一些自由州已经"成为真正的世俗问题"。"只有在政治国家十分发达的地方，犹太教徒和一般宗教信徒对政治国家的关系，就是说，宗教对国家的关系，才具备本来的、纯粹的形式。"①这个本来的、纯粹的形式体现为市民社会和国家的关系问题，而这并不影响北美人笃信基督教。所以，马克思指出，"我们并不宣称，他们必须消除他们的宗教局限性，才能消除他们的世俗限制。我们宣称：他们一旦消除了世俗限制，就能消除他们的宗教局限性。我们不把世俗问题化为神学问题。我们要把神学问题化为世俗问题。"②在马克思看来，犹太人问题并非单纯表现为宗教和国家的关系问题，宗教与国家的关系问题也不能被单纯地理解为哲学与神学的关系问题，它实际地表现为犹太人和一切现代人在现实政治生活中的具体问题。

与其他欧洲公民的解放一样，犹太人的解放同样需要中介，这个必不可少的中介就是发达的政治国家。"完成了的政治国家，按其本质来说，是人的同自己物质生活相对立的类生活。这种利己生活的一切前提继续存在国家范围以外，存在于市民社会之中，然而是作为市民社会的特性存在的。"③在马克思看来，一个现实中的个人既要过天国的生活，也要过尘世的生活。处于"天国"中的他是政治共同体中的社会存在物；处于"尘世"中的他是市民社会中的私人。因而，作为德国公民的犹太人与基督徒之间的冲突在其现实性上是市民社会和国家的冲突，因而是世俗的而非神圣的。"宗教信徒和政治人之间的矛盾，是 bourgeois 和 citoyen 之间、是市民社会的成员和他的政治狮皮之间的同样的矛盾。"④这就将问题指向现实领域，指向普遍利益与私人利益之间的世俗对立。

马克思在这篇文章中隐晦地表明宗教批判已经完成，这种批判无益于犹太人问题的解决。在当时德国的社会条件下，放弃犹太教并不能使犹太人真正获得解放，而已经获得政治解放的欧洲人在发达的政治国家也并没有放弃基督

① 《马克思恩格斯全集》第 3 卷，人民出版社 2002 年版，第 168 页。
② 《马克思恩格斯全集》第 3 卷，人民出版社 2002 年版，第 169 页。
③ 《马克思恩格斯全集》第 3 卷，人民出版社 2002 年版，第 172 页。
④ 《马克思恩格斯全集》第 3 卷，人民出版社 2002 年版，第 173—174 页。

教。在这个意义上，犹太人想获得解放，不必以放弃犹太教为前提，因为宗教信仰和政治选择并不重叠。"政治国家的成员信奉宗教，是由于个人生活和类生活之间、市民生活和政治生活之间的二元性；他们信奉宗教是由于人把处于自己的现实个性彼岸的国家生活当作他的真实生活；他们信奉宗教是由于宗教在这里是市民社会的精神，是人与人分离和疏远的表现。"① 因而，人的异化并非只有宗教异化这一种形式，犹太人的自由也并非仅仅遭到宗教的束缚，它实际上体现了一种现代社会的矛盾，即占有私人财产的个人与其作为社会存在者身份的矛盾。

如果像鲍威尔所说，放弃犹太教就可以使犹太人享受政治解放的成果，那么犹太人会不会因此获得人权呢？这里显然存在着一种矛盾，因为信仰的权利本身就是一种人权，对不能获得信仰自由的犹太人来说，所谓人权就是一句有限的空话。马克思为此引用《人权和公民权宣言》、《宾夕法尼亚宪法》、《新罕布什尔宪法》的部分法条表明，"信仰的特权是普遍的人权。"这里所谓的"人"指的是"市民社会的成员"，"为什么市民社会的成员称作'人'，只称作'人'，为什么他的权利称作人权呢？我们用什么来解释这个事实呢？只有用政治国家对市民社会的关系，用政治解放的本质来解释。"② 具体来说，在欧洲宪法宪章的范畴内，人权实则是对平等、自由、安全、财产和不损害他人权利的法律规定，它实际上是以财产权为基础的，是"从私人财产神圣不可侵犯"的规定中引申出来的。

因而，市民社会对人权的保护实际上就是对利己的人及其需要和利益的保护。这时马克思开始将话题转入对政治解放的限度的批判③，并在批判的过程中破解了一个历史之谜：当人权成为目的，而政治作为手段时，"为什么在谋求政治解放的人的意识中关系被本末倒置，目的好像成了手段，手段好像成了

---

① 《马克思恩格斯全集》第 3 卷，人民出版社 2002 年版，第 179 页。

② 《马克思恩格斯全集》第 3 卷，人民出版社 2002 年版，第 182 页。

③ 加拿大学者莫格奇指出，鲍威尔在《犹太人问题》中的政治哲学立场是"共和主义的严格主义"，"马克思从其新获得的社会主义视角出发在犹太人问题上向鲍威尔发起挑战"。参见 Douglas Moggach ed. The New Hegelian. *Politics and Philosophy in the Hegelian School*, Cambridge University Press, 2006, p.129. 这种看法是有道理的，但马克思在《论犹太人问题》中未有多处明显评价鲍威尔共和主义思路之处，他对共和制的批评主要是在《黑格尔法哲学批判》中展开的。

目的?"① 原因在于，政治解放旨在终结封建主义，它组成了专注于人民事务的现实国家，"消灭了市民社会的政治性质"，将市民社会分解为利己的个体的人和构成个体的物质和精神要素。这些利己的个体的人作为公民和法人，构成市民社会的基础，犹太人当然也属于这些市民社会的成员，他们只有在"认识到自身'固有的力量'是社会力量，并把这种力量组织起来因而不再把社会力量以政治力量的形式同自身分离的时候，只有到了那个时候，人的解放才能完成"②。而要实现人的解放，需要进一步理解这种解放的性质，需要深入理解在欧洲市民社会中普遍存在的拜物教的秘密。

如果说马克思对《犹太人问题》的批判立足于人类解放的政治批判，他对《现代犹太人和基督徒获得自由的能力》则立足于政治经济学作现实分析，二者从不同角度反映了马克思解决犹太人问题的政治哲学理路。从鲍威尔关于犹太人问题的分析中可见，犹太人若想获得解放，首先应当放弃犹太教，成为基督徒，换言之，犹太人和基督徒在神学角度上不具备同等获得解放的能力，他们必须首先否定自己的犹太人身份，然后再与基督徒一起否定基督教的本质，从而在这场神学—哲学的理论努力中获得救赎。对普通的犹太人而言，这是一个相当高的知性要求，它意味着犹太人不仅要懂得放弃犹太教的道理，还要学习基督教的历史经典，进而学习青年黑格尔派乃至黑格尔的名作，然后他们才能以体现现代市民素质的渊博学识理解政治解放，从而决定他们自己的命运。

不用说这种做法对日常的犹太人来说是不可能的，因为不是所有犹太人都有经受鲍威尔严格限制的渊博学识，更何况，即使犹太人具有了这样的渊博学识也未必能获得解放。因为鲍威尔不是在现实中寻找犹太教的秘密，而是在犹太教中寻找犹太人问题的答案。马克思从世俗的角度直指犹太人问题的根由："犹太教的世俗基础是什么呢？实际需要，自私自利。犹太人的世俗礼拜是什么呢？做生意。他们世俗的神是什么呢？金钱。"③ 犹太人的解放因而是从利己和金钱中的解放，这个解放不仅不停留于特殊性，而且极具普遍性，它代表着市民社会成员的解放，当市民社会成员将逐利的商业行为视为生活的全部目的，必然使社会陷入利益的泥淖。这种单向度的繁荣实则"普遍的现代反社会

① 《马克思恩格斯全集》第3卷，人民出版社2002年版，第186页。
② 《马克思恩格斯全集》第3卷，人民出版社2002年版，第189页。
③ 《马克思恩格斯全集》第3卷，人民出版社2002年版，第191页。

的要素"，从中可见犹太人的"热心参与"，所以，"犹太人的解放，就其终极意义来说，就是人类从犹太精神中得到解放。"①

马克思在这里强调犹太人解放的普遍意义，因为一切逐利的现代人都必然在社会生活中将他者作为自己自由的阻碍，因而难以作为社会存在者与他人分享自由，个人的自由彼此分离，因而自由难以在社会生活中真正实现，其根本原因在于，利己主义与个人的利益诉求是市民社会的主要原则，这个领域的宗教并非传统意义上的犹太教，而是资本的拜物教，货币或金钱成为人格神。马克思反鲍威尔之意论之，犹太人的解放实际上并非通过放弃犹太教，而是以犹太人的方式自我解放，犹太人问题并非只是源于犹太人的宗教局限性，而更体现为在现代社会普遍存在的自私自利的局限性。与鲍威尔的理解恰恰相反，"金钱通过犹太人或者其他的人而成了世界势力，犹太人的实际精神成了基督教各国人民的实际精神。基督徒在多大程度上成为犹太人，犹太人就在多大程度上解放了自己。"②马克思的理解有很强的事实根据，因为当时英国和北美的很多基督教神职人员都穿梭在神坛和商业之间，他们不是清教徒，早已融入市民社会，进而体现了市民社会普遍的犹太精神。

犹太人问题之所以在市民社会具有普遍性，不是因为犹太教的本质为基督徒所鄙视，而是因为犹太教的世俗基础就是市民社会的原则。在犹太人眼中，金钱具有神圣的价值。"犹太人的神世俗化了，它成了世界的神。票据是犹太人的现实的神。犹太人的神只是幻想的票据。"③金钱是人创造的一般等价物，当它在市场化行为中成为神圣的存在物，人便要向它顶礼膜拜。这就是市民社会的普遍异化，这种异化是人在现代社会所遭遇到的最严重的异化。在这里，逐利的手段成了目的，商业的目的成了手段。身陷这种异化境遇中的市民社会成员蔑视历史、理论、艺术，对道德、人性、良知采取无所谓的态度，这种异化反映了工业革命以来兴起的自由市场经济的限度，实际上体现了现代人的堕落。马克思深刻地认识到，犹太教的本质不是一种理论精神，而是一种必须在实践中实现的利己原则。

当这种利己原则成为市民社会的真理，当社会沦为原子式的"人对人是狼"

---

① 《马克思恩格斯全集》第 3 卷，人民出版社 2002 年版，第 192 页。
② 《马克思恩格斯全集》第 3 卷，人民出版社 2002 年版，第 193 页。
③ 《马克思恩格斯全集》第 3 卷，人民出版社 2002 年版，第 194 页。

的世界，政治解放的不彻底性在现代日常生活中暴露无遗。至于犹太教和基督教的关系早已发生历史的变迁，在现实的市民社会中，宣扬高尚原则的基督教只是理论上的，人们在实际生活中则普遍选择对犹太教的功利应用。这时现代人理应走到人类解放的起点。"金钱以及与金钱相联系的实际的买卖关系，它们成为已达到其历史发展最高阶段的现代社会的主要的反社会因素。因为这些关系同时也是实际的、现实的犹太人的本质，由此可见犹太人的解放必须以人类解放为前提，而人类解放也要求社会从实际的犹太中获得解放。"① 所以，犹太人问题的本质不是宗教问题，因为连犹太教本身都不追求唯灵论的非现实性，深刻理解犹太教高度的经验本质，在社会实际问题中理解犹太人的生活，才是解决犹太人问题的合理路径。

最后，马克思强调从人及其异己本质的关系中理解犹太人问题，犹太人问题的秘密就是拜物教的秘密，而拜物教的秘密就是市民社会的秘密，这一秘密是现代市民社会的通用原则。这种原则在利己的追求成为社会时尚的条件下是相当顽强的，它在市民社会中十分流行，我们几乎可以在"买卖"二字中理解现代社会的全部内容。所以，"犹太人的社会解放就是社会从犹太人中获得解放。"② 这个解放的重要性毋庸置疑，除此无以实现人的本性的复归，当作为市民社会成员的现代人不再忍受感性个体的原子化生活，而追求在类生活中实现自由个性的时候，人的解放的时代就到来了。这个时代宣告人之为人的时代的真正到来，之前的历史为这个时代储备了物质基础和精神前提。这个时代超越了政治解放的限度，它体现了一种承载物质充盈和精神丰裕的社会的螺旋式上升。

《论犹太人问题》是马克思早期政治哲学杰作，青年马克思在批判鲍威尔两部研究犹太人问题的理论文本的过程中指出了犹太人问题的本质及其普遍性。这一审视问题的角度不仅深刻地驳斥了鲍威尔以宗教批判解析犹太人问题的路径依赖，而且反其意指出犹太人问题并非源自犹太教的特殊问题，而是在市民社会中得到实践应用的一般原则。这一原则实际上正是市民社会中犹太人问题的具体化，犹太人问题因而也成为现代市民社会的主要问题，这一问题的

---

① [苏] 尼·拉宾：《马克思的青年时代》，南京大学外语系俄罗斯语言文学教研室翻译组译，生活·读书·新知三联书店 1982 年版，第 207 页。

② 《马克思恩格斯全集》第 3 卷，人民出版社 2002 年版，第 198 页。

根由反映的不仅是犹太教的秘密，更是体现在现实生活中拜物教的秘密。当市民社会的成员成为拜物教的信徒，沉湎于资本和逐利的世界中不能自拔的时候，社会就陷入人与人互相敌视的境遇中，不仅穷人在这样的世界没有未来，资产阶级在这样的世界也将失去未来。因而，解决犹太教的问题，就是解决市民社会的问题，而解决这一问题只能通过人类解放，使原子化的个人在类生活中彼此认同，成就自由人的联合体。

（二）《〈黑格尔法哲学批判〉导言》中对人类解放的深刻阐释

曾经深受青年黑格尔派宗教批判影响的青年马克思深知宗教在欧洲社会的现实意义，当宗教在社会生活中产生以后，就成为"这个世界的总理论"及其"包罗万象的纲要，它的具有通俗形式的逻辑，它的唯灵论的荣誉问题，它的狂热，它的道德约束，它的庄严补充，它借以求得慰藉和辩护的总根据"[1]。一言以蔽之，研究欧洲社会变革的实际问题，离开对宗教问题的批判研究几乎是不可能的。因而，在德国兴盛10年的青年黑格尔派的启蒙运动始终以宗教批判为主题，青年马克思也躬逢其盛。以黑格尔的自我意识哲学否定宗教思想史中的神秘逻辑，进而在追求自由中获得自我，一度是他研究欧洲社会政治问题的基本思路。但是，经过《莱茵报》时期的现实洗礼和旅法期间对经济学的初步研究，他认识到这项曾经十分重要的理论研究在德国基本上已经结束，它应当被转入更实际的现实政治研究。

宗教在社会生活中之所以如此重要，乃是因为它满足了人们的信仰需要，在一定程度上实现了对人们苦难生活的慰藉。但是，当青年黑格尔派以启蒙的方式重新确立人的尊严和自我意识的神圣性，指出人是宗教的创造者而不是宗教的产物的时候，人的主体性被唤醒了，人们开始在自身中而不是外在于人的宗教中理解历史的任务了。由于深受青年黑格尔派宗教批判的影响，马克思在《导言》"头两页概述其宗教观念的地方所使用的几乎全部的比喻都是从鲍威尔那里借用来的，鲍威尔这时仍然是他在这个领域中的最重要的典范"[2]。其中最著名的话语就是，"宗教是人民的鸦片"[3]。需要强调的是，马克思在这里对鸦

① 《马克思恩格斯全集》第3卷，人民出版社2002年版，第199页。
② [英]戴维·麦克莱伦：《青年黑格尔派与马克思》，夏威仪译，商务印书馆1982年版，第80页。
③ 《马克思恩格斯全集》第3卷，人民出版社2002年版，第200页。

片的所指并非一种毒品，而主要是一种止痛剂，而且马克思也并非对宗教作全称否定，他认为"宗教是被压迫生灵的叹息，是无情世界的心境，正像它是无精神活力的制度的精神一样"①。也就是说，人们渴望在宗教生活中通过表达苦难的叹息并对现实的苦难抗议而获得慰藉和拯救，这种需求在一定程度上获得了精神的满足，但这种精神的满足不是现实性的，换言之，宗教在此岸世界的现实性只是一种幻觉，改变苦难现实的途径只能是对苦难现实的革命。

可以说，《导言》是马克思主义宗教观的奠基之作②，"宗教是人民的鸦片"这句话被列宁看作是"马克思主义在宗教问题上的全部世界观的基石"③。但这种批判主要反映了马克思对现实抗议的强调，他并非倡导接受宗教批判的人们放弃信仰，而要将信仰转向"自己现实的太阳"。关键在于，马克思进一步指出变革苦难现实不能止步于宗教批判，而应当在现实的运动中确立此岸世界的真理，从对宗教异化的研究转向对人的自我异化的研究，为此必须进行尘世的批判、法的批判与政治的批判。从中可见，马克思在这场批判转向的开端就高度重视理论批判的意义，而他深知这种批判在德国现实语境中展开的特殊性。变革苦难现实的行为是"原本"，维系和加重这种苦难现实的德国国家哲学和法哲学是"副本"，若要彻底变革德国苦难现实的"原本"，首先要扬弃"副本"——德国国家哲学和法哲学。

深谙德国国家哲学和法哲学的马克思深知批判德意志意识形态的难度，因为德意志意识形态根本不处于其同时代的欧洲水平，即使彻底批驳了德国国家哲学和法哲学，批判者也不会处于法国大革命的起点，更不会赶上欧洲政治文明的前沿。马克思深刻地指出，德国政治的批判只有一种可能配享欧洲政治的批判，那就是当整个欧洲政治文明沉沦的时候，德国也会深陷其中，当时德国封闭腐朽的政治境况和政治思维无法跻身欧洲先进政治文明之列，却可以在欧洲政治文明遭遇其困顿之际与之一同沉沦。至于在德国古代史中寻找政治文明的往昔荣光，乃是民族狂热者们的一己之愿。批判德国政治制度必须意识到，"这种制度虽然低于历史水平，低于任何批判，但依然是批判的对象"。④ 这种批判是现实的批判、武器的批判，其主要目的不是驳倒而是消灭，因而这种批

① 《马克思恩格斯全集》第3卷，人民出版社2002年版，第200页。
② 参见吕大吉：《西方宗教学说史》，中国人民大学出版社1994年版，第550页。
③ 《列宁全集》第2卷，人民出版社2012年版，第247页。
④ 《马克思恩格斯全集》第3卷，人民出版社2002年版，第202页。

判不仅是批判本身，而是愤怒地揭露德国制度弊端的政治行为导向，是摧毁旧制度的人类解放的号角。

这种尘世的批判、法的批判和政治的批判面对的是德国"以政府的形式表现出来的卑劣事物"，面对的是被视为"特予恩准的存在物"的德国统治者，面对的是"心胸狭隘、心地不良、粗鲁平庸之辈处于互相对立的状态"①。这种批判不是一种思想的游戏，并非哲学家之间高雅有趣的文化商榷，而是一种旨在打击敌人的搏斗。这种批判揭示了德国政治的积弊和被统治的德国公民的境遇，它"让受现实压迫的人意识到压迫，从而使现实的压迫更加沉重；应当公开耻辱，从而使耻辱更加耻辱"②。要想让长久处于德国政治境遇中已近麻木的德国公民被激起解放的勇气，首先要让他们在了解德国政治现实以及与欧洲先进政治文明的比较中"大吃一惊"，因而，这种批判不仅是对德国政治积弊的揭露，也是对德国公民的启蒙，让他们了解到德国政治制度几乎集中了欧洲政治弊端的历史和现实。

当法国大革命和英国工业革命代表欧洲经济政治发展趋势的时候，是顺从世界发展潮流，还是继续承受德国旧制度的弊端，已经成为当时德国人不得不做出的历史选择，而这种选择要充分考虑到德国的"时代错乱"。当时德国在一种想象的自信中"展示旧制度毫不中用"，"并且要求世界也这样想象"，这种旧制度只是代言了历史上的世界制度，早已为当时的世界制度所扬弃。马克思深刻地指出，"历史是认真的，经过许多阶段才把陈旧的形态送进坟墓。"③消灭这时的德国制度，无非是让欧洲历史上已经消亡的旧制度"重死一次"，由于这个过程已经为欧洲历史所证明，所以它一定有一个愉快的结局。面对这种历史趋势，德国人不必犹豫，只要敢于与过去的政治积弊告别，就可以结束一个时代，这种向旧世界告别的手段是抗争，抗争的形式就是摧毁德国旧制度的社会革命。

当对德国政治积弊的批判被提升到德国人思想启蒙的高度，这种批判就超出了当时德国的认识水平，而这种思想启蒙是与保护关税、贸易限制制度和国民经济学的形式联系在一起的。当工业革命的影响遍布欧洲，德国逐渐承认工

---

① 《马克思恩格斯全集》第 3 卷，人民出版社 2002 年版，第 202 页。
② 《马克思恩格斯全集》第 3 卷，人民出版社 2002 年版，第 203 页。
③ 《马克思恩格斯全集》第 3 卷，人民出版社 2002 年版，第 203 页。

业和社会财富与政治领域的关系，而这种承认是以一种颠倒的逻辑完成的。"在法国和英国，问题是政治经济学或社会对财富的统治；在德国，问题却是国民经济学或私有财产对国民的统治。"①这种颠倒的逻辑导致德国将垄断发展到极致，而这种终极垄断在英国和法国早已被消灭。德国对工业和社会财富与政治之间关系的初步理解再次表明，德国已经远远落后于欧洲历史。当英国和法国以实践为工业革命和社会革命的先导突飞猛进的时候，德国的历史逻辑是由宗教而政治，由政治而历史，由历史而哲学，由哲学而实践，缓慢运行在这种逻辑脉络中的实践早已落后于现代史。

关于德国"人的问题"的理解，让人们警醒到 19 世纪上半叶德国历史的非现代性，而马克思对这种非现代性的指责与他对黑格尔法哲学的批判是一致的。黑格尔在《法哲学原理》中宣称："现在这本书是以国家学为内容的，既然如此，它就是把国家作为其自身是一种理性的东西来理解和叙述的尝试，除此以外，它什么也不是。作为哲学著作，它必须绝对避免把国家依其所应然来构成它。本书所能传授的，不可能把国家从其应该怎样的角度来教，而是在于说明对国家这一伦理世界应该怎样来认识。"②黑格尔叙述国家与市民社会的关系逻辑与人们对这一逻辑的通常理解造成当时德国思想界对德国现状的误读，问题是德国的发展始终处于德国政治发展的条件下，当封闭的德国依然因循旧制度，德国人只能以一种古人的方式参与现代史，这种参与类似于历史的穿越，只能在人们的惊愕中成为另类。

如果国家是黑格尔所言的绝对理性的存在物，是最高的伦理精神的化身，而"哲学的任务在于理解存在的东西，因为存在的东西是理性，就个人来说，每个人都是他那个时代的产儿。哲学也是这样，它是被把握在思想中的它的时代"③。那么，当时的德国人对德国的绝对服从，他们在自己所处的时代把握自己所能够和应当把握的绝对理性，是唯一合理的历史选择，问题是这种选择只是一种政治的神话。"德国人在思想中、在哲学中经历了自己的未来的历史。我们是当代的哲学同时代人，而不是当代的历史同时代人。"④ 在这个意义上，德国国家哲学和法哲学与这时的德国历史处于同一水平，这也就意味着这种哲

---

① 《马克思恩格斯全集》第 3 卷，人民出版社 2002 年版，第 204 页。

② ［德］黑格尔：《法哲学原理》，范扬、张企泰译，商务印书馆 1961 年版，第 12 页。

③ ［德］黑格尔：《法哲学原理》，陆扬、张企泰译，商务印书馆 1961 年版，第 12 页。

④ 《马克思恩格斯全集》第 3 卷，人民出版社 2002 年版，第 205 页。

学只能在意识形态上维持德国政治现状，而不能解决德国实际的社会问题。对这种哲学的否定是正当的，所以，马克思说出这句后来颇有争议的话："不使哲学成为现实，就不能够消灭哲学。"①

毋庸置疑，马克思是在批判德国实践政治派的错误时说这句话的，随即在批判德国理论政治派的错误时，马克思又以否定的方式表明同一种看法：不消灭哲学，就不能使哲学成为现实。这种看似表明"消灭哲学"的主张并非旨在消灭哲学这个源自古希腊的学术思维方式，而旨在批判对直接宣布旧哲学的错误而将其置之一旁的简单做法和试图沉湎在旧哲学中实现未来的浪漫想法。在这里，哲学与现实的关系得到强化，这种关系不是疏离的，而是内在一致、彼此共生的，或者说它体现为哲学的现实与现实的哲学。他实际上提出了一种新哲学，一种对作为旧哲学的哲学的否定，而旧哲学在黑格尔的法哲学和精神现象学集大成，扬弃黑格尔思辨的法哲学，就是摆脱德国不切实际的政治思维，使德国的国家哲学不再体现为现代国家的未完成，而成为摆脱当时德国国家机体本身缺陷的时代宏音。

何以更新德国的国家哲学和法哲学呢？马克思指出一种以行为的方式实现的哲学与现实的关系——实践，它不仅是一种有效的主体性活动，而且是一种体现时代精神的思维方式，这种有效的主体性活动和体现时代精神的思维方式的融合形成了"有原则高度的实践"，指向"人的高度的革命"②。这种实践的原则高度实则体现了哲学的思维力度和判断水平，这种哲学的思维力度和判断水平始终在社会生活中对象化，从而体现了新哲学的"知行合一"，它充分表明哲学和现实的双重重要性，同时实现了思想和现实的水乳交融。为了更清楚地说明这一点，马克思指出："批判的武器当然不能代替武器的批判，物质力量只能用物质力量来摧毁；但是理论一经掌握群众，也会变成物质力量。理论只要说服人，就能掌握群众；而理论只要彻底，就能说服人。所谓彻底，就是抓住事物的根本。但是，人的根本就是人本身。"不得不说，这时马克思仍然停留在以费尔巴哈的宗教批判思路否定黑格尔法哲学的阶段，因为他接着就提到了"人是人的最高本质这样一个学说"③。后来他在撰写《德意志意识形态》

① 《马克思恩格斯全集》第3卷，人民出版社2002年版，第206页。
② 《马克思恩格斯全集》第3卷，人民出版社2002年版，第207页。
③ 《马克思恩格斯全集》第3卷，人民出版社2002年版，第207页。

时说道，费尔巴哈"没有注意到，在做完这一工作之后，主要的事情还没有做"。①

因而，话题再次回到与宗教批判的关系，马克思在比较语境中指出，"正像当时的革命是从僧侣的头脑开始一样，现在的革命则从哲学家的头脑开始。"② 这种对旧哲学的扬弃意味着哲学和现实各自的双重变革，一方面，哲学实现了思维方式的革命，同时完成了哲学的实践化；另一方面，现实的过程具有了原则的高度，同时现实的目标不再是旧形而上学无法企及的终极理想，而成为始终变化发展的一个个历史坐标。较之这种哲学和现实的双重变革而言，路德的新教改革正确地提出了问题，它将人们从笃诚虔信中解放出来，却为人们缚上了信念的锁链，因而没有正确地解决问题。解决德国的社会问题，需要一场彻底的德国革命，以满足这个国家需要的理论和物质基础变革德国现实，在思想与现实的相互趋向中实现人的解放，而这些前提条件在亟待变革的德国社会相当匮乏，一切都停留在抽象的思维活动上。

马克思在这篇导言中将德国视为一切国家形式罪恶的化身，当时德国国王对现代政治的理解是一种"奇想"，那就是将"封建的和官僚的，专制的和立宪的，独裁的和民主的"角色化为一身。这种奇想的国家形式的妙处在于，既可以以他自己的名义发布政治命令，也可以在不方便时采用人民的名义，所谓人民的名义其实就是他自己的名义。"德国这个形成一种特殊领域的当代政治的缺陷，如果不摧毁当代政治的普遍障碍，就不可能摧毁德国特有的障碍。"③ 摧毁当代政治的普遍障碍，不能迷恋"纯政治的革命"，因为这种革命"毫不触犯大厦支柱"。这种思路再次体现了马克思不自觉体现出的与青年黑格尔派的政治主张的差别，即谁是人类解放的主导者。青年黑格尔派认为那是既有钱又有文化知识的市民阶级，马克思则强调这个阶级的特殊性，这个阶级必须与整个社会亲如兄弟并成为社会的总代表，市民阶级在政治解放中一度成为社会的解放者，但很快这个阶级在法国就成为奴役者，开始积聚社会的普遍缺陷，因而不可能是主导德国解放的理想选择。

在德国这个当时最落后最封闭的欧洲国家，存在那种由革命天赋和战斗精

---

① 《马克思恩格斯文集》第1卷，人民出版社2009年版，第504页。
② 《马克思恩格斯全集》第3卷，人民出版社2002年版，第208页。
③ 《马克思恩格斯全集》第3卷，人民出版社2002年版，第210页。

神的群体吗？"在法国，一个人只要有一点地位，就足以使他成为一切。在德国，一个人如果不想放弃一切，就必须没有任何地位。在法国，部分解放是普遍解放的基础。在德国，普遍解放是任何部分解放的必要条件。"① 当时德国是新旧制度诸多缺陷的集中体现者，德国资产阶级无力领导人类解放的事业，真正的解放者是有大无畏精神的劳动者。他们不像市民阶级那样有钱有文化知识，但他们可以"振振有辞地宣称：我没有任何地位，但我必须成为一切"②。在法国，这样的劳动者曾和第三等级一起攻陷巴士底狱，可是，革命后的他们依然没有任何地位，他们在质疑政治解放的不彻底性中同样希望"成为一切"，这个没有在法国实现的解放之所以有可能在德国实现，因为当时德国的政治状况更糟，德国的无产者之所以有可能比法国的无产者更早地"成为一切"，因为他们的生活境遇更加卑微。

这是"一个被戴上彻底的锁链的阶级，一个并非市民社会阶级的市民社会阶级"，"一个标明一切等级解体的等级"，"一个由于自己遭受普遍苦难而具有普遍性质的领域"，这个阶级遭受的不是"特殊的不公正"，而是"一般的不公正"，它诉诸的不是历史的权利而是人的权利。这时马克思已经形成了后来在《巴黎手稿》中充分表达的异化思想："总之，形成这样一个领域，它表明人的完全丧失，并因而只有通过人的完全回复才能回复自身。社会解体的这个结果，就是无产阶级这个特殊等级。"③ 更何况，德国的无产阶级不是自然形成的，而是因社会的急剧解体而"人工制造的"，德国社会的解体不仅意味着德国旧制度的结束，而且意味着一切欧洲旧制度的结束。德国的无产者将在革命中实现自己真正的权利，"无产阶级要求否定财产，只不过是把社会已经提升为无产阶级的原则的东西，把未经无产阶级的协助就已作为社会的否定结果而体现在它身上的东西提升为社会的原则。"④ 这种社会的原则具有普遍意义，它是实现人的理想前景的社会原则，是社会变革的价值标准。

未能合理确认解放者的身份，是青年黑格尔派的"阿喀琉斯之踵"。在未蜕变为"自由人"小组之前，青年黑格尔派的宗教批判一度掀起了当时德国思想的狂飙，他们的自我意识哲学可谓德国思想界的一场独特的启蒙运动，但是

---

① 《马克思恩格斯全集》第 3 卷，人民出版社 2002 年版，第 212 页。
② 《马克思恩格斯全集》第 3 卷，人民出版社 2002 年版，第 211 页。
③ 《马克思恩格斯全集》第 3 卷，人民出版社 2002 年版，第 213 页。
④ 《马克思恩格斯全集》第 3 卷，人民出版社 2002 年版，第 213 页。

他们寄希望于有钱又有文化知识的市民阶级，并将哲学限于理论批判的苑囿，远离人类解放的现实运动。马克思意识到，人类解放才是"当代的所谓问题之所在的那些问题的中心"①，而无产阶级是新的特殊等级，他们并非处于哲学言说之外，而与新哲学有一种内在一体性关联。"哲学把无产阶级当作自己的物质武器，同样，无产阶级也把哲学当作自己的精神武器"②。变革德国旧制度乃至欧洲一切不理想的政治形态的新哲学以无产阶级为其理论的实际承载者，无产阶级并非不追求文化知识的群氓，他们以新哲学为精神武器开展有原则高度的实践。这就是德国解放的实际可能性，也是当时德国所可能选择的达到欧洲水平的解放。

上面已经提到，马克思这时仍然受到费尔巴哈哲学的影响，因而将"人是人的最高本质这个理论"作为德国解放的立足点。在马克思看来，德国解放不仅是对德国旧制度的彻底扬弃，更是将德国人解放为具有现代人格的存在者的革命。这场诉诸人的解放的革命为此摧毁一切奴役制，从中体现的政治哲学超越了黑格尔法哲学和国家哲学。可以说，马克思在这篇导言中强化了他在《黑格尔法哲学批判》中对黑格尔关于国家和市民社会之间关系的颠倒。在市民社会决定国家的前提下，马克思进一步明确了市民社会中的无产阶级是德国的解放者，他们一无所有，他们与整个社会亲如兄弟，他们代表了社会的未来，他们渴望成为一切，他们使新哲学在社会革命中对象化，他们将在人类解放即将结束之际完成自己的解放。

马克思不是哲学终结论者，在提出消灭"作为哲学的哲学"之后，他在这篇导言中不止一次强调哲学与无产阶级的关系，就在这篇导言即将结束之际，他再次强调："德国人的解放就是人的解放。这个解放的头脑是哲学，它的心脏是无产阶级。哲学不消灭无产阶级，就不能成为现实；无产阶级不把哲学变成现实，就不可能消灭自身。"③这里所谓的"消灭无产阶级"显然指的是作为被奴役压迫的阶级的无产阶级，所谓无产阶级"消灭自身"就是彻底消灭维护奴役压迫的旧制度，新哲学的现实就是无产阶级的未来，而因为无产阶级是新的特殊等级，它的未来就是德国社会的未来。那么，这个新哲学以何种方式呈

---

① 《马克思恩格斯全集》第3卷，人民出版社2002年版，第205页。
② 《马克思恩格斯全集》第3卷，人民出版社2002年版，第214页。
③ 《马克思恩格斯全集》第3卷，人民出版社2002年版，第214页。

现呢？他不是书斋中的所谓纯粹哲学或学院派哲学，而是一种实践的哲学；它不是"米涅瓦的猫头鹰"在黄昏后起飞，而是"高卢雄鸡"在清晨高鸣。它是德国解放的号角，它是高歌人类解放的强音，它在实现未来理想社会的途中成为无产阶级的精神追求。

马克思在《〈黑格尔法哲学批判〉导言》这篇影响深远的政治哲学文本中转换了批判的对象和向度，使直接面向社会现实问题的批判取代了纯粹的理论批判和单向度的宗教批判。在尘世的批判、法的批判与国家的批判中，马克思深切分析了德国政治弊端的独特性和德国革命必须首先解决的理论问题，将改变德国旧制度的现实问题提升到将德国人解放为人的高度。解决这个独特的人的问题，需要一场具有人的高度的革命，需要一种作为人的解放的有原则高度的实践。尽管马克思这时还在一定程度上受到青年黑格尔派特别是费尔巴哈的影响，但他深邃地指出德国解放的承载者，这个群体并非有钱有文化知识的市民阶级，而是近乎一无所有的无产者。作为德国社会新的特殊等级，无产者以新哲学作为头脑和精神武器，他们将在变革现实的解放运动中扬弃德国旧制度，使新哲学在社会生活中得到普遍的对象化。这些论述基本上体现了马克思的政治主张及其理想社会原则，其后在历史唯物主义的形成过程中，这些理想政治原则在更为现实的物质生产和社会抗争语境中得到拓展和深化，在很大程度上影响了 20 世纪的世界革命，至今仍有深远的政治影响力。

第四章　恩格斯早期思想发展轨迹

　　每个人的思想都有一个萌发、滋养到转变、成熟的过程，在这个过程中，家庭生活态度、父母思想启蒙、学校教育方式和社会发展状况都会产生重要影响。在恩格斯思想转变的过程中，他受到祖父和父母的思想影响，在批判地接受学校教育中步入社会。他从批判宗教虔诚主义出发，在学习黑格尔哲学中确立世界观的起点，在反对谢林的启示哲学中，接受费尔巴哈的唯物主义，在社会现实考察和革命斗争中逐步确立唯物主义观点和共产主义立场。

第一节　理论生涯的初始阶段

　　弗里德里希·恩格斯为创立马克思主义理论体系贡献了自己独特的智慧和才能。但他不无谦虚地说："我和马克思共同工作40余年，在这以前和这个期间，我在一定程度上独立地参加了这一理论的创立，特别是对这一理论的阐发。"[①]"我一生所做的是我注定要做的事，就是拉第二小提琴，而且我想我做得还不错。"[②]恩格斯的贡献是在他的思想不断转变和成熟的过程中完成的。从

---

① 《马克思恩格斯选集》第4卷，人民出版社2012年版，第248页。
② 《马克思恩格斯选集》第4卷，人民出版社2012年版，第571—572页。

他的家庭境况和理论发展来看，恩格斯批判宗教虔诚主义完成了世界观的转变，在从事经济活动过程中，他对社会的认识更透彻、更全面，在批判资本主义现实中实现自身思想的转变。正如马克思所说的，弗里德里希·恩格斯从另一条道路实现了与他同样的世界观的转变。

一、社会背景、家庭影响与学校教育

1820年11月28日，恩格斯出生在德国普鲁士邦莱茵省巴门市。莱茵省是当时德国政治和经济最为发达的地方。18世纪末19世纪初，拿破仑的大军席卷了德意志，莱茵省成为法国统治区，法国的自由民主思潮在莱茵省迅速扩展，产生了越来越大的影响。在拿破仑的统治下，莱茵省废除了农奴制度，剥夺了封建诸侯和教会封建主的产业，取消了封建捐税，实现了职业自由，人们不再被要求强行加入行会，甚至还在法律上规定了新闻自由和教学自由。这些措施都促进了莱茵省资本主义工商业的繁荣。19世纪20—40年代德国的经济主要是农村的封建经济、行会手工业和家庭手工业，而在莱茵省却有了工厂生产。由于拥有丰富的煤铁资源、便利的交通条件以及沿袭下来的以《拿破仑法典》为依据的比较进步的资产阶级法制，以机器装备的新式工业迅速在莱茵省发展起来。与此同时，随着资本主义的发展，工业资产阶级与无产阶级的矛盾也愈演愈烈。

恩格斯的出生地巴门市，同埃尔伯费尔德市一起于1815年并入莱茵省，伍珀河谷就是由这两座小城构成的。当时，巴门和埃尔伯费尔德大约有4万居民，中小型工厂200家，其中大多数是织布工厂、染坊和纺纱厂，丝织产品远销海内外，是欧洲大陆资本主义纺织业最为发达的地区，有"德国的曼彻斯特"之称。

伴随着德国资本主义工商业的发展，机器大工业摧毁了以手工劳动为基础的手工工场和家庭作坊，伍珀河谷大批的农民和手工业者被迫离开农田和小作坊，走进肮脏的工厂，遭受资本主义的剥削。伍珀河谷的资产阶级为了获得同英法资产阶级竞争的优势，残酷剥削雇佣工人。工人的工资十分低微，他们被迫在低矮的房屋和浑浊的空气中超负荷地劳动，吸进了大量的煤烟和粉尘，肉体和精神遭受双重折磨，许多工人年纪轻轻就死于肺结核。另外，很多儿童刚满六岁就出来当童工。仅仅在埃尔伯费尔德，2500 个学龄儿童就有 1200 人不能上学，而是在工厂工作中长大。童工的工钱要比成年人便宜一半，雇用童工，使大腹便便的工厂主们轻松愉快地赚钱。

生活的苦难摧残着下层阶级的身体与灵魂，道貌岸然的传教士不遗余力地散布天堂地狱的说教，扬言贫困和痛苦皆因自己的罪孽造成，只有通过默默忍受苦难才能赎清自身的罪恶。然而，说教并不能消除工人们的劳累和贫困，改善他们的生活，许多人只能借酒消愁或者浪荡街头。

与穷人的生活形成鲜明的对比，资本家们整天饮酒作乐和追逐金钱，他们对政治和社会进步毫无兴趣。除了从传教士那里得到一点点可怜的宗教知识外，对科学知识也是一无所知。"在巴门和埃尔伯费尔德，谁能玩惠斯特牌或打台球，能谈几句国家大事和说几句得体的客套话，谁就算是受过教育的人了。这些人过着可怕的生活，但还觉得满不错；白天他们埋头于他们的账目的进出，而且是那样专心致志，简直令人难以置信；晚上到了一定的时间，就三五成群，打牌消遣，谈几句国事和抽抽烟，直到钟打过 9 点以后，才各自回家。日复一日，没有丝毫变化，而且谁要妨碍他们，谁就会倒霉；他肯定会成为最不被这个城市的殷实户所欢迎的人。父亲热心地把这一套教给儿子，儿子也心甘情愿地步父亲的后尘。他们的话题非常单调：巴门人喜欢谈马，埃尔伯费尔德人喜欢谈狗，当没有东西可谈的时候，就对漂亮女人评头论足，或者聊聊生意情况，——这就是他们谈话的全部内容。"[1] 正是在这种社会背景下，恩格斯出生在巴门市布鲁赫街区 800 号的一幢带花园的宽敞的三层楼房里，他是巴门市赫赫有名的工厂主弗里德里希·恩格斯和夫人爱利莎的头生儿子，他出生的消息传遍了整个伍珀河谷，因为恩格斯家族添了继承人，这是巴门的一桩大事。伍珀河谷几乎所有的工厂主、老板都前来祝贺，连市政代表也来到恩格斯府上问候新生儿的健康，并吩咐巴门教堂特地为此做一次感恩祈祷。

恩格斯家族是地道的日耳曼人，从 16 世纪开始他们的祖先就定居在伍珀河谷，以农业为生。伴随着资本主义工商业的兴起，恩格斯的曾祖父约翰·卡斯帕尔·恩格斯开始转向经营工商业，他白手起家创办了一个纺织工厂，这是其家族走向兴盛的开端。经过他的努力经营，到他去世时，恩格斯家族已经成为巴门市最大的企业主之一，他的公司也成为伍珀河谷新兴工业的台柱子，掌

---

① 《马克思恩格斯全集》第 2 卷，人民出版社 2005 年版，第 58 页。

握着整个巴门的财运。恩格斯的祖父小约翰·卡斯帕尔成为恩格斯家族经商的第二代接棒人，凭借着聪明才智和精准的市场判断，他不仅成倍地扩大了父亲留下的财产，还大大提高了家族的社会声望和政治地位。恩格斯的祖父曾经由法国人正式委任为市政府顾问，后来在普鲁士时期也担任过当地的市政顾问官，而且还是巴门合并教区的几个创立人之一。恩格斯家族成为名门望族，他们的产品也成了名牌，经过几代相传、扩展，到恩格斯的父亲管理家族产业时，公司规模发展得更大了。

当恩格斯的祖父去世后，恩格斯的父亲作为长子开始掌管工厂里的业务，但他与两个弟弟意见不合，最后他们通过抓阄的方式决定由谁继续管理父亲留下的工厂，老恩格斯很不幸，他抓到了"红球"，不得不离开。从1837年开始，恩格斯的父亲独立创办了新的工厂，他善于经营、积极创新又勤奋努力，最后，在商业竞争中，不仅用先进的机器打败了曾经嘲笑他的两个弟弟，而且先后在曼彻斯特和巴门开办了三个工厂，包括欧门—恩格斯纺纱厂。恩格斯就是诞生在这个商业之家，他带着父亲的重托和希望来到这个世界。

在巴门和埃尔伯费尔德的精神文化生活中，虔诚主义统治着人们的思想。虔诚主义要求人们虔诚迷信、清心寡欲和克勤克俭，宣传一种讲求实际和民主的基督教义。它起初还具有反封建的进步作用，但是随着时间的推移，虔诚主义日益退化为一种宗教上的神秘主义，成为反对资产阶级进步启蒙精神的观念。

恩格斯的父亲是恩格斯家族的最后一个大资本家，他是一个性格矛盾的人。一方面，他和其他资本家一样热切地追求商业利益；另一方面，他又展现出日耳曼民族特有的浪漫主义情怀。作为一名商人，恩格斯的父亲无疑是非常成功的。他时刻将利润置于经济活动的绝对地位，对自己的竞争者从不留情；他办事非常干练，富有开拓精神，对国内外的市场行情相当熟悉，将纺织业的生意从保守的德国扩展到自由先进的英国。由于做生意的缘故，恩格斯的父亲经常外出旅行，但是他从不像旅行者那样怀着玩耍的心思去周游列国，而总是将自己的行程放置于商业利益追求之中。他追求时尚而不保守。因为经常去英国，他的穿着打扮深受伦敦花花公子们的时髦装束的影响，喜欢穿条纹瘦身裤、白色绸衫，打花领带，走路时拿一根油光锃亮的细手杖，手杖上还装着沉重的银镶头。恩格斯的父亲被公认为是伍珀河谷最文雅、最有风度的老板。

恩格斯的父亲也很喜欢音乐、戏剧和诗歌，特别是德国古典音乐，他把音乐视为连接人间和天上的桥梁。在他看来，任何一头商界雄狮在音乐的魅力面前都会变得软弱、柔情，音乐是闲暇时摆脱市场和资本舞台上残酷搏斗的唯一力量。他还是巴门市艺术协会的会员，经常在家里举行室内音乐会。

但是，作为一名虔诚派基督教徒，在宗教信仰方面，恩格斯的父亲却思想顽固僵化、死守教条。自1825年以来，他就一直担任学监和教会学校的校长，到1835年还担任革新郊区的教会负责人。他不仅自己虔诚信奉，而且教育孩子要"最直接地、无条件地相信圣经，相信圣经教义同教会教义、甚至同每一个传教士的特殊教义之间的一致性"[1]。他也是一个性情急躁的"暴君"，把严格的宗教信仰视为一种必须履行的义务，要求家人们对他的话言听计从，不得有丝毫忤逆。

恩格斯的父亲具有典型资产阶级的时代烙印和矛盾特征：既有发展生产、追求利润、渴望冲破封建闭关自守、开展自由贸易的进步性，又有蔑视劳动人民、害怕工人反抗、宁愿与封建势力妥协、极力维护宗教虔诚主义的保守性。[2] 他严谨的作风、整齐的穿戴以及对艺术的爱好，无疑对恩格斯的幼年乃至整个人生产生了极大的影响。而他异常严厉的家教，特别是要求孩子们无条件服从的虔诚主义教育，则成为具有独立思想的恩格斯反叛旧制度的直接对象。少不更事的时候，恩格斯尚能遵从父命到巴门的大教堂参加各种宗教仪式，会做基督教徒的各种祈祷，会唱各种赞美诗，还能用稚嫩的声音讲解圣经。但是随着年龄的增长，恩格斯逐渐独立思考，并对宗教的虔诚主义态度产生了怀疑，这一思想转变导致了父亲对他未来的深深担忧。恩格斯15岁那年，老恩格斯写信给在哈姆看望外祖父的妻子爱利莎说，"弗里德里希上星期的成绩一般。你是知道的，他表面上变得彬彬有礼，尽管先前对他进行过严厉的训斥，看来他即使害怕惩罚也没学会无条件的服从。例如，令我感到懊恼的是，今天我又在他的书桌里发现一本从图书馆租借的坏书——一本关于十三世纪的骑士小说。值得注意的是，他把这类书籍摆在书柜里而满不在乎。愿上帝保佑他的心灵吧！我常常为这个总的来说还很不错的孩子感到担心。"[3]

与恩格斯的父亲不同，恩格斯的母亲爱利莎性格开朗、心地善良，是一个

---

[1] 《马克思恩格斯全集》第47卷，人民出版社2004年版，第198页。

[2] 黄楠森、庄福龄、林利主编：《马克思主义哲学史》第一卷，北京出版社2005年版，第203页。

[3] 《马克思恩格斯全集》第41卷，人民出版社1982年版，第690页。

跟孩子们非常亲近的人。她出生在荷兰的一个中学校长家庭，热爱文学与艺术，先后生下四男四女。在她看来，文学、艺术是美好情感的创造源泉，她读过黑格尔的著作，把诗人歌德当作自己的精神之父。这位有文化修养的母亲把对精神财富的追求看得比丈夫的金融财富还要重要，她直言不讳地教导孩子们，在学会经商之前，首先要理解诗的奥秘。爱利莎是家里唯一一个与欢声笑语、乐观气氛同在的人，她热爱生活，不愿意让自己的乐观精神屈服于可怕的教规，她也有宗教信仰，只是她不愿意把充满生活激情的诗篇丢在一边而只读圣经。所以，尽管老恩格斯处处专横，但由于大部分时间是在生意场上奔波，爱利莎有更多的时间与孩子们相处，她的价值理念和生活方式对孩子们的影响还是很大的。恩格斯 20 岁生日那天，爱利莎甘冒被丈夫责骂的风险，送给儿子一套被虔诚主义者视为"邪书"的《歌德全集》。这同恩格斯父亲的保守思想形成鲜明对比。这位有深厚文学修养的母亲把对精神财富的追求视为最高的追求，她乐观豁达、热爱生活，总是带给孩子们快乐。

　　对恩格斯的童年有重要影响的还有他的外祖父范·哈尔。恩格斯小时候经常到外祖父家里。外祖父是一位语言学家，是哈姆中学的校长，他学识渊博、视野开阔，而且相当慈祥和开明，恩格斯总是能从他那里听到各种有趣的故事。对恩格斯来说，外祖父就是自己童年的精神领袖，是无穷无尽的历史知识、文学典故、幽默笑话、比拟印证的源泉。正是从外祖父那里，恩格斯第一次听到了普罗米修斯的悲壮故事，听到了罗马诞生的古老传说，听到了汉尼拔大将的英雄史诗……

　　1833 年除夕，恩格斯给外祖父写了一首贺年诗，表达了自己对外祖父的热爱和敬意："亲爱的外祖父，你对我们总是那样和蔼可亲，每当出现坎坷，你总是扶助我们向前行进！你在这里的时候，曾给我讲过许多动人的故事，你讲过克尔基昂和提修斯，讲过阿尔古斯——那位百眼哨兵；你讲过米诺托、阿莉阿德尼，讲过投身身亡的爱琴；你讲过金羊毛的传说，讲过亚尔古船英雄和约逊；你讲过强悍的海格立斯，讲过丹纳士和卡德摩斯。此外，你还讲过多少故事，我已经无法数清；我祝愿你，外祖父，新年幸福，祝愿你健康长寿、无忧无虑、愉悦欢欣，祝愿你万事如意、吉祥幸运，这一切祝愿，都出自孙儿对你挚爱的深情。"①

---

① 《马克思恩格斯全集》第 2 卷，人民出版社 2005 年版，第 3 页。

恩格斯从小受到来自父亲严格的虔诚主义的教育，同时受到来自母亲和外祖父的文学艺术熏陶，这对他思想的形成和未来的革命实践产生了重大影响。

一个国家的社会交往方式、价值追求、行为规范常常会呈现在这个教育活动中。虔诚主义在伍珀河谷非常流行，教育就受到很大影响，恩格斯说："首先是国民学校。有一部分国民学校完全掌握在虔诚派手里，这就是教会学校；每个教区都有一个。……在这里，神秘主义如何阻碍教育事业的发展，是一目了然的，因为当时教会学校还像选帝侯卡尔—泰奥多尔统治时期一样，除了教学生诵读、书写和计算而外，只向学生灌输教义问答。"① 与教会学校相比较，国民学校虽然也受教会管理委员会的监督，但要自由得多，他们会教学生一些初步的科学知识和法文，这种学校就发展得比较快。二者的比较证明了虔诚主义对学校教育的危害。

从 1829 年起，恩格斯开始在巴门市立学校读书，主要学习物理和化学的初级课程。巴门市立学校经费十分紧张，教员很少，并且受到了宗教虔诚主义的影响。学校管理委员会掌握学校大权，只从虔诚派教徒中挑选教员，因此这所学校的大多数教师都是维护圣经教义的人，他们希望把学生培养成虔诚主义者。有一次，一个四年级的学生问老师，歌德是什么人？老师以轻蔑的口气回答说，是一个不信神的人。在这样的环境下学习，学生精神和智力的发展受到严重的束缚。当然，学校里也有一些学识渊博的老师。法文教员希弗林博士精通法文文法结构，对法国启蒙思想家伏尔泰及其他作家的作品有精湛的研究。年轻的文学教员克斯特尔在诗歌写作和教学中敢于冲破宗教的束缚，取消了说教性的内容。

尽管巴门市立学校被虔诚派教徒所控制，授课内容也充满了宗教主义色彩，恩格斯在这所学校还是掌握了扎实的物理学、化学的基本知识，这为他以后进一步研究自然科学打下了基础。

1834 年秋天，恩格斯转学到埃尔伯费尔德中学。这所学校虽然属宗教改革协会所有，但受神秘主义影响较少，因为传教士对它不感兴趣，管理委员会也不懂具体事务。这所学校开设的课程较多，主要有希伯来语、拉丁语、希腊语、德语、宗教、历史、地理、数学、物理、博物学、唱歌、绘画，后来还讲授了哲学导论。学校教学质量较高，被公认为普鲁士最好的学校之一，恩格斯

---

① 《马克思恩格斯全集》第 2 卷，人民出版社 2005 年版，第 54 页。

的父亲希望他在那里学到扎扎实实的学问，以便日后深造。为了让恩格斯能较少地接触社会而专心学习，他父亲让他寄宿在校长汉契克博士家里。校长家中有丰富的藏书，这让恩格斯有机会远离父亲的管制而大量阅读课外书籍。他特别喜欢历史，尤其是德意志民族文学和德国历史，这有被外祖父耳濡目染的因素，也有文史课教员克劳森博士的影响。恩格斯这样评价克劳森博士："他无疑是全校最能干的一个，学识渊博，精通历史和文学。他的讲课非常动听；他是惟一善于启发学生们对诗的情感的人，没有他，这种情感在伍珀河谷的庸夫俗子中间必然枯萎而死。"①

在中学阶段，恩格斯是一位用心听讲的学生，能够迅速掌握知识。虽然由于父亲的原因，恩格斯没有完成中学学业，但在不完整的中学教育阶段，他仍然表现出出众的能力和品质。《中学肄业证书》给予恩格斯比较准确的评价："在高年级学习期间操行优异，特别是他的谦虚、真诚、和善给教师们留下良好的印象；该生不仅资质很高，而且表现出一种力求扩大自己的科学知识的值得赞许的愿望，因此取得了可喜的进步。"②

恩格斯在科学知识方面也表现出了很强的学习和理解能力。在肄业证书上，教师是这样评价他的：在历史和地理方面拥有相当明晰的知识；数学物理方面掌握的知识是令人满意的，理解力很强，善于清楚明确地表达自己的思想；在哲学基础知识方面，有兴趣倾听实验心理学的课程，并有一定成效。③中学时期对自然科学知识的积累，为他以后学习自然科学、研究自然辩证法奠定了基础。

恩格斯在语言和文学方面更具有非凡的才能，他学习了拉丁语、希腊语、法语、希伯来语等语言，并能够准确而熟练地阅读甚至翻译相关语言的文学作品，这为他打开了世界文学之窗。正如肄业证书对恩格斯的评价一样，他能用拉丁文，"毫无困难地理解无论是散文作家或诗人的作品，特别是李维和西塞罗，味吉尔和贺拉斯的著作，因而能毫不费力地理解整体的联系，清晰地掌握其思路，能熟练地把拉丁语课文译成德语"。他的希腊语的学习水平，"已充分掌握词法和句法方面的知识，尤其是学会了熟练灵活地翻译比较容易的希腊散

---

① 《马克思恩格斯全集》第 2 卷，人民出版社 2005 年版，第 57—58 页。
② 《马克思恩格斯全集》第 2 卷，人民出版社 2005 年版，第 547 页。
③ 《马克思恩格斯全集》第 2 卷，人民出版社 2005 年版，第 548 页。

文，如荷马和欧里庇得斯的作品，而且能较好地理解和复述柏拉图的一篇对话中的思路"。德语的学习，"在全面发展方面获得可喜的进步；作文具有良好的、独立的思想，而且大都组织得当；叙述内容充实，表达近乎准确。恩格斯对德意志民族文学史和阅读德意志古典作家的著作表现了值得嘉许的兴趣"，"能熟练地翻译法语古典著作，具有良好的语法知识"①。

在 1836 年写的一首诗中，16 岁的恩格斯热烈地赞扬了德国文学作品中反对专制强暴的英雄们，表达了他反对压迫、追求自由的热情："我看到远方闪烁着光芒，那是一个个美好的形象，就像点点繁星穿透云雾，放射出清纯淡远的柔光。他们正向我一步步靠近，我已经认出他们的模样，我看到了射手退尔，看到了齐格弗里特，也看见那条恶龙的凶相；倔强的浮士德向我走来，阿基里斯也登台亮相，还有高贵的勇士布尔昂，率领着骑士们列队成行；英雄唐·吉诃德随之出场，——兄弟们，请不要笑——他坐在高贵的骏马之上，要周游世界，驰骋八方。他们就是这样来而复去，就像匆匆地走一个过场；你能否羁留他们的身影？能否阻止他们飞逝远方？但愿这优美的诗中形象，时常显现在你的身旁，他们一旦亲切地向你靠近，就会将你心中愁云一扫而光。"②

1837 年，恩格斯的父亲与自己两个兄弟分了家，独自在巴门开设一家公司，为了让恩格斯子承父业，决定中止恩格斯的中学学业。校长汉契克博士对恩格斯的被迫辍学感到非常遗憾。在师友们良好的祝愿中，恩格斯离开学校，走向社会。

二、"青年德意志运动"与《伍珀河谷来信》

19 世纪欧洲各国资本主义的发展经历着重大变革，工业革命的影响超越英国一地而迅速向其他国家蔓延。1830 年法国的七月革命和 1832 年英国的议会改革，表明资产阶级在同封建主义的斗争中取得了较大程度的胜利，取得了越来越多的政治统治权，自此被封建保守势力压制的资产阶级民族主义及自由主义浪潮日益上扬。19 世纪 30 年代的德国正处于资产阶级民主革命的前夜，

---

① 《马克思恩格斯全集》第 2 卷，人民出版社 2005 年版，第 548 页。
② 《马克思恩格斯全集》第 2 卷，人民出版社 2005 年版，第 5—6 页。

高压、专制的德国封建统治反而更激起人民对自由的渴望和追求。许多进步的作家和批评家利用文学开展反封建的斗争，资产阶级民主派诗人海涅以及"为自由和权利而斗争的伟大战士"白尔尼等，在宣传自由、反对封建专制的斗争中都发挥着重要作用。在这样的思想背景下，"自由"的理念和思想始终贯穿在恩格斯早期的思想发展历程中。他以追求个人自由和自我确证作为其思想的出场路径，在启蒙和革命所昭示的自由主义与笼罩在专制统治阴霾中的保守德国之间的矛盾，和以伍珀河谷为代表的相对发达的资本主义工业与保守落后的宗教虔诚主义之间的矛盾中，秉承时代精神，在参与和批判社会现实中开启他的思想和世界观的转变之旅。

在欧洲革命轰轰烈烈的时代，德国却仍然处在封建专制统治的黑暗和压抑中。德国仅仅在思想文化领域成为英法两国的同时代人，而在经济、政治和社会发展方面却相对落后。从政治发展的角度看，德国仍然没有解决国家四分五裂的状况，各邦国的统治各自为政、各行其是，既没有能够形成有利于资本主义发展的统一的国内市场，也没有消除各种加诸于资本主义工商业发展的限制和束缚。德国仍然因袭欧洲中世纪神学占统治地位的普遍传统，它还是一个以基督教为主要精神支柱的政教合一的国家，其主要表现形式就是虔诚主义。从经济发展的角度看，德国缺少发达的工商业，在农村仍然是封建土地所有制占据统治地位，农奴没有获得真正的解放和自由，城市中以手工劳动为基础的手工业，仍然受到封建行会制度的束缚和制约，新生的新式工业因为市场、原料和廉价劳动力的缺乏无法获得长足的发展。德国的封建专制统治严重压抑和制约了资本主义工商业的发展，导致德国一直未能建立起以发达工商业为基础的资产阶级统治。德国发展远远落后于欧洲的步伐。

1830 年法国的七月革命向欧洲发出了资产阶级和人民群众反对封建专制制度的强有力的信号，民族主义、自由主义浪潮风起云涌，撕破了笼罩在保守而封闭的德国上空沉重的专制乌云，给被封建专制统治的令人窒息的德意志吹入了一股清新、自由的风，刺激了德国的资产阶级时刻准备革命，推翻封建专制政府的统治。德国各地不断发生骚乱和起义，包括资产阶级在内的各阶级和阶层，相继建立起了"大学生协会"、"青年德意志"、"不羁者协会"等反抗封建压迫的团体和组织，仿佛昭示着德国人民和资产阶级运动的新纪元已经来到。此时的德国社会深受欧洲启蒙思想和自由主义的影响，追求统一和自由的民族主义和自由主义再次澎湃，反抗封建专制统治，追求民主、自由和平等，成为 19 世纪 30 年代德国时代精神的突出表征。

欧洲革命后的资产阶级逐渐取代了封建贵族的专制统治,用资本主义经济取代了封建主义经济,用金钱特权取代了贵族特权和世袭特权,从而彻底地荡涤了阻碍资本主义经济发展的桎梏和障碍。但由于资本主义内在的固有矛盾和本质,此后资产阶级逐渐丧失了其进步性和革命性,资本主义工业发展给工人阶级带来的不是福祉而是灾难,工人阶级砸碎了封建专制枷锁,只是获得了政治解放,却换来了资本统治和压榨的沉重锁链,民主、自由仍然是资本主义统治的虚幻的口号。而原先被反封建的共同要求所掩盖的无产阶级和资产阶级之间的矛盾和斗争,却越发激烈和尖锐起来。19 世纪 30—40 年代发生在法国的里昂纺织工人起义和英国的宪章运动,就是工人阶级追求民主和自由的解放斗争。这表明,无产阶级已经以独立的政治力量和寻求自由和解放的姿态登上了历史和政治舞台。无产阶级只有推翻资产阶级才能最终获得彻底的自由和社会解放,并为实现人类解放开辟道路。

工业革命的逐步展开和实现,特别是 1834 年关税同盟的成立,极大地促进了德国经济的增长和资产阶级力量的增强。但是由于德国长期的经济落后和政治上的不统一,新生的资产阶级仍然极为软弱。他们向往资本主义制度,向往欧洲革命后的民主和自由,因而在推动资本主义取代腐朽的封建专制的进程中具有革命性的一面;但同时,经济上的脆弱导致他们又缺乏足够的勇气和力量用彻底革命的手段去推翻封建专制,因而在政治上他们倾向于自上而下的改良,具有妥协性的一面。这样,曾经反映和引领"自由"这一时代精神的先驱者——德国资产阶级逐渐走上了追求自由和解放的对立面,而与其同时成长起来的德国无产阶级,却在封建主义和资本主义的双重压迫下继续诠释和表达着反对压迫、追求自由的时代精神。

恩格斯的少年和青年时期就是生活在这个充满张力和矛盾的时代,自由主义的激荡和熏陶在其思想发展的过程中留下了深刻的烙印。因此,对自由的向往和追求成为恩格斯青年时期思想发展的主要特征。

如果说,恩格斯的父亲强制灌输给他极端正统的宗教虔诚主义的信仰和教育,那么恩格斯的母亲和外祖父则是通过文学艺术等形式,在他的心中播下了人文主义的火种。恩格斯的内心一直存在着宗教虔诚主义的信仰和人文主义思潮的矛盾和冲突,而他的家庭境况使他的视野从个人家庭扩大到社会,能够比别人更加方便地观察资本主义社会,能够近距离地接触到与工厂主和牧师完全不同地位的工人和劳动人民，他亲身感受、体验到时代的动荡、社会的弊端、工人的贫困。这促使恩格斯不断地思考社会现实及其背后的社会制度，同时，他认真阅读伟大的法国启蒙思想家伏尔泰、莫里哀、孟德斯鸠、卢梭等人的著作，这些作品充满着对自由的向往和追求，充满着人道主义和战斗激情，他们的思想和品格丰富了恩格斯的精神生活和精神世界，使恩格斯深切地感受到了伟大的思想力量和革命激情，从而更加向往自由并愿为此而战斗。在这个过程中，恩格斯逐渐对其宗教虔诚主义信仰产生了怀疑，他学习的兴趣随之由宗教转向文学。

恩格斯在其世界观形成的初始阶段伴随了激烈的内心矛盾和冲突：家庭既有的宗教信仰与后天接受的自由精神之间的矛盾、正统的宗教教义与极端的社会现实之间的矛盾、维护封建专制与争取民主自由之间的矛盾。青年恩格斯直面现实，渴望摆脱宗教虔诚主义的枷锁，向往和追求民主和自由。这一时期恩格斯对自由的向往和追求，更多地表现为一种内心的活动和思想的追求，是出于当时资产阶级追求个性自由的要求，且对自由的理解深受法国启蒙思想家的影响，把自由与奴役的对立归结为自然与社会的矛盾，因而对自由和平等的追求并没有确定而直接的目标。

1837 年 9 月，在父亲的强制命令下，恩格斯不得不辍学经商，一年后来到不来梅继续学习经商。不来梅时期是恩格斯早期思想发生重大转折的时期。不来梅虽然也算是一个宗教虔诚主义统治的城市，但因其资本主义的发展较为充分，同时又是一个享有行政自主权的自由城市，因而政治气氛要比巴门和埃尔伯菲尔德更为开明和进步，来自世界和全国各地的报刊、书籍等在这里不受政治限制，自由、民主的先进思想得以广泛传播。不来梅为青年恩格斯摆脱宗教家庭和伍珀河谷狭隘的宗教生活环境提供了一个呼吸自由空气的场所。在这种开放的社会环境下，恩格斯一方面具体而深入地体察当地社会现实、了解各阶层的生活状况，另一方面利用业余时间学习、阅读和研究哲学、历史、科学、政治等著作和各种进步文学作品，对现实和理论的把握逐渐唤起了他对政治的兴趣。此时，恩格斯在自己的写作中也寻求文学性和思想性的有机结合和统一，在深入实践中逐渐深化对自由的认识和理解。如他在这一时期发表的文学作品《佛罗里达》中，对自由的解读就已经具有了政治的意义。他不再把自由单纯地理解为个人的自由和个性的发展，不再把自由的实现引向"返回自然"，而是将其与反对殖民主义的压迫和奴役的斗争联系起来，从而凸显了青年恩格斯的政治倾向。在此基础上，恩格斯以批判宗教虔诚主义为起点，投入到当地的思想和文化斗争中，由此开始与"青年德意志派"建立了联系。

"青年德意志"是德国文学史上的一个文学流派，是在 1830 年法国七月革命后德国一批激进青年作家的总称，他们的共同之处是关心政治问题，主张文学应该面向现实生活，以文艺为工具，表达他们关于政治和社会改革的自由思想，反对落后桎梏，如教会、封建道德和其他反动势力。这一文学流派的诞生与 19 世纪 30 年代德国的社会现实密切相关。

1830 年法国七月革命为德国保守的政治生活注入了巨大的活力，德国思想自由的空气逐渐浓厚，资产阶级自由派、小资产阶级激进分子特别是青年都对这一革命事件做出了积极的反应。一批青年作家以此为切入点开始介入社会政治生活，主张政治上的自由主义，要求文学关注社会、针砭时弊。他们以报刊为阵地，以犀利的政论和有煽动力的文学作品为武器，高扬公民自由、新闻自由、男女平等、犹太人享有公民权、用宪法限制统治者的权力、统一德国等政治主张。他们毫不掩饰地用最大胆的方式攻击基督教，蔑视现存的社会关系和摧毁传统的道德观念，从而形成了德国文学史上的"青年德意志派"。实际上这个流派只是体现了一些思想激进的资产阶级自由主义作家渴望自由和变革现存社会秩序的政治诉求和文学表达，他们的政治方向和实践原则，就是把文学变成一种服务于社会斗争的工具，一种政治启蒙的武器。对他们来说，文学既不是自我完善和道德完成的工具，也不是自我表现和追求自我的手段，而是完成一种精神的而非社会现实的革命，来传达他们关于政治和社会改革的自由思想。因此，他们的政治态度较为激进，作品的政治倾向性较强，集中反映了当时欧洲社会追求民主、自由的时代精神，却遭到了当时德国封建统治者的严厉镇压。

德国政论家和批评家路德维希·白尔尼（1786—1837）是青年德意志派的重要代表人物。作为一个激进的小资产阶级民主派，他对现存秩序充满憎恨，渴望正义、自由和平等，希望建立一个能够给予人民自由和民主的德意志共和国。由于当时德国政府的政治迫害，白尔尼流亡巴黎，但仍然以不惧牺牲的革命精神争取民主与自由，给德国的青年德意志运动以极大的支持和影响。青年德意志运动具有鲜明的自由主义和民主主义思想，体现了德国文学的进步思潮，反映了 19 世纪 30 年代德国的时代要求。尤其是他们把文学创作直接用于政治鼓动，力图创造一种具有影响力的社会批判文学，很容易引起人们的共鸣。青年恩格斯深受鼓舞和感染，他很快投入到当时具有鲜明自由主义特点的青年德意志运动中。恩格斯来到不来梅后，十分关注文学领域的新气象和新动向，注意剖析渗透在进步文学作品中的自由、民主思想，很快就注意到激进的文学团体"青年德意志"，并从中发现他们都"力求把握仿佛傲然飞腾着的激情焰火的现代风格"。① 他很快同青年德意志运动建立了一定的联系，并从1839 年开始为青年德意志的刊物《德意志电讯》撰稿，以诗人和文学评论家的身份直接参与其中。与青年德意志的密切联系和认同加速了恩格斯与宗教虔诚主义的决裂。

恩格斯对青年德意志的思想和政治主张给予较高的评价和认可。他认为青年德意志在一定程度上复活了被宗教虔诚主义扼杀的精神自由，因而，他们具有革命性，他们追求自由、民主和权利的诉求是进步的；他们以文学批评作为反对封建专制、争取民主自由的武器，主张文学艺术必须依存于社会政治生活，这与此时恩格斯对自由的理解和追求相契合。因而，恩格斯把自己看作是青年德意志运动的英勇战士，认为参加青年德意志运动"浑身充满了自由的精神"，他毫不犹豫地宣称自己已经是一个诚心诚意的青年德意志派了。但是，恩格斯并不欣赏青年德意志的文学创作流露的悲观厌世情绪及其对个人主义的宣扬，对他们在政治实践活动中表现出的利己主义不以为然，因此他很快就对这个运动持批判的态度。特别是随着青年德意志派不同程度地与反动势力妥协，使恩格斯认为这个派别已经丧失了其一度拥有的革命思想，甚至背叛了进步的立场。此时，青年黑格尔派逐渐崛起并逐渐取代了青年德意志运动。

19 世纪 30 年代的德国处于资产阶级革命的前夜。许多进步人士在自由思想的影响下，拿起理性的解剖刀对封建专制秩序施以灵魂的外科手术，通过反映革命和自由精神的文学作品，在思想文化领域掀起一股反对专制特权、追求自由的革命浪潮。在青年德意志的影响下，恩格斯积极投身这一思想革命的洪流中，相继在《德意志电讯》、《德国科学和艺术年鉴》、《知识界晨报》等报刊上发表呼唤自由的诗歌、随笔和论文。这些作品针砭时弊、见解深刻，很快引起广泛关注和重视。在这个过程中，恩格斯对启蒙思想的认识有了较大提高，对自由的追求也从个人自由和个性解放的精神追求，转向与社会政治生活联系在一起的现实追求，并提出了反对宗教蒙昧主义和封建专制统治的政治

---

① 《马克思恩格斯全集》第 2 卷，人民出版社 2005 年版，第 127 页。

目标。

恩格斯中学未毕业就辍学从商，这使得他有更多的机会广泛接触社会、体察人情世态。早在家乡伍珀河谷时，恩格斯就发现了资本主义在发展过程中所暴露出来的问题：工人极端贫困，资本家残酷剥削，宗教虔诚主义虚伪等。不来梅时期，青年恩格斯更进一步地观察到社会的两极分化，精神世界中宗教构筑的美好愿景与严峻的社会现实之间巨大的反差使他感到茫然和困惑，他不断陷入到对宗教信仰的深切怀疑中。在大量阅读哲学、科学著作探求真理的过程中，尤其是在亲身接触到反对封建专制秩序的思想斗争以后，恩格斯逐步从家庭、学校和社会的宗教教育和长期的宗教熏染中挣脱出来，在反对世俗的封建专制主义的同时，开始怀疑进而批判其精神支柱——宗教神秘主义。

1839 年 3 月，恩格斯以他在伍珀河谷对社会生活的亲身体验和思考，用弗里德里希·奥斯渥特的笔名在《德意志电讯》上发表《伍珀河谷来信》，开始对宗教神秘主义的蒙昧及其对精神自由的控制进行公开批判。在这篇文章中，恩格斯准确形象地描述了宗教虔诚主义深入渗透到伍珀河谷的状况及其影响，并在事实上控制了社会的经济、政治、文化、生活等各个领域。文章分为两部分，第一部分主要是通过大量的真实材料，以生动的文学语言描绘了家乡引人入胜的风景、看起来悠闲自在的生活与工人恶劣的劳动条件、贫困糜烂的生活状况之间的巨大反差，批评当时德国社会生活的黑暗和宗教虔诚主义的伪善与危害；第二部分用纪实的笔法着重描述宗教虔诚主义对文学和教育事业的影响和控制，通过对当时伍珀河谷三所公立中等学校的财政、教学、管理、教员等具体状况的分析，通过对当地的诗歌、散文、小说以及报刊等文学情况的全面评述，批判宗教虔诚主义对知识的蔑视、对自由的压制、对文学发展的桎梏和对教育进步的阻碍。

《伍珀河谷来信》是恩格斯第一篇批判现实和宗教的政论性文章，是他思想斗争的总结和批判宗教虔诚主义的开端，也是他思想独立发展的标志性成果，是他与宗教虔诚主义信仰决裂的开端性的标志。《伍珀河谷来信》彰显了恩格斯细致的观察能力、深邃的分析能力和深刻的批判能力，他用充满同情的口吻描述伍珀河谷工人们黑暗悲惨的工作环境和贫困绝望的生活状况，用犀利的言辞谴责资本主义制度和宗教虔诚主义对社会所造成的恶劣影响。《伍珀河谷来信》主要从社会的经济、文化、教育等方面对资本主义工厂制度和宗教虔诚主义所造成的社会弊端进行深刻批判和重新评价。这是恩格斯摆脱宗教世界观、在对现实和宗教虔诚主义的批判中走向无神论的开始。

《伍珀河谷来信》深刻揭示了宗教虔诚主义是资本主义工厂制度的精神支柱。受当时德国文学的影响，这篇文章带有很浓郁的文学色彩，其中有大量对家乡优美风景的描述。但是，对青年恩格斯而言，更重要的目的是要通过对家乡风貌的生动展示，揭示伍珀河谷的经济、社会和文化关系，分析家乡虔诚主义的活动情况和社会底层的状况，进而批判地阐释宗教虔诚主义对各种社会关系的深刻影响。事实上，青年恩格斯把对虔诚主义的批判与对资本主义社会现实的批判结合在一起。他依据自己在家乡耳闻目睹的大量事实，以充满同情的笔调记述了工人遭受的残酷压榨和剥削，揭露了宗教虔诚主义和工厂主的伪善面目和反理性的本质，指出虔诚主义不仅反对哲学、谴责理性，而且还和原始资本主义勾结在一起，既在资本主义工厂中对工人进行经济盘剥，更是对民众进行精神控制，从而充当了工厂主剥削和奴役工人的思想工具，给工人带来肉体和精神上的双重灾难。他指出，在经济繁荣的伍珀河谷，资本主义给工人造成的灾难令人触目惊心。工厂工人的劳动条件极端恶劣，他们"在低矮的房子里劳动，吸进的煤烟和灰尘多于氧气，而且大部分人从 6 岁起就在这样的环境下生活，这就剥夺了他们的全部精力和生活乐趣……因此，这些人不是信奉神秘主义就是酗酒"①。工厂劳动摧残着工人的肉体，他们的工资低微，生活水平低下，普遍处在贫困状态；而占统治地位的虔诚主义则扼杀着工人的精神，成为资本家压迫工人的护身符。劳动人民生活在死亡的边缘，"用不了 3 年，他们的肉体和精神就会被毁掉；5 个人中有 3 个人死于肺结核"②。到处可以看到下层人民没有朝气、没有健康的生活状况。与此形成鲜明对比的，则是榨取工人血汗的工厂主们生活得十分舒适和愉悦。资本主义工厂制度下的有产阶级与雇佣工人之间的尖锐对立，在伍珀河谷表现得非常明显。

《伍珀河谷来信》指出了资本主义生产与宗教虔诚主义和工人的普遍贫困之间的必然联系，宗教虔诚主义是资本主义剥削的辩护士。恩格斯通过对资本主义生产弊端的分析，把精神压迫与工厂主的经济剥削联系起来，初步意识到了宗教迷信、工人的贫困与资本主义工厂制度之间的必然联系。恩格斯指出："下层等级，特别是伍珀河谷的工厂工人，普遍处于可怕的贫困境地；

① 《马克思恩格斯全集》第 2 卷，人民出版社 2005 年版，第 44 页。
② 《马克思恩格斯全集》第 2 卷，人民出版社 2005 年版，第 44 页。

梅毒和肺部疾病蔓延到难以置信的地步；……但是大腹便便的厂主们是满不在乎的，因为虔诚派教徒的灵魂不致因为使一个儿童变坏堕落就下地狱，……厂主中间对待工人最坏的就是虔诚派教徒。他们借口不让工人酗酒，千方百计降低工人的工资，但在选举传教士的时候，他们总是抢先收买自己的人。"① 恩格斯还特别指出，"如果厂主不把工厂搞得这样乌七八糟，如果神秘主义不是像现在这样流行并且越来越咄咄逼人地蔓延开来，这一切确实不会达到这样骇人听闻的程度。"② 正是由于宗教虔诚主义与资本主义工厂制度勾结在一起，导致工人无论在肉体还是精神方面都陷入无法抗拒的贫困、颓废和沮丧中，而虔诚派教徒却仍然竭尽全力地让人们接受他们的信仰，肆无忌惮地压制和控制人们的精神成长，以其伪善的面目充当资本主义工厂制度进行经济剥削的卫道士。

《伍珀河谷来信》着重批判了宗教神秘主义的反理性的实质，指出宗教虔诚主义的宗旨是反对一切进步思潮，排斥一切非宗教的活动和思想，以此愚弄和毒害人民的思想意识和精神生活。它扼杀人的自由和追求幸福的权利，用神的意志代替人的意志，用神的思想代替人的思想。作为虔诚主义和神秘主义的中心，埃尔伯费尔德宗教改革协会仍在从事中世纪式的审判异教徒的活动。刻板严格地遵守反理性、反自由的教条和原则，而"如果一个传教士被戴上理性主义者的帽子，那他就会受到折磨，……如果有谁不相信先定学说，那他们就会立刻对他实行宣判"③。虔诚主义者认为，人根本就不能依靠自己的力量得到幸福，更没有能力自己创造幸福，而只能由上帝赐予人这种能力，所以人能否得到幸福是由自由的神的意志所决定的。恩格斯指出，这种教义是同理性根本矛盾的，甚至是同《圣经》中具有理性养料的教义相违背的。但虔诚派却始终固守其对世俗主宰的傲慢，不学无术却到处宣扬玄妙的宗教蒙昧主义，诅咒、排斥甚至打压非宗教的思想，从而暴露出其反理性的本性。恩格斯坚信，"就是这个旧蒙昧主义的断崖也抵挡不住时代的巨流：沙石一定会被水流卷走，断崖一定会轰然倒塌。"④ 在这个过程中，恩格斯高举向神学挑战的理性旗帜，通过对宗教虔诚主义的无情批判，初步实现与宗教信仰的决裂，从而迈出了批判

① 《马克思恩格斯全集》第2卷，人民出版社2005年版，第44—45页。
② 《马克思恩格斯全集》第2卷，人民出版社2005年版，第44页。
③ 《马克思恩格斯全集》第2卷，人民出版社2005年版，第47页。
④ 《马克思恩格斯全集》第2卷，人民出版社2005年版，第54页。

宗教的第一步。

《伍珀河谷来信》还揭露和批判了宗教神秘主义对教育事业发展的阻碍。恩格斯认为，虔诚主义的精神渗透和散布在德国社会生活的一切领域并断送他们，而受这种精神影响最大的就是教育事业。由于宗教虔诚主义的教育管理者压制人们精神的自由成长，他们在学校管理方面目光短浅且极为吝啬，在经费投入、教员选择和学生教育等方面，都深受神秘主义的影响，学校不能向学生提供扎实的教育，学生在知识和学识上十分贫乏，导致极其严重的恶果。

由于虔诚主义对言论自由和出版自由的压制，伍珀河谷的报刊和出版商所发行的作品，到处充斥着虔诚派的肤浅的文章，但由于他们并不关注和重视诗歌，因而诗歌反倒在伍珀河谷得到很好的培植，涌现出了很多杰出的诗人如维尔芬、保尔、弗莱里格拉特等，用诗歌来表达理性主义和自由主义思想，使得诗歌和诗人成为刺穿笼罩在伍珀河谷文学上空的沉闷乌云的一道亮光。恩格斯通过梳理伍珀河谷的教育和文学状况，向传统的宗教神学提出挑战，深刻指出深受虔诚主义影响的"这块地方全部浸没在虔诚主义和伪善主义的海洋里，但从这个海洋里露出来的不是鲜花遍野的绮丽的岛屿，而只是光秃秃的草木不生的峭壁，或是长长的沙滩"。[①] 恩格斯在他的许多书信和诗篇里，把诗歌和哲学融在一起，表达了他所向往的未来社会的美好图景，在那里没有剥削和压迫，没有战争和贫穷，人与人之间是平等、和谐的关系，世界处于幸福与和平的状态中。这些思想虽然还是朦胧空幻的，但却十分宝贵，成为他从革命民主主义转向共产主义的思想基础。

青年恩格斯政论文章的锋芒，通过对虔诚主义的批判，直指德国当时的政治制度。他指出造成德国现实社会中资本主义的种种弊端，以及工人悲惨的工作和生活状况的根本原因是虔诚主义和资本主义工厂制度，进而揭示出资本主义工厂制度和虔诚主义之间的本质联系。同时，他也揭示了工人贫困状况与精神道德的堕落之间的关系，这无疑是巨大的进步。

当然，青年恩格斯对很多问题的认识不够全面、深刻，这在他的《伍珀河谷来信》中也有所体现。比如他看到了工厂劳动所造成的贫困与资本主义工厂制度密切相关，却无法找到产生这一工厂制度的真正根源；他只是从理

---

① 《马克思恩格斯全集》第 2 卷，人民出版社 2005 年版，第 65 页。

性主义原则看到自由和奴役的对立,而并不了解现实的自由和奴役对立的真正根源,当然也就找不到克服这种对立的途径;他同情下层民众的疾苦,认识到了工厂主和雇佣工人之间的对立,但还未能把工人作为一个独立的阶级从一般劳动群众中分离出来;他揭露了虔诚主义伪善的本质,却未能深刻地认识到宗教与理性的对立和矛盾,因而也就无法对整个宗教进行彻底的否定和批判。但是,恩格斯积极关注社会现实问题,他能够在理论上高举理性旗帜反对宗教、反对封建专制主义,在实践中开展争取自由的政治斗争。这就为恩格斯形成革命民主主义的坚定立场提供了思想前提。青年恩格斯对自由的追求已经与现实的政治生活密切联系起来了,并且不再把争取民主自由和拯救工人的苦难的希望寄托在虚幻的上帝身上,而是寄予现实的时代的力量,这一具有鲜明的渴望自由、反对专制主义的革命民主主义立场,表明了青年恩格斯思想上的巨大进步。

虽然这时恩格斯并未完全放弃宗教信仰,而只是以理性主义来支撑其宗教信仰,但此后他在逐步深入的政治斗争过程中,以坚定的革命民主主义立场,逐渐把视野投向19世纪30年代整个德国社会,更加深刻地认识到宗教与政治权力结为一体的危害,认识到只要基督教还对人民群众产生影响,旧的政权就不可能被摧毁。因此,他决心致力于彻底地批判宗教神秘主义这个专制制度的精神支柱,摆脱长期束缚民众的精神羁绊,以科学、理性的原则荡涤宗教神学的虚幻和歪曲之处,在理性主义的旗帜下渐次消除宗教对民众和社会的毒害。此后,青年恩格斯逐渐走上与宗教彻底决裂的道路。

第二节　转向黑格尔主义

在理论研究和社会实践中,青年恩格斯逐渐克服了宗教、社会、家庭对他的虔诚主义的影响,同曾经热衷的青年德意志的观念越来越远,虽然有时动摇,但还是越来越接近无神论了。同时,为了探索一种能够深刻认识世界的观念,他从施特劳斯哲学转向了黑格尔哲学。

一、对黑格尔体系的研究

青年恩格斯思想的发展和他对宗教的思考交织在一起，当恩格斯内心正在为摆脱宗教的束缚而感到苦闷时，大卫·施特劳斯的《耶稣转》不仅帮助他摆脱了宗教的束缚，而且向他展示了黑格尔思想的光辉，引导他从青年德意志运动迈向青年黑格尔派。施特劳斯的神话起源说为青年恩格斯打开了历史地理解基督教的道路，使他加深了对宗教教义的怀疑，动摇了对圣经的信仰，自觉地以理性、科学和现实作为向宗教进行斗争的锐利武器。至此，恩格斯与伍珀河谷时期的宗教信仰告别了。

（一）从宗教虔诚主义转向理性主义

恩格斯从《耶稣传》中吸取了施特劳斯批判宗教的深刻思想，解决了长期萦绕于他头脑中"上帝是否存在"的问题，动摇了他的宗教虔诚主义。在与宗教的论战中，恩格斯在写给与自己在宗教问题上进行激烈辩论的格雷培的信中指出："小伙子，你现在就听我说：我目前是一个热心的施特劳斯派了。你们只管来吧，现在我有了武器，有了盾牌和盔甲，现在我有把握了；你们只管来吧，别看你们有神学，我会把你们打得不知该往哪儿逃。"[1] 从此，恩格斯同伍珀河谷的信仰决裂，挣脱了禁锢人们精神发展的锁链，逐渐成为一个无神论者。但是，恩格斯从正统的宗教观念和超自然主义中解脱出来之后，在一个短暂的时期内又陷入了泛神论，他把施特劳斯和观念当作神，甚至认为整个自然界都充满了神意。此后，在黑格尔特别是费尔巴哈哲学的影响下，恩格斯才彻底转向了无神论。

当时，黑格尔哲学在德国处于鼎盛时期，它甚至被提升为普鲁士王国的国家哲学。青年恩格斯从各种书报和通俗读物中间接地了解黑格尔的哲学观念，开始领悟黑格尔的思维方式。他曾阅读过麦尔克林于 1839 年出版的《对现代虔诚主义的说明和批判》一书，麦尔克林在这本书中指出，宗教是把精神本身作为绝对的一种意识，因此，宗教既不应该像施莱艾尔马赫所理解的那样是主观的，也不应该像虔诚主义所理解的那样是外表的，而应该如哲学所理解的

---

[1] 《马克思恩格斯全集》第 47 卷，人民出版社 2004 年版，第 205 页。

那样是客观的。作者还认为哲学是绝对的思维领域中的一种客观的构思。此外，通过施特劳斯的《耶稣传》，恩格斯接触到黑格尔思想和青年黑格尔派，开始把黑格尔哲学作为自己哲学思想的出发点。

施特劳斯是恩格斯转向黑格尔的中介。恩格斯在研究施特劳斯著作的过程中探寻黑格尔的思想体系，同青年黑格尔派的成员共同进行反宗教和反专制的斗争。恩格斯自觉地把黑格尔哲学作为自己政治志向的理论基础，黑格尔的历史观成为恩格斯建立新世界观的直接理论前提。从 1839 年下半年开始，恩格斯开始研读黑格尔的《历史哲学》和《哲学史讲演录》，因为这两部著作比黑格尔的《精神现象学》、《逻辑学》、《法哲学》通俗易懂，是学习黑格尔哲学便捷的入门书。同时他还阅读了康德和费希特的著作。其中，黑格尔关于一切事物都在运动、变化和发展的观点深深吸引了恩格斯，这也契合了恩格斯对社会发展基本问题的看法。黑格尔的历史观集中体现在《历史哲学》中，在黑格尔看来，世界历史不是个别人随心所欲创造的，也不是杂乱无章的现象和偶然事件的堆积，而是理性发展的必然的历史过程，是自由概念（或绝对观念）发展的历史，世界历史从没有自由的古老的东方开始，经过希腊、罗马，最后发展到日耳曼民族，自由概念完成了自己的发展过程。尽管黑格尔历史哲学是头脚倒立的，但他毕竟是第一个想证明历史的内在变化和发展的人。黑格尔历史观中的合理因素在于：把历史依次更替的一切社会制度都视为人类社会由低级到高级发展进程中的一些暂时阶段，每一个阶段对它所发生的时代和条件来说，都有其存在的理由，但随着历史的发展和条件的变化，原有的社会制度就过时了，失去了存在的合理性，因而不得不让位于更高的阶段，而这个更高的阶段也同样要走向衰落和灭亡。

对于孜孜不倦追求真理、追求自由民主的青年恩格斯来说，黑格尔的辩证法和历史观为他打开了通往智慧宝库的大门，恩格斯在写给友人的信中生动地表达了自己的心情："我心潮澎湃，我那有时进入醉境的头脑炽烈地燃烧着；我渴望找到一种伟大的思想，以启迪我心灵中的纷扰，并使激情燃成熊熊的火焰。"[1] 他兴奋地告诉威廉·格雷培："我正处于要成为黑格尔主义者的时刻。我能否成为黑格尔主义者，当然还不知道，但施特劳斯帮助我了解了黑格尔的

---

[1] 《马克思恩格斯全集》第 47 卷，人民出版社 2004 年版，第 218 页。

思想，因而这对我来说是完全可信的。"① 此后不久，他又在给小格雷培的信中指出："通过施特劳斯，我现在走上了通向黑格尔主义的大道。"② 恩格斯认为，黑格尔的哲学扎实、严谨、具有威力，他的《历史哲学》蕴含着宏伟而惊人的思想，是一部了不起的著作。

基于对黑格尔哲学的革命性理解，恩格斯致力于为维护大师的荣誉而战斗。当时，有些不来梅的牧师大肆攻击黑格尔，认为黑格尔的著作仅仅是一些信口开河的"松散语言"。恩格斯嘲笑他们的无知，他把黑格尔哲学比作坚实的花岗岩，宣称这些花岗岩般的思想即使一块小碎片，也能把胡说八道的牧师的脑袋打碎，甚至能把整个不来梅庸俗陈腐的观念全部砸得粉碎。针对不学无术的贵族思想家莱奥、舒巴特对黑格尔哲学粗暴的漫骂，恩格斯明确指出，莱奥所攻击的正"是借助黑格尔所特有的辩证法而从公认的前提中必然得出的那些结论"③，他严正地指出："任何人都有资格参加学术争论，只要他具备这方面的知识（莱奥具备这种知识吗？）……谁要攻击黑格尔学派，他本人就必须是黑格尔这样的人物，创立一门新的哲学来代替这个学派。……希尔施贝格的舒巴特对黑格尔学派的政治方面的攻击，难道不正像道勃雷对哈雷狮的牧师信条念'阿门'一样吗？这个哈雷狮当然不能否认它那猫的本性。"④ 恩格斯的上述言辞展现了一个 19 岁青年勇敢善辩的才能。

（二）批判黑格尔的唯心主义

作为德国古典哲学的集大成者，黑格尔创立了一个庞大的客观唯心主义哲学体系。在他看来，精神是第一性的，自然界是第二性的，"宇宙精神"先于自然界和人类社会而存在，是一切事物的源泉，自然界、人类社会和人的思维都是"绝对观念"的表现。在哲学上，黑格尔是第一个全面地、有意识地论证辩证法一般运动形式的哲学家，他的巨大功绩在于"把整个自然的、历史的和精神的世界描写为一个过程，即把它描写为处在不断的运动、变化、转变和发展中，并企图揭示这种运动和发展的内在联系"⑤。黑格尔辩证法的本质是革命

---

① 《马克思恩格斯全集》第 47 卷，人民出版社 2004 年版，第 224 页。
② 《马克思恩格斯全集》第 47 卷，人民出版社 2004 年版，第 228 页。
③ 《马克思恩格斯全集》第 47 卷，人民出版社 2004 年版，第 181 页。
④ 《马克思恩格斯全集》第 47 卷，人民出版社 2004 年版，第 181—182 页。
⑤ 《马克思恩格斯文集》第 3 卷，人民出版社 2009 年版，第 542 页。

的。黑格尔哲学的真实意义和革命性质"正是在于它彻底否定了关于人的思维和行动的一切结果具有最终性质的看法"①。原因在于,"按照黑格尔的思维方法的一切规则,凡是现实的都是合乎理性的这个命题,就变为另一个命题:凡是现存的,都一定要灭亡。"②但是,在政治上,黑格尔是保守的。他认为普鲁士国家是世界历史发展的"终结",一切问题都可以用和平方式而逐渐解决。这一命题被用来为普鲁士的一切反动统治作辩护。由于黑格尔哲学迎合了统治阶级的需要,有利于普鲁士的统治阶级,因而受到国家支持,对德国社会革命产生了强烈消极影响。

恩格斯对黑格尔哲学并非全盘接受,而是采取分析批判的态度,他深信黑格尔哲学具有真理的内容、严谨的逻辑和革命的结论。因此必须汲取这个博大精深的体系中最重要的要素——辩证法,并予以革命的解释和发挥。恩格斯赞赏黑格尔关于"世界历史是自由概念发展"这一历史观的基本观点,并从自由民主主义的立场出发,把它理解为世界历史就是人们不断争取自由、发展自由的战斗历程,并认为自由概念应体现时代精神或时代观念。当青年德意志作家谷兹科夫针对黑格尔的历史哲学,把历史的进程比作一条直线的时候,恩格斯阐发了自己对历史辩证发展的理解。他在《时代的倒退征兆》中指出:"我宁愿把历史比作信手画成的螺线,它的螺纹绝不是很精确的。历史从一个看不见的点徐徐开始自己的行程,围绕着这个点缓慢盘旋移动;但是,它的圈子越转越大,旋转越来越迅速、越来越灵活,最后,简直像明亮的彗星一样,从一个星球飞向另一个星球,时而擦过,时而穿插过它的旧轨道。而且,每转一圈就更加接近于无限。谁能预见到终点呢? 就在历史仿佛转回到它的旧轨道的那些地方,自以为是的鼠目寸光的人站出来扬扬得意地喊道,他就曾经有过这样的思想! 于是,我们又听到:普天下没有什么新东西! 我们那些难以理解的裹足不前的英雄好汉们,我们那些开倒车的达官显贵们欢天喜地,企图把整整300年当作闯入禁区的涉险旅行、当作发热病时的梦呓从世界编年史中一笔勾销,——他们看不到,历史只是沿着最短的路程奔向新的灿烂的思想星座,这一星座不久就会以其耀眼的光辉使他们呆滞的眼睛昏花迷乱。"③

---

① 《马克思恩格斯文集》第4卷,人民出版社2009年版,第269页。
② 《马克思恩格斯文集》第4卷,人民出版社2009年版,第269页。
③ 《马克思恩格斯全集》第2卷,人民出版社2005年版,第107页。

可见，恩格斯与黑格尔哲学中的历史观、国家观已有很大不同，他摒弃了黑格尔把国家视为世界历史的更确切的对象，摒弃了黑格尔的国家是世界历史前提以及国家的发展和世界历史的发展相一致等观点，摒弃了黑格尔把普鲁士国家看作历史发展的顶峰等保守的政治结论，汲取了黑格尔关于历史发展的辩证法。恩格斯在这里虽然没有指出社会历史的真正起点在于社会的物质生产方式，但他已经超越了把国家的出现当做历史的起点的唯心主义观点。他肯定人类历史的发展不是直线式的，而是螺旋式的前进运动；他预料历史发展的规模和范围也将日益扩大；他预言社会发展阶段越高级，历史的变化和运动就越迅速；他认为历史的发展虽然伴随着暂时的倒退，但总趋势是不断向前发展的，它没有终点，也没有止境，历史的发展有其客观的规律性。这是恩格斯最早对历史发展辩证形式的表述，表现出恩格斯探索世界历史过程的卓越才能。实际上，恩格斯以黑格尔汹涌澎湃的历史辩证法，冲开了黑格尔保守的政治结论。这说明青年恩格斯一开始接触黑格尔哲学，就采取了辩证理性的批判态度，敏锐地意识到了黑格尔哲学中体系和方法的矛盾，他明确地站在青年黑格尔派一边，力图把握、解释和阐发黑格尔的辩证法，克服其保守的一面。

恩格斯以黑格尔辩证发展的观点审视一切，仿佛站在高山之巅，透过黎明前灰色的云雾，看到了真理的霞光。恩格斯认为，真理是在斗争中发展的，它在自身的发展过程中有可能遭到抨击，经受磨难，但是真理终将战胜谬误。他批判了那些达官显贵、庸夫俗子们安于现状而散布"普天之下没有什么新东西"的谬论，在他看来，新旧事物、新旧思想的斗争规律与真理和谬误的斗争规律一样，新事物、新思想必然战胜旧事物、旧思想，真理必将战胜谬误。总之，当恩格斯潜入黑格尔思想的海洋，发现这"动荡"的辩证法之后，就把这丰富而深邃的黑格尔哲学作为自己革命民主主义的政治志向和人道主义思想的坚实的哲学基础，从而增添了争取民主与自由的信心。

（三）主张黑格尔哲学与政治相结合

恩格斯绝不打算对黑格尔采取教条主义的依附态度。在他看来，未来的道路既不是抛弃哲学，也不是完全依靠哲学，这两种做法都不能为进步事业提供保证。唯一的解决之道在于依靠生活本身，依靠生活和哲学的结合。恩格斯认为，在反对封建反动势力的斗争中，必须使革命民主主义和黑格尔的辩证法、政治和行动密切结合起来，必须把革命思想和革命行动有机统一起来。但这种统一不能建立在唯心主义的基础之上。实现黑格尔的辩证法，不能依靠哲学自身，而应该通过政治斗争，使哲学与政治、理论与实践相结合。

黑格尔夸大了思维、观念和精神的能动作用。在黑格尔那里，精神活动的本质仅仅表现在纯意识活动的范围内，即只表现为一种理论活动。他忽视现实的革命实践的意义。青年黑格尔派接受了这个基本观点，他们重视理论的批判活动，认为仅仅依靠这种批判，经过思维革命就能改变现存制度，甚至影响世界，忽视了人民群众的革命实践活动在社会发展中的作用。恩格斯认为，只有把哲学与革命的政治斗争结合起来，才能把崇高的理想变成现实。在恩格斯的心目中，黑格尔哲学"从理论的风平浪静的港湾驶向事件的波涛汹涌的海洋，他们又怎么能够知道，这种哲学正是为了抨击现存事物的实际状况而已经剑拔弩张？要知道，黑格尔本人就是那样一个实实在在的正统派，他的论战的锋芒直指政府所不赞同的流派，直指理性主义和世界主义的自由主义！"①在施特劳斯等人思想的感染下，他仿佛透过黑格尔模糊不清的思辨星云看到了灿烂的思想明星，预感到"这些明星必将照耀着世界的运动"。恩格斯当时崇拜激进的小资产阶级反对派的代表白尔尼，并接受了他要求自由、平等和人民主权的思想，赞赏白尔尼这位勇敢的政治实践家反对君主立宪、提倡共和制的政治观点，认为他是以刚毅的性格在革命烈火中发出自己全部光和热的伟大战士。恩格斯指出，白尔尼"剥掉了德意志狂的徒有虚名的华丽外衣，同时，也无情地揭开了只有软弱无力的虔诚愿望的世界主义的遮羞布。他用熙德的话提醒德国人：只有舌头没有手，你怎么敢说呢？谁也没有像白尔尼那样描绘事业的辉煌。他浑身洋溢着生机，他浑身充满着活力。只有他的著作可以称得上是争取自由的行动"②。他赞同这位勇敢的政治实践家的观点，"理论是从实践中奋斗出来的并证明是实践的一朵奇葩"③。在不来梅期间，恩格斯把白尔尼的《巴黎来信》等禁书偷运到故乡巴门，并积极推荐给友人。

1840年以后，恩格斯深感完成时代使命和任务的重要性，认为不但要掌握革命的理论，更要付诸于革命的行动。他摒弃了青年黑格尔派的实践软弱性，自觉地把黑格尔的辩证发展的历史观与白尔尼的革命政治倾向相结合，反

---

① 《马克思恩格斯全集》第2卷，人民出版社2005年版，第272—273页。
② 《马克思恩格斯全集》第2卷，人民出版社2005年版，第271—272页。
③ 《马克思恩格斯全集》第2卷，人民出版社2005年版，第422页。

复强调理论与实践、哲学与政治结合的重要性。在 1840 年 2 月发表于《德意志电讯》杂志上的《时代的倒退征兆》一文中，恩格斯"期待科学和生活、哲学和现代倾向、白尔尼和黑格尔的相互渗透，——所谓青年德意志的一部分人早已为我们所期待的相互渗透做了前期工作"①。同年 12 月，他在《恩斯特·莫里茨·阿恩特》一文中更加明确地指出："我们时代的任务就在于完成黑格尔思想和白尔尼思想的相互渗透。"②同时，恩格斯认为白尔尼与黑格尔的结合已经在德国的现实斗争中产生了很好的效果，他在《评亚历山大·荣克的〈德国现代文学讲义〉》一文中指出："如果没有白尔尼的直接和间接的影响，从黑格尔学派中产生出来的自由派的形成就会更加困难。现在的问题只在廓清黑格尔和白尔尼之间被掩埋的思想道路，而且这并不困难。这两个人的距离比表面上所看到的要近一些。白尔尼的直爽和健康观点是黑格尔在理论上至此指出的那些东西的实践方面。"③恩格斯已经深刻地认识到哲学与政治、理论与实践的密切关系，他坚持进步的政治观点必须以正确的哲学理论为指导，正确的哲学又必须通过进步的政治观点和革命实践活动来实现。这种世界观促进了恩格斯激进的革命民主主义思想的萌芽，甚至展露出某些社会主义的思想色彩，这与当时青年德意志和青年黑格尔派的政治评论家相比较来说，在迈向正确的世界观上又飞跃了一步。当然，恩格斯当时对实践的理解虽然还没有完全脱离黑格尔的思想体系，但已经超过了黑格尔及其他的追随者，这就为继续解决理论与实践相结合开辟了前进的道路。

恩格斯从理论与实践相统一的立场和观点出发，满怀革命的激情，以文章、通讯、戏剧、漫画、诗歌等为武器，勇敢地批判封建专制主义和普鲁士王朝，以革命的激情唤起人民为争取自由、民主而战。在《恩斯特·莫里茨·阿恩特》一文中，恩格斯高度赞扬法国大革命的伟大成就，无情地批判了拿破仑侵略和称霸欧洲的霸权主义野心。一方面，恩格斯充分肯定，法国大革命冲击了腐朽的封建贵族统治，带来了犹太人的解放，建立了陪审法庭，以健全的民法代替了罗马法典的烦琐条文。另一方面，恩格斯坚决谴责了德国封建贵族对法国大革命所倡导的民主主义原则的仇恨心理——德意志狂。恩格斯指出：

① 《马克思恩格斯全集》第 2 卷，人民出版社 2005 年版，第 110 页。
② 《马克思恩格斯全集》第 2 卷，人民出版社 2005 年版，第 274 页。
③ 《马克思恩格斯全集》第 2 卷，人民出版社 2005 年版，第 450 页。

"德意志狂就是一种否定性，而它用来自我炫耀的肯定的东西，则埋没在一片模糊之中，而且再也没有从那里完整地冒出来；就连那些表露为理性的东西，也大都是够荒谬的。它的整个世界观在哲学上是站不住脚的，因为按照这种观点，整个世界就是为德国人创造的，而德国人自己早就达到了发展的最高阶段。德意志狂是黑格尔哲学意义上的否定性、抽象性。德意志狂摒弃了不是源于64代纯粹德意志祖先、也不是生根于本民族的一切，从而创造了抽象的德国人。甚至在德意志狂身上看来好像是肯定的东西也都是否定的东西，因为只有否定了一千年和这一千年的发展道路，才能把德国引向德意志狂的理想；因此，德意志狂总想把这个民族拉回到德意志的中世纪去，甚至拉回到源于条顿堡林山的原始德意志的纯正精神中去。"① 德意志狂力图使德国摆脱一切外来的政治、思想和道德的影响，从而把德意志民族拖进狭隘的民族主义偏见之中，以维护落后保守的封建专制制度。它表面上尊重本民族的精神和传统，实际上却反对革新，反对进步，狂妄自大，否定法国大革命的积极成果，这是历史的倒退。

恩格斯极力批判德意志狂者大肆宣扬的"血统论"，批判这种维护封建制度的传统的特权思想。恩格斯指出："贵族中还有屠夫血统，或者用富有诗意的不来梅术语来说，还有屠户血统，富凯先生为他们确定的打仗的职业就是不断地杀戮和屠宰。贵族把他们自己看成是一个等级，真是傲慢得可笑，因为按照一切国家的法律，贵族都不负任何使命，不论在军事方面还是在占有大量地产方面。"② 他认为，"即便贵族不再要求任何特权，容忍他们以为自己高人一等而自得其乐的那种宽容，也是绝对要不得的。因为只要贵族还认为自己高人一等，那么，他们就会要求特权并且必定会享有特权。我们仍然坚持我们的要求：废除一切等级，建立一个伟大的、统一的、平等的公民国家！"③

同时，恩格斯敏锐地看到，南德意志等级会议的世界主义的自由主义"否认民族差别，致力于缔造一个伟大的、自由的、联合的人类。它同宗教理性主义是一致的，并且同出一源，即出于上一世纪的博爱主义，而德意志狂则最后

---

① 《马克思恩格斯全集》第2卷，人民出版社2005年版，第269—270页。
② 《马克思恩格斯全集》第2卷，人民出版社2005年版，第276—277页。
③ 《马克思恩格斯全集》第2卷，人民出版社2005年版，第277页。

导致神学上的正统教义，它几乎所有的信徒（阿恩特、斯特芬斯、门采尔）都逐渐走向这样的归宿。"① 起因是法国 1830 年的资产阶级七月革命，因为七月革命"恢复法兰西民族作为大国的地位，从而迫使其他民族同样去争取更巩固的内部团结"②。青年恩格斯对封建专制主义的批判，号召人民以实际的革命行动去推翻暴君统治，展现了他的革命民主主义情怀。

二、对谢林"启示哲学"的批判

1841 年秋天，21 岁的恩格斯履行公民职责，来到柏林服兵役。柏林是历史悠久的古老城市，名胜古迹遍布全城，恩格斯利用紧张的军事操练间隙，阅读资料、实地探寻这座城市的历史变迁。柏林也是各种哲学派别、各种政治观点对话、交织的地方，思想领域的斗争异常尖锐，这为恩格斯观察和参加德国舆论统治权和政治统治权的斗争提供了有利条件。柏林大学是德国学术活动的中心，也是各个派别争夺舆论统治权和政治统治权的主阵地。"柏林大学的荣誉就在于，任何大学都没有像它那样屹立于当代思想运动的中心，并且像它那样使自己成为思想斗争的舞台。"③ 这为力图把握各种政治派别、思想倾向的恩格斯提供了很好的平台。他以旁听生的身份走进了柏林大学的课堂，旁听谢林、米希勒和马尔海涅克的哲学和神学课程。

19 世纪 40 年代的德国，资产阶级民主革命运动刚刚兴起，这场运动主要表现在哲学领域。黑格尔左派的学生们，从黑格尔的理论中得出革命的结论，以此反对封建专制。为了压制在哲学领域中的资产阶级革命运动，普鲁士政府把谢林请到了柏林大学，让他"降服黑格尔哲学这条喷吐不信神的火焰和把一切投入昏暗的烟雾的凶龙"④。随着谢林登台宣讲"启示哲学"，他和青年黑格尔派的论战拉开了序幕。青年恩格斯在此期间参加了聚集在《雅典神殿》杂志周围的激进的青年黑格尔派柏林小组，他的思想开始超出施特劳斯的泛神论，成为彻底的无神论者。同时，恩格斯积极地展开对谢林哲学的批判，他先后发

---

① 《马克思恩格斯全集》第 2 卷，人民出版社 2005 年版，第 271 页。
② 《马克思恩格斯全集》第 2 卷，人民出版社 2005 年版，第 271 页。
③ 《马克思恩格斯全集》第 2 卷，人民出版社 2005 年版，第 424 页。
④ 《马克思恩格斯全集》第 2 卷，人民出版社 2005 年版，第 335 页。

表了《谢林论黑格尔》、《谢林和启示》和《谢林——基督哲学家》三篇论文。这是恩格斯撰写的第一批哲学文章，标志着他直接投身哲学—政治斗争。在这些文章中，恩格斯运用黑格尔的辩证法，以无神论的立场、革命民主主义的精神深刻揭露了谢林对黑格尔的背叛、谢林启示哲学的反动性，保卫了"伟大导师的茔墓"，也全面展示了自己的论战才能和哲学天赋。

（一）批判的指向：谢林的启示哲学

弗里德里希·威廉·谢林的哲学思想大约经过了三个时期。18世纪90年代到19世纪初，他建立了"自然哲学"和"先验唯心主义"哲学体系，后来又转向了"同一哲学"体系，其哲学基石是客体和主体相统一的思想。在这一哲学转变的过程中，他和黑格尔建立了十分亲密的合作关系，彼此相互影响。但从1815年以后，谢林哲学发生了一个根本转向，他脱离了理性主义的发展轨道，其哲学越来越具有保守、僵化、教条的特点，最终他和克里斯蒂安·海尔曼·魏瑟、伊曼努尔·海尔曼·费希特等人一起，创立了以神的启示为出发点，宣扬宗教神秘主义的"实证哲学"。他们批判黑格尔革命性哲学，力图使哲学从属于宗教，反对自由思想和理性思维。"实证哲学"把关于启示和神话的神秘经验当作"实证"哲学的唯一来源，而把以理性思维为基础的哲学称为"否定"哲学。当谢林在慕尼黑大学任教时，他就开设了一系列课程批判黑格尔哲学，为此博得了反动政府的青睐。正是由于他反对共和政体，捍卫君主专制秩序的立场，所以才被邀请到柏林大学领导反对黑格尔主义的斗争。

早在1839年，恩格斯就在施特劳斯的影响下，"走上了黑格尔主义的阳关大道"。其时，恩格斯已经在不来梅研读了黑格尔的《历史哲学》，并在柏林服役期间听了黑格尔学生的讲座。他被黑格尔哲学博大精深的体系所折服，并怀着崇敬的心情自觉地捍卫黑格尔哲学的尊严，对试图诋毁和贬损这一思想的企图给予有力的回击。1840年，当宣传虔诚主义—禁欲主义的杂志《不来梅教会信使》污蔑黑格尔否定历史的真理时，恩格斯回击道："这真是荒谬绝伦"。当马莱特攻击黑格尔体系是"松散的语言"时，恩格斯将黑格尔的体系比作坚硬的花岗岩，用幽默的笔触回击道："如果确实如此，那就糟了，因为要是这些大块头的东西，这些花岗岩般的思想散落下来，那么这座由巨石砌成的建筑物哪怕只掉下一块碎石来，都会不仅把牧师马莱特先生砸扁，而且会把整个不来梅砸碎。"① 因此，当恩格斯在柏林大学旁听的时候，针对谢林对黑格尔哲学的攻击，写下了《谢林论黑格尔》。第二年春天，又分别在莱比锡和柏林出版了《谢林和启示——批判反动派扼杀自由哲学的最新企图》、《谢林——基督教哲学家，或世俗智慧变为上帝智慧》。这个无所畏惧、才华横溢的年轻人用自己的天才之剑直指谢林的启示哲学。

首先，恩格斯揭示了黑格尔和谢林哲学上的分歧。恩格斯考察了黑格尔和谢林的"恩怨"。谢林早年曾和黑格尔一起受康德、费希特的影响，转向客观唯心主义。他主张存在与思维、物质与精神、客观事物与主观事物"绝对同一"，因此自然界和人类社会的本原就是高于一切的"绝对同一性"，这就是谢林的"同一哲学"的根本观点。在历史哲学中，他对封建专制制度作了一定的批判，认为这种制度令人愤慨。在这种制度下，占统治地位的不是法律，而是组织者的意志和专制。后来，他们分道扬镳，黑格尔由宗教走向了哲学，而谢林由哲学走向了宗教。黑格尔曾经批评了谢林哲学的努力方向，虽然只是学术相左，没有任何私人恩怨，但谢林始终怀恨在心。特别是在晚年，谢林从"同一哲学"转变为"启示哲学"，否认理性，贬低科学，宣扬神秘主义，投靠封建的普鲁士王国，更加深了他和黑格尔的继承者尤其是青年黑格尔派的矛盾。恩格斯指出，"两个青年时代的老友，蒂宾根神学院的同窗，40 年后竟作为对手重逢了。一个，在 10 年前已经离开人世，却比任何时候都更有生气地活在他的学生中间；另一个，在这些学生看来，30 年来精神上早已死亡，如今却突如其来地自认为有旺盛的生命力，要求得到公认。""如果谁具有'不偏不倚'这种值得嘉许的优点，谁就会把谢林在柏林的讲学中对黑格尔所做的死刑判决，看做是诸神对黑格尔当年给谢林所作的死刑判决的报复。"② 谢林这时来柏林大学讲学，既是对黑格尔当年对自己所作的"死刑判决的报复"，也是对青年黑格尔派继承和发挥黑格尔哲学的攻击。

谢林和黑格尔本是青年时代的同窗好友，哲学思想的分歧使他们分道扬镳、彻底决裂。黑格尔已在 10 年前去世，谢林站在黑格尔敌对者的立场上、以泄私愤的笔调对他大加诋毁。谢林认为，"其实黑格尔根本就没有自己的体

---

① 《马克思恩格斯全集》第 47 卷，人民出版社 2004 年版，第 231 页。

② 《马克思恩格斯全集》第 2 卷，人民出版社 2005 年版，第 323 页。

系，他只不过是从我谢林的思想中拾取残羹剩饭以勉强维持其生存而已。"①他
宣称，正是由于自己要从事"高尚"的实证哲学，没有精力和闲暇的情况下，
黑格尔才得以完成了整理否定哲学的任务，并且因为谢林的托付而感到无限荣
幸。谢林表面上肯定黑格尔在哲学史上的贡献，希望人们不要因为黑格尔哲
学停留在否定阶段而责备他，因为黑格尔毕竟"做了他迫切要做的工作"，并且
是唯一承认同一哲学思想的人，所以他在伟大的思想家的行列中能占有一席
之地。实际上是批评黑格尔哲学是"半个哲学"，具有不彻底性，最终"一无
所获"。

　　其次，批判了谢林对黑格尔哲学和德国古典哲学的背叛，表达了捍卫黑格
尔哲学的决心。恩格斯指出，谢林不仅将黑格尔哲学的精华掠为己有，并
且把凡是经过他认可的黑格尔的东西，都说成是自己的思想财产，自己的精
神财富，自己的血肉，这不仅是思想的贪婪，而且是卑劣的行为。他盗用了
黑格尔提出的观念、自然和精神三位一体的思想，提出了三种潜在力。谢林
把本质和存在区别开来，认为理性、思维只能认识事物的本质，但是不能了
解事物的存在，只有通过经验才能证明事物的存在。表面上看，谢林贬低理
性，强调经验是发现了黑格尔哲学的缺点。但是，从谢林的整个哲学体系来
看，他的实存、存在并不是现实的经验可以达到的，而是超越一切经验以外
的东西，也就是神。恩格斯利用黑格尔的本质和存在相联系的观点，指出：
"按照谢林的观点，由此必然得出这样的结论：在纯思维中，理性所研究的不
是真实存在的事物，而是可能的事物，不是事物的存在，而是事物的本质，
所以，理性研究的对象一定是上帝的本质，而不是上帝的实存。"②谢林为了
反对黑格尔哲学，提出理性只能认识事物的本质，不能认识事物的存在，但
"他经常把存在和存在物这两个规定当作同义词使用"，并且提出了"无界限
的存在"、"做好准备的存在"、"纯粹的存在"、"逻辑上的存在"、"现实的存
在"、"平静的存在"、"不可追溯的存在"以及"对立的存在"这些互相冲突、
相互排斥的概念。恩格斯指出，谢林的本质被他赋予了可能性的含义，所以，
谢林的哲学可以被称为"什么都不排斥的科学"，因为归根到底一切都是可能
的。他讽刺道："德国人将感谢这样一种哲学，它拖着他们沿着崎岖不平的道

---

① 《马克思恩格斯全集》第 2 卷，人民出版社 2005 年版，第 327 页。
② 《马克思恩格斯全集》第 2 卷，人民出版社 2005 年版，第 345 页。

路，去穿越可能性这个无比寂寞的撒哈拉大沙漠，但是又不给他们任何实在的东西充饥解渴，并且带领他们奔向的目标无非是这种哲学所说的理性也进入不了现实世界的地方。"①

不仅如此，他还"把本世纪哲学的全部发展，即把黑格尔、甘斯、费尔巴哈、施特劳斯、卢格和《德国年鉴》，全都说成是依赖于他的"。② 这不仅抹煞了众多思想家的贡献，也否定了这个世纪哲学的全部发展，表明谢林要把这个世纪"不发生历尽艰辛和劳动的这 40 年，即贡献出最珍贵的利益和最神圣的传统而进行思考的 40 年，把这看做是白费时光和错误倾向（而这样做只不过是为了表明他谢林在这 40 年中并非过得无聊），那么这就未免做得太过分了"③。恩格斯指出，谢林把黑格尔归入伟大的思想家的行列，恰恰表明他将黑格尔排除在这个行列之外，把他当作自己的创造物和仆役来看待。他号召青年黑格尔派保卫和拯救黑格尔哲学的思想财富。他说："我们的任务是注意他的思路，保卫大师的茔墓不受侮辱。我们不怕斗争。"因为"凡是真的东西，都经得住火的考验；一切假的东西，我们甘愿与它们一刀两断。对手们应当承认……那些支配着我们的思想目前比以往任何时候都得到更广泛的发展；从来没有像现在这样有这么多勇敢、有信念、才华横溢的人站在我们一边。因此，让我们英勇无畏地奋起反对新的敌人吧；我们当中终将有人出来证明，热情之剑也像天才之剑一样锋利"④。

最后，恩格斯批判了谢林启示哲学的特征、本原及实质。恩格斯指出，谢林"把本质和概念同实存区别开来。他把第一类问题归入纯理性科学或者说否定哲学，而把第二类问题归入尚待建立的含有经验要素的科学，即实证科学"⑤。否定哲学即黑格尔哲学，实证哲学或肯定哲学即谢林的启示哲学。实证哲学和否定哲学的区别在于，它认为哲学从属于宗教，神的启示是它的唯一来源，所以它拒斥理性认识、反对科学和自由。因此，谢林的哲学"有充分的理由被称为经验哲学，它的神学被称为实证神学，而它的法学也许是历史法

① 《马克思恩格斯全集》第 2 卷，人民出版社 2005 年版，第 352 页。
② 《马克思恩格斯全集》第 2 卷，人民出版社 2005 年版，第 328 页。
③ 《马克思恩格斯全集》第 2 卷，人民出版社 2005 年版，第 329 页。
④ 《马克思恩格斯全集》第 2 卷，人民出版社 2005 年版，第 331 页。
⑤ 《马克思恩格斯全集》第 2 卷，人民出版社 2005 年版，第 326—327 页。

学"①。可见，谢林所谓两种潜在力的统一体，就是绝对存在的上帝，谢林的启示哲学的特征就是宗教的神秘主义。

恩格斯在《谢林和启示》中指出，"如果说在任何存在之前的思维是否定哲学的本原，那么，在任何思维之前的存在就是实证哲学的本原。"②谢林想以存在先于思维来反对黑格尔的思维先于存在的观点，但是，谢林和黑格尔的"存在"含义是不同的，和唯物主义在哲学基本问题上物质第一性的主张更是大相径庭。谢林说的"存在"不是客观的物质的存在，不是现实的自然界的存在，而是神秘的"绝对"或者"绝对的统一"。恩格斯指出，这种无差别的绝对的统一，实际上指的是先验的、永恒存在的上帝的存在。谢林认为上帝的存在是"概念上的存在"，是理性不能认识的，只有通过启示才能感知。在谢林看来，正是超越一切的、永恒的上帝决定着自然和历史进程、主体和客体、思维和存在统一。由此可见，谢林要说明，一个人只有放弃理性，通过虔诚的信仰方能认识到上帝的存在。

恩格斯从黑格尔的理性原则出发，批判了谢林启示哲学的实质，即"绝对同一性"。他指出，谢林在柏林大学讲台上做的第一件事情就是直言不讳地抨击哲学，抽掉了哲学脚下的基石——理性。并且认为"自然的理性连一根草茎的存在也无法证明；它施展自己的全部论证、论据和推理也吸引不了人，因而绝不可能上升为神圣的东西，因为它愚不可及，只配永远留在尘世"③。因此，理性的世俗性决定了它只能认识可能的东西，不能认识现实的东西，而现实的东西只有通过上帝的启示才能获得。上帝是万物的创始，是实证知识的来源，因此，人只有虔诚地信仰上帝，才能得到上帝的启示，才能认识一切。恩格斯反驳说，谢林把"观念看做世界之外的本质，看做人格化的上帝，这是黑格尔连想都没有想过的。黑格尔认为观念的实在性不外是自然界和精神"④。他揭露了谢林启示哲学在政治的表现就是召唤出上帝，让上帝决定人间的一切，也就是让上帝在人间的化身——封建专制的普鲁士国王来统治一切。所以谢林"要拿自己的体系来为普鲁士国王效劳"，他自己就是基督教哲学家。

---

① 《马克思恩格斯全集》第 2 卷，人民出版社 2005 年版，第 330 页。
② 《马克思恩格斯全集》第 2 卷，人民出版社 2005 年版，第 368 页。
③ 《马克思恩格斯全集》第 2 卷，人民出版社 2005 年版，第 398 页。
④ 《马克思恩格斯全集》第 2 卷，人民出版社 2005 年版，第 263 页。

（二）批判的武器：黑格尔的辩证法和费尔巴哈的唯物主义

恩格斯从一开始接触黑格尔哲学，就不是毫无保留的全盘接受。他将黑格尔的辩证法原则和其保守的哲学结论相区别，在批判谢林的启示哲学中充分运用了黑格尔的辩证法；在撰写批判谢林的文章时，他又积极运用费尔巴哈的唯物主义，虽然这时他还没有认识到费尔巴哈唯物主义和黑格尔唯心主义的原则区别，但已经将其不自觉地运用到批判中。

恩格斯从接触黑格尔哲学伊始，就确立了一个基本原则：汲取黑格尔哲学中的合理因素，但不固守黑格尔哲学的结论。他在给朋友的信中说："我当然不会成为像欣里克斯等人那样顽固的黑格尔主义者，但是我应当汲取这个博大精深的体系中的主要内容。"①正因为如此，他才能敏锐地发现黑格尔哲学中的矛盾性和不彻底性，并深刻分析黑格尔哲学的局限性。他指出，黑格尔"本人曾为他的学说所得出的强有力的、富于澎湃的青春朝气的结论规定了界限，这部分地取决于他所处的时代，部分地决定于他的个性"②。恩格斯认为，黑格尔哲学体系在 1810 年前已经完成，到 1820 年黑格尔的世界观彻底形成，所以他的哲学保守性的客观原因在于以英国为背景阐述的国家学说，带有明显的复辟王朝时期的烙印。至于主观原因，恩格斯认为，如果黑格尔更多地抛弃自己在当时的精神气氛影响下所汲取的实证的要素，而更多地从思想出发来论证，他的宗教哲学和法哲学将会有完全不同的结果。恩格斯所说的抛弃在当时精神气氛影响下的实证要素，主要指抛弃德国资产阶级的软弱和庸人气息以及黑格尔通过绝对理性肯定神的存在不彻底性，抛弃肯定普鲁士封建专制制度的保守思想。他所说的更多地从思想出发来论证，主要指更多地从黑格尔辩证法的思维逻辑中推导出的必然结论。他明确指出，黑格尔哲学的"原则总是不受约束的和需要自由思想的，但是结论——谁也不否认这一点——往往是受抑制的，甚至是褊狭的"③。此时的恩格斯虽然没有发现黑格尔唯心主义体系的致命弱点，但是他对黑格尔哲学中原则和结论的矛盾的论述，以及对这种矛盾产生的原因的分析是正确的。

---

① 《马克思恩格斯全集》第 47 卷，人民出版社 2004 年版，第 228 页。
② 《马克思恩格斯全集》第 2 卷，人民出版社 2005 年版，第 338 页。
③ 《马克思恩格斯全集》第 2 卷，人民出版社 2005 年版，第 338 页。

恩格斯汲取了黑格尔的辩证法思想，并把它作为批判谢林的有力武器。主要表现在以下方面：

首先，他以黑格尔关于可能性和现实性的辩证关系，批判了谢林贬低理性在认识中的作用的观点。谢林认为，理性就是认识的潜在力，认为一切合乎理性的都是可能的，而不是现实的，由此割裂了可能和现实之间的联系。恩格斯坚持和发挥了黑格尔关于"凡是合乎理性的就是现实的"辩证思想，从积极的意义上理解和论证了可能性和现实性之间的辩证关系，认为一切合乎理性的，不仅是可能的、不现实的，而应当是必然的、现实的。恩格斯指出："任何哲学给自己规定的任务都是要把世界理解为合乎理性的。凡是合乎理性的，当然也是必然的；凡属必然的，便应当是现实的或者终究应当成为现实的。这是通向现代哲学的伟大实践结果的桥梁。"①谢林不承认从黑格尔辩证法中引出的革命的实际成果，所以他当然也就不承认世界是合乎理性的。他把可能性和现实性对立起来，破坏了哲学的同一性，分裂了世界观的完整性，所以成了"令人失望的二元论"者。

其次，他运用黑格尔辩证法对立统一的思想，批判了谢林同一哲学的前后不一致。恩格斯揭露说，谢林在其演讲中提出40年前就要系统地建立的科学，即现在所阐述的实证哲学。而他早期的同一哲学即否定哲学只不过是实证哲学的一部分。按照谢林的同一哲学，自然界的每个发展阶段同更高级的阶段相比，都是相对的存在物，而更高级阶段相对前面阶段来说，好像是可能的存在物。同理，当它同比它本身的更高级的阶段相比，仍是相对的存在物。可见，同一哲学的主客体也就相当于这里的可能存在的东西和存在物。最后得出的东西不再是相对的存在物，而是绝对的"超存在物"。谢林此时所讲的同一哲学，已经不是他40年前所讲的主体和客体在质和量上都是绝对的无差别的同一哲学，他在这里实际上已经运用了黑格尔的对立统一的辩证法思想，只不过是隐蔽的运用。在《谢林与启示》的最后，恩格斯指出，人对人的启示才是最高启示，在这个启示中，"任何批判的否定都是肯定"②。从中也可以看出恩格斯掌握了黑格尔辩证法的对立统一的观点，并且将其运用于自己的哲学批判。

最后，恩格斯指出谢林完全不懂辩证法，而深邃的辩证法是黑格尔哲学中

---

① 《马克思恩格斯全集》第2卷，人民出版社2005年版，第344页。
② 《马克思恩格斯全集》第2卷，人民出版社2005年版，第393页。

最有价值的东西。他把黑格尔辩证法概括为精神的自我发展，即精神自身发展在于自己的内在动力。他说："那个强有力的辩证法，那个内在的动力，似乎仿佛觉得自己对思想观念的各个规定的不完善和片面性负有责任，便推动它们不断走向新的发展和复兴，直到它们作为具有永世不衰的、纯洁无瑕的雄伟形象的绝对观念最后一次从否定的坟墓中复生"。① 恩格斯批判谢林完全不懂辩证法，所以他的存在物没有任何动力，他的论证方式缺乏逻辑性，时而在随心所欲的、没有意义的思维中寻求支持，时而在毫不真实的、遭到批判的神的启示中寻求支持。他为了把哲学和宗教、知识和信仰调和起来，采用从苏格拉底到康德的把经验论和先验论截然分开的方式，最终使他的学说变成一堆抽象和表象相混杂的大杂烩。

恩格斯批判谢林启示哲学的另一把利器就是费尔巴哈的唯物主义和无神论思想。在1841年恩格斯批判谢林启示哲学的前夕，费尔巴哈的《基督教的本质》已经轰动德国思想界，它对恩格斯哲学世界观的形成产生了重要影响。虽然他此时还没有分清费尔巴哈和黑格尔哲学的本质区别，而只是把它当做黑格尔哲学的必要补充，但他在《启示与哲学》中描述了接受费尔巴哈无神论观点的喜悦心情："宛若光辉的、自由的古希腊意识从东方的晨曦中喷薄而出，一个新的黎明、一个世界历史的黎明正在出现。太阳升起了。祭祀的火焰从群山之巅向它微笑致意，从四面八方的瞭望塔传来的欢乐的号角声宣告了太阳的升起。人类焦急地期待着它的光辉。我们从沉睡中醒来，压在我们胸口的梦魇消失了，我们揉揉眼睛，惊奇地环顾四周。一切都改变了。"② 德国的社会经济关系、政治关系、意识形态都没有多大的改变，为什么恩格斯觉得"一切都改变了"呢？这是因为他接受了费尔巴哈的唯物主义和无神论思想，彻底抛弃了宗教神秘主义思想，他在用这种新哲学观把握现实、分析社会。一直到多年以后的《路德维希·费尔巴哈和德国古典哲学的终结》中，恩格斯充分肯定了费尔巴哈《论基督教的本质》的影响，"这部书的解放作用，只有亲身体验过的人才能想象得到。那时大家都很兴奋：我们一时都成为费尔巴哈派了。"③ 恩格斯接受了费尔巴哈以自然界为基石论证世界同一性的方法，以此展开对谢林的批

① 《马克思恩格斯全集》第2卷，人民出版社2005年版，第351页。
② 《马克思恩格斯全集》第2卷，人民出版社2005年版，第391页。
③ 《马克思恩格斯文集》第4卷，人民出版社2009年版，第275页。

判。他认为，世界上从来就存在的东西必然是物质，由此从逻辑上推出，这个真正的存在物本身只能导致物质的永恒性，这个论断否定了谢林"上帝是真正存在物"的宗教神秘主义观点。他指出，世界是完整的、独立的、自由的。正因为世界是完整的，也就是说世界是一个整体，没有什么天国和尘世之分，中世纪以来的哲学家宣扬的尘世和天国的矛盾，人和神的对立就是荒谬的。谢林启示哲学企图将人的智慧变成上帝的智慧，让理性服从于信仰，为宗教神学做论证，实际上也是把世界割裂为天国和尘世，破坏了世界的完整性。因为世界是独立的，也就是说不是上帝创造的，世界就不依赖于神，也不依赖于人的意识，而是无需证明、本来就存在的。正因为世界是自由的，所以它不受上帝的控制和支配，他自由地存在于太空之中。

恩格斯还指出："理性只有作为精神才能存在，精神则只能在自然界内部并且和自然界一起存在，而不是比如脱离整个自然界，天知道在什么地方与世隔绝地生存着。"①正因为理性、精神是在自然界内部和自然界相联系而存在的，因此从理性这个实存出发就必然能够证明自然界的实存。恩格斯说，"黑格尔无疑能证明自然界的实存，即从理性的定在中得出的自然界实存的必然结果。"②他指出，既然谢林信奉思维的抽象而空洞的存在，那他的全部活动必然是以理性的存在为前提的。因此，谢林让现实的理性具有非现实的、逻辑的结果，就好比让现实的苹果树只结出逻辑的、潜在的苹果。

（三）批判谢林的理论意义

当谢林来到柏林大学，实证派的哲学阵营无比兴奋。他们希望这位"哲学界的弥赛亚"能够像罗兰一样，单枪匹马将黑格尔学派挑落马下，能够将自己的旗帜插入敌国的心脏。他们甚至扬言，预料在1842年复活节之前，黑格尔主义将崩溃，无神论者和非基督教徒将统统死光。但谢林是否击中了目标呢？在谢林的启示哲学面前，整个黑格尔体系的大厦是否轰然倒塌？

虽然威廉四世和"实证派"对谢林的到来寄予厚望，正如"当年在以色列民众恳求以利亚赶走巴力神"③的情景一般，而谢林也是满怀希望登上讲台，

① 《马克思恩格斯全集》第2卷，人民出版社2005年版，第355页。
② 《马克思恩格斯全集》第2卷，人民出版社2005年版，第356页。
③ 《马克思恩格斯全集》第2卷，人民出版社2005年版，第335页。

计划向听众提供一些不同于黑格尔哲学的东西，并一举降服黑格尔这条"凶龙"，可是事与愿违。基督哲学家的谢林已经丧失了昔日的勇气和光辉思想，他"除了想象以外没有任何能力，除了虚荣以外没有任何力量，除了鸦片以外没有任何刺激剂，除了容易激动的女性感受力以外没有任何感觉器官了"。①他的讲座并未达到预期的效果，没有给人深刻的触动。当时拼命挤进课堂去听讲座的丹麦神学家祁克果事后感慨地说："谢林已经老得不能再讲课了，我也老得不能再听他讲课了"②。黑格尔的学生马尔海内克听完谢林的讲座后指出，谢林"好像是和巨人搏斗的侏儒，或者像那位更加著名的、同风车搏斗的骑士"③，谢林对黑格尔的反驳是徒劳无益的，也是根本不可能取得胜利的。在青年学生和进步人士的声讨声中，这位一开始趾高气昂、不可一世的哲学耆老不得不仓皇辞去教职，悄无声息地离开柏林。

　　恩格斯批判谢林的三篇论战性文章发表以后，在哲学界引起了强烈的反响，沉重地打击了谢林及其信徒，受到青年黑格尔派的热烈欢迎。柏林极端保守的《福音派社会报》声称这些论著击中了正统派的要害。由于恩格斯的第一篇文章是用笔名发表的，而后两篇文章出版时又没有署名，当时人们对作者猜测纷纷。有人猜测是谷兹科夫，有人猜测卢格，有人猜测是巴枯宁，而没有人想到这些把号称哲学大家的谢林驳斥的体无完肤、落荒而逃的论著，竟然出自一名21岁的哲学界的新人。

　　青年黑格尔派的代表人物卢格发表文章向人们推荐和介绍恩格斯的文章，并给予极高的评价。他以为作者是名家、博士，不仅发表了赞扬《谢林和启示》的书评，而且给恩格斯写信，尊敬地称他为"博士"，还埋怨他不把稿子寄给《德国年鉴》。恩格斯给卢格回信说："我不是博士，而且永远也不可能成为博士；我只是一个商人和普鲁士王国的一个炮兵；因此敬请您不要对我使用这样的头衔。"④他谦虚地说自己的知识还不够，需要学习和掌握的东西还很多，因此决定在一段时间里完全放弃写作活动，以便集中精力进行学习。他在信中说："我的写作活动，从主观上说纯粹是一些尝试，尝试的结果就说明我的天赋是否允许我富有成效地促进进步事业，是否允许我积极参加本世纪的运动。

① 《马克思恩格斯全集》第47卷，人民出版社2004年版，第69页。
② 参见先刚：《永恒与时间：谢林哲学研究》，商务印书馆2008年版，第37页。
③ 《马克思恩格斯全集》第2卷，人民出版社2005年版，第426—427页。
④ 《马克思恩格斯全集》第47卷，人民出版社2004年版，第299页。

我对尝试的结果感到满意了；现在我认为我的义务是学习，我要以更大的兴趣继续学习"。①

恩格斯所写的批判谢林的文章，其直接理论依据并不都直接来自于黑格尔，而主要是通过施特劳斯、鲍威尔甚至费尔巴哈的著作。他否定黑格尔"绝对观念"先于世界而存在的观点，否认黑格尔把绝对抽象的逻辑范畴当作世界的创造原则。他认为费尔巴哈哲学是黑格尔哲学的补充和批判，人们正是通过费尔巴哈哲学才能更透彻地认识黑格尔哲学。这时，在理论上，恩格斯坚持理性至上的原则，人们从理性出发就能证明自然界的实存；在实践上，恩格斯是一个革命民主主义者，他认为批判谢林的理论就是否定普鲁士的封建专制统治。从上面的分析可以看出，恩格斯对谢林哲学的批判主要有两方面的意义。

在理论上，恩格斯批判谢林的启示哲学增强了理性对宗教的胜利。恩格斯指出，谢林的启示哲学抛弃理性，目的是在哲学领域为神学留下空间，使哲学成为神学的奴婢，宣传启示哲学就是宣传宗教。所以，恩格斯从理性至上的原则出发，认为迄今所有哲学的任务都是把世界理解为合乎理性的，并以费尔巴哈的唯物主义观点和无神论的思想进一步批判了谢林抽象理解理性从而贬低理性的观点。他强调，理性、精神的客观性和实在性是可以通过认识的行动证明自身的可靠性的。自经院哲学创立以来，谢林是第一个公开背弃理性的人，他把科学变成了神学的奴仆。所以，恩格斯表明，谢林不承认并指责黑格尔的理性原则，不仅是与黑格尔为敌，也和其他哲学家划了"一条鸿沟"，说明他的宗教神学观点和现代哲学潮流格格不入，是和人类前途背道而驰的。

在实践上，恩格斯对谢林启示哲学的批判，是革命民主主义对封建专制主义的征讨。恩格斯在研究黑格尔哲学，参加青年黑格尔派的活动以前，曾经接触过青年德意志派，并以争取自由的伟大战士白尔尼为榜样，成长为一个革命民主主义者。参加青年黑格尔派以后，他把黑格尔哲学看作革命民主主义的理论依据，揭露谢林启示哲学的实质是封建专制主义的理论依据。因此，对谢林的批判就是对封建专制主义的代表普鲁士政府的斗争。在对谢林批判的过程中，恩格斯认识到黑格尔哲学原则和政治结论之间的矛盾。在理论逻辑上，黑格尔认为世界历史是绝对观念的无限发展过程；但在政治现实

---

① 《马克思恩格斯全集》第47卷，人民出版社2004年版，第301—302页。

中，却认为普鲁士封建专制制度是完美制度。恩格斯认为，黑格尔的哲学原则体现、适应了时代发展的要求，而政治结论具有保守性，对封建专制的妥协性。恩格斯对谢林启示哲学批判的结果，是革命民主主义对封建专制主义的胜利；对黑格尔保守的政治立场的分析，充分显示了恩格斯已经成为彻底的革命民主主义者。

恩格斯在和谢林的论战中强调谢林是从右的方面批判黑格尔哲学，费尔巴哈是从左的方面批判黑格尔哲学。费尔巴哈当时虽然在自然观是唯物论，宗教观是无神论，但社会历史观仍然是唯心主义的。由于他们二人在社会历史观上的一致性，导致恩格斯在转向费尔巴哈的时候，未能马上完全抛弃黑格尔的唯心主义观点。但是，由于他彻底的革命民主主义立场、无神论以及对黑格尔辩证法思想的深刻理解，使得他不久以后就同坚持唯心主义的青年黑格尔派分道扬镳了。

第三节　在新闻出版活动中关注现实问题

1842 年 11 月中旬，恩格斯离开德国，前往英国曼彻斯特。在赴英前，恩格斯途经科伦，与时任《莱茵报》主编的马克思进行了第一次会面。尽管二人素未谋面，但是，他们的观点已经在很多方面比较接近了。不过，由于马克思以为恩格斯与柏林“自由人”集团有密切联系，恩格斯也对马克思抱有些许怀疑，所以，这次会面气氛比较冷淡。尽管如此，他们还是达成了一定的共识。马克思欣赏恩格斯的文章，希望恩格斯到英国后能够为《莱茵报》撰写有关英国的通讯稿，恩格斯爽快地答应并践行自己的诺言。恩格斯到英国后，以极大的热情考察英国工人的生活状况，寄希望于工人阶级改变自身的命运，他在《莱茵报》上发表了《英国对国内危机的看法》、《国内危机》、《各个政党的立场》、《英国工人阶级状况》、《谷物法》等一系列文章，深刻分析了英国的经济、政治和社会状况，揭露了英国的社会矛盾，指出了物质利益是英国党派斗争的基础，以此分析了英国社会革命的可能性，得出了革命不可避免的结论。

一、对英国国内危机的评论

在英国期间，恩格斯深入英国的现实生活，认真研究英国的历史和现状，实地考察英国各阶级的生活状况，掌握了英国阶级斗争的大量材料，在此基础上写出了一系列文章，深刻分析英国各阶级的相互关系和社会矛盾，探讨资本主义制度的内在规律和发展的必然趋势。在理论研究中，他燃起了革命热情，坚定不移地投身于工人阶级的解放事业。列宁曾指出，恩格斯是在曼彻斯特认识工人阶级的，"恩格斯到英国后才成为社会主义者。"[①] 正是英国社会的现实矛盾和工人运动，推动了恩格斯向唯物主义和共产主义的转变。

（一）走进英国的现实生活

当时英国是西欧最发达的资本主义国家，是世界的工厂和银行，工业产品几乎占世界全部工业产品的一半。曼彻斯特是英国的第二大城市，仅次于伦敦，人口约有 40 万。它是英国纺织工业的中心、宪章运动的中心和最坚强的工会所在地，也是典型的英国工业城市，曼彻斯特为恩格斯提供了深入观察英国各阶层生活的有利条件。恩格斯来到这里后，进入他父亲与人合股经营的欧门—恩格斯棉纺厂当职员。像在不来梅一样，他依然对经商不感兴趣，唯一使他感兴趣的是"置身于英国生活之中"[②]，了解这个资本主义国家的真实情况。

在 1842 年批判谢林以后，他集中精力研究了英国的状况，广泛涉猎了有关英国问题的资料。这些资料中，对恩格斯分析英国问题影响较深的是德国政论家莫泽斯·赫斯和法学家罗仑兹·施泰因。赫斯曾在《莱茵报》撰文分析了引起英国巨大灾难的客观原因，指出英国的危机不是政治性的，而是社会性的。工业从人民手中转入资本家手中，商业从先前的小商人小规模经营转向由少数大资本家操纵，地产也逐渐集中于少数贵族手中，这些状况在英国特别显著，这些才是引起矛盾的真正根源。恩格斯对赫斯的观点大加赞赏，对赫斯也十分钦佩。施泰因在《现代法国的社会主义和共产主义》一书中强调，平等是法国共产主义的主要原则，平等使工人阶级也得到与有产阶级同样的物质待

---

① 《列宁选集》第 1 卷，人民出版社 2012 年版，第 92 页。
② 《马克思恩格斯全集》第 3 卷，人民出版社 2002 年版，第 405 页。

遇。在赫斯和施泰因的共同影响下，恩格斯特别关注英国的社会问题。

在曼彻斯特，恩格斯用了 20 多个月的时间，走遍了大街小巷，了解了 35 万名工人的住宅情况、健康和医疗状况，参观过许多纺纱厂和纺麻厂，他还常常利用周末去伦敦、利物浦、伯明翰等城市深入工人工作和生活中进行调查，一一记录真实情况，作为研究英国社会历史和无产阶级状况的素材。恩格斯后来在《致大不列颠工人阶级》中写道："我放弃了资产阶级的社交活动和宴会、波尔图酒和香槟酒，把自己的空闲时间几乎全部用来和普通工人交往；这样做，我感到既高兴又骄傲。感到高兴，是因为这样一来我在了解你们的实际生活时度过了许多愉快时光，否则这些时间也只是在上流社会的闲谈和令人厌烦的礼节中浪费掉；感到骄傲，是因为这样一来我就有机会对这个受压迫遭诽谤的阶级给以公正的评价。"① 通过大量的实地考察，恩格斯认为，英国工业的迅速发展，虽然使国家积累了巨大的财富，使国家走上了富强的道路，但也使整个社会产生了贫富两极分化，一边是少数掌握财富的资本家阶级，另一边则是贫困如洗的无产者。工人阶级遭受着资本家敲骨吸髓的剥削，过着非人的生活。作为一个革命民主主义者，恩格斯不可能对工人阶级的境况袖手旁观，他不仅对资本主义进行道义批判，而且积极思考改变工人阶级现状的途径。他在《国内危机》中第一次给出了答案："用和平方式进行革命是不可能的，只有通过暴力变革现有的反常关系，根本推翻门阀贵族和工业贵族，才能改善无产者的物质状况。"② 通过对英国社会生活状况的深入调查，在耳闻目睹了许多奇异的社会现象后，恩格斯对英国社会的阶级矛盾、各阶级的状况、各个政党之间的斗争都有了深刻的认识。

（二）揭露英国的社会矛盾

当恩格斯走进英国社会生活的深处时，他从内心里讨厌那些锱铢必较的商人和利欲熏心的资本家，并对英国统治阶级惊人的镇定和信心感到惊奇："统治阶级，不论是中间等级还是贵族，辉格党还是托利党，……尽管他们的罪过、缺乏坚持性、摇摆的政策、盲目性和因循守旧，尽管他们的原则所造成的国内不稳定局面备受人们指责，他们仍然沉着自信，并确信自己有力量把国家引向

① 《马克思恩格斯文集》第 1 卷，人民出版社 2009 年版，第 382 页。
② 《马克思恩格斯全集》第 3 卷，人民出版社 2002 年版，第 411 页。

更好的状况。"① 这些统治阶级认为，"英国目前固然处于危机状况，但是由于它的财富、它的工业和它的制度，是有办法使自己不遭到暴力的震荡而摆脱出来的；它的宪法非常灵活，经得起各种原则之争所带来的最沉重的打击，并且可以承受住局势强加于它的一切变动而不危及自己的基础。"② 显然，英国统治阶级对革命持否定的态度，他们甚至认为，革命不仅不能改变下层人民的生活状况，反而会带来失业和饥饿。恩格斯极力反对英国统治者的各种论调，认为英国社会面临着尖锐的现实矛盾。

首先，恩格斯分析了英国的政治状况并揭露了其内在矛盾。在《国内危机》一文中，恩格斯指出，"像英国这样一个在政治上具有排他性和故步自封而终于比大陆落后了几个世纪的国家，一个认为自由就是任意而为，完全沉浸在中世纪里的国家，要是最终不和当时已经走在前面的精神发展发生冲突，那是不可能的。"③ 恩格斯紧接着以反问的口吻指出："难道英国的政治状况不是这种景象吗？封建势力原封未动，对于封建势力不但在事实上而且在社会舆论方面也不去触动，——难道世界上还能找到第二个这样的国家吗？"④ 关于英国的自由和法律，恩格斯更是以愤怒的口吻论述道："举世皆知的英国自由，除了能够在现有法律规定的范围内做人们感兴趣的事情这种纯粹形式上的任意而为之外，还有什么呢？而这是些什么样的法律啊！是一堆杂乱无章、相互矛盾的决议，这些决议把法学贬低为纯粹的诡辩术……这是连最顽固的英国人也不会断然否认的全部事实。这样的局面能维持很久吗？"⑤

其次，产业革命使英国整个经济生活和各种关系发生了根本的变化，把人们的关系归结为商品货币关系。恩格斯认为，迅速发展起来的生产力，新创造出来的社会财富，本来应该为人类服务，却为少数资本家所独占，成为他们奴役工人的工具。在英国社会里，人与人的关系变成了商品货币关系，金钱成为了统治者，现金交易成为人们交往的纽带。"人已经不再是人的奴隶，而变成了物的奴隶；人的关系的颠倒完成了；现代生意对世界的奴役，即一种完善、发达而普遍的出卖，比封建时代的农奴制更不合乎人性、更无所不包；卖

① 《马克思恩格斯全集》第 3 卷，人民出版社 2002 年版，第 405 页。
② 《马克思恩格斯全集》第 3 卷，人民出版社 2002 年版，第 407 页。
③ 《马克思恩格斯全集》第 3 卷，人民出版社 2002 年版，第 408 页。
④ 《马克思恩格斯全集》第 3 卷，人民出版社 2002 年版，第 408 页。
⑤ 《马克思恩格斯全集》第 3 卷，人民出版社 2002 年版，第 408 页。

淫比初夜更不道德、更残暴。"①同时，在《评托马斯·卡莱尔的〈过去和现在〉》一文中，恩格斯针对卡莱尔描写的英国状况详细地指出：在英国，"人们普遍孤立，具有各自'粗陋的个体性'，一切生活关系混乱不堪、杂乱无序，一切人反对一切人的战争，普遍的精神沦丧，缺乏'灵魂'即缺乏真正的人的意识；人数众多的工人阶级忍受着难以忍受的压迫和贫困，异常不满并反抗旧的社会制度，……到处是混乱，没有秩序，无政府状态，旧的社会联系瓦解，到处是精神空虚，思想贫乏和意志衰退。"②恩格斯认为，这才是当时的英国状况。

最后，英国真正的统治者是金钱贵族。恩格斯认为，英国社会的阶级构成和统治力量与工业革命前相比已经大不相同。财富的迅速增加使资产阶级上升为真正的贵族，土地贵族仍然寄生在社会肌体之中，无产阶级的队伍越来越壮大，这三大阶级构成了英国社会的主要势力。恩格斯在《英国状况·英国宪法》中指出，"既然财产和通过财产而取得的势力构成中间阶级的本质，既然贵族因此在选举中使自己的财产起了作用，从而不是以贵族的身份出现，而是站在与中间阶级同等的地位，既然真正的中间的势力总的说来比贵族的势力强大得多，那么进行统治的当然是中间阶级。"③同时，恩格斯指出，在英国，理论和实践处于极端的矛盾中。"宪法所规定的一切权力——王权、上院、下院，都在我们眼前消失了……简言之，本身建立在相当明确的、法律的基础之上的国家，正在否认和糟蹋自己的这个基础。"④

（三）物质利益是英国党派斗争的基础

在英国生活了一段时间后，恩格斯对英国历史和现状认识的逐步加深。他通过对当时英国各党派的性质及其相互关系的精辟分析，开始触及社会历史观的基本问题，即物质利益和精神原则的关系问题。在二者的关系中，恩格斯坚持精神原则应高于物质利益的观点，他把当时最发达的英国看成是比欧洲任何一个国家都更为落后的国家。在《国内危机》中，恩格斯指出，"有一个问题，在德国已经是不言而喻的，而对于一个顽固的不列颠人，却无论如何也讲不明白，那就是所谓的物质利益在历史上从来不可能作为独立的、主导的目的出

① 《马克思恩格斯全集》第 3 卷，人民出版社 2002 年版，第 534 页。
② 《马克思恩格斯全集》第 3 卷，人民出版社 2002 年版，第 510—511 页。
③ 《马克思恩格斯全集》第 3 卷，人民出版社 2002 年版，第 567—568 页。
④ 《马克思恩格斯全集》第 3 卷，人民出版社 2002 年版，第 583 页。

现，而总是有意无意地为引导着历史进步方向的原则服务。"① 这时，恩格斯对物质利益的理解和看法还过分强调精神原则，对资产阶级的自私自利、贪婪成性以及极度追逐物质利益表示强烈的憎恨和蔑视。实际上，在发达的英国，物质利益的冲突已经赤裸裸地表现出来，当恩格斯还以德国哲学家的思维方式去观察英国的现实的时候，他意识到很难改变"顽固的不列颠人"的看法。

恩格斯深入分析了英国的现实状况和形势，他认为，英国的社会表象非常复杂，保护关税和自由贸易之间，宪章运动和各种激进的、中庸的、保守的派别之间，资产阶级和工人阶级之间，都存在着冲突和矛盾。所有这些斗争，如果只看到表面现象，往往会困惑不解。他以物质利益和精神原则的关系为切入点，透过表面现象对当时英国各党派的性质和相互关系作出了精辟的分析，揭示了党派斗争的物质利益根源。恩格斯在《各个政党的立场》中指出，英国主要有土地贵族、资产阶级和工人阶级，与之相适应有三个主要党派：土地贵族的托利党，金钱贵族的辉格党和工人阶级的宪章派。就三大政党的性质而言，托利党代表封建地主阶级的利益，是纯粹中世纪式的反动透顶的党；辉格党以商人、厂主为核心，代表资产阶级的利益，是金钱贵族的党；正在形成中的宪章派是工人集体意识的表现，还不能全力展开活动。② 这些政党的主张和活动都代表着一定阶级的物质利益，"在英国，至少在目前正争夺统治权的政党中间，在辉格党和托利党中间，并没有原则斗争，它们中间只有物质利益的冲突。"③ 恩格斯认为，各政党对谷物法的态度，正是他们各自为本阶级谋私利的体现。

在这一时期，恩格斯把物质利益和经济发展联系起来，肯定了追求物质利益对经济发展的作用。他不再把物质利益看成是愚昧落后的表现，而是看成英国特有的历史现象，并且具有进步性的一面。恩格斯在晚年撰写的《关于共产主义者同盟的历史》时，回忆自己的这段经历："我在曼彻斯特时异常清晰地观察到，迄今为止在历史著作中根本不起作用或者只起极小作用的经济事实，至少在现代世界中是一个决定性的历史力量；这些经济事实形成了产生现代阶级对立的基础；这些阶级对立，在它们因大工业而得到充分发展的国家里，因

---

① 《马克思恩格斯全集》第 3 卷，人民出版社 2002 年版，第 407—408 页。
② 《马克思恩格斯全集》第 3 卷，人民出版社 2002 年版，第 413 页。
③ 《马克思恩格斯全集》第 3 卷，人民出版社 2002 年版，第 408 页。

而特别是在英国，又是政党形成的基础，党派斗争的基础，因而也是全部政治史的基础。"①

（四）分析英国社会革命的可能性

当目光短视的人们否认革命的可能性，恩格斯认为，"在英国发生革命是可能的？或者说，简直很有可能？这是一个决定英国未来命运的问题。"②他深入分析了英国社会状况，揭示了英国社会表面繁荣的背后隐藏的深层矛盾，从物质利益出发，看到物质利益冲突是英国社会革命的深层动因，也是整个英国发生革命的可能性的根据。

恩格斯揭示了英国由于物质利益冲突而面临的种种矛盾。从经济角度来看，工业的发展使资产阶级的财富迅速增长，但无产者却赤贫如洗，勉强度日；关税的提高与国内价格随之日益高涨的恶性循环；国内工业品与国外工业品的竞争；国内商品的增长要求对外输出与殖民地市场难以容纳的矛盾。这一切都加深了英国的国内危机。从政治角度来看，"封建势力原封未动，……举世皆知的英国自由，除了能够在现有法律规定的范围内做人们感兴趣的事情这种纯粹形式上的任意而为之外，还有什么呢？"③所有这一切使"英国因此正处于进退两难的窘境"④。英国的出路在哪里呢？恩格斯认为，伟大变革的征兆从来没有像当时的英国所呈现的那样突出和明显，"革命在英国是不可避免的，但是正像英国发生的一切事件一样，这个革命的开始和进行将是为了利益，而不是为了原则，只有利益能够发展成为原则，就是说，革命将不是政治革命，而是社会革命。"⑤恩格斯预言，英国社会革命的时机即将到来，工人民主派一定能战胜金钱贵族。同时，他认为英国无产者的社会革命不可能用和平方式进行，"合法途径的革命"是不可能的。"只有通过暴力变革现有的反常关系，根本推翻门阀贵族和工业贵族，才能改善无产者的物质状况。"⑥

恩格斯关于英国社会革命可能性的分析，表明他已经认识到只有物质利益

① 《马克思恩格斯文集》第4卷，人民出版社2009年版，第232页。
② 《马克思恩格斯全集》第3卷，人民出版社2002年版，第407页。
③ 《马克思恩格斯全集》第3卷，人民出版社2002年版，第408页。
④ 《马克思恩格斯全集》第3卷，人民出版社2002年版，第409页。
⑤ 《马克思恩格斯全集》第3卷，人民出版社2002年版，第411—412页。
⑥ 《马克思恩格斯全集》第3卷，人民出版社2002年版，第411页。

才能发展成为精神原则。他区分了实现资产阶级的民主革命与解放无产阶级的社会革命，初步阐述英国社会革命的历史必然性。可以说，恩格斯最早提出了无产阶级必须通过暴力革命来推翻地主阶级和资产阶级统治的思想，这是他对无产阶级革命理论的重要贡献。恩格斯关于物质利益的冲突对社会发展起重要作用的观点，为他建立唯物史观铺下了第一块基石。

二、对英国社会主义运动的分析

恩格斯从英国社会的经济事实出发，详细分析了各政党之间的物质利益冲突，肯定了英国社会革命的可能性和必然性，表明他的立场、观点和方法发生了重大变化。他逐渐趋向唯物史观，开启了世界观和政治立场发展的新阶段。他清楚地看到英国工人阶级对社会主义的向往和热情，看到了工人阶级的前途命运与社会主义的内在联系，开始向科学社会主义转变。

（一）英国社会主义运动的派别

关于英国的社会革命，恩格斯寄希望于英国工人和社会主义者。他认为虽然社会主义力量依然薄弱，但宪章派正在形成，他们是英国最先进最有前途的政党，会对欧洲各国工人阶级的斗争产生重大影响。恩格斯通过研究发现，英国工人运动有两个重要派别：社会主义者和宪章主义者。其中，曼彻斯特是宪章运动的中心。英国社会主义运动深受罗伯特·欧文和平改良思想的影响。当时英国的社会主义者大多数来自资产者，只有少部分来自工人。他们在很大程度上拥护欧文的社会主义学说，评判资本主义制度，批判和揭露了资本主义制度的弊病，描绘了新社会的美好蓝图，这些思想对工人具有启蒙教育意义。但是，他们反对以暴力变革社会制度，极力宣扬博爱和慈善，其和平改良现存社会制度的思想，不仅未能找到符合英国实际的变革方式，而且有碍于英国工人运动的健康发展。

英国工人运动的另一个主要派别是宪章主义者，其主要成员是工人和其他劳动者，也有不少是欧文的追随者。恩格斯经常参加宪章主义者的集会，通过与宪章派的交往，他意识到宪章主义是工人反抗资产阶级的集中体现——"在宪章运动旗帜下起来反对资产阶级的是整个工人阶级，他们首先向资产阶级的政权进攻，向资产阶级用来保护自己的法律围墙进攻。"①恩格斯认为，虽然宪章运动突破了经济斗争并发展成为政治斗争，但是他们在斗争策略上存在严重的分歧，合法斗争的态度比较明显。宪章派的领袖要么以说服教育的和平方式来实现宪章，要么在斗争的紧要关头力劝工人安静，反对暴力手段。

恩格斯一方面积极参加宪章派的活动，另一方面主动参与社会主义者举办的各种集会和演讲。他充分肯定宪章派和社会主义者对工人的教育和启发，满腔热血地寄希望于英国的工人运动，认为他们代表着英国的未来。恩格斯指出，"从社会主义者身上可以很明显地看到英国人的毅力，但最使我惊奇的却是这些我认为可爱的小伙子们的宽宏大量，但这绝不是示弱。"②但与社会主义者和宪章主义者根本不同的是，恩格斯认为，仅仅通过合法斗争，无产阶级将不可能获得解放。他主张以暴力推翻现存制度，改善工人阶级的物质状况。

（二）英国工人阶级的状况调查

工人的生活状况和工人阶级斗争是这时恩格斯研究的重要问题。恩格斯在曼彻斯特把自己置身于英国工人运动中，对英国工人阶级的状况进行了大量的社会调查，认为英国的未来和工人阶级的命运密不可分。在《英国工人阶级状况》一文中，恩格斯在开篇就指出，"英国工人阶级的状况日益恶化。"③他在对比了曼彻斯特、博尔顿、伯明翰以及法国和德国工人的状况后指出，虽然英国工人的状况较好，但是，"物价稍有波动，成千上万的工人就要失去工作，他们的一点点积蓄很快就会花光。那时他们就有饿死的危险；这样的危机几年以后一定会再次出现。"④恩格斯发现，英国社会各阶级的对立十分明显，工人人数众多，工人阶级占了这个国家人口的三分之一，已经成为英国强大的阶级。

恩格斯在《致大不列颠工人阶级》中详细描述了他对英国工人状况的调查结果。他指出，"我曾经在你们当中生活过相当长的时间，对你们的境况进行了一些了解。我非常认真地对待所获得的认识，研究过我所能找到的各种官方的和非官方的文件。我不以此为满足，我想要的不限于和我的课题有关的纯粹

---

① 《马克思恩格斯文集》第1卷，人民出版社2009年版，第463页。
② 《马克思恩格斯全集》第1卷，人民出版社1956年版，第571页。
③ 《马克思恩格斯全集》第3卷，人民出版社2002年版，第417页。
④ 《马克思恩格斯全集》第3卷，人民出版社2002年版，第417页。

抽象的知识，我很想在你们家中看到你们，观察你们的日常生活，同你们谈谈你们的状况和你们的疾苦，亲眼看看你们为反抗你们的压迫者的社会统治和政治统治而进行的斗争。我是这样做的"。① 恩格斯仔细地观察了英国人民的生活状况，特别是工人阶级的生活状况和斗争情况，他以区别于资产阶级悲天悯人般的态度对待无产阶级，认为英国工人不仅是一个受苦难的阶级，而且是一个战斗的阶级。

1842 年，曼彻斯特工人罢工斗争失败后，恩格斯意识到，罢工斗争之所以失败，根本原因在于，无产阶级觉悟不高，罢工没有明确的目标，整个运动没有准备、没有组织、没有坚强的领导核心。工人阶级进行罢工斗争并取得成功，需要科学理论的指导，使他们能够制定出科学的斗争策略和战略。只有通过科学理论的指导，无产阶级才能够意识到自己的状况和任务，才能作为独立的阶级进行社会斗争。恩格斯毫不妥协地站在工人阶级一边，对英国工人阶级的状况进行了科学分析和研究，为工人阶级的斗争指明道路。他在分析英国工人阶级状况时指出："英国由于它的工业不但使人数众多的一批无产者成了自己的负担，而且使其中总是人数可观的一批失业者也成了自己的负担，而英国要摆脱这些人是不可能的，这些人必须自己寻找出路。"②

（三）英国无产阶级的地位和使命

恩格斯考察和分析对英国工人的生活状况、斗争精神以及组织力量进行，深刻把握了工人阶级的革命本质和历史使命，认识到工人是推动英国社会革命的主要力量，有着远大的前途。

在恩格斯看来，英国无产阶级具有鲜明的特点。首先，英国无产阶级人数众多、力量强大，几乎占到全国人口的一半。其次，他们代表了时代精神。在英国，一个阶级的社会地位越低，越"没有教养"，它就越进步，越有远大的前途，这一情况已经非常明显。与其他阶级相比，尽管英国工人的文化素质偏低，但他们是时代精神的追随者，是英国社会的未来。最后，英国工人阶级最有前途。在《评托马斯·卡莱尔的〈过去和现在〉》一文中，恩格斯认为，"只有大陆上的人们所不熟悉的那一部分英国人，只有工人、英国的贱民、穷人，

---

① 《马克思恩格斯文集》第 1 卷，人民出版社 2009 年版，第 382 页。

② 《马克思恩格斯全集》第 3 卷，人民出版社 2002 年版，第 418 页。

才是真正值得尊敬的人，尽管他们粗野，尽管他们道德堕落。拯救英国要靠他们，他们身上还有可造之材；他们没有文化知识，但也没有偏见，他们还有力量从事伟大的民族事业，他们还有前途。"[①] 这表明，恩格斯对无产阶级的使命已经有了自己的认识和判断。

在英国，上层阶级过着养尊处优的生活，这些有身份的"上等人"精神萎靡、意志消沉，"他们的全部精力、全部活动、全部内容已经丧失殆尽；土地贵族终日打猎，金钱贵族天天记账，顶多也只是在思想空虚和内容干瘪的书籍中涉猎一番。"[②] 在曼彻斯特期间，恩格斯经常参加工人们的讨论会，倾听工人们的心声，深深为工人们的精神所打动。他认为，与上层阶级相比，英国无产者既是产业革命的产物，也是产业革命的受害者，是一股巨大的力量，他们有理想、有抱负，能够孜孜不倦地学习。恩格斯把社会主义事业同无产阶级的斗争紧密联系起来，把工人阶级视为实现社会主义的强大力量，坚定的阶级立场使得恩格斯的社会历史观趋向科学社会主义。

三、对大陆上各国社会改革运动的分析

随着欧洲各国资本主义的发展，无产阶级和资产阶级的矛盾和冲突日益加剧。恩格斯在肯定了英国社会革命可能性、分析英国工人运动的状况之后，开始思考共产主义问题，特别是欧洲大陆其他国家是否有可能发生社会革命？如果革命发生，它的前景如何？基于这些问题，恩格斯对欧洲大陆上社会改革运动给予了积极关注和深入分析。1843 年 11 月，他在《新道德世界》上发表了《大陆上社会改革运动的进展》一文，深化了对共产主义问题的思考。这篇文章介绍了西欧主要国家社会改革运动的进展，简略回顾和初步评述了科学社会主义产生以前的各种社会主义和共产主义派别和学说，它是恩格斯开始转向科学共产主义的一个重要标志，对欧洲社会产生了广泛而深远的影响。

---

① 《马克思恩格斯全集》第 3 卷，人民出版社 2002 年版，第 497 页。
② 《马克思恩格斯全集》第 3 卷，人民出版社 2002 年版，第 495 页。

（一）西欧主要国家社会改革运动的进展

在这篇文章中，恩格斯根据他对欧洲各国社会主义和共产主义运动的研究，特别是对欧洲三个文明大国——英国、法国和德国的改革运动的研究，得出了一个非常重要的结论："在财产共有的基础上进行社会制度的彻底革命，现在已经成为一种急不可待和不可避免的必然。尤其值得注意的是，这个结论是由上述国家各自单独得出的。这一事实无可争辩地证明，共产主义不是英国或任何其他国家的特殊状况造成的结果，而是从现代文明社会的一般实际情况所具有的前提中不可避免地得出的必然结论。"① 恩格斯由此认为，欧洲这三个文明大国需要互相了解，弄清楚它们在多大程度上是一致的，在多大程度上是不一致的。"这些国家需要互相了解，如果做到了这一点，我确信，他们就会热切希望他们的异国共产主义者弟兄获得成功。"② 同时，恩格斯在这篇文章中向英国公众介绍了法国、德国和瑞士的共产主义思想和改革运动的进展情况。

恩格斯指出，法国大革命表明民主制在欧洲的兴起，大革命以后，法国成为欧洲惟一注重政治的国家。在法国，任何革命的学说如果不体现政治形式，就不能得到全国的重视。恩格斯在《大陆上社会改革运动的进展》中揭露了法国资产阶级民主制度的虚伪性："依我看来，民主制和其他任何政体一样，归根结底是自相矛盾的，虚假的，无非是一种伪善……所以，民主制和任何其他一种政体一样，最终一定会破灭；伪善是不能持久的，其中隐藏的矛盾必定暴露出来；要么是真正的奴隶制，即赤裸裸的专制制度，要么是真正的自由和真正的平等，即共产主义。"③ 恩格斯在这里批判了法国资产阶级的革命局限性，认为真正能够解决社会问题的是共产主义理论。

恩格斯将德国社会改革运动追溯到德国宗教改革，他认为，德国在宗教改革时代就有了自己的社会改革家。他重点研究了德国的哲学共产主义，这个派别基本上是从德国引以为豪的古典哲学中产生出来的，其主要成员是青年黑格尔分子。恩格斯认为，"德国人是一个从不重利益的民族；在德国，当原则和利益发生冲突的时候，原则几乎总是使利益的要求沉默下来。对抽象原则的偏

---

① 《马克思恩格斯全集》第 3 卷，人民出版社 2002 年版，第 474 页。
② 《马克思恩格斯全集》第 3 卷，人民出版社 2002 年版，第 475 页。
③ 《马克思恩格斯全集》第 3 卷，人民出版社 2002 年版，第 475—476 页。

好，对现实和私利的偏废，使德国人在政治上毫无建树；正是上述这些品质保证了哲学共产主义在这个国家的胜利。"①恩格斯特别重视共产主义同哲学的联系，认为共产主义是德国哲学发展的必然结果。他虽然把自己列入德国哲学共产主义一派，但到达英国以后，便离开了哲学共产主义的观点。

（二）评述各种空想社会主义和共产主义的派别和学说

在经商之余，恩格斯的空闲时间几乎都用来和赤贫如洗、勉强度日的无产阶级进行交往，走进工人的生活深处。这使恩格斯直观认识到了无产阶级怎样生活在资本主义的剥削和压榨中，看到了工人运动开展的潜在力量，毅然承担起了"把道路指给他们"的光辉任务，登上了谋求无产阶级和全人类解放的世界舞台。恩格斯在介绍大陆上社会改革运动的同时，还评述了科学社会主义产生以前的各种社会主义和共产主义派别和学说，将共产主义学说呈现给无产阶级。

弗·诺·巴贝夫（1760—1797）是 1789 年大革命硝烟散尽后法国空想共产主义最早的代表人物。作为平等派的思想家和运动的组织者，他极力主张用密谋方式策动工人、贫民与士兵进行武装斗争，旨在通过暴力革命推翻现存的伪善的资产阶级民主制，消灭私有制，建立财产公有、人人平等的劳动人民共和国。巴贝夫的共产主义思想具有积极的因素，彰显出革命性和斗争性，但其在分配方式上宣扬的平均主义也折射出不成熟的革命诉求。因而，恩格斯评价道："共产主义者的谋划未能实现，因为当时的共产主义自身还是非常粗陋和非常肤浅的，另一方面，因为社会思想进步得还不够。"②

随之进入恩格斯视线的另一个社会改革家是昂利·圣西门伯爵（1760—1825）。恩格斯认为，圣西门派的学说虽然显示出天才的耀眼火花，但笼罩着不可理解的神秘主义的云雾，成为法国人冷嘲热讽的对象，仿佛是一颗闪烁的流星，注定消隐于地平线。沙尔·傅立叶（1772—1837）是和圣西门差不多同时出场的空想社会主义者。他确立的"劳动和享受同一性"的自由劳动理论受到恩格斯高度赞誉，认为那是值得英国社会主义者注意的课题。不仅如此，他还论述了协作的优越性和必然性。但是，他不主张废除私有制和实施暴力革

① 《马克思恩格斯全集》第 3 卷，人民出版社 2002 年版，第 493 页。
② 《马克思恩格斯全集》第 3 卷，人民出版社 2002 年版，第 476 页。

命。恩格斯指出："在关于协作和自由劳动的一切漂亮理论后面，在许多慷慨激昂地反对经商、反对自私和反对竞争的言论后面，实际上还是改良的旧竞争制度，以比较自由的原则为依据的济贫法——巴士底狱！"①

在恩格斯看来，共产主义学说深受法国优秀思想家的青睐，其中最为重要的代表是无政府主义的开山鼻祖、小资产阶级的代言人皮埃尔·约瑟夫·蒲鲁东（1809—1865）。他在《什么是财产？》一书中批驳资本主义私有制将会引发残酷的竞争、道德的沦丧和贫困，恩格斯认为，"这种把智慧和科学研究在一本书中结合起来的做法"，是他从未见到过的。蒲鲁东明确指出：财产就是盗窃，但他不主张消灭私有制。此外，蒲鲁东对各种政体进行了评论，他反对任何政体，不管是民主制、贵族制还是君主制，倡导不需要任何人统治的无政府主义。

恩格斯认为，德国的社会改革运动可上溯至德国的宗教改革，在德国农民和主子的殊死搏斗中，托马斯·闵采尔（约 1490—1525）表现得异常勇敢，被推戴为农民战争的领袖。但令恩格斯感到遗憾的是，这位改革家并没有打算像人民那样走得那么远，反而力图使广大农民相信金钱和私有财产是"真正基督教"的障碍，如果真正信仰上帝，就必须消灭私有财产，他还写了小册子抨击广大起义者，以求得贵族和信仰新教的诸侯们的庇护。可以说，闵采尔没有摆脱时代政治和社会偏见，其思想也充满了那个时代特有的宗教和迷信的谬论，但我们不能因此而忽略其中潜藏着的一些进步原则："按照圣经，任何一个基督徒都没有权利独自占有任何财产；财产公有是唯一适合于基督徒社会的状况；一个善良的基督徒不得向其他基督徒行使权力或发号施令，不得担任任何政府职务或享有世袭权力；相反，既然一切人在上帝面前都是平等的，那么在人间也应该是平等的。"②

德国的社会改革不仅在农民中间掀起巨澜，而且在工人阶级队伍中愈演愈烈。在工厂手工业尚不发达的德国，工人阶级大部分由手工业帮工组成，其中有一个普通的裁缝帮工威廉·魏特林（1808—1871），他决定在自己的国家建立公社，被看作是德国共产主义的创始人。1835 年，他到达法国，在巴黎住了几年之后，辗转来到瑞士的日内瓦，在此期间他不仅在工人中间宣传新福

---

① 《马克思恩格斯全集》第 3 卷，人民出版社 2002 年版，第 479 页。

② 《马克思恩格斯全集》第 3 卷，人民出版社 2002 年版，第 485—486 页。

音，组织建立共产主义联合会，而且着手创办期刊《年青一代》以扩大宣传，努力把自己各种有关社会的观点综合成一种完整的共产主义学说。1842年，魏特林出版《和谐与自由的保证》一书，抨击旧制度，主张通过少数人的密谋和穷人的自发起义等一系列暴力革命达到建立财产公有、人人平等的平均分配的共产主义新制度的目的。恩格斯认为，尽管魏特林最终以不能成立的"重大叛国罪和密谋罪"被判处和驱逐，但是这一迫害无助于消灭共产主义，反倒有助于把整个德国工人阶级团结起来，因为他和他的党派始终代表民众的意志和利益。

除了民众的党派之外，德国还有另外一个从引以自豪的哲学中产生的捍卫共产主义的党派——哲学共产主义，主要代表人物有赫斯、费尔巴哈、布鲁诺·鲍威尔、卢格等，他们都曾是青年黑格尔派，他们将政治报刊作为自己的喉舌，广泛宣传无神论和共产主义学说。他们揭露了政治变革的保守性，认为"以共有财产为基础的社会革命，是唯一符合他们抽象原则的人类状态。"① 但是，哲学共产主义和工人没有联系，而是在有教养的大学生和商人中寻找支持者。这一派别内部观点分裂，很快走向解体。恩格斯注重哲学和共产主义的联系，同时扬弃并超越哲学共产主义而走向科学共产主义。他指出："德国人是一个哲学民族；共产主义既是建立在健全的哲学原则的基础上，尤其因为它已是从德国人自己的哲学中得出的必然结论，德国人决不愿意也不可能摒弃共产主义。"②

（三）共产主义是现代社会发展的必然结果

在深入研究西欧主要国家社会改革进展和全面分析各种社会主义思潮和派别后，恩格斯拨开笼罩在空想社会主义上的神秘云雾，击碎隐藏在工人阶级队伍中的幻想，给自己打通一条向社会主义进军的道路。他第一次表明："共产主义不是英国或任何其他国家的特殊状况造成的结果，而是从现代文明社会的一般实际情况所具有的前提中不可避免地得出的必然结论。"③

第一，共产主义是人们强烈反对现存国家制度不满情绪的充分表现。恩格斯认为，虽然法国大革命是民主制在欧洲兴起的黎明，但其建立的资产阶级民

① 《马克思恩格斯全集》第3卷，人民出版社2002年版，第491页。
② 《马克思恩格斯全集》第3卷，人民出版社2002年版，第492页。
③ 《马克思恩格斯全集》第3卷，人民出版社2002年版，第474页。

主制与以公有制为基础的共产主义制度却有着本质的区别。他义愤填膺地控诉：“民主制和其他任何政体一样，归根结底是自相矛盾的，虚假的，无非是一种伪善（我们德国人称之为神学）。政治自由是假自由，最坏的奴隶制；是自由的假象，因而是实在的奴役制。政治平等也是这样。所以，民主制和任何其他政体一样，最终一定会破灭；伪善是不能持久的，其中隐藏的矛盾必定暴露出来；要么是真正的奴隶制，即赤裸裸的专制制度，要么是真正的自由和真正的平等，即共产主义。”① 资产阶级建立并维护的私有制的民主制度，绝非资本家浓墨褒赞的圣殿和天堂，对广大无产阶级而言，资产阶级的民主是魔窟和地狱，因而必须撕下资产阶级民主制伪善的面纱，“要向他们表明，真正的自由和真正的平等只有在公社制度下才可能实现；要向他们表明，这样的制度是正义所要求的”。②

第二，共产主义不是一国或几国无产阶级的运动，而是世界无产阶级的共同事业和光辉使命。共产主义不仅在资本主义发达和先进的英国获得空前传播和发展，而且，“在法国，就有五十多万共产主义者，傅里叶派和其他不太激进的社会改革派还不包括在内；在瑞士，到处都有共产主义联合会，这些联合会往意大利、德国，甚至往匈牙利派遣代表；德国的哲学经过长期的痛苦摸索过程，也终于达到了共产主义。”③ 因而，共产主义不是某一个地区、某一个国家或某一个阶级的特殊事业，而是联合起来的“全世界无产者”的共同事业。同时，恩格斯在继承和发展共产主义先驱者的合理思想中认识到，无产阶级实现共产主义伟大事业的必由之路是社会革命。历史也深刻表明，真正的裁判者不是统治阶级而是对现实本身进行的科学探索和革命实践。“在财产公有的基础上进行社会制度的彻底革命，现在已经成为一种急不可待和不可避免的必然。”④

第三，各个国家共产主义情况尽管各不相同、存在差异，但却殊途同归，如万条小溪注入大海。在坚信共产主义是现代文明社会的必然性和全世界无产者共同事业的普遍性的同时，恩格斯不否认共产主义在各国产生情况的特殊性，且寄望于各国的社会改革尊重差异、互相借鉴、取长补短、共同进步。恩格斯指出：“英国人达到这个结论是通过实践，即由于自己国内贫穷、道德

---

① 《马克思恩格斯全集》第3卷，人民出版社2002年版，第475—476页。
② 《马克思恩格斯全集》第3卷，人民出版社2002年版，第482页。
③ 《马克思恩格斯全集》第3卷，人民出版社2002年版，第474页。
④ 《马克思恩格斯全集》第3卷，人民出版社2002年版，第474页。

败坏和赤贫现象迅速加剧；法国人达到这个结论是通过政治，即他们起初要求政治自由和平等，继而发现这还不够，就在政治要求之外又加上社会自由和社会平等的要求；德国人则通过哲学，即通过对基本原理的思考而成为共产主义者。"①

第四，共产主义与宗教神秘主义有着明确的界限，且二者格格不入。恩格斯在评述各种空想社会主义和共产主义学说时，高度赞扬英国社会主义者和德国哲学共产主义者持有的无神论思想，同时严厉批判法国共产主义者坚信"基督教就是共产主义"的宗教神秘色彩的主张。恩格斯指出，虽然基督教和早期的社会主义运动一样，都主张被压迫者奋力反抗且将来终会摆脱沉重的枷锁，但是"基督教是在死后的彼岸生活中，在天国寻找这种解脱，而社会主义则是在这个世界里，在社会改造中寻求这种解脱"②。共产主义不是基督徒所宣扬的虚幻的天国、彼岸世界，而是真切的现实、此岸世界，决不能将二者混为一谈。

恩格斯在向英国读者介绍法国、德国、瑞士的社会主义运动和思潮时，评述了各种空想社会主义和共产主义学说，阐释了自己与以往空想社会主义和共产主义的渊源关系，标志着其科学共产主义世界观的形成。尽管青年恩格斯对以往共产主义先驱的评述并非完全准确，也未摆脱旧观念的束缚，彻底实现蜕变，但是恩格斯始终坚信共产主义是社会发展的必然结果，是全世界无产者的共同事业，是实现真正的自由和平等的社会制度。

第四节　转向唯物主义与共产主义

1842 年 11 月底，恩格斯来到英国考察了英国的政治、经济和社会关系，看到了这里的工业十分发达，资本主义社会生产力在取得突飞猛进发展的同时，也导致了尖锐的阶级矛盾，英国无产阶级与资产阶级的阶级斗争已成为整

---

① 《马克思恩格斯全集》第 3 卷，人民出版社 2002 年版，第 474—475 页。
② 《马克思恩格斯全集》第 22 卷，人民出版社 1965 年版，第 525 页。

个社会生活的重要因素。他深入研究了英国的历史和英国工人阶级的现实状况，探寻无产阶级贫困、苦难和失业的原因，公开表达了对无产阶级、宪章派和社会主义者的支持。1843年春夏，恩格斯仔细研读了约·瓦茨、托·卡莱尔、约·韦德、沙·傅立叶、亚·斯密等人的政治经济学著作，为其撰写《国民经济学批判大纲》奠定了坚实基础。《国民经济学批判大纲》（*Umrisse zu einer Kritik der Nationalökonomie*，以下简称《大纲》）是恩格斯同马克思合作以前独立研究撰写的第一篇经济学著作，标志着恩格斯思想从唯心主义向唯物主义、从革命民主主义向共产主义的转变。

一、对资产阶级政治经济学的揭露

当时，国民经济学家出于为资本主义经济制度和资产阶级利益辩护的需要，已放弃了无偏见的科学研究。为了揭露资产阶级政治经济学的辩护性，恩格斯写了《大纲》这一著作。《大纲》完成于1843年底至1844年初，最初发表在由马克思和卢格共同主编的《德法年鉴》1844年2月号上。在《大纲》中，恩格斯对资产阶级政治经济学的不同流派——重商主义体系和自由主义经济学体系——作了深入比较，得出私有制社会的商业的不道德，"剖析了它的基本范畴，并着重指出竞争是资产阶级经济学家的主要范畴，阐明了资本主义私有制条件下的竞争必然会导致的种种恶果；揭露了资产阶级政治经济学的阶级实质，指出它是资本主义私有制的理论表现。恩格斯还揭露了资本主义生产方式的各种矛盾，指出以劳动和资本相对立为特征的资本主义私有制是一切社会矛盾的根源，资本主义内部正在孕育并必然产生社会革命，强调只有消灭私有制，全面变革社会关系，才能消除资本主义制度造成的极其严重的社会弊端。"①

《大纲》的观点、立场和方法对马克思研究政治经济学产生了很大影响。《大纲》发表不久，马克思就对这篇文章作了摘要，并在其第一部研究政治经济学的著作《1844年经济学哲学手稿》中引用了《大纲》的观点。在马克思经济学巨著《资本论》中，对商业危机产生的原因、竞争以及竞争与垄断的关系、

---

① 《马克思恩格斯文集》第1卷，人民出版社2009年版，第770页。

对生产进行有意识的调节、对资本主义私有制进行批判等观点，都能够在大纲中找到思想源头。马克思对《大纲》也给予高度评价，在其为《政治经济学批判》第一版而写的《序言》中称赞它是"批判经济学范畴的天才大纲"。但是，恩格斯对他青年时代的这部著作中的空想社会主义的痕迹和费尔巴哈人本主义影响不甚满意。尽管如此，《大纲》对资产阶级政治经济学作了最初的批判，指出了国民经济学研究的目的实际就是维护私有制，论述了国民经济学的阶级性，分析了国民经济学的发展趋势，提出了政治经济学的一些理论观点，对马克思主义经济学的形成具有重要作用。

首先，恩格斯指出了国民经济学理论研究的目的就是为了资产阶级发财致富。恩格斯认为，"国民经济学的产生是商业扩展的自然结果"[1]。以往，资产阶级经济学家总是把自己的学说标榜为关于国民财富增长的学说。其实，在资本主义私有制这种生产关系下，所谓的"国民财富"绝对不是"国民"的而是资产阶级的，国民经济学实际上就是资本家发财致富的科学，因此，"随着它的出现，一个成熟的允许欺诈的体系、一门完整的发财致富的科学代替了简单的不科学的生意经"[2]。国民经济学只不过是为资产阶级发财致富提供科学方法指导的学问，而不是为了增加整体国家或国民财富的学问。"国民财富这个用语是由于自由主义经济学家努力进行概括才产生的。只要私有制存在一天，这个用语便没有任何意义。英国人的'国民财富'很多，他们却是世界上最穷的民族。人们要么完全抛弃这个用语，要么采用一些使它具有意义的前提。国民经济学，政治经济学，公共经济学等用语也是一样。在目前的情况下，应该把这种科学称为私经济学，因为在这种科学看来，社会关系只是为了私有制而存在。"[3]这实际上是指出，物质利益对社会政治理论的决定性作用，充满着唯物主义思想。

其次，恩格斯认为资产阶级政治经济学的任务和目的，就是要掩盖对劳动人民的掠夺。古典政治经济学既是商业革命和产业革命的自然结果；也是资产阶级社会革命的需要和资产阶级利益相的产物。恩格斯认为，新的经济学在本质上仍然是为私有制辩护的理论。新经济学，虽然反对了重商主义，但仍然将

---

[1]　《马克思恩格斯文集》第 1 卷，人民出版社 2009 年版，第 56 页。
[2]　《马克思恩格斯文集》第 1 卷，人民出版社 2009 年版，第 56 页。
[3]　《马克思恩格斯文集》第 1 卷，人民出版社 2009 年版，第 60 页。

私有制当作一种自然的东西接受下来了。所以，国民经济学是为资产阶级服务的。"18 世纪这个革命的世纪使经济学也发生了革命。然而，正如这个世纪的一切革命都是片面的并且停留在对立的状态中一样，正如抽象的唯物主义和抽象的唯灵论相对立，共和国和君主国相对立，社会契约和神权相对立一样，经济学的革命也未能克服对立。到处依然存在着下述前提：唯物主义不抨击基督教对人的轻视和侮辱，只是把自然界当做一种绝对的东西来代替基督教的上帝而与人相对立；政治学没有想去检验国家的各个前提本身；经济学没有想去过问私有制的合理性的问题。"[①]新的经济学如果有什么肯定的进步，就是阐述了私有制的各种规律，但是这种经济学也是伪善的、不道德，处处与自由的人性相对立。

最后，恩格斯分析了资产阶级政治经济学的发展趋势即逐渐走向庸俗化。在恩格斯看来，自由主义经济阐述了各种私有制的规律。新经济学的相对正确性，只是就那些支持贸易和关税垄断的人来说的。在私有制的范畴和体系下，国民经济学越具有所谓的"科学性"，越说明了这种学说在为资本主义生产方式辩护的道路上越走越远，越来越庸俗化，资产阶级政治经济学最终也必然会变得庸俗化，堕落为辩护论和诡辩论。"经济学家离我们的时代越近，离诚实就越远。时代每前进一步，为把经济学保持在时代的水平上，诡辩术就必然提高一步。因此，比如说，李嘉图的罪过比亚当·斯密大，而麦克库洛赫和穆勒的罪过又比李嘉图大。"[②]

二、对政治经济学基本范畴初步的唯物主义分析

在《大纲》中，恩格斯以资本主义私有制的本质为前提，对资本主义社会经济范畴作了初步的批判和分析，揭示了其社会历史性。在恩格斯看来，私有制是资本主义经济和社会制度的基础，要研究政治经济学的基本范畴，就必须从私有制出发。恩格斯正是从私有制来分析价值、竞争等经济范畴的。

---

① 《马克思恩格斯文集》第 1 卷，人民出版社 2009 年版，第 57 页。
② 《马克思恩格斯文集》第 1 卷，人民出版社 2009 年版，第 59 页。

（一）价值

"商业形成的第一个范畴是价值。"[1] 围绕实际价值的本质，李嘉图和麦克库洛赫断言，物品的实际价值是由生产费用决定的。"因为在通常情况下，如果把竞争关系撇开，没有人会把物品卖得低于它的生产费用"[2]。但是，把竞争排除在外，在这里就会产生两种抽象，一种是抽象价值，另一种是抽象商业。并且这种观点依然没有解决商品的生产费用和效用大小的联系问题，因为没有人会买一个花了很多钱却没有效用的商品。即使假定这种说法本身是正确的，但是生产费用本身也是建立在竞争的基础上的，所以这种学说难以贯彻下去。萨伊则认为，实际价值要按物品的效用来测定。但是，效用具有主观性，尤其是两种物品效用处于对立面时，这种比较难以判定，由效用来测定实际价值就会变得很难。正如恩格斯所言，"根据这种理论，生活必需品应当比奢侈品具有更大的价值。"[3] 但是，实际情况却恰恰相反。所以，仅仅依靠物品的效用来判定实际价值，这是难以成立的。

对于这两种说法的争论，恩格斯主张将两者联系起来考察物品的实际价值，即"价值是生产费用对效用的关系"[4]。一方面，价值是用来决定某种物品是否应该生产，即这种物品的效用是否能抵偿生产费用。另一方面，运用价值进行交换。如果两种物品的生产费用相等，那么效用就是确定它们的比较价值的决定性因素。除此之外，恩格斯还强调必须把竞争都考虑在上述两种情况中，竞争带来的效用取决于偶然情况、时尚和富人的癖好，它带来的生产费用则随着需求和供给的偶然比例而上下波动。在私有制的条件下，物品的固有的实际效用和这种效用的规定之间对立，以及效用的规定和交换者的自由之间的对立都难以消除。只有私有制被消灭，实际价值才会限于生产领域，才能真正创造效用。最后，恩格斯还对实际价值和交换价值进行区别，指出物品的价值不同于人们在买卖中为该物品提供的等价物，这个等价物实际上是交换价值，即价格。在私有制条件下，物品的价格由生产费用和竞争的相互作用决定。实际价值，是指抽去竞争关系均衡时、供求一致时的价格，剩下的生产费用就是

---

[1] 《马克思恩格斯文集》第 1 卷，人民出版社 2009 年版，第 63 页。
[2] 《马克思恩格斯文集》第 1 卷，人民出版社 2009 年版，第 64 页。
[3] 《马克思恩格斯文集》第 1 卷，人民出版社 2009 年版，第 65 页。
[4] 《马克思恩格斯文集》第 1 卷，人民出版社 2009 年版，第 65 页。

实际价值。

（二）竞争

恩格斯认为，竞争是经济学家的主要范畴。他分析了竞争从私有制中产生并受私有制制约的问题。"私有制最直接的结果是生产分裂为两个对立的方面：自然的方面和人的方面，即土地和人的活动。"① 土地无人施肥就会荒芜，人的活动在私有制存在的条件下会分解为劳动和资本，两者且彼此敌视。因此，在私有制的条件下，这三种要素相互斗争，而不是相互支持。除此外，私有制使这三种要素中的每一种都相互对立，"一块土地与另一块土地对立，一个资本与另一个资本对立，一个劳动力与另一个劳动力对立。"② 换句话说，因为私有制把每一个人隔离在自己的粗陋的孤立状态中，又因为每个人和周围的人有同样的利益，每一个人为了获得比别人更大的利益，彼此间就会有竞争。他认为，竞争使力量较强的一方在斗争中获胜，从而产生了财产的集中。竞争所产生的后果就是集中、垄断。

恩格斯通过揭示竞争规律，还分析了经济危机的根源：资本主义生产是为了给资本家赚钱而不是为了满足广大人民群众的需要，生产的扩大必然周期地被生产的缩减所打断。而且，随着生产的发展，经济危机必然是一次比一次更严重。在恩格斯看来，要解决商业危机，应该废除私有制，对人类社会的生产进行有计划地调节："社会应当考虑，靠它所支配的资料能够生产些什么，并根据生产力和广大消费者之间的这种关系来确定，应该把生产提高多少或缩减多少……判断从合理地社会状态下能期待的生产力提高的程度。"③

在写作《大纲》时，恩格斯虽然还没有形成成熟的劳动价值论，对经济社会问题的分析还存在一些错误的地方，但他基本奠定了从被压迫被剥削群众的立场出发来批判资本主义制度的基础，也提出了许多富于创见的、日后逐渐展开的观点。比如，恩格斯批判了马尔萨斯的反动人口论，指出了"人口过剩或劳动力过剩是始终同财富过剩、资本过剩和地产过剩联系着的"④。恩格斯在这里事实上是指出了：在资本主义制度下，一方面是财富的积累；另一方面则又

① 《马克思恩格斯文集》第1卷，人民出版社2009年版，第72页。
② 《马克思恩格斯文集》第1卷，人民出版社2009年版，第72页。
③ 《马克思恩格斯文集》第1卷，人民出版社2009年版，第76页。
④ 《马克思恩格斯文集》第1卷，人民出版社2009年版，第80页。

是贫困的积累。他还认为，随着资本集中和资本积聚的发展，私有者的人数越来越少，无产阶级越来越多，少数大私有者和广大无产阶级之间的鸿沟则越来越深。这事实上是揭示了资本主义社会中的未来阶级结构走势。但是，恩格斯在《大纲》中还没有克服空想社会主义思想的影响，还是从人性出发中引申出由资本主义过渡到社会主义的必要性，还把资本主义制度下商品市场价格与价值相背离，看作是违反道德准则的现象。

第五章　马克思和恩格斯向唯物史观的迈进

对于青年马克思来说，1844 年是一个重要的年份。正是在这一年，他在巴黎开始了初步的政治经济学研究，他阅读并摘录了让·巴·萨伊、亚·斯密、大·李嘉图、詹·穆勒、约·拉·麦克库洛赫、吉·普雷沃等近 20 位资产阶级国民经济学家的二十余部经济学著作，写下了九本摘录笔记即《巴黎笔记》。同时，他还写下了包含三个笔记本的著名的《1844 年经济学哲学手稿》（以下简称《1844 年手稿》）。《巴黎笔记》和《1844 年手稿》构成了我们所熟知的《巴黎手稿》，它们包含马克思批判资产阶级政治经济学的初步尝试、对共产主义的首次论证以及对黑格尔辩证法及整个哲学的批判分析，是反映青年马克思思想发展历程的一组重要文稿。同样在 1844 年，马克思与毕生的挚友恩格斯第二次会面，由此开启了两人长达 40 年的革命征程。为了彻底清算青年黑格尔派，两人的第一部合著《神圣家族》在巴黎应运而生。由此，马克思和恩格斯朝唯物史观的创立大步迈进。

第一节　《巴黎手稿》的诞生

《巴黎手稿》并不是一部系统完整的独立著作，而是马克思在巴黎时期所作的九本摘录笔记即《巴黎笔记》以及所写的《1844 年手稿》的统称。就

《巴黎笔记》来说，它们在纸张规格、摘录著作以及摘录方式等方面都不尽相同，而且摘录内容本身亦是不连贯的、极为零散的。就《1844 年手稿》来说，它由以构成的三个笔记本亦是不完整的，这既体现在马克思写作的未完成上，又体现在笔记本保存的不完整上。另外，从内容上看，不仅笔记本之间没有直接的联系，而且在笔记本内部也没有统一的、一以贯之的论述主题和内容。一直在从事黑格尔法哲学批判研究的马克思为什么在巴黎开始进行政治经济学研究？纷乱杂多的《巴黎笔记》和论述广泛的《1844 年手稿》是如何完成的？它们的写作关系是怎样的呢？

一、《巴黎手稿》的历史语境

1843 年底至 1844 年初，身在巴黎的马克思忙于《德法年鉴》的出版准备工作。1844 年 2 月，《德法年鉴》第一、二期合刊出版，其中收录了马克思的两篇文章——《〈黑格尔法哲学批判〉导言》和《论犹太人问题》。此后，马克思打算继续进行《黑格尔法哲学批判》手稿的写作，以保证它在《德法年鉴》后续几期中的出版。因为按照《德法年鉴》最初的出版计划，第二期就将出版《〈黑格尔法哲学批判〉导言》的续篇，即《黑格尔法哲学批判》。在 1844 年 2 月 5 日致费尔巴哈的信中，卢格谈到，"我们已经印好了十个印张"，并且指出，在马克思的文章《论犹太人问题》之后和"报纸瞭望与对德国报纸的胡作非为所作的审查"之前将刊发关于黑格尔法哲学批判的"续篇"。[①] 在《德法年鉴》第一、二期合刊的目录中，我们看到，马克思的《论犹太人问题》排在被收录文章的最后一位，它后面紧接着"报纸瞭望"，然后全书结束。[②] 可以想象，由于篇幅限制，《黑格尔法哲学批判》最终未能在《德法年鉴》第一、二期合刊中出版，但是根据卢格的计划，它显然还会在后续几期中刊发。因此，在《德法年鉴》出版后，马克思的首要任务仍然是继续进行对黑格尔的法哲学和国家学说的批判性研究和写作。然而，马克思并没有沿着这个方向走下去。

---

① *Marx-Engels-Jahrbuch*, Band 1, Berlin: Dietz Verlag, 1978, S.384.
② 参见 Arnold Ruge und Karl Marx（hrsg.），*Deutsch-Französische Jahrbücher*, Paris，1844。

  1844 年 2—5 月，马克思中断了《黑格尔法哲学批判》手稿的写作。不过，他并没有直接投入到政治经济学研究中，而是返回到他在克罗伊茨纳赫就已经开启的法国历史研究，特别是关于法国大革命的研究。马克思打算就法国大革命期间的最高立法机构——1792 年 9 月至 1795 年 10 月之间存在的国民公会写作一部专门史，这可以从卢格当时写给友人的书信中窥得一二。在 1844 年 5 月 15 日致费尔巴哈的信中，卢格提到，马克思"读了很多书……但是他一无所成，他常常中断，并且总是一再投入到无尽的书海中"，他"想写国民公会的历史，他积累了相关的资料，并提出了极富成果的见解。他再次放下了《黑格尔法哲学批判》。他想利用巴黎逗留时间写那部著作，这是完全正确的"。[①] 在 5 月 20—26 日致莫里茨·弗莱舍的信中，卢格也提及马克思曾打算写作国民公会史。[②] 然而，在 5 月底 6 月初的时候，马克思再次中断了关于国民公会史的写作计划，这一次，他一头扎进了政治经济学的研究之中。7 月 9 日，卢格在致弗莱舍的信中谈到，马克思"头脑中有过一个政治计划，但遗憾的是他还没有实现它。然后他曾想写国民公会的历史，并为此读了大量的书。现在看来这件事也要再次放一放了"[③]。卢格这里谈到的"政治计划"正是指《黑格尔法哲学批判》的写作，然而，它和国民公会史一样很快被马克思弃之脑后、无果而终了。

  可以看出，马克思在巴黎期间以极大的热忱投入到广泛的阅读和学习之中，随着研究的深入，他的写作计划也经历了不断的调整和变动：从批判黑格尔法哲学开始，转而研究法国大革命，写作国民公会史，最后聚焦于政治经济学研究。正是在最终尘埃落定的政治经济学研究中，马克思对英、法、德等国近 20 位资产阶级国民经济学家的 20 余部著作做了九本摘录笔记，写下了三个笔记本的《1844 年手稿》，由此形成了标志马克思对资产阶级政治经济学的首次系统研究和批判的重要文本群——《巴黎手稿》。

  《巴黎手稿》诞生的历史过程有些周折，马克思为什么会从对思辨的黑格尔法学和国家学的批判研究最终转向对经验的资产阶级政治经济学的批判研究呢？在《1844 年手稿》的"序言"中，马克思就其研究计划的调整做出了说

---

① 参见 *Marx-Engels-Jahrbuch*, Band 1, Berlin: Dietz Verlag, 1978, S.391–392。

② 参见 *Marx-Engels-Jahrbuch*, Band 1, Berlin: Dietz Verlag, 1978, S.393。

③ *Marx-Engels-Jahrbuch*, Band 1, Berlin: Dietz Verlag, 1978, S.397.

明："我在《德法年鉴》上曾预告要以黑格尔法哲学批判的形式对法学和国家学进行批判。在加工整理准备付印的时候发现，把仅仅针对思辨的批判同针对不同材料本身的批判混在一起，十分不妥，这样会妨碍阐述，增加理解的困难。此外，由于需要探讨的题目丰富多样，只有采用完全是格言式的叙述，才能把全部材料压缩在一本著作中，而这种格言式的叙述又会造成任意制造体系的外观。因此，我打算用不同的、独立的小册子来相继批判法、道德、政治等等，最后再以一本专门的著作来说明整体的联系、各部分的关系，并对这一切材料的思辨加工进行批判。由于这个原因，在本著作中谈到的国民经济学同国家、法、道德、市民社会等等的联系，只限于国民经济学本身专门涉及的这些题目的范围。"[1] 这段话确实为马克思缘何中断《黑格尔法哲学批判》的写作提供了重要说明，也指出了他所怀揣的写作计划，尽管那些"独立的小册子"最终并没有实现。但是，关于马克思基于何种原因转向政治经济学，这段说明却显得语焉不详、无迹可循。我们只知道，《1844 年手稿》是马克思的政治经济学研究成果，马克思对它的定位就是政治经济学研究，因此，他才把关于国家、法、道德、市民社会等的内容仅限于国民经济学的范围之内。

事实上，从青年马克思的成长历程、思想演进轨迹可以探寻出他转向政治经济学研究的深层原因。在 1859 年《〈政治经济学批判〉序言》中，我们看到了马克思对自己走上政治经济学研究之路的简要回顾。首先，在担任《莱茵报》主编期间，马克思遇到了"对所谓物质利益发表意见的难事"[2]。第六届莱茵省议会关于林木盗窃法和地产析分的讨论，通过《摩泽尔记者的辩护》同莱茵省总督冯·沙培尔进行的官方论战以及关于自由贸易和保护关税的辩论等，成为促使马克思转向政治经济学研究的"最初动因"[3]。其次，通过 1843 年对黑格尔法哲学和国家学说的批判性研究与写作，马克思得出了如下结论："法的关系正像国家的形式一样，既不能从它们本身来理解，也不能从所谓人类精神的一般发展来理解，相反，它们根源于物质的生活关系，这种物质的生活关系的总和，黑格尔按照 18 世纪的英国人和法国人的先例，概括为'市民社会'，而对市民社会的解剖应该到政治经济学中去寻求。"[4] 显然，尽管马克思没有完成

---

① 《马克思恩格斯文集》第 1 卷，人民出版社 2009 年版，第 111 页。
② 《马克思恩格斯文集》第 2 卷，人民出版社 2009 年版，第 588 页。
③ 《马克思恩格斯文集》第 2 卷，人民出版社 2009 年版，第 588 页。
④ 《马克思恩格斯文集》第 2 卷，人民出版社 2009 年版，第 591 页。

对黑格尔法哲学的批判，但正是由于这一研究的启发，他才转向了政治经济学。于是，马克思"在巴黎开始研究政治经济学"①，从对副本即"德国的国家哲学和法哲学"②的批判转向了对原本即市民社会本身的批判。

巴黎现实环境的影响也是促使马克思转向政治经济学研究的重要因素。在1843年底抵达巴黎后，马克思同巴黎穷苦的无产阶级特别是来自德国的移民工人有了密切联系，他参加工人的活动，同正义者同盟领导人过从甚密。这使他真正关注无产阶级，进而看到无产阶级的历史使命。因此，在《〈黑格尔法哲学批判〉序言》中，马克思把无产阶级称为人类解放的"物质武器"③。正是基于对无产阶级现实苦难的了解，马克思才试图通过政治经济学的研究，揭示工人阶级所处的悲惨境遇以及所从事的异化劳动的真正根源，进而通过工人解放来实现普遍人的解放。

此外，恩格斯在《德法年鉴》发表的《国民经济学批判大纲》亦对马克思产生了重要影响。正是在这篇文章中，恩格斯通过批判地分析价值、生产费用、地租、资本、劳动、竞争、垄断等范畴，揭露了资产阶级政治经济学的种种理论矛盾，批判了资本主义社会的罪恶现实，提出了进行社会革命、消灭私有制的政治主张。马克思对恩格斯这篇文章极为赞赏，他不仅在《1844年手稿》的"序言"中把它列入德国人为社会主义"这门科学而撰写的内容丰富而有独创性的著作"④，而且在1859年《〈政治经济学批判〉序言》中把它称许为"批判经济学范畴的天才大纲"⑤。

《巴黎手稿》是马克思在巴黎时期首次开展政治经济学研究所取得的重要成果，是反映青年马克思思想演进的重要文本群。除了关于政治经济学主题的阐述之外，马克思在其中亦对共产主义作了初次论证，对黑格尔的辩证法和整个哲学作了批判研究。因此，《巴黎手稿》特别是《1844年手稿》实质上初次实现了马克思主义的三大组成部分，即哲学、政治经济学和科学社会主义的综合研究，这在马克思主义发展史上具有重要的意义和价值。

---

① 《马克思恩格斯文集》第2卷，人民出版社2009年版，第591页。
② 《马克思恩格斯文集》第1卷，人民出版社2009年版，第4页。
③ 《马克思恩格斯文集》第1卷，人民出版社2009年版，第17页。
④ 《马克思恩格斯文集》第1卷，人民出版社2009年版，第112页。
⑤ 《马克思恩格斯文集》第2卷，人民出版社2009年版，第592页。

二、《巴黎手稿》的构成

如前所述,《巴黎手稿》是《巴黎笔记》和我们所熟知的《1844 年手稿》的统称。就《巴黎笔记》来说,它包含九本摘录笔记。另外,还有一个关于黑格尔《精神现象学》摘录的独立印张 ①,它被装订在《1844 年手稿》的笔记本 III 中,但仍属于摘录笔记的范畴。因此,连同对黑格尔的摘录在内,《巴黎笔记》共包含马克思对 23 部著作所作的摘录。由于马克思并没有为这些笔记本作统一的编号,我们就按照《马克思恩格斯全集》历史考证版第二版即 MEGA² 第 IV 部分第 2 卷(收录《巴黎笔记》)的编排顺序依次说明这九个笔记本以及一个印张的基本情况。

第一,一个包含对法国政治家、雅各宾党人勒·勒瓦瑟尔的《前国民公会议员:回忆录》(左栏为法文逐字摘录,右栏为概括性德语译文)和英国经济学家亚·斯密的《国民财富的性质和原因的研究》即《国富论》的摘录的笔记本,它由 7 个印张(14 纸面、28 页)构成,没有封皮。前 6 页为勒瓦瑟尔摘录,接下来 12 页为斯密摘录,它们均分两栏书写,最后 10 页空白。第二,一个包含对法国经济学家让·巴·萨伊的《论政治经济学》和《实用政治经济学全教程》、波兰政治家和经济学家弗·斯卡尔培克的《社会财富的理论》的摘录的笔记本,它由 8 个印张(16 纸面、32 页)构成,没有封皮,分两栏书写,左栏是对《论政治经济学》的摘录,右栏是对《社会财富的理论》和《实用政治经济学全教程》的摘录,最后 7 页空白。第三,一个包含对斯密的《国富论》的摘录的笔记本,它由 6 个印张(12 纸面、24 页)构成,没有封皮,前 23 页是摘录,最后一页是一些数学计算。第四,一个包含对雅典的色诺芬的《著作集》、英国经济学家大卫·李嘉图的《政治经济学和赋税原理》和英国经济学家詹·穆勒的《政治经济学原理》的摘录的笔记本,它由 9 个印张(18 纸面、36 页)构成,前 2 页是色诺芬摘录,接下来 17 页是李嘉图摘录,剩余 17 页是穆勒摘录,没有封皮,李嘉图摘录的前两页分三栏书写,后面各页均分两栏书写。第五,一个包含对英国经济学家约·拉·麦克库洛赫的《论政治经济学的起源、发展、特殊对象和重要性》、译者瑞士经济学家吉·普雷沃为

---

① 1 印张(Bogen)=2 纸面(Blatt)=4 页(Seite)。

该书撰写的附录《译者对李嘉图体系的思考》、法国经济学家德·德·特拉西的《意识形态原理》、恩格斯的《国民经济学批判大纲》和穆勒的《政治经济学原理》的摘录的笔记本，它由 7 个印张（14 纸面、28 页）构成，有封皮，第 3—11 和 13—21 页是对麦克库洛赫、特拉西和穆勒的摘录，第 12 页是对恩格斯的摘录，最后 6 页空白。第六，一个包含对黑格尔的《精神现象学》最后一章的摘录的对折印张（2 纸面、4 页），4 页全是摘录，基本上是逐字抄录，评论很少。第七，一个包含对德国经济学家卡·沃·克·许茨的《国民经济学原理》、德国经济学家弗·李斯特的《政治经济学的国民体系》、德国商人和经济学家亨·弗·奥西安德的《公众对商业、工业和农业利益的失望》和《论民族的商业交往》、李嘉图的《政治经济学和赋税原理》的摘录的笔记本，它由 11 个印张（22 纸面、44 页）构成，没有封皮，分两栏书写，前 21 页是摘录，第 23—26 页是几何运算，最后 18 页空白。第八，一个包含对法国经济学家安·欧·比雷的《论英法工人阶级的贫困》的摘录的笔记本，它由 6 个印张（12 纸面、24 页）构成，所有 24 页均为摘录，没有封皮。第九，一个包含马克思以法国经济学家欧·德尔主编的文集《18 世纪的财政经济学家》为基础，对法国经济学家皮·德·布阿吉尔贝尔的《法国详情》、《论财富、金钱和租税的性质》和《论自然、文化、商业和谷物之利益》、苏格兰财政专家让·罗的《论货币和贸易》以及一部《罗马史》的摘录的笔记本，它由 8 个完整印张和两个纸面（18 纸面、36 页）构成，没有封皮，有时分两栏书写。第十，一个包含对英国经济学家詹·罗德戴尔的《论公共财富的性质和起源》的摘录的笔记本，它由 6 个印张（12 纸面、24 页）构成，没有封皮，前 16 页是摘录，分两栏书写，剩余各页除第 22 页含数学运算外均为空白。[①]

从内容上看，《巴黎笔记》的绝大部分摘录，如对萨伊、斯卡尔培克、斯密、李嘉图、穆勒、麦克库洛赫、恩格斯、许茨、李斯特、奥西安德、布阿吉尔贝尔、罗德戴尔等人著作的摘录，都聚焦于政治经济学研究；对勒瓦瑟尔的《前国民公会议员：回忆录》、色诺芬的《著作集》和黑格尔的《精神现象学》的摘录则是马克思在克罗伊茨纳赫所从事的历史学和黑格尔哲学研究的继续；

---

① 关于《巴黎笔记》的基本情况，参见 *Marx-Engels-Gesamtausgabe*，Band IV/2，Berlin: Dietz Verlag, 1981, S.727, 741, 747, 760, 781–782, 790, 796, 801; *Marx-Engels-Gesamtausgabe*, Band IV/3, Berlin: Akademie Verlag, 1998, S.618, 635。

对比雷的《论英法工人阶级的贫困》的摘录则表明马克思对社会主义、共产主义文献的关注。① 从形式上看，有的摘录完全是逐字抄录，马克思没有作任何评论，如关于萨伊、斯卡尔培克的摘录等；有的摘录则既有逐字抄录，又有些许概括、评论，如关于斯密的摘录等；有些摘录则充满了马克思的大量评论，如关于穆勒的摘录等。从这些摘录形式的变化也可以看出马克思研究政治经济学不断深入的过程。马克思通常是在一个笔记本中对某部著作进行摘录的，但也不乏例外情况。例如，关于穆勒的《政治经济学原理》的摘录既存在于包含色诺芬和李嘉图摘录的笔记本中，也存在于包含麦克库洛赫、普雷沃等摘录的笔记本中，前者涉及摘录的开端，后者涉及摘录的结尾；关于斯密的《国富论》的摘录既存在于一个专门的笔记本中，又存在于包含勒瓦瑟尔摘录的笔记本中，前者涉及摘录的开始部分，后者则包含摘录的继续；关于李嘉图的《政治经济学和赋税原理》的摘录既存在于包含色诺芬摘录的笔记本中，又存在于包含许茨、李斯特摘录的笔记本中，前者的摘录篇幅很大，后者则很小。总的来说，这几组分散在不同笔记本中的摘录就篇幅而言在所有摘录中亦是比较突出的，这也符合它们所涉及的斯密、李嘉图和穆勒本身在《巴黎手稿》中的重要地位。

《1844 年手稿》包含三个笔记本，分别是"笔记本 I"、"笔记本 II"和"笔记本 III"。它们都是由不同规格的纸张装订而成的，基本情况如下：

首先，笔记本 I 由 9 个印张（18 纸面、36 页）构成。它没有封皮，部分纸面松开了。第 1 纸面的左页空白，右页上方是马克思写的标题"笔记本 I"。第二纸面的右页列出了马克思摘录的 29 本书的标题。从第 5 纸面左页至第 18 纸面左页，马克思用罗马数字 I 至 XXVII 作了编号，并用竖线把纸面分成三栏或两栏②，他在其中以资本主义社会的三种收入形式"工资"、"资本的利润"和"地租"为主题——它们的次序是变动不定的——分别进行写作，从而揭示了国民经济学在理论和现实上的矛盾以及工人受剥削和压迫的经济根源。值得一提的是，马克思并不是严格遵守他所划定的各栏界限的，在写作某一主题时偶尔也会越界。不过，从笔记本的第 XXII 页起，尽管所有三栏的主题仍然存在，但其内容却变成了一个前后连贯的关于"异化劳动和私有财

① 参见 *Marx-Engels-Gesamtausgabe*，Band IV/2，Berlin: Dietz Verlag，1981，S.711–712。
② 只有第 XIII—XVI 页被马克思分成了两栏。

产"的文本。① 在这里，马克思从"当前的国民经济的事实出发"②，阐述了资本主义制度下异化劳动的四个规定，分析了异化劳动与私有财产的关系，进而提出通过工人解放来消灭私有财产，从而实现普遍人的解放的观点。

笔记本 II 只残留了两个松散的纸面（4 页），它们并不属于同一个印张。马克思把它们分成两栏，先写左栏，再写右栏。各页页角有马克思作的罗马数字编号 XXXX、XLI、XLII 和 XLIII。据此可知，笔记本 II 的前 39 页都佚失了。③ 在这一笔记本中，马克思一方面继续探讨了工人在资本主义制度下的非人存在，另一方面重点阐述了地产向动产、不发达的私有财产向发达的私有财产的发展进程，从而揭示了资本主义取代封建主义的历史必然性。

笔记本 III 本来由 16 个印张（32 纸面、64 页）构成，分两栏书写。马克思从第一页起就用罗马数字为各页作了编号。不过，他由于疏忽，在第 XXII 页后直接编到了第 XXIV 页，又在第 XXIV 页后直接编到了第 XXVI 页，所以前 41 页就编到了第 XLIII 页。剩余 23 页空白，且未分栏。在笔记本 III 写完后，马克思又把他之前完成的、关于黑格尔《精神现象学》最后一章摘录的独立印张插了进来，将它们共同装订起来，因此，笔记本 III 就成了 17 个印张。④ 从内容上看，笔记本 III 并不是一个独立完整、前后一贯的文本，而是由关于不同主题的几篇论述构成的，有些论述还存在交叉。首先，马克思对笔记本 II 第 XXXVI 页作了关于"私有财产和劳动"的简要补充（第 I—III 页），从而结合国民经济学从货币主义、重商主义经过重农学派到斯密、李嘉图的发展历程对私有财产的主体本质——劳动进行了说明；其次，马克思对笔记本 II 第 XXXIX 页作了关于"私有财产和共产主义"的补充（第 III—XI 页），对作为私有财产之积极扬弃的共产主义的三种形式进行了阐述；再次，马克思对黑格尔的辩证法和整个哲学进行了批判（第 XI—XIII、XVII—XVIII、XXII—XXXIV 页）。从不连贯的页码编号可以看出，马克思对黑格尔的批判并不是一以贯之写下来的，而是断断续续完成的，其中穿插了关于"私有财产和需要"（第 XIV—XVII 页）、"增补"（第 XVIII—XXI 页）等内容的写作；最后，马克思依次写下了相对独立的文本片断——"分工"（第 XXXIV—XXXVIII 页）、"序

---

① *Marx-Engels-Gesamtausgabe*, Band I/2, Berlin: Dietz Verlag, 1982, S.703–704.
② 《马克思恩格斯文集》第 1 卷，人民出版社 2009 年版，第 156 页。
③ *Marx-Engels-Gesamtausgabe*, Band I/2, Berlin: Dietz Verlag, 1982, S.704.
④ *Marx-Engels-Gesamtausgabe*, Band I/2, Berlin: Dietz Verlag, 1982, S.705–706.

言"（第 XXXIX—XL 页）和"货币"（第 XLI—XLIII 页）。可见，《1844 年手稿》
的"序言"并不是在写作伊始完成的，而是在笔记本 III 即将结束的时候才写
下的。

　　综上可知，《巴黎手稿》既包含马克思研究政治经济学的学习笔记和材料，
又包含他逐渐形成的独立的观点和思想。由于这些笔记并不包含直接的时间线
索，展现在我们面前的是极为无序的各种初步的、发展的或确立的思想的纷繁
交织。因此，要想准确地把握马克思研究政治经济学的发展脉络，就必须对摘
录笔记和手稿的具体写作过程进行细致的考察。

三、《巴黎手稿》的写作过程

　　关于《巴黎手稿》原初的、历史的写作过程的判定，同对这一问题的研究
过程是紧密联系在一起的。最初，关于《巴黎手稿》特别是《巴黎笔记》与
《1844 年手稿》的写作顺序或写作关系问题，并没有受到太多重视。人们只是
出于"先摘录后写作"的习惯性思维，认为《巴黎笔记》在先，《1844 年手稿》
在后。正因如此，在 1932 年《巴黎手稿》的首版——《马克思恩格斯全集》
历史考证版第一版即 MEGA[1] 第 I 部分第 3 卷中，主编阿多拉茨基在未加考证
的情况下判定，《巴黎笔记》作为《1844 年手稿》的"直接准备阶段提供了有
关马克思工作方式的典型例子"[1]。20 世纪 60 年代，苏联学者拉宾在《马克思
的青年时代》一书中指出，马克思在巴黎时期的经济学研究可以分为两个阶
段：第一阶段，初读恩格斯的《大纲》，摘录萨伊、斯卡尔培克及斯密的著作，
进而完成第一手稿即笔记本 I ；第二阶段，摘录李嘉图、穆勒以及其他经济学
家的著作，写下恩格斯的《大纲》的提要，进而完成第二和第三手稿即笔记本
II 和 III。[2] 拉宾通过对《巴黎笔记》和《1844 年手稿》包含的各笔记本的写
作顺序、写作关系的深入分析，打破了 MEGA[1] 对摘录笔记与手稿关系的"一
刀切"处理方式，为《巴黎手稿》写作过程的微观研究开辟了道路。更重要

---

① K. Marx，F. Engels，*Historisch-kritische Gesamtausgabe*，Band I/3，Berlin: Marx-Engels-Verlag G. M. B. H.，1932，S. XIII.

② ［苏］尼·拉宾：《马克思的青年时代》，南京大学外语系俄罗斯语言文学教研室翻译组译，生活·读书·新知三联书店 1982 年版，第 232 页。

的是，他把《巴黎笔记》和《1844年手稿》的写作关系进一步聚焦于李嘉图和穆勒摘录同《1844年手稿》三个笔记本的写作关系，这也成为之后研究的焦点问题。

正是在这样的背景下，在1981年出版的、收录《巴黎笔记》的MEGA²第IV部分第2卷中，编者对《巴黎笔记》包括《1844年手稿》各笔记本的写作顺序作了全面的考证研究。由此，以《1844年手稿》三个笔记本的诞生过程为线索，相关摘录笔记的写作顺序和写作关系全景图诞生了①：

首先，在《巴黎笔记》的大量摘录中，马克思最早摘录的是勒瓦瑟尔的《前国民公会议员：回忆录》，时间是1843年底至1844年春。这是马克思曾计划的国民公会史的写作准备材料，而且是唯一流传下来的准备材料。马克思的摘录很有特点，它分为两栏，左栏是几乎逐字的法文抄录，右栏则是对左栏相应内容的德文概括，它们应该是前后相继完成的，这反映了马克思当时的研究方式和特点。此后，在1844年5月底或6月初，马克思放弃了国民公会史的写作，转入政治经济学研究。在这一研究的初级阶段，他先后对法国人萨伊、波兰人斯卡尔培克以及英国人斯密的著作进行了摘录，然后写作了《1844年手稿》的笔记本I。从笔记本I的内容可以看出，斯密摘录是它的重要基础。因为马克思在其中对斯密进行了广泛地引述，而这些引述正是以斯密摘录为基础的。同时，摘录笔记中马克思对斯密表述的概括也出现在了笔记本I中。当然，关于萨伊的论述也出现在了笔记本I中。尽管马克思在写作笔记本I时对斯密和萨伊的论述颇为依赖，但是，他就异化劳动的四个规定以及异化劳动与私有财产关系所作的阐发，表明他已经超越了斯密和萨伊。

其次，在写下笔记本I之后，马克思开始摘录李嘉图的著作《政治经济学和赋税原理》。此时，他使用的笔记本有两页在1844年初写下的关于色诺芬《著作集》的摘录。从形式上看，这个笔记本同《1844年手稿》的笔记本I非常接近，它是《巴黎笔记》中唯一一本用罗马数字编页码的笔记。马克思在对李嘉图著作进行摘录时，起初把页面分为三栏，之后又分成两栏，而这与《1844年手稿》的笔记本II和笔记本III非常类似。因此，这种形式上的相似性为李嘉图摘录写于笔记本I之后和笔记本II、III之前提供了重要依据。此后，马克思在另外一个笔记本上摘录了麦克库洛赫的《论政治经济学的起源、发

---

① 参见 *Marx-Engels-Gesamtausgabe*，Band IV/2，Berlin: Dietz Verlag，1981，S.712–723。

展、特殊对象和重要性》以及译者普雷沃为该书撰写的附录《译者对李嘉图体系的思考》，并对恩格斯的《国民经济学批判大纲》和特拉西的《意识形态原理》作了摘要。这里再次出现了李嘉图摘录先于麦克库洛赫和普雷沃摘录的佐证：在李嘉图摘录中，从未提及麦克库洛赫和普雷沃，而这二人对李嘉图的思想是非常熟悉的；而在麦克库洛赫和普雷沃摘录中，则有关于李嘉图的说明，这表明马克思此时对李嘉图的著作已经非常了解，即他已经对之做过摘录。之后，由于普雷沃在附录中对穆勒《政治经济学原理》的阐述，马克思开始关注并摘录穆勒这部著作的法译本。这里，他先是在摘录色诺芬和李嘉图著作的那本笔记上进行摘录，在将其尚有的 17 页写完后，他又在摘录麦克库洛赫、普雷沃、恩格斯和特拉西等人著作的笔记本上完成了对穆勒的剩余摘录。《詹姆斯·穆勒〈政治经济学原理〉一书摘要》（以下简称《穆勒摘要》）由此诞生。

最后，在依次摘录了李嘉图、麦克库洛赫、普雷沃、恩格斯、特拉西、穆勒的著作后，马克思写作了笔记本 II 和 III。笔记本 III 是在 1844 年 8 月写的，因为在该笔记本第 XI 和第 XII 页上，马克思间接引用了《文学总汇报》第五、六期刊载的文章，而根据格奥尔格·荣克在 1844 年 7 月 31 日致马克思的信 [1]，他当时刚把第五、六、七期《文学总汇报》寄给马克思，因此，马克思必定在 8 月份才能收到这些杂志。另外，在笔记本 III 的最后写作阶段完成的"序言"中，马克思批判了鲍威尔在《文学总汇报》第八期上的言论，而根据马克思在 1844 年 8 月 11 日致费尔巴哈的信，他当时还没有收到这一期杂志，因此，"序言"的写作时间就比较接近 8 月底恩格斯拜访马克思的日子，进而接近《神圣家族》的写作时间。[2]

可以说，MEGA² 第 IV 部分第 2 卷对《巴黎笔记》包括《1844 年手稿》的写作时间作了非常细致的考证研究，进而勾勒出马克思从对勒瓦瑟尔、萨伊、斯卡尔培克、斯密著作的摘录到写作笔记本 I，再从对李嘉图、麦克库洛赫、普雷沃、恩格斯、特拉西、穆勒著作的摘录到写作笔记本 II 和笔记本 III 的研究脉络。显然，编者在这里秉承了拉宾的观点，即《1844 年手稿》的写作同《巴黎笔记》的摘录是紧密交织的，在笔记本 I 和笔记本 II、III 之间存在着对李嘉图、穆勒及其他经济学家的摘录阶段。而这似乎也符合笔记本 II 和

---

[1] *Marx-Engels-Gesamtausgabe*，Band III/1，Berlin: Dietz Verlag，1975，S.436.

[2] 参见 *Marx-Engels-Gesamtausgabe*，Band I/2，Berlin: Dietz Verlag，1982，S.697–698。

III 的实际情况，因为"李嘉图、穆勒、麦克库洛赫和德斯杜特·德·特拉西在第二个笔记本中被提到，在写于 1844 年 8 月的第三个笔记本中，恩格斯、德斯杜特·德·特拉西和穆勒被引用过……"①

然而，MEGA² 第 IV 部分第 2 卷所勾勒的《巴黎手稿》的写作图景遭到了次年出版的、收录《1844 年手稿》的 MEGA² 第 I 部分第 2 卷编者的质疑。后者认为，关于李嘉图和穆勒著作的摘录不是写在笔记本 I 之后，而是写在笔记本 III 之后，理由是：如果马克思在笔记本 I 之后就已经摘录了李嘉图和穆勒的著作，那么这些摘录就应该在笔记本 II 中有所体现，但现存各页中并没有找到相关的证据。退一步讲，即使这些摘录可能出现在笔记本 II 佚失的部分中，但与之矛盾的是，它们也没有直接或间接地出现在笔记本 III 中。② 由此，第 I 部分第 2 卷编者提出了另一种写作顺序：在写完笔记本 I 之后，马克思对麦克库洛赫、普雷沃和恩格斯的著作进行了摘录，然后写了笔记本 II 和笔记本 III。在 8 月底同恩格斯会面后，马克思中断了笔记本 III 的写作，转而撰写《神圣家族》。从这时起，马克思开始更加广泛地研究政治经济学，并对李嘉图和穆勒的著作进行了摘录。在著名的《穆勒摘要》中，马克思写了两段篇幅很长的评论，内容涉及货币、信贷、银行业的异化、社会交往异化、交换关系的产生、物物交换中的异化、分工以及谋生劳动等等，这些恰恰是《1844 年手稿》的笔记本 I、II 和 III 中略有涉及或者根本没有阐述的问题。在 MEGA² 第 I 部分第 2 卷编者看来，关于李嘉图和穆勒著作的摘录是《1844 年手稿》的"补充"和"进一步发展"，它们在思想水平上达到了"更高的质"③。

同为 MEGA² 关于《巴黎手稿》的卷次，第 IV 部分第 2 卷与第 I 部分第 2 卷提出的不同观点确实令人有些不知所措，但是如果仔细分析就会发现，第 I 部分第 2 卷的观点其实更具说服力，因为它的考证更多是以《穆勒摘要》与《1844 年手稿》在内容上的逻辑联系为基础的。事实上，2000 年出版的《1844 年手稿》中文单行本也采用了这一判定："马克思在中断了笔记本 III 的写作后，就同恩格斯投入撰写《神圣家族》的工作。正是在这时，他开始对大·李嘉图《政治经济学和赋税原理》、詹·穆勒《政治经济学原理》这两本著作的法译本

① *Marx-Engels-Gesamtausgabe*, Band IV/2, Berlin: Dietz Verlag, 1981, S.714–715.
② *Marx-Engels-Gesamtausgabe*, Band I/2, Berlin: Dietz Verlag, 1982, S.696.
③ *Marx-Engels-Gesamtausgabe*, Band I/2, Berlin: Dietz Verlag, 1982, S.702.

作了摘要"，它们是《1844 年手稿》的"补充"，是"对笔记本 III 的研究的直接继续"①。因此，在对《巴黎手稿》思想内容的阐述中，我们将依据这一判定来分析《穆勒摘要》与《1844 年手稿》的理论联系。

第二节　《巴黎手稿》的思想内涵

《巴黎手稿》是一组构成复杂、内容丰富的文本群，马克思在其中不仅对资产阶级政治经济学作了初步的研究和批判，对共产主义进行了首次分析论证，而且对当时重要的哲学思想特别是黑格尔的辩证法和整个思辨哲学作了深入的批判性考察，因此，《巴黎手稿》首次实现了马克思主义三大组成部分即哲学、政治经济学和共产主义的综合研究。这里以《1844 年手稿》为主要文本，结合以《穆勒摘要》为代表的摘录笔记，对马克思在这一时期的思想作一番梳理。

一、异化劳动及其四个规定

在《1844 年手稿》中，笔记本 I 的内容相对完整。马克思首先分三栏或两栏对资本主义社会的三种收入形式即"工资"、"资本的利润"和"地租"分别进行了考察研究，然后集中阐述了异化劳动的四个规定，并探讨了异化劳动与私有财产的关系问题，进而揭露了资本主义制度下有产者与无产者的对立，对私有制作了根本的批判。

在"工资"部分，马克思结合斯密的《国富论》，考察了资本主义制度下

① ［德］马克思：《1844 年经济学哲学手稿》，人民出版社 2000 年版，第 192 页。值得一提的是，国内外学界仍有些学者坚持李嘉图和穆勒摘录写于笔记本 I 之后、笔记本 II 之前的判定。据此，有学者认为，马克思在《穆勒摘要》中实现了根本的思想飞跃，它是马克思思想发展的转折点。参见韩立新：《〈巴黎手稿〉研究》，北京师范大学出版社 2014 年版。

决定工人工资的各种因素，从而揭露了工人受剥削、受压迫的必然性。马克思认为，在资本主义体系下，由于资本、土地和劳动已然分离，工人既不可能像资本家那样有利息收入，也不能像土地所有者那样有地租收入，他丧失了根本的独立性，完全依附于资本、资本家。因此，决定"工资"这种浅层表象的，其实是工人在资本主义体系下所处的社会地位。马克思按照社会财富的衰落、增长和达到顶点这三种社会状态对工人在其中所处的地位进行了具体分析，结果发现，"在社会的衰落状态中，工人的贫困日益加剧；在增长的状态中，贫困具有错综复杂的形式；在达到完满的状态中，贫困持续不变"①。这清楚地表明，在资本主义制度下，不论社会处于何种状态，占人口大多数的工人必然处于贫困的悲惨境地。

在"资本的利润"部分，马克思主要依据斯密的《国富论》对资本的含义、资本的利润和利润率、资本的积累、竞争等内容进行了研究和分析。马克思认识到，资本家之所以能够占有工人的劳动产品，拥有这种支配权力，并不是由于他本人的特性，而是由于他拥有资本，他是资本的所有者；资本家为了实现和增加利润，可以采取各种手段，如利用商业、制造业秘密，但更根本的途径是扩大分工，增加对产品的劳动加工；尽管按照国民经济学家的观点，竞争有利于工资的提高、商品价格的下降，但事实上，资本的竞争会导致资本的积累，导致资本家的分化，这是资本主义的必然结果。

在"地租"部分，马克思继续以斯密的《国富论》为主要依据研究了决定地租的各种因素以及土地占有者的利益和社会利益之间的关系，从而揭露国民经济学的内在矛盾。马克思认为，伴随着竞争，一些小土地所有者相继破产，沦为工人阶级，而一些大土地所有者则不断兼并地产，并从事生产经营，进而转化为资本家。同时，这种竞争的结果还使一大部分地产落入从事资本主义经营的租地农场主手中，他们也成为土地所有者，并不断扩大经营规模。最终，资本家和土地所有者之间的区别消失，整个社会只包含两个阶级：资本家阶级和工人阶级。另外，针对当时关于地产的析分或者地产分割的讨论，马克思认为，地产的分割虽然旨在消除地产的垄断，然而在不动摇私有制的情况下，地产的分割并不可能改变垄断的实质。在马克思看来，消除地产垄断的根本办法就是消灭整个土地私有制，实现土地的联合。他认为，"联合一旦应用于土地，

---

① 《马克思恩格斯文集》第 1 卷，人民出版社 2009 年版，第 122 页。

就享有大地产在国民经济上的好处，并第一次实现分割的原有倾向即平等。同样，联合也通过合理的方式，而不再采用以农奴制度、领主统治和有关所有权的荒谬的神秘主义为中介的方式来恢复人与土地的温情的关系，因为土地不再是牟利的对象，而是通过自由的劳动和自由的享受，重新成为人的真正的个人财产"①。尽管马克思在这里并没有指出如何开展联合，采取何样的不同于农奴制、领主统治的方式，但是他已经看到地产垄断背后的根本要害是私有制，从而确立了消灭私有制的任务。这就为人类未来的发展道路找到了方向。

正是通过对以斯密为代表的国民经济学家的分析研究，马克思发现，国民经济学不仅充斥着理论矛盾，而且根本不能解释现实。因为，国民经济学把私有财产的存在，把劳动、资本和土地的分离，把工资、资本的利润和地租的分离等当作既定事实和理论前提，而没有意识到它们才是问题的症结所在，才是真正应该加以阐释的对象。国民经济学没有说明私有财产何以产生，何以现实地运动，没有说明劳动和资本如何分离、资本和土地如何分离，更没有说明整个资本主义社会背后的根本动力。因此，马克思指出，"国民经济学家只是使问题堕入五里雾中。他把应当加以推论的东西即两个事物之间的例如分工和交换之间的必然关系，假定为事实、事件。神学家也是这样用原罪来说明恶的起源，就是说，他把他应当加以说明的东西假定为一种具有历史形式的事实"②。于是，马克思把目光转向"当前的国民经济的事实"③，通过对异化劳动的深入分析，揭示出私有财产的根源。

马克思认为，在资本主义制度下，生产劳动并不是人的真正的自由自觉的活动，而是与人相对立的异己的活动，即异化劳动。具体来说，异化劳动包含四个规定：

首先，在资本主义制度下，劳动产品同工人相异化。劳动产品是人的劳动的对象化、物化的结果，它是人通过自己的活动占有感性的外在世界的过程。然而，在资本主义制度下，工人通过自己的生产劳动，非但不能占有劳动产品，而且必须面对劳动产品与自己相对立、相排斥的事实。"工人生产的财富越多，他的生产的影响和规模越大，他就越贫穷。工人创造的商品越多，他就

① 《马克思恩格斯文集》第1卷，人民出版社2009年版，第152页。
② 《马克思恩格斯文集》第1卷，人民出版社2009年版，第156页。
③ 《马克思恩格斯文集》第1卷，人民出版社2009年版，第156页。

越变成廉价的商品。物的世界的增值同人的世界的贬值成正比"①。不仅工人的劳动产品同工人相异化，而且他的劳动活动所面对的外在感性世界也同他发生异化。在马克思看来，工人越是通过自己的生产劳动去占有外部世界，外部世界就越不成为他的劳动的生产资料，越不提供给他直接的生活资料。因此，面对着异己的外部世界，他必须首先作为工人进行生产劳动，然后才能作为肉体的人求得生存。马克思用一系列排比揭露了工人与其产品的异化："工人生产得越多，他能够消费的越少；他创造的价值越多，他自己越没有价值、越低贱；工人的产品越完美，工人自己越畸形；工人创造的对象越文明，工人自己越野蛮；劳动越有力量，工人越无力；劳动越机巧，工人越愚笨，越成为自然界的奴隶。"② 简言之，异化劳动的第一个规定涉及的是物的异化。

其次，在资本主义制度下，劳动活动本身同工人发生异化。在马克思看来，如果作为生产劳动之结果的劳动产品同工人发生了异化，那么，生产劳动本身必然已经同工人异化，因为劳动产品是源于生产劳动的，前者是后者的结果。马克思指出，劳动活动同工人的异化表现在，首先，劳动对工人来说是一种外在的东西，而不是内在的属己的本质。因此，工人在劳动中不是感到幸福，而是感到不幸，只有在不劳动的时候他才感到自在、舒畅。其次，劳动的异己性表现在，只要肉体的或其他的强制一停止，人们就会像逃避瘟疫一样逃避劳动，因为劳动就是不幸与折磨。最后，对工人来说，劳动不是属于他的自主活动，而是属于别人的异己的活动。③ 由此造成的结果是，当工人在运用自己的人的机能即劳动时，觉得自己只是动物，而当他运用自己的动物机能，如吃、喝、生殖等时，才觉得自己在从事自由自觉的活动。所有这一切的荒唐悖逆正是源于劳动活动本身的异化。这一异化本质上是工人的自我异化。

再次，在资本主义制度下，人的类本质同人相异化。马克思指出，由于异化劳动的前两个规定——外在的感性世界即自然界、劳动活动本身同人相异化，所以人的类生活、类本质也同人发生了异化，这体现在两个方面。一方面，人作为类存在物，他的类生活就在于普遍地依赖于自然界而存在。马克思指出，从理论层面讲，自然界的万物既是人从事自然科学的对象，又是人从事

---

① 《马克思恩格斯文集》第1卷，人民出版社2009年版，第156页。
② 《马克思恩格斯文集》第1卷，人民出版社2009年版，第158页。
③ 《马克思恩格斯文集》第1卷，人民出版社2009年版，第159—160页。

艺术活动的对象，它们构成了人的精神的无机界；从实践层面讲，自然界不仅为人提供了直接的生活资料，而且提供了劳动的对象和工具。综合这两个层面可以得出，自然界是人的无机的身体。然而，异化劳动的第一个规定就使工人丧失了感性的外在世界，因此，人作为类存在物就丧失了自己的生命活动的对象，丧失了类生活本身。另一方面，人之所以是类存在物，就在于他能够对自己的生命活动有意识有意志，能够自由自觉地开展生命活动。这种生命活动集中体现在生产劳动中，因为生产劳动是人的类生活。正是由于人是有意识的自由自觉的类存在物，他的生产就同动物的生产根本地区别了开来："动物的生产是片面的，而人的生产是全面的；动物只是在直接的肉体需要的支配下生产，而人甚至不受肉体需要的影响也进行生产，并且只有不受这种需要的影响才进行真正的生产；动物只生产自身，而人再生产整个自然界；动物的产品直接属于它的肉体，而人则自由地面对自己的产品。动物只是按照它所属的那个种的尺度和需要来构造，而人却懂得按照任何一个种的尺度来进行生产，并且懂得处处都把固有的尺度运用于对象；因此，人也按照美的规律来构造。"① 然而，按照异化劳动的第二条规定，异化劳动使人的生命活动即人的生产劳动同人相异化，于是，人的类生活不再是自由自觉的活动，而成为维持肉体生存的手段。

最后，在资本主义制度下，人与人发生了异化。从异化劳动的前三个规定，即劳动产品、生产劳动和类本质同人的异化，可以直接推导出它的第四个规定：人与人相异化。因为，"如果劳动产品不是属于工人，而是作为一种异己的力量同工人相对立，那么这只能是由于产品属于工人之外的他人；如果工人的活动对他本身来说是一种痛苦，那么这种活动就必然给他人带来享受和生活乐趣。不是神也不是自然界，只有人自身才能成为统治人的异己力量"②。在马克思看来，当异化劳动使工人生产出劳动产品同他的异化关系、生产劳动同他的异化关系时，他也同时生产出了另外一个在劳动之外的人对他的劳动产品和生产劳动的关系，生产出这个人同他自己的关系。在资本主义制度下，这个劳动之外的人——他夺走工人的劳动产品，强迫工人从事奴隶般的生产劳动——自然就是资本家。

---

① 《马克思恩格斯文集》第 1 卷，人民出版社 2009 年版，第 162—163 页。
② 《马克思恩格斯文集》第 1 卷，人民出版社 2009 年版，第 165 页。

于是，通过对异化劳动的四个规定的分析，马克思得出了私有财产的概念，并对私有财产与异化劳动的关系作了说明："诚然，我们从国民经济学得到作为私有财产运动之结果的外化劳动（外化的生命）这一概念。但是，对这一概念的分析表明，尽管私有财产表现为外化劳动的根据和原因，但确切地说，它是外化劳动的后果，正像神原先不是人类理智迷误的原因，而是人类理智迷误的结果一样。后来，这种关系就变成相互作用的关系。"①这里，马克思仿佛对私有财产和异化劳动的关系作了循环论证，二者似乎互为因果，互为前提，但事实并非如此。马克思的表述其实包含两个角度或层次：一方面，如果从当下的资本主义制度出发，那么既有的私有财产是外化劳动的原因，因为在资本主义体系已经确立的情况下，资本家正是利用作为私有财产的资本，雇用工人从事异化的雇佣劳动的；另一方面，如果从历史的发生学角度讲，那么在人类社会之初，私有财产是源于外化劳动的，因为正是通过人的劳动这种对象化的、外化的活动，才产生了归个人所有的劳动产品。因此，马克思这里对私有财产和外化劳动两个概念的阐述均包含两个层次：一个是资本主义制度下的私有财产和外化劳动（或异化劳动），它们建立在劳动与资本分离的基础上；一个是人类诞生之初的私有财产和外化劳动（或对象化劳动），此时的劳动和资本还是直接统一的。值得一提的是，尽管马克思在关于"异化劳动和私有财产"这一部分的论述中通常把异化劳动、外化劳动当作同义词使用，因而我们看到这两个概念经常并列出现，但是马克思对它们的使用还是有一定侧重的：在关于异化劳动四个规定的论述中，马克思使用更多的是异化劳动；而在此后关于私有财产和异化劳动相互关系的探讨中，马克思使用的都是外化劳动一词。可见，马克思对外化劳动一词的使用更为广泛：它从狭义上讲等同于资本主义体系下的异化劳动，具有异己性和敌对性；从广义上讲则是指人的劳动活动的对象化、外化，不具有异己性和敌对性。

异化劳动与私有财产关系问题的解决，为马克思分析资本主义制度下的各种矛盾提供了理论武器。于是，他返回到"工资"部分未曾回答的那一问题："主张细小改革的人不是希望提高工资并以此来改善工人阶级的状况，就是（像蒲鲁东那样）把工资的平等看做社会革命的目标，他们究竟犯了什么错误？"②

①《马克思恩格斯文集》第 1 卷，人民出版社 2009 年版，第 166 页。
②《马克思恩格斯文集》第 1 卷，人民出版社 2009 年版，第 124 页。

在他看来，工资就是异化劳动的必然产物，因为在异化劳动中，劳动只是一种手段，它只是为了维持工人的生存，只是为了得到工资。因此，要想消灭工人的悲惨境遇，不论是提高工资还是像蒲鲁东主张的实行工资平等，都不能触及工资产生的根源，都是治标不治本。根本的办法是消灭私有财产，消灭资本主义制度。只有这样，才会消除异化劳动，进而消除作为其产物的工资。可以说，对于资本主义体系下各种社会范畴的分析、各种社会矛盾的解答，马克思都可以溯源到私有财产本身。由此，他也找到了人类未来解放的物质力量和形式："社会从私有财产等等解放出来、从奴役制解放出来，是通过工人解放这种政治形式来表现的，这并不是因为这里涉及的仅仅是工人的解放，而是因为工人的解放还包含普遍的人的解放；其所以如此，是因为整个的人类奴役制就包含在工人对生产的关系中，而一切奴役关系只不过是这种关系的变形和后果罢了。"① 显然，马克思这里提出的"工人"的解放的观点同他在《〈黑格尔法哲学批判〉导言》中提出的"无产阶级"的解放是一致的。

从马克思的异化劳动理论可以看出，异化逻辑在马克思这里扮演着非常重要的角色。众所周知，异化本来意指权利的让渡、关系的疏远等。在《精神现象学》中，黑格尔首次把异化作为哲学概念引入其理论体系。他从思辨唯心主义观点出发，认为绝对观念在经过逻辑学各个范畴的推演后，要将自己异化为自然界，此后经过在自然界中不同环节的发展后，绝对观念再次扬弃异化，从自然界回归精神领域。对于黑格尔来说，异化及其扬弃是抽象的主体即精神、意识不断发展、不断实现自身的必然方式和手段。类似地，就劳动这个在政治经济学中极其重要的概念来说，马克思也用异化逻辑构建起了它的前世今生：在人类诞生之初，劳动是一种自由自觉的对象化活动、外化活动，是人之为人的一种机能和需要，它不涉及任何异己性或敌对性；后来，劳动作为人的纯粹的谋生手段，变成一种异己的、敌对的活动，劳动变成异化劳动；最后，劳动扬弃了自己的异化状态，重新复归为人的自由自觉的活动。此外，费尔巴哈的影响也清晰地体现在异化劳动理论中，不论是马克思所使用的类、本质、类存在物的概念，还是对人与自然关系的阐述，都是费尔巴哈人道主义和自然主义观点的表达。可以说，黑格尔的以异化及其扬弃为特征的辩证法和费尔巴哈的

---

① 《马克思恩格斯文集》第 1 卷，人民出版社 2009 年版，第 167 页。

人道主义与自然主义共同构成了《1844 年手稿》中马克思政治经济学研究的哲学背景。

二、共产主义对私有财产的积极扬弃

私有财产是马克思在《1844 年手稿》中关注的焦点。在笔记本 I 中，马克思通过对异化劳动或外化劳动的深入分析，已然得出了作为其必然产物的私有财产，进而从逻辑的、发生学的角度找到了私有财产的源头；在笔记本 II 中，马克思对私有财产从地产到动产、农业到工业、未完成的资本到完成的资本的发展历程作了详尽论述，从而继"地租"部分之后对这一历史发展必然性作出了更为具体和深刻的阐发；在笔记本 III 中，马克思则通过对共产主义不同形式的论述，阐发了对私有财产的积极扬弃。由此，关于私有财产的产生、发展及扬弃的基本脉络在《1844 年手稿》中初步形成。

马克思认为，在资本主义社会中，私有财产包含对立的两个方面：一方面是作为主体的、人的活动，即劳动；另一方面是作为客体的、对象性的物，即资本。值得一提的是，资本与劳动的对立并不是从来就有的，它们在最初本是直接或间接地统一的，但是随着历史的发展，二者开始出现对立。在这一过程中，私有财产的表现形式亦在发展变化，这就体现在从作为"私有财产的第一个形式"① 的地产向作为"现代的合法的嫡子"② 的动产、从封建主义农业到资本主义工业的历史发展进程上。因此，马克思指出，"工业和农业之间、私有的不动产和私有的动产之间的差别，仍然是历史的差别，而不是基于事物本质的差别。这种差别是资本和劳动之间的对立形成和产生的一个固定环节"③。

在仅残存 4 页的笔记本 II 中，马克思把大部分笔墨都花到了地产向动产、封建主义农业向资本主义工业的必然转变上。与"地租"部分相比，马克思在这里为我们提供了一幅更为具体的历史图景：随着生产劳动的发展，在封建地

---

① 《马克思恩格斯文集》第 1 卷，人民出版社 2009 年版，第 181 页。值得注意的是，在笔记本 III 之后完成的《穆勒摘要》中，马克思指出，私有财产是交换的前提。这就意味着，用于交换的剩余产品应该是私有财产的初期形式。

② 《马克思恩格斯文集》第 1 卷，人民出版社 2009 年版，第 175 页。

③ 《马克思恩格斯文集》第 1 卷，人民出版社 2009 年版，第 173 页。

产、贵族生活之外，产生了动产、工业和城市生活。工业最初表现在公会、行会、同业公会等封建组织中，它带有很强的封建色彩和封建性质。由于这些组织形式，劳动仍然具有"表面上的社会意义，现实的共同体的意义"①，还没有达到资本主义社会的彻底异化和对人的完全疏离。随着生产劳动的进一步发展，工业摆脱了封建主义束缚，成为了自由的资本主义工业。资本主义工业的发展对农业产生了根本的影响，后者也开始向真正的工业转化。这一转化过程最初是以租地农场主作为中介而实现的，即租地农场主租用土地所有者即地主的土地，并雇用工人从事资本主义性质的农业生产。最终，封建土地所有制下的农奴或农民为资本主义制度下的自由的雇佣工人所取代，封建土地所有者被资本家所取代，不论这里的资本家源自租地农场主还是土地所有者本人。② 对于以地产、农业为代表的封建主义向以动产、工业为代表的资本主义转变的历史发展进程，马克思是持客观的肯定态度的，他认为地产还是"带有地域的和政治的偏见的私有财产"，是"还没有完成的资本"③，因此，它必须要走向自己的真正完成，即以货币为表现形式的资本。于是，马克思得出结论："由现实的发展进程……产生的结果，是资本家必然战胜土地所有者，也就是说，发达的私有财产必然战胜不发达的、不完全的私有财产，正如一般说来动必然战胜不动，……货币必然战胜其他形式的私有财产一样。"④

如果说笔记本 II 从私有财产的客体方面即资本的角度描绘了一幅从地产到动产、从未完成的资本到完成的资本的历史发展进程，那么在笔记本 III 的第一个补充即"对笔记本 II 第 XXXVI 页的补充"中，马克思则从私有财产的主体方面即劳动的角度，按照货币主义和重商主义、重农学派、斯密和李嘉图的发展脉络提供了另外一幅有关国民经济学对私有财产的认识图景。

首先，在货币主义和重商主义那里，作为财富的私有财产的本质被归结为外在的、对象性的物——贵金属、货币，于是，货币成为根本的追逐目的：要不断地赚取货币，不断地积累货币。生产劳动完全不在关注的视域之内。其次，以魁奈为代表的重农主义构成了从货币主义和重商主义到斯密、李嘉图的过渡环节。重农主义把全部财富归结为土地和农业生产，这一基本观点使它在

① 《马克思恩格斯文集》第 1 卷，人民出版社 2009 年版，第 173 页。
② 《马克思恩格斯文集》第 1 卷，人民出版社 2009 年版，第 173—174 页。
③ 《马克思恩格斯文集》第 1 卷，人民出版社 2009 年版，第 177 页。
④ 《马克思恩格斯文集》第 1 卷，人民出版社 2009 年版，第 176 页。

很大程度上超越了货币主义和重商主义：一方面，相较于重金属，土地作为财富的表现具有更大的普遍性，毕竟它是普遍的自然要素；另一方面，土地的耕种、劳作是由人来完成的，因此，人的活动即劳动作为财富的主体本质显现了出来，这同货币主义和重商主义把财富完全归结于外在的、对象性的物相比显然是一大进步。然而，由于重农主义同封建土地所有制具有密切的关联，它还不可避免地带有较大的局限性：一方面，重农主义对劳动的认识极为狭隘，它只把农业生产看作唯一的、真正的生产劳动，普遍的、一般性的劳动远没有进入它的视野；另一方面，重农主义过分注重土地的作用，把土地视为农业生产的根本，因此，在它看来，与其说是人的生产劳动创造了财富，不如说是土地创造了财富，与其说是人的生产劳动结合了土地，不如说是土地结合了人的生产劳动。再次，以斯密为代表的启蒙国民经济学首次扬弃了财富的外在的对象性，揭示了财富的真正的主体本质——劳动。马克思认为，这是斯密做出的一大理论贡献，他堪比"国民经济学的路德"[1]，因为就像路德把宗教信仰从外在的僧侣转移到内在的人心一样，正是斯密把私有财产的本质从外在的、对象性的物转移到内在的、人的劳动本身。然而，马克思指出，斯密对劳动的重视虽然从表面上看承认人、肯定人和尊重人，但实际上是彻底否定了人，因为"人本身已不再同私有财产的外在本质处于外部的紧张关系中，而是人本身成了私有财产的这种紧张的本质"[2]。最后，以李嘉图为代表的现代英国国民经济学使斯密埋下的"对人的否定"的伏笔真正体现出来。马克思认为，李嘉图学派彻底地、片面地发挥了劳动是财富的唯一本质的思想，从而使人陷入全面的异化、非人化，而这种理论上的矛盾恰恰源于现代工业本身。现代国民经济学的"十足的昔尼克主义"[3]恰恰在于它非但不掩饰自己的矛盾，反而更加彻底地、真实地展现这些矛盾。

可以看出，一方面，马克思充分认识到了私有财产客观表现形式的变化，进而指出了封建主义地产发展到资本主义动产的必然性；另一方面，他也从国民经济学的发展历程中看到了劳动作为财富源泉作用的不断凸显，从而强调劳动作为私有财产之主体本质的根本地位。由此，马克思就从主体和客体两个方

---

① 《马克思恩格斯文集》第 1 卷，人民出版社 2009 年版，第 178 页。

② 《马克思恩格斯文集》第 1 卷，人民出版社 2009 年版，第 179 页。

③ 《马克思恩格斯文集》第 1 卷，人民出版社 2009 年版，第 179 页。

面揭开了私有财产的本质。而在私有财产的本质得到揭示之后，作为私有财产之积极扬弃的共产主义就立即出场了。

马克思认为，共产主义的发展经历了三种形式：

第一，最初的共产主义是一种非常粗陋的共产主义，这种共产主义的特点就是"私有财产关系的普遍化和完成"①。也就是说，它主张财产归一切人占有，实行完全的平均主义。在马克思看来，这种共产主义非但没有消灭私有财产的关系，反而把这种关系推向极致。首先，在资本主义的异化劳动条件下，工人把物质的占有当作生存的唯一目标和追求，而粗陋的共产主义则继续遵循这一原则，只不过它把范围进一步扩大甚至普遍化，即让所有人发展为物的共同占有者。于是，过去作为单个人与物的私有关系现在发展为总体的人同物的世界的私有关系，其本质依然是私有制。其次，这种粗陋的共产主义的最典型表现就是公妻制，马克思对之作了极为严厉的批判。在他看来，"公妻制这种思想是这个还相当粗陋的和毫无思想的共产主义的昭然若揭的秘密"②。因为人与人的最自然的、直接的关系就是男人与女人的关系，就是两性关系，而把妇女当作公共财产、当作共享物表明了"人在对待自身方面的无限的退化"③。再次，为了实现私有财产的普遍化，这种共产主义根本排斥人的个性、特点和才能，因为正是这些因素使人存在差异，从而影响物的"普遍的"共同占有。对人的敌视再次反映了这种共产主义的低级和粗陋。在马克思看来，隐藏在这种平均主义背后的，是作为贪财欲之表现的忌妒。因为恰恰是出于对他人的财产和能力的忌妒，这种共产主义才要求把财产、物全部平均化，因此，"粗陋的共产主义者不过是充分体现了这种忌妒和这种从想象的最低限度出发的平均主义"④。马克思认为，这种共产主义非但不可能促进人类的文明与进步，反而会使人类社会彻底倒退到私有制之前，完全低于私有制的水平。最后，如果说这种共产主义试图通过消除才能、个性而实现同一的、均等的人，那么在劳动和工资方面它倒确实实现了"平等"：所有人都需要劳动，并且得到相同数量的工资。在马克思看来，这其实是让所有人都成为工人，而作为总体的社会则成为抽象的资本家。这里，资本依然是统治一切的力量，资本与劳动的紧张对立

① 《马克思恩格斯文集》第 1 卷，人民出版社 2009 年版，第 183 页。
② 《马克思恩格斯文集》第 1 卷，人民出版社 2009 年版，第 183 页。
③ 《马克思恩格斯文集》第 1 卷，人民出版社 2009 年版，第 184 页。
④ 《马克思恩格斯文集》第 1 卷，人民出版社 2009 年版，第 184 页。

关系依然存在。因此，粗陋的共产主义在其本质上仍然是对资本主义异化现实的理论反映，它根本没能超出资本主义的范围。它与其说是私有财产关系的扬弃，毋宁说是私有财产关系的进一步深化。

第二，共产主义的进一步形式或者具有政治性质（民主的或专制的），或者是废除国家的，但仍然处于私有财产的影响之下。马克思指出，这两种形式的共产主义虽然指向人的自我异化的扬弃，指向人向人的本质的复归，但是由于它们对私有财产的本质、需要的本质仍未真正把握，所以，它们还是未能彻底摆脱私有财产的影响和制约。① 马克思认为，这仍然是没有真正完成的共产主义。

第三，在马克思看来，真正完成的"共产主义是对私有财产即人的自我异化的积极的扬弃，因而是通过人并且为了人而对人的本质的真正占有；因此，它是人向自身、也就是向社会的即合乎人性的人的复归，这种复归是完全的复归，是自觉实现并在以往发展的全部财富的范围内实现的复归。这种共产主义，作为完成了的自然主义，等于人道主义，而作为完成了的人道主义，等于自然主义，它是人和自然界之间、人和人之间的矛盾的真正解决，是存在和本质、对象化和自我确证、自由和必然、个体和类之间的斗争的真正解决。它是历史之谜的解答，而且知道自己就是这种解答"②。显然，马克思认为，真正的共产主义不仅能够认识和理解私有财产的本质，而且能够彻底超越和扬弃私有财产，从而克服人的自我异化，完成人向人的本质的真正复归，进而实现人和自然在社会中的统一。

首先，共产主义意味着对私有财产的积极扬弃。在马克思看来，共产主义不是外在于私有财产的发展运动，而恰恰是在这一发展运动中孕育而生的，没有私有财产这种人的异化活动的表现形式，也就没有作为它的积极扬弃的共产主义。他指出，私有财产的运动是迄今为止全部生产运动的表现形式，而宗教、家庭、国家、法、道德、科学和艺术等都是在生产基础上衍生出来的，受到生产的根本支配。因此，对私有财产的积极扬弃，既涉及对异化的生产和劳动的扬弃，又涉及对异化的宗教、家庭、国家等等的扬弃。但归根结底，扬弃私有财产就要扬弃异化劳动，私有财产和异化劳动密不可分。在马克思看来，

---

① 《马克思恩格斯文集》第 1 卷，人民出版社 2009 年版，第 185 页。
② 《马克思恩格斯文集》第 1 卷，人民出版社 2009 年版，第 185—186 页。

对私有财产的积极扬弃既不是像粗陋的共产主义那样把私有财产完全普遍化，也不是彻底否定私有财产。他认为，尽管迄今为止私有财产的发展是以人的劳动的异化形式展开的，尽管它造成了人在物质和精神上的极大贫困和异化，但私有财产的存在和发展本身是有其历史必然性的，而且它在促进人类文化、文明的发展，推动工业和自然科学的进步方面是有其积极意义的。同时，它也为人类的解放创造了物质条件。另外，就异化劳动的扬弃来说，它只是扬弃特定社会制度特别是资本主义制度下的异己的、非人的劳动，扬弃这种特殊的社会形态，而不是要否定、取消人类社会任何阶段都必需的人的对象化劳动或外化劳动。

　　其次，共产主义意味着人与自然的真正统一。马克思对工业和自然科学给予了前所未有的重视。就工业来说，马克思认为，"工业的历史和工业的已经生成的对象性的存在，是一本打开了的关于人的本质力量的书"①。这意味着，一方面，工业的发展背后凝结了人类世世代代的本质力量——劳动、生产，另一方面，正是人类的生产劳动、工业的发展，生成了外在的感性世界，创造出人化的自然。类似地，自然科学通过应用于工业领域，也日益影响和改变人类的生活，成为人类生活的基础。因此，马克思指出，"工业是自然界对人，因而也是自然科学对人的现实的历史关系。因此，如果把工业看成人的本质力量的公开的展示，那么自然界的人的本质，或者人的自然的本质，也就可以理解了"②。马克思认为，在资本主义的异化劳动条件下，人与外在的感性世界或自然界发生了异化，二者处于相互对立、敌对的状态。而共产主义就是要实现人与自然关系的复归，使二者重新真正统一起来。显然，对人与自然关系的重视反映了马克思所受的费尔巴哈自然主义的影响。但需要注意的是，马克思此时并没有停留于费尔巴哈的水平，而是已经超越了费尔巴哈，这尤其体现在他对作为人与自然之中介的劳动、工业等的强调上。马克思所强调的自然是基于人的生产活动、不断人化的自然，它与人的关系亦是相互作用、不断生成的，这同费尔巴哈的僵化的、固定不变的人与自然界的关系是根本不同的。

　　再次，共产主义意味着人是社会性的存在。马克思认为，如果说资本主义制度下人的存在是一种异己的存在，他本人、他的活动、他的活动对象都是为

---

① 《马克思恩格斯文集》第 1 卷，人民出版社 2009 年版，第 192 页。
② 《马克思恩格斯文集》第 1 卷，人民出版社 2009 年版，第 193 页。

了他人即资本家的存在，那么在共产主义的条件下，人的社会性的存在成为根本特征。在这里，人的活动和享受都是社会的活动和享受。即使他没有从事人与人的直接交往，但他的存在、活动和活动对象等依然是社会性的。马克思指出，人与自然的真正统一正是以社会为中介的：一方面，只有在社会中，自然才是人与人关系的纽带，是人的现实的存在基础和生活要素；另一方面，只有在社会中，人的自然的存在构成人之为人的存在的一部分，自然界对人而言成为人化自然。因此，马克思谈道，"社会是人同自然界的完成了的本质的统一，是自然界的真正复活，是人的实现了的自然主义和自然界的实现了的人道主义"①。尽管马克思在此再次强调了人与自然的密切联系，但是在人与自然之上，马克思增加了一个更重要的范畴——社会。较之于人的自然本质，马克思更肯定人的社会本质、人的社会性。由此，他超越了费尔巴哈自然主义的水平。在马克思看来，人与自然界的统一根本源自人的社会性，源自人之为人的共同体存在。因此，与其说人是自然存在物，不如说人是社会存在物。共产主义就是要扬弃私有制条件下个人与社会的对立，实现人的个体同社会共同体的真正统一，使人成为社会性的存在。

最后，共产主义意味着人以全面的方式占有自己全面的本质。马克思指出，在私有财产的条件下，异化的一个重要表现就是人把对物的占有当做根本目的。一个物，"只有当它为我们所拥有的时候，就是说，当它对我们来说作为资本而存在，或者它被我们直接占有，被我们吃、喝、穿、住等等的时候，简言之，在它被我们使用的时候，才是我们的"②。于是，人与物的关系被抽象化为一种单一的占有、拥有关系，一种片面的享受关系。在马克思看来，共产主义正是对这种抽象的单一关系的扬弃，它意味着人以全面的方式建立起同感性对象的联系，从而全面地占有自己的本质，全面地实现自身。这里所谓全面的方式，自然不是简单的占有和享用关系，而是指人借助自己人之为人的感官和特性来形成人与世界的关系，它涉及视觉、听觉、嗅觉、味觉、触觉、思维、直观、情感、愿望、活动、爱等等。这就是说，人与感性对象的关系，能够通过人的五官和其他属人的特性建立起来，这种关系是极其丰富多样的，决不仅仅是狭隘的使用、享用关系所能涵盖的。马克思认为，"五官感觉的形成

---

① 《马克思恩格斯文集》第 1 卷，人民出版社 2009 年版，第 187 页。
② 《马克思恩格斯文集》第 1 卷，人民出版社 2009 年版，第 189 页。

是迄今为止全部世界历史的产物"①。尽管私有财产的运动将人的感觉抽象化、狭隘化，但是它也为五官感觉的形成创造了材料。共产主义作为对私有财产的积极扬弃，则是要在真正的人的社会中实现"具有丰富的、全面而深刻的感觉"②的人。

在《1844年手稿》中，马克思以初步的政治经济学研究和费尔巴哈人本主义为基础，对共产主义进行了首次详细论证。一方面，他对以往的共产主义特别是最初的粗陋的共产主义作了尖锐的批判，揭露了其作为私有制的理论反映的本质；另一方面，他对真正完成的共产主义的特征作了详细论述，为私有财产及一切异化的扬弃提供了图景。需要注意的是，马克思此时认为，共产主义只是属于对异化这一否定阶段的扬弃，即否定之否定阶段，它不是人的发展的目标，也不是特定的社会形态，而只是"最近将来的必然的形态和有效的原则"③，只是实现人的解放的一个必要环节。相反，在他看来，社会主义才是比共产主义更加高级的社会阶段。

同笔记本 I 关于异化劳动的阐述一样，在马克思对共产主义的论证中，黑格尔思辨的异化逻辑依然构成了他的叙述线索。无论是对私有财产的积极扬弃，还是人与自然关系的重新统一，无论是人向人的本质的复归，还是人对自己感觉的全面的重新占有，都体现了抽象的人的本质从最初的非异化的肯定状态，经过私有制条件下特别是资本主义制度下的全面异化的否定状态，再到共产主义的复归的否定之否定状态。不过，马克思在《1844年手稿》中对黑格尔异化逻辑的广泛运用并不意味着他对整个黑格尔哲学体系的肯定与认同。相反，在完成了对共产主义的论证后，他立即转向了对黑格尔的批判分析。

三、对黑格尔的辩证法和整个哲学的批判

在《1844年手稿》的笔记本 III 中，马克思用三分之一的篇幅对德国古典哲学的集大成者——黑格尔作了批判性研究。在这一研究中，马克思一方面揭

---

① 《马克思恩格斯文集》第 1 卷，人民出版社 2009 年版，第 191 页。
② 《马克思恩格斯文集》第 1 卷，人民出版社 2009 年版，第 192 页。
③ 《马克思恩格斯文集》第 1 卷，人民出版社 2009 年版，第 197 页。

露了黑格尔思辨哲学体系的纯思维、非历史、抽象空洞、主客颠倒的唯心主义特征，另一方面又高度肯定了黑格尔辩证法的"伟大之处"①和积极意义，从而实现了对黑格尔哲学体系的首次清算和对黑格尔辩证法的批判改造。

在笔记本 III 中，马克思首先对笔记本 II 第 XXXVI 页作了关于私有财产和劳动的简要补充，然后，他对笔记本 II 第 XXXIX 页作了篇幅很长的补充。马克思把这一补充分为七点。在前五点中，他主要阐述了共产主义的三种形式，说明了真正完成的共产主义的根本特征。然后，在第六点的开头，马克思话锋一转，谈道："在这一部分，为了便于理解和论证，对黑格尔的整个辩证法，特别是《现象学》和《逻辑学》中有关辩证法的叙述，以及最后对现代批判运动同黑格尔的关系略作说明，也许是适当的。"②由此，马克思展开了对黑格尔辩证法和整个哲学的批判性考察。

我们知道，早在 1843 年马克思就开始研究黑格尔的法哲学和国家学说，并为此写下了《黑格尔法哲学批判》及其导言，这也是马克思 1844 年在巴黎转向政治经济学研究的重要动因。那么，在《1844 年手稿》中，当马克思正在从事政治经济学研究时，为什么又要转换主题回到黑格尔，对黑格尔的辩证法和"现代批判运动同黑格尔的关系"进行研究呢？事实上，在马克思看来，这其实是一项早就应该完成却一直未能完成的工作。他认为，作为黑格尔体系解体之后现代德国批判的代表人物，施特劳斯、鲍威尔等早就应该就如何看待自己与黑格尔哲学的关系问题进行说明，特别是对黑格尔的辩证法进行批判分析。然而，他们完全没有认识到这个问题的重要性，对之毫无意识，毫无自觉。从表面上看，他们似乎突破了黑格尔的哲学体系，确立了自己的新范畴、新主题，实现了批判的批判，但实际上仍然局限在黑格尔《逻辑学》所框定的范围内，"逐字逐句重述黑格尔的观点"③。正是出于对这种非批判态度的不满，更是出于对这一问题的理论自觉，马克思才决定继《黑格尔法哲学批判》之后，对更为抽象却更为根本的黑格尔辩证法乃至整个哲学体系进行批判。正如他在"序言"中指出的，"我认为，本著作的最后一章，即对黑格尔的辩证法和整个哲学的剖析，是完全必要的，因为当代批判的神学家不仅没有完成这样的工

① 《马克思恩格斯文集》第 1 卷，人民出版社 2009 年版，第 205 页。
② 《马克思恩格斯文集》第 1 卷，人民出版社 2009 年版，第 197 页。
③ 《马克思恩格斯文集》第 1 卷，人民出版社 2009 年版，第 198 页。

作，甚至没有认识到它的必要性"①。

马克思对黑格尔辩证法和整个哲学的批判，是以后者的重要著作《精神现象学》为靶子的。这部著作被马克思称之为"黑格尔哲学的真正诞生地和秘密"②。马克思的这一评价是同这部著作在黑格尔哲学体系中的重要地位密不可分的。黑格尔把自己的哲学体系设定为紧密联系的四个部分，一为精神现象学，二为逻辑学，三为自然哲学，四为精神哲学。1807 年出版的《精神现象学》是整个体系的导言和第一部分。所谓现象学，意指从现象达到本质，由表及里，由外而内。所谓精神现象学，就是考察精神或意识如何由现象层面达到本质层面，如何实现与本质的同一。在《精神现象学》中，黑格尔描述了意识从较低级阶段向较高级阶段不断发展，最终达到绝对知识的过程。在这一过程中，对象性的意识、自我意识、理性、精神、宗教、绝对知识等都是不同的发展阶段和环节，而意识之所以能够一个环节一个环节不断发展、不断前进，正是由于否定性的辩证法，也就是由于异化的否定和扬弃异化的否定之否定。于是，意识经过所有这些阶段的矛盾运动过程，展现出"意识自身向科学发展的一篇详细的形成史"③。可以说，《精神现象学》既是通向《逻辑学》的桥梁，又蕴含着黑格尔整个体系的框架和雏形，同时，它还以辩证法作为内在的发展动力和原则。因此，马克思把批判的火力集中于这部黑格尔体系的奠基之作就绝非偶然了。

第一，作为思维生产史的黑格尔思辨哲学体系。马克思对黑格尔思辨哲学体系的纯思维特征作了深刻的揭露和批判。众所周知，黑格尔在《哲学全书》中完成了其哲学体系的构建，这一体系包括逻辑学、自然哲学和精神哲学。就作为出发点的逻辑学来说，它涉及的是绝对精神或绝对观念的自我发展过程，也就是绝对观念从存在论到本质论再到概念论，经过各个范畴的推演运动最终达到自身、实现自身的过程；就作为中间环节的自然哲学来说，它是绝对观念发生异化，从逻辑学过渡到自然界，从而经历力学、物理学和有机物理学等环节的发展过程；就作为终点的精神哲学来说，它涉及的是绝对观念扬弃自然哲学，复归到精神领域，进而经过主观精神、客观精神和绝对精神等环

---

① 《马克思恩格斯文集》第 1 卷，人民出版社 2009 年版，第 112 页。

② 《马克思恩格斯文集》第 1 卷，人民出版社 2009 年版，第 201 页。

③ 贺麟、王玖兴：《关于黑格尔的〈精神现象学〉》，《精神现象学》上卷，商务印书馆 1979 年版，译者导言第 19 页。

节，最终实现自身的过程。马克思认为，"整整一部《哲学全书》不过是哲学精神的展开的本质，是哲学精神的自我对象化"①。也就是说，黑格尔的整个体系不过是绝对观念不断发展、丰富、实现自己的过程，是作为其实现环节的范畴到范畴、概念到概念的推演过程。在马克思看来，尽管黑格尔的哲学体系范围广泛，内容丰富，但所有这一切其实都发生在抽象的思维领域之内，与实在的、感性的外在世界毫无关联。即使就自然哲学来说，它所涉及的自然界也并不是真正的、感性的自然界，而只是作为逻辑学的异化环节的自然界，它在本质上是抽象思维的外化，或者说是外化的抽象思维。正因如此，马克思指出，所谓异化，就是"抽象的思维同感性的现实或现实的感性在思想本身范围内的对立"②。这可谓一语道破天机。如此一来，尽管整个黑格尔哲学体系呈现出一幅不断运动、不断发展、不断异化又不断扬弃异化的生动图景，但它并不是人的发展史。在马克思看来，"全部外化历史和外化的全部消除，不过是抽象的、绝对的……思维的生产史，即逻辑的思辨的思维的生产史"③。

　　第二，以人与精神关系的颠倒为特征的黑格尔思辨哲学体系。在黑格尔的思辨哲学体系中，作为理论出发点和最终归宿的不是现实的、感性的人，而是抽象的精神、意识。马克思深刻地揭露了黑格尔这种唯心主义观点的错误，他指出，精神、意识并不是独立于人而存在的，它们是人的精神、人的意识。黑格尔把人的主体性变成了精神、意识的主体性，人的发展变成了精神、意识的发展，人的异化变成了精神、意识的异化。于是，精神、意识成为绝对的存在，其余一切包括人和自然界都成为精神、意识的产物和发展环节。因此，在马克思看来，现实的人和自然界成为"这个隐蔽的非现实的人和这个非现实的自然界"即绝对精神的谓语，由此，"主语和谓语之间的关系被绝对地相互颠倒了：这就是神秘的主体—客体，或笼罩在客体上的主体性，作为过程的绝对主体"④。类似地，在"绝对知识"章中，针对黑格尔把人设定为精神性的自我意识，即人等于自我意识，马克思也给予了尖锐的批判和辛辣的嘲讽。他指出，所谓自我不过源自对人的抽象，它是一种属人的性质。他举例说，人是自我的，人的眼睛、耳朵以及身上的每一种本质力量都具有"自我性"这种特

---

① 《马克思恩格斯文集》第1卷，人民出版社2009年版，第202页。
② 《马克思恩格斯文集》第1卷，人民出版社2009年版，第203页。
③ 《马克思恩格斯文集》第1卷，人民出版社2009年版，第203页。
④ 《马克思恩格斯文集》第1卷，人民出版社2009年版，第218页。

征，即它们都是人自身的，都是属人的。但是如果说，不是人，而是自我意识具有眼睛、耳朵以及人身上的每一种本质力量，那显然是错误的。正是由于把人等同于自我意识，黑格尔就把人的全部异化等同于自我意识的异化，即纯粹思维领域或精神领域的异化。马克思指出，黑格尔不是把人的全部异化视为真正的、现实的异化，而只把它视为自我意识的异化。如此一来，真正的、现实的异化就只是自我意识的异化现象。于是，他不无讽刺地说，"掌握了这一点的科学就叫做现象学"①。显然，马克思对黑格尔不分现象与本质，颠倒人与精神、人与意识的关系是持根本的批判和否定态度的。

第三，作为抽象和空无的黑格尔思辨哲学体系。正是基于对黑格尔思辨哲学体系颠倒人与精神关系的批判，马克思揭示出黑格尔逻辑学的空洞与抽象，并进一步对逻辑学异化为自然哲学再向精神哲学复归的整个过程作了批判。马克思指出，由于黑格尔设定人等于自我意识，因此人的现实的异化就变成了精神领域的异化，它表现为空洞无物的抽象的思想。相应地，对异化的扬弃则是对空洞无物的思想的进一步抽象，得到的是同现实的、具体的感性活动更加无涉的空洞的意识形式，也就是"普遍的，抽象的，适合于任何内容的，从而既超脱任何内容同时又恰恰对任何内容都有效的，脱离现实精神和现实自然界的抽象形式、思维形式、逻辑范畴"②。显然，在马克思看来，黑格尔的逻辑学是完全抽象、空洞的思维体系。由此，对于黑格尔以辩证法为动力来论证的从逻辑学到自然哲学再到精神哲学的发展过程，马克思也给予了无情的揭露和批判。马克思指出，按照逻辑学的推演脉络，存在扬弃自身达到本质，本质扬弃自身达到概念，概念扬弃自身最终达到绝对观念，而绝对观念该如何开启下一个环节呢？如果它不想再重复之前的抽象推演，不想再充当抽象的总体，那它就只能扬弃自身。而扬弃自身的办法只有一个：放弃抽象，转向自己的对立面——自然界。于是，马克思一针见血地指出，"全部逻辑学都证明，抽象思维本身是无，绝对观念本身是无，只有自然界才是某物"③。这可谓马克思对黑格尔逻辑学最彻底、最尖锐的批判了。在他看来，黑格尔之所以从逻辑学转向自然哲学，只是出于对空洞的逻辑体系的"厌烦"，出于"对内容的渴望"④。

① 《马克思恩格斯文集》第 1 卷，人民出版社 2009 年版，第 207 页。
② 《马克思恩格斯文集》第 1 卷，人民出版社 2009 年版，第 218 页。
③ 《马克思恩格斯文集》第 1 卷，人民出版社 2009 年版，第 219 页。
④ 《马克思恩格斯文集》第 1 卷，人民出版社 2009 年版，第 220 页。

马克思的这一批判既是对黑格尔的莫大讽刺，又是对后者所构造的这整个毫无生气、死板僵化的思辨体系的强烈拒斥。然而，一切还没有结束。马克思指出，绝对观念虽然看似转向了富有内容的自然界，但这个自然界并不是现实的、感性的自然界，而是自然界的抽象形式，是抽象的自然界。这是因为，在对自然界的直观中，黑格尔所看到的只是自然界的各个规定的抽象概念，而不是它的丰富的、生动的、现实的内容。也就是说，由于黑格尔执着于逻辑学的各个范畴来观照自然界，所以自然界只能是抽象概念的组合。如此一来，"与这些抽象概念分隔开来并与这些抽象概念不同的自然界，就是无，是证明自己为无的无，是无意义的，或者只具有应被扬弃的外在性的意义"①。由此，马克思再次揭露了黑格尔体系的纯思维特性以及自然哲学的非自然特征。最后，马克思指出，由于自然界是抽象思维的外化形式、异在形式，它并不是真正观念性的存在，因此，对黑格尔而言，自然界相对于思维仍是有缺陷的存在，它必须趋向作为其真理的精神。所以，自然哲学最终扬弃自身，复归于精神哲学。这一分析又一次表明黑格尔对现实的自然界的漠视和对神秘的精神的推崇。总之，在黑格尔那里以辩证法的内在逻辑严密推演出来的、从逻辑学到自然哲学再到精神哲学的整个发展脉络，在马克思的分析解剖下变成了另外一幅漏洞百出、矛盾重重的图景，这既显示了马克思对黑格尔思辨哲学体系的深刻把握，也表明他的唯物主义的认识所达到的水平。

第四，作为对象性存在物的人。在关于自我意识外化和对象性的问题上，马克思和黑格尔形成了截然相反的观点。如前所述，黑格尔设定人等于自我意识，因此，在他那里只涉及自我意识的外化，而从不涉及真正的、现实的、感性的人的外化。自我意识的外化意味着自我意识为自己设定了一个对象，从而与之结成对象性的关系，这个对象就是物性。物性并不是现实存在的物，而是抽象的物，它仍然局限在纯粹的思维领域中。尽管物性与自我意识形成了对象性的关系，但这种关系并不是两个独立存在的平等关系，因为物性并不是独立的存在，它依赖于自我意识，毋宁说，它实际上只是自我意识的创造物。对于自我意识来说，它与物性的这种对象性关系只是一种异己的关系，按照辩证法的原则，它最终将扬弃这种关系，实现向自我的复归。由此可见，在黑格尔那里，所谓对象和对象性关系都是自我意识实现自身的暂时的异化环节，并

---

① 《马克思恩格斯文集》第 1 卷，人民出版社 2009 年版，第 221—222 页。

不具有实质意义。而在马克思那里，客观存在的不是自我意识，而是人。因此，人的外化所设定的不是物性，而是客观的对象。对象不是人的创造物，而是与人具有对象性关系的独立存在。正如马克思指出的，"一个有生命的、自然的、具备并赋有对象性的即物质的本质力量的存在物，既拥有它的本质的现实的、自然的对象，而它的自我外化又设定一个现实的、却以外在性的形式表现出来因而不属于它的本质的、极其强大的对象世界，这是十分自然的"①。马克思认为，一方面，人是有生命的、能动的存在物，他具有天赋、才能以及欲望等等；另一方面，人又是受动的对象性的存在物，他依赖于他所欲望的对象，这一对象独立于他并且是他的本质力量的确证。以饥饿为例。饥饿是人的自然需要，为了消除饥饿，人就要诉诸自然界的对象，这一对象是对人的生命的确证。事实上，在马克思看来，对象性关系不只局限于人与物之间，而且也存在于物与物之间。此时，这种关系是关于对象双方本质力量的表现和确证。例如：太阳是植物的对象，是确证植物的生命的对象；植物是太阳的对象，是太阳的生命力的表现。马克思认为，对象性关系是存在物之间的根本关系。如果一个存在物没有对象，没有对象性的关系，那它就不是存在物。因此，马克思认为，黑格尔所设定的对象性关系并不是真正的现实的对象性关系，因为物性根本不是独立的存在。同时，扬弃了对象性的自我意识，作为非对象性的存在，其实只是一种神秘的不可思议的存在，是"非现实的、非感性的、只是思想上的即只是想象出来的存在物，是抽象的东西"②。可以看出，马克思和黑格尔在对象性问题上的分歧其实源于他们在唯心主义与唯物主义这一根本立场上的差别。

第五，作为黑格尔体系之积极成果的辩证法。尽管马克思对黑格尔的思辨哲学体系作了全面的批判，但这并不意味着他全盘否定了黑格尔哲学。马克思认为，黑格尔哲学包含的辩证法因素是极具价值的重要成果。他指出，"黑格尔的《现象学》及其最后成果——辩证法，作为推动原则和创造原则的否定性——的伟大之处首先在于，黑格尔把人的自我产生看做一个过程，把对象化看做非对象化，看做外化和这种外化的扬弃"③。在马克思看来，尽管黑格尔完

① 《马克思恩格斯文集》第1卷，人民出版社2009年版，第208页。
② 《马克思恩格斯文集》第1卷，人民出版社2009年版，第211页。
③ 《马克思恩格斯文集》第1卷，人民出版社2009年版，第205页。

全是在思维领域展现出一幅意识发展史或者"思维的生产史"的图景，而这只涉及人何以成为人的逻辑的产生史、形成史，而不涉及真正的、感性的人的现实历史，但是他把思维、精神看作不断发展、变化的过程，看作不断发生异化、又扬弃异化的过程，是极具意义和价值的。这意味着，黑格尔坚持用异化及其扬弃，用辩证法来看待表现为精神的人的发展过程。马克思指出："因为《现象学》紧紧抓住人的异化不放——尽管人只是以精神的形式出现——，所以它潜在地包含着批判的一切要素，而且这些要素往往已经以远远超过黑格尔观点的方式准备好和加过工了。"① 确实，在《精神现象学》中，黑格尔已经在"苦恼的意识"、"诚实的意识"、"高尚的意识和卑鄙的意识"等章节中对宗教、国家、市民社会等作了批判，但是，这些批判要素都局限在思维领域之内，被打上了精神异化的烙印。这在马克思看来显然是不够的。对他而言，要想把这些潜在的因素变为现实，就必须运用辩证法开展现实的、真正的批判。这就意味着必须超越黑格尔的思辨体系，跳出纯思维的领域，不是以精神或意识，而是以感性的人作为根本的立足点。可见，马克思此时开始尝试超越思辨唯心主义辩证法、确立批判的唯物主义辩证法。如果我们联想到，马克思自 1843 年以来在《黑格尔法哲学批判》、《德法年鉴》包括《1844 年手稿》中所进行的宗教批判、政治批判和经济批判，其基本逻辑就是异化逻辑，就是对黑格尔辩证法的运用，那么就能明白，马克思这里的尝试是同他转向唯物主义前后对辩证法自觉应用的理论活动密不可分的。

第六，对黑格尔劳动观的批判性分析。在《精神现象学》中，黑格尔通过探讨主人与奴隶关系的转换肯定了劳动的积极作用。黑格尔认为，主人既与奴隶相联系，又与物相联系。物是主人欲望的对象，要想实现对物的享用，就需要奴隶这一中介。就是说，奴隶要通过劳动对物进行加工改造，从而满足主人的欲望。然而，在从事陶冶事物的劳动中，奴隶消除了物的独立性，扬弃了物与自身相对立的形式，从而肯定了自己，并成为独立的自为存在。正如黑格尔所说的，"正是在劳动里（虽说在劳动里似乎仅仅体现异己者的意向），奴隶通过自己再重新发现自己的过程，才意识到他自己固有的意向"② 。与之相反，本来作为自为存在的主人却由于不劳动，因而不得不依赖于奴隶，从而丧失了自

---

① 《马克思恩格斯文集》第 1 卷，人民出版社 2009 年版，第 204 页。

② [德] 黑格尔：《精神现象学》上卷，贺麟、王玖兴译，商务印书馆 1979 年版，第 148 页。

己的独立性，走到了自己地位的反面。这里，黑格尔显然看到了生产劳动对于人的存在的根本作用。因此，马克思指出，黑格尔"抓住了劳动的本质，把对象性的人、现实的因而是真正的人理解为人自己的劳动的结果"①。但是，黑格尔的劳动观也有其根本的局限性。马克思认为，黑格尔只看到劳动的积极方面，而没有看到其消极方面。尽管马克思没有对所谓的消极方面作出明确论述，但是联系到《1844 年手稿》特别是笔记本 I 中马克思对资本主义体系下异化劳动的批判，我们可以明白它的根本所指。另外，需要强调的是，马克思认为，尽管黑格尔"站在现代国民经济学家的立场上"，看到了生产劳动的作用，但是他"唯一知道并承认的劳动是抽象的精神的劳动"②。这句话乍一看似乎有点矛盾，但其实是合乎黑格尔体系的本质的。因为，黑格尔固然在其具体的阐述中偶尔会谈及生产劳动，但这远远不是他的重点。对他来说，精神、理念在思辨哲学体系内的不断发展、运动，才是核心所在，而这种思维领域内的精神活动，才是他所理解的劳动。相反，1844 年的马克思则看到了现实的生产劳动、实践的重要作用，看到了工业、自然科学对人类生活的改造乃至解放作用。特别是在《穆勒摘要》中，马克思就劳动（包括谋生劳动）对人类社会从产生、发展到资本主义体系确立的整个过程所具有的根本作用进行的深入考察，已经表明他对劳动的认识远远超过了黑格尔。

马克思在《1844 年手稿》中对黑格尔采取的是具体分析、批判继承的态度。对于黑格尔思辨哲学体系中的消极方面，如纯思维、抽象性、主客颠倒等，他给予了毫不留情的批判，但对于其中的积极方面，如辩证法、劳动观乃至丰富的批判因素，他则给予了高度的评价。当然，马克思与黑格尔在理论、观点上的诸种对立根本源自他们在唯物主义与唯心主义基本立场上的对立。就马克思来说，他此时的唯物主义立场具有非常鲜明的费尔巴哈人道主义和自然主义的痕迹。在"序言"中，马克思就指出："对国民经济学的批判，以及整个实证的批判，全靠费尔巴哈的发现给它打下真正的基础。从费尔巴哈起才开始了实证的人道主义的和自然主义的批判。费尔巴哈的著作越是得不到宣扬，这些著作的影响就越是扎实、深刻、广泛和持久；费尔巴哈著作是继黑格尔的《现象

---

① 《马克思恩格斯文集》第 1 卷，人民出版社 2009 年版，第 205 页。
② 《马克思恩格斯文集》第 1 卷，人民出版社 2009 年版，第 205 页。

学》和《逻辑学》之后包含着真正理论革命的唯一著作。"① 马克思认为，在黑格尔之后的德国现代哲学中，只有费尔巴哈真正批判了黑格尔的辩证法，真正克服了旧哲学，"费尔巴哈是唯一对黑格尔辩证法采取严肃的、批判的态度的人；只有他在这个领域内作出了真正的发现"②。正是由于费尔巴哈的影响，马克思在与黑格尔的思想交锋中，强调人相对于精神的优先性，强调人的感性存在、自然存在和类存在等等。但是，马克思对费尔巴哈的推崇备至并不意味着他有一个费尔巴哈阶段，因为他在吸收借鉴费尔巴哈的同时已经不自觉地超越了费尔巴哈，这突出地表现在他肯定生产劳动在人类发展过程中的根本作用，肯定自然的不断的人化过程，肯定人的社会性存在等等。另外，马克思也看到"在费尔巴哈对黑格尔辩证法的批判中还缺少黑格尔辩证法的某些要素"③，还没有对这些要素加以批判的吸收。这就为他后来在《关于费尔巴哈的提纲》和《德意志意识形态》中全面地批判费尔巴哈埋下了伏笔。

总之，1844 年是马克思思想发展突飞猛进的时期，这不仅表现在他对黑格尔的批判继承和对费尔巴哈的吸收超越上，更表现在《詹姆斯·穆勒〈政治经济学原理〉一书摘要》（简称《穆勒摘要》）相对于《1844 年手稿》的理论升华上。

四、社会交往异化及其根源

在《1844 年手稿》中，马克思留下了几个悬而未决的问题。首先，在笔记本 I 中，马克思在分析了异化劳动与私有财产的关系后，提出了一个重要问题："人是怎样使自己的劳动外化、异化的？"④ 其次，在笔记本 II 中，当马克思阐述封建地产向资本主义工业的必然转变时，他没有再向前追溯，进一步说明私有财产的历史诞生和形成过程。最后，在笔记本 III 关于"分工"的片断中，马克思谈到"对分工和交换的考察具有极为重要的意义"⑤，然而，他只是在罗

---

① 《马克思恩格斯文集》第 1 卷，人民出版社 2009 年版，第 112 页。
② 《马克思恩格斯文集》第 1 卷，人民出版社 2009 年版，第 199 页。
③ 《马克思恩格斯文集》第 1 卷，人民出版社 2009 年版，第 113 页。
④ 《马克思恩格斯文集》第 1 卷，人民出版社 2009 年版，第 168 页。
⑤ 《马克思恩格斯文集》第 1 卷，人民出版社 2009 年版，第 241 页。

列了斯密、萨伊、斯卡尔培克、穆勒等人关于分工和交换的论述并作了简单归纳后，便草草结束了这部分内容。因此，关于分工和交换的历史源起，马克思也没有给出明确论述。

值得注意的是，在《1844 年手稿》之后完成的《穆勒摘要》中，马克思通过对穆勒《政治经济学原理》法译本（雅·泰·帕里佐译，1823 年巴黎版）的摘录和评论，不仅对上述问题作了回应，而且形成了一套逻辑严密、全面完整的理论阐述，这可谓是他在《1844 年手稿》基础上理论思考的升华。具体来说，马克思在《穆勒摘要》中作了两次集中阐述。首先，在摘录了穆勒著作的"一　论生产"和"二　论分配"，进而摘录到"三　论交换"的"中介"部分时，他停下摘录，开始了第一次集中阐述。马克思的阐述逻辑如下：首先，他对作为交换的中介——货币的本质以及货币异化、信用业和银行业的异化作了深入分析，从而得出了人与人的社会联系的全面异化，即社会交往的异化；其次，为了探究社会交往异化的根源，马克思回溯到交换本身，深入考察了物物交换的产生过程及其结果；最后，马克思继续回溯，对交换关系的前提即劳动如何成为谋生劳动这一过程作了深入分析，并最终回归到他本次集中阐述的起点——货币。可以说，第一次集中阐述采取了层层推进、不断回溯的方式，而我们如果把马克思的阐述逻辑倒逆过来，就可以得到一幅比较完整的社会交往异化的形成史图景。不过，马克思似乎意犹未尽，因而在摘录到"四　论消费"时，他再次停下摘录，对物物交换中基于交换双方需要的对立而产生的异化作了补充论述，从而对谋生劳动初期特别是货币产生之前的状况作了说明，这就为货币的产生做了铺垫。同时，马克思还专门对非异化的、真正的人的生产作了论述。因此，第二次集中阐述构成了对第一次集中阐述的重要补充，它使得社会交往异化的形成史图景愈发全面和丰富。接下来，我们就对马克思的两次集中阐述作一番详细的考察。

第一，从货币异化到信用业、银行业异化的社会交往异化。在马克思看来，穆勒正确地表达了货币的本质：交换的中介。马克思认为，货币是"人的产品赖以互相补充的中介活动或中介运动，人的、社会的行动异化了并成为在人之外的物质东西的属性，成为货币的属性"[①]。正是由于人把产品交换的中介外化到货币身上，因此，人不再作为中介，而是服从于物的中介。产品之间

---

① ［德］马克思：《1844 年经济学哲学手稿》，人民出版社 2000 年版，第 164—165 页。

的关系，人交换产品的活动，全都转移到人之外的异己的货币上。"因为中介是支配它借以把我间接表现出来的那个东西的真正的权力，所以，很清楚，这个中介就成为真正的上帝"①。因此，如果说最初是货币服务于它之为中介的劳动产品，服务于物的交换，那么现在，劳动产品却是因为代表货币、同货币相联系而具有价值。于是，货币作为私有财产的外化，成为人们追逐的目的、崇拜的对象。货币的内容越丰富、越全面，人就越贫穷、越片面、越受之统治和压迫。

马克思认为，正是由于看到了货币的中介作用、货币的异化力量，粗陋的国民经济学即货币主义才奉行唯货币独尊的原则，紧紧抓住货币的感性表现、外在物质形式——贵金属，不敢丝毫放松。相比之下，现代国民经济学的进步在于，它并不执着于货币的感性外观，不执着于货币特有的贵金属形式，而是抓住了货币之为交换中介的本质与灵魂。但是不论如何，这两种国民经济学都信仰货币，信仰这种统治交换领域的异化力量，它们的差别只在于或精致或粗陋的形式层面。正是基于对货币本质与形式的区分，马克思指出，"货币越是抽象，它越是同其他商品没有自然关系，它越是更多地作为人的产品同时又作为人的非产品出现，它的存在要素越不是天然生长的而是人制造的……那么，作为货币……的货币的自身存在就越是适合于货币的本质"②。这显然意味着，货币采用的外在形式其实并不重要，重要的是它的本质与灵魂的彰显。进一步讲，长期作为货币载体的贵金属其实并不是货币之为货币的最经济的表现形式，相反，纸币、汇票、支票等超越自然要素的低廉人工产品则是货币更完善的表现形式。

于是，伴随着纸币、汇票、信用业、银行业等新形式的出现，货币逐渐地被挤到了幕后。货币的"消失"使一些人乐观地以为货币异化得到了扬弃，人与人的关系得以恢复。然而，马克思认为，这只能是不切实际的幻想和一厢情愿。事实上，信用业的内容仍然是货币，而在信用业中存在"更加卑劣的和极端的自我异化，非人化"③。从表面上看，信用业仿佛恢复了人与人的温情关系，因为这里存在着债权人对债务人的承认与信任。然而，马克思指出，所谓

① [德] 马克思：《1844年经济学哲学手稿》，人民出版社2000年版，第165页。
② [德] 马克思：《1844年经济学哲学手稿》，人民出版社2000年版，第167页。
③ [德] 马克思：《1844年经济学哲学手稿》，人民出版社2000年版，第168页。

"信任"只是一种浪漫主义的虚构，因为从根本上讲，债权人对债务人的信任只是意味着后者是有偿付能力的。也就是说，对于债权人而言，债务人的全部人的存在，包括他的个性、他的美德、他的生命等等都只是他还债的保证。因此，一个人的全部存在仅仅被归结为货币，归结为资本及利息，归结为物。不仅如此。如果说在货币异化中，贵金属、纸币作为交换的中介承载着货币的灵魂，充当着货币的感性外在形式，那么在信贷中，人取代贵金属、纸币而直接成为中介，他成为货币的物质表现形式，成为货币灵魂的承载者。正如马克思所说的，"构成货币灵魂的物质、躯体的，是我自己的个人存在、我的肉体和血液、我的社会美德和声誉……信贷不再把货币价值放在货币中，而把它放在人的肉体和人的心灵中"①。在货币异化中，货币还只是作为一个外在的、异己的力量压迫人、敌视人，而在信用业中，货币灵魂已经侵蚀到人自身中，人成了货币的物质构成，成了物的一部分。可见，信用业造成的人的异化程度比货币异化还要深，还要重，还要彻底。至于银行业，它是信用业的完成形式，更是货币的完成形式，因此，它与人的敌对，它造成的人的异化更是自不待言。

正是通过对交换领域的货币异化、信用业和作为其完成形式的银行业的异化的分析，马克思得出结论：人与人的社会联系发生了异化，即"社会交往异化"。在马克思看来，"人的本质是人的真正的社会联系"②，这种社会联系是人在现实地、积极地实现自己的存在过程中确立的。然而，"只要人不承认自己是人，因而不按人的方式来组织世界"③，就会发生社会交往异化。那么，社会交往异化的最终根源是什么呢？马克思把关注目光转向了交换关系本身。

第二，从物物交换看交换关系的产生。在马克思看来，社会交往异化的种种表征——货币异化、信用业和银行业异化等都是在交换领域发生的，因此，要想探究社会交往异化的根源，必须聚焦于交换关系本身，必须考察交换关系是如何产生的。

马克思认为，交换有一个必要前提，即存在私有者，或者说存在私有财产。因为交换所涉及的正是两个私有者之间的私有财产的相互转让、相互放弃，即私有财产的外化。因此，私有者或私有财产的存在是交换得以实现的必

① ［德］马克思：《1844年经济学哲学手稿》，人民出版社2000年版，第169页。
② ［德］马克思：《1844年经济学哲学手稿》，人民出版社2000年版，第170页。
③ ［德］马克思：《1844年经济学哲学手稿》，人民出版社2000年版，第171页。

备条件。接下来的关键问题是，一个人为什么要放弃自己的私有财产，而与他人相互交换呢？背后的动机是什么呢？马克思在这里接受了国民经济学的观点——"由于贫困，由于需要"①。他认为，使两个私有者进行交换的根本原因是双方都需要对方的劳动产品，想以此来满足自己。因此，每个私有者都意识到，自己不仅是自己的劳动产品的所有者，而且是对方的劳动产品的潜在的所有者。正是在这种情况下，两个私有者放弃各自的劳动产品即他们的私有财产，相互转让，交换关系由此产生。显然，最初的交换关系就是物物交换，两个私有者正是通过这种物物交换结成了社会关系，然而在马克思看来，这种社会关系并不是真正人与人的关系，因为它建立在私有财产及其外化或异化的基础上。马克思特别指出，经过交换，双方的劳动产品或者外化的私有财产具有了两个特点：一方面，它们不再是自己的生产者即原初所有者的产品，不再是其私有物，因此它们不再具有原初所有者的特性和本质，相反，它们成了新的所有者的私有物，从而具有新的所有者的特性和本质；另一方面，这两种劳动产品或私有财产通过交换发生了关系，它们既代表着自身，又代表着对方，是对方的替代物、等价物。②尽管马克思在这里便结束了关于交换关系的阐述，但是显然，他的论述为交换关系的进一步发展，为一般等价物特别是货币的产生奠定了基础。

第三，从劳动向谋生劳动的发展。从社会交往异化问题回溯到交换关系特别是物物交换的产生，这对马克思而言还不够彻底。于是，他把目光进一步聚集于交换关系的前提，即劳动如何变成了谋生劳动。在马克思看来，劳动既是人获得生活资料的途径，更是实现人的存在、人的本质的方式。最初，劳动产品完全是基于生产者个人的需要进行生产的。因此，如果有交换发生，那也只是两个生产者对自己的剩余劳动产品的交换。然而，随着交换的发展，劳动的性质开始发生变化，它不再仅仅是为了满足生产者个人的需要，而是为了满足生产者之外的他人的需要。由此，劳动开始转变为谋生劳动。随着谋生劳动程度的加深，劳动所生产的产品越来越同生产者本人无关，越来越脱离生产者本人。相应地，劳动这种活动也日益成为一种同生产者的个性、本质的实现毫不相干的异己活动，劳动只是为了谋取生活资料，为了谋生，而不是人的存在和

---

① [德] 马克思：《1844年经济学哲学手稿》，人民出版社2000年版，第172页。

② [德] 马克思：《1844年经济学哲学手稿》，人民出版社2000年版，第173—174页。

本质的实现。最终，劳动发展成为完全的、纯粹的谋生劳动。在马克思看来，纯粹的谋生劳动包含着劳动对劳动主体的异化、劳动对劳动对象的异化、社会需要与个人即工人需要的异化、劳动活动本身的异化等等内容。[1] 可以看出，纯粹的谋生劳动正是资本主义制度下的异化劳动。

在阐述了谋生劳动的产生和发展过程后，马克思最后回归到了这段逻辑严密的论述的起点——货币。他指出，伴随着谋生劳动的发展和分工的出现，产品的生产越来越专门化，越来越同生产者的需要无关。于是，以生产者的产品充当等价物的物物交换时代就此结束，货币作为等价物最终出场。正如马克思在此处写到的，"货币现在是谋生的劳动的直接结果、是交换的中介（见上文）"[2]。这里的"见上文"无疑照应了他这段集中阐述的起点。

从上述层层深入、不断递进的分析中，我们已然可以逆推出马克思关于社会交往异化的形成史图景。简言之，在人类之初，劳动既是基于个人需要的活动，又是个人存在和本质的积极实现。由于个人的贫困与需要，产生了最初的交换，但它仅限于剩余产品。之后，随着物物交换的发展，私有财产的不断外化或异化，劳动越来越陷入谋生劳动的范畴，它不再是为了满足生产者本人的需要，而是为了满足生产者之外的他人的需要。于是，伴随着分工的出现，产品的生产更为专门，物物交换最终过渡到以货币为中介的一般交换。此后，货币的异化、信用业和银行业的异化相继出现，最终导致社会交往的全面异化。显然，在马克思的阐述逻辑中，生产劳动及物物交换的出现是起点，谋生劳动和交换关系的发展是关键，货币、信用业和银行业的异化是结果。它们一环扣一环，构成严密而完整的统一体。

尽管在第一次集中阐述中马克思的论证已经比较完整，社会交往异化的形成图景也比较清晰。但是，他显然意犹未尽。因此，在摘录到"四　论消费"时，马克思再次中断摘录，开始了第二次集中阐述，而这次的阐述内容对第一次阐述作了进一步细化和补充。

第一，物物交换中的异化。在第一次集中阐述中，马克思在谈到交换关系时更多关注的是物物交换如何在两个私有者之间发生，对于其中所涉及的异化问题并没有专门论述。然而，在第二次集中阐述时，看来马克思认识到物物交

---

[1]　[德] 马克思：《1844 年经济学哲学手稿》，人民出版社 2000 年版，第 174—175 页。
[2]　[德] 马克思：《1844 年经济学哲学手稿》，人民出版社 2000 年版，第 176 页。

换中的异化问题是个非常重要的环节，因此对之作了详细的讨论。

马克思认为，人的生产劳动是有利己目的的，即满足个人的需要。因此，在人类的未开化时期，人的需要决定他所生产的产品的数量及规模。随着交换的出现及发展，劳动开始转变为谋生劳动。从表面上看，在谋生劳动的条件下，人的生产不再是为了满足自己的需要，而是为了满足别人的需要。但在马克思看来，事实并非如此。隐藏在满足别人需要的表象之下的，仍然是满足个人需要这一实质。也就是说，生产者之所以生产满足别人需要的产品，就是为了以此换取别人生产的产品，以满足自己的需要。个人需要才是生产和交换的根本动因和目的。因此，马克思指出，"如果我生产的物品超过了我自己能够直接消费的，那么，我的剩余产品是精确地估计到你的需要的。我只是在表面上多生产了这种物品。实际上我生产了另一种物品，即我想以自己的剩余产品来换取的、你所生产的物品，这种交换在我思想上已经完成了。因此，我同你的社会关系，我为你的需要所进行的劳动只不过是假象，我们的相互补充，也只是一种以相互掠夺为基础的假象"①。因此，在马克思看来，在物物交换的条件下已经存在异化，它表现如下：首先，就作为交换双方的生产者来说，由于他们的目的都是对方的产品，因此，他们在对方眼中并不是作为人而存在，相反，他们只是自己产品的表现，只代表着物。其次，为了获得对方的产品，生产者不得不生产对方需要的产品，从而把自己贬低为自己产品的手段和工具，贬低为物。再次，尽管产品是生产者的产物，但由于它注定作为交换的中介，因此它并不体现生产者的个性与本质，相反，它总是与生产者处于排斥与对立的状态。最后，通过物物交换，交换双方结成的并不是真正人与人的社会关系，而是与他们相异的私有财产与私有财产、物与物的关系。可以看出，在物物交换阶段，随着谋生劳动的出现，人与人的交往异化已经显现，这就为资本主义制度下社会交往的全面异化埋下了伏笔。马克思正是意识到物物交换下存在交往异化的源头，才对这一内容作了详细的补充。

第二，真正人的生产。既然在谋生劳动产生之初的物物交换时期就已经出现人与人的异化，而在谋生劳动最终完成的资本主义制度下社会交往达到全面异化，那么，我们不禁要问，非异化的、真正人的劳动应该是什么样的？它有

---

① [德] 马克思：《1844 年经济学哲学手稿》，人民出版社 2000 年版，第 181 页。

哪些基本特征呢？马克思显然已经考虑到了这一点，因此，在阐述了物物交换下的异化后，他便对这个问题作了专门说明。马克思指出，

假定我们作为人进行生产。在这种情况下，我们每个人在自己的生产过程中就双重地肯定了自己和另一个人：（1）我在我的生产中使我的个性和我的个性的特点对象化，因此我既在活动时享受了个人的生命表现，又在对产品的直观中由于认识到我的个性是对象性的、可以感性地直观的因而是毫无疑问的权力而感受到个人的乐趣。（2）在你享受或使用我的产品时，我直接享受到的是：既意识到我的劳动满足了人的需要，从而使人的本质对象化，又创造了与另一个人的本质的需要相符合的物品。（3）对你来说，我是你与类之间的中介，你自己认识到和感觉到我是你自己本质的补充，是你自己不可分割的一部分，从而我认识到我自己被你的思想和你的爱所证实。（4）在我个人的生命表现中，我直接创造了你的生命表现，因而在我个人的活动中，我直接证实和实现了我的真正的本质，即我的人的本质，我的社会的本质。①

尽管马克思的论述充满了费尔巴哈式的"类"、"爱"、"本质"等术语，但他的观点还是非常明确的。首先，就个体的人而言，劳动是他的个性和特点的彰显，是他的生命活动本身，因此，劳动不是异己的痛苦活动，而是体现个人"天然禀赋与精神目的"②的自我享受；其次，就劳动的目的来说，劳动不是谋生活动，不是追求生存的手段和工具，它是人的一种内在需要，是人的自我实现，是人的"真正的、活动的财产"③。最后，就人与人的交往来说，劳动也是一种为他的活动，由此结成的是相互补充、相互实现的人与人的真正社会关系，而不是人与人的相互疏离与异化。显然，马克思关于真正的人的劳动的说明为异化的克服和扬弃提供了根本的方向，这对于他在第一次集中阐述中给出的社会交往异化史的图景是一个重要的补充。

正是通过在《穆勒摘要》中对社会交往异化根源的考察，马克思对他在

① ［德］马克思：《1844年经济学哲学手稿》，人民出版社2000年版，第183—184页。
② ［德］马克思：《1844年经济学哲学手稿》，人民出版社2000年版，第175页。
③ ［德］马克思：《1844年经济学哲学手稿》，人民出版社2000年版，第184页。

《1844年手稿》中触及的、但未解决的问题都作了回应：笔记本 I 中关于异化劳动的起源问题在劳动何以成为谋生劳动中得到了解答；笔记本 II 未追溯的私有财产早期状况问题以及笔记本 III 中未展开的交换关系问题，均在关于交换关系的产生过程以及物物交换中的异化问题的阐述中得到详析。另外，笔记本 III"货币"片断中的阐述也在关于货币异化、信用业和银行业异化的论述中得到了深化。可以看出，与《1844年手稿》相比，《穆勒摘要》在思想水平上显然更胜一筹。我们只有把《1844年手稿》和以《穆勒摘要》为代表的《巴黎笔记》结合起来，才能全面考察马克思在1844年的思想发展轨迹和演进历程，进而认识到当时他的思想的迅猛发展。

总之，通过1844年以《巴黎手稿》为成果的广泛的政治经济学研究，马克思不仅对从货币主义、重商主义到重农学派再到斯密、李嘉图、穆勒的国民经济学发展脉络有了较为全面的认识，而且对国民经济学的理论与现实之间的矛盾、对当前经济事实的异化问题有了深刻的把握。由此，他一方面对作为这一切异化的积极扬弃的共产主义作了考察；另一方面，他进一步回溯，以探求异化背后的根源。正是在这一追根溯源的过程中，马克思从历史发展的维度对谋生劳动或异化劳动、社会交往异化的产生、发展和扬弃问题作了全面完整的考察分析，从而勾勒出一幅关于人类历史的发展图景。这种基于生产劳动的历史性阐述既是他进行政治经济学研究的重要成果，又使他在研究起点上就根本超越了国民经济学，进而为未来在《德意志意识形态》中创立唯物史观奠定了基础。然而，不可否认的是，马克思此时的历史阐述仍然偏重逻辑性，缺乏经验性的实证材料与研究。同时，异化逻辑依然是他所遵循的主要线索。另外，费尔巴哈的影响还比较明显。因而可以说，此时马克思正朝着唯物史观大步迈进，但距离唯物史观的创立仍有一段路要走。

第三节　恩格斯对英国工人阶级状况的研究

根据马克思在《〈政治经济学批判〉序言》中的回忆，恩格斯"从另一条道路"得出了与他一样的结果①，完成了政治立场和世界观的根本转变。如果说马克思的道路是退回书斋进行理论研究，那么恩格斯的道路就是深入社会进行调查研究。此时恩格斯所要寻求的已经不仅仅是抽象的知识或原则，还要亲眼看到工人们的生活状况和疾苦情境，亲耳听到他们为反抗压迫者所作的斗争。

1842年11月至1844年8月，恩格斯在英国居住期间，深入走访工人聚居地，广泛调查工人阶级的劳动状况和生活处境，同时搜集和研究各种官方文献和资料。依据这21个月的亲自调查和资料考证，1844年9月至1845年3月，恩格斯在德国巴门撰写了《英国工人阶级状况。根据亲身观察和可靠材料》（以下简称《英国工人阶级状况》）。这本著作翔实论述了工业化发展导致工人阶级处于非人的屈辱状况，阐明资产阶级应当为工人阶级的悲惨状况负责，并且在概述工人反抗历程的基础上，指出工人运动的唯一出路是夺取政权并改造整个社会。

《英国工人阶级状况》德文第一版于1845年5月在莱比锡出版。之后，美国版和英国版分别在1887年和1892年出版，都由恩格斯作序。美国版序言被恩格斯以"美国工人运动"为题，用德语发表在1887年6月10日和17日的《社会民主党人报》上。英国版序言的重要内容被收入1892年德文第二版序言中。

晚年恩格斯对这部青年时期作品的自我评价中有两点值得我们注意。第一，尽管"这本书无论在优点方面或缺点方面，都带有作者青年时代的痕迹……但是当我重读这本青年时期的著作时，发现它毫无使我羞愧的地方。"②《英国工人阶级状况》以丰富翔实的材料描绘了资本主义剥削的初始阶段，揭示了早期资本主义工业化生产的基本经济规律，并且从政治上和感情上都站在无产阶级立场上，控诉现代资产阶级贪婪逐利引发一切人反对一切人的战争。在后来的历史发展中，英国工人阶级的贫困状况有所缓解但没有实质改变，而其他新兴的工业国家则出现了类似的工人状况，因此本书对于认识工业社会的阶级状况具有重要意义。第二，"本书在哲学、经济学和政治方面的总的理论观点，和我现在的观点决不是完全一致的。1844年还没有现代的国际社会主义，从那时起，首先是并且几乎完全是由于马克思的功绩，社会主义才发展成

---

① 《马克思恩格斯选集》第2卷，人民出版社2012年版，第4页。
② 《马克思恩格斯选集》第1卷，人民出版社2012年版，第64页。

为科学。我这本书只是体现了它的胚胎发展的一个阶段。"①《英国工人阶级状况》标志着恩格斯实现了从革命民主主义向共产主义的转变。然而，作为科学社会主义诞生之前的作品，《英国工人阶级状况》写作时间早于马克思和恩格斯共同清算他们的哲学信仰，因而其中可以看到德国古典哲学的痕迹，晚年恩格斯虽然基本上没有改动正文，但他提醒读者注意这一历史局限，要在总的理论观点上自觉站在科学社会主义的立场。

在这篇序言里，恩格斯还针对时代发展引起的新变化解释了社会主义革命尚未到来的原因。一方面，英国工业的垄断地位还保持着，世界市场的开拓有效缓解了英国国内阶级矛盾；另一方面，大工业的发展需要抛弃早期那种不道德的低劣压榨手段，英国出台的一系列改良措施在表面上掩盖了工人的穷困状况。两方面原因都使过去那种极端贫困屈辱的状况有所好转，这是崇尚实际的英国工人运动没有爆发社会主义革命的原因。然而，工人阶级的穷困状况实质上并没有得到根本消除，恰恰说明工人阶级悲惨处境的原因应当到资本主义制度本身中寻找，从中发现剩余价值的秘密；而不是到工业发展早期使工人命运恶化的那些小弊端中寻找。恩格斯预言，伴随着英国工业垄断地位逐渐而必然的丧失，社会主义将重新在英国出现，到那时，自觉的、有组织的工人阶级政党将会展现他们团结起来的力量。

一、阐明无产阶级的历史使命

在恩格斯看来，考察工人阶级状况是揭示当代社会一切运动的真正基础和出发点，"因为它是我们目前存在的社会灾难最尖锐、最露骨的表现"②。英国作为老牌工业国，不仅工业发展走在了当时世界前列，那里的无产阶级境况也最具有典型样态，因此，考察英国工人阶级状况对理解英国甚至欧洲社会历史发展具有重要的意义。

恩格斯运用大量数据和事例来说明工人阶级是伴随着工业革命而形成和壮大的。在18世纪后半期，英国跟其他任何国家一样，城市很小，工业少而不

① 《马克思恩格斯选集》第1卷，人民出版社2012年版，第69页。
② 《马克思恩格斯选集》第1卷，人民出版社2012年版，第84页。

发达，人口稀少而且以农业人口为主。然而，机器发明在英国掀起了产业革命，科技巨大的推动力促使英国工商业日益繁盛。产业革命同时又引发了社会全面变革，不仅创造了居民多达 250 万人的大城市，还使财富快速聚集在少数人手里。这些财富作为资本，又建立起庞大的工厂和企业，导致从事手工业的小资产阶级纷纷破产。伴随着机器劳动在各行各业战胜手工劳动和分工的高度发展，一方面，工人阶级不断遭到机器排挤，成为"多余的人"；另一方面，资产阶级却获得了机器改进的全部利益，掌握着全部生产资料。越来越多的小手工业者被抛入没有财产的工人阶级。

第一，作为英国社会革命的主要结果，这个新出现的庞大群体没有丝毫财产，他们的生活状况绝大多数极其悲惨屈辱。首先，工人阶级的住房条件极其恶劣，无论是被荒废的危房旧房，还是狭窄局促的小住宅，都住满了工人阶级，屋里没有什么家具，常常好几家人合住一间屋子，屋外更是肮脏得令人作呕，到处是垃圾、臭水沟。可是，不管多么糟糕的小屋，总能找到租不起好房子的穷人，因此资产阶级鲜少周详考虑住宅环境和居民健康，他们唯一的念头就是尽可能多的赚钱。工人们住在这种房子里，既不可能保持清洁，也毫无家庭乐趣可言，甚至家庭都面临瓦解，因为大杂居的生活环境使他们日益退化堕落，丧失人性。其次，在那些肮脏得如洞穴般的住宅里，只有那些穿得很破、吃得很差的人才能住得下去。绝大多数工人只有粗布衣裳，还打着好多补丁。这种衣服生硬而厚重，穿上和脱下都十分困难，不像毛呢衣服可以驱寒避湿、预防伤寒。至于妇女和儿童，基本上都光脚走路。在食物方面，工人们总是购买便宜而劣质的食物，包括不新鲜的蔬菜、劣质的干酪、病死腐坏的肉，因为微薄的工资只能让他们维系最低的生存标准。而那些工资最低的工人，唯一的食物就是土豆。

第二，工人阶级的日常生活水平实际上是由工资这个先决条件主导的，因为他们唯一赖以为生的方式就是出卖自己。但工资从来不是稳定不变的。工资，意味着工人阶级事实上是有产阶级的奴隶，因为他们竟然可以像商品一样待价而沽，可以讨价还价，而且随着这种商品的供需情况起伏波动。"一条规律把劳动力的价值限制在必要的生活资料的价格上，另一条规律把劳动力的平均价格照例降低到这种生活资料的最低限度上。"[①] 因此，工人当时最好情况是做一天工作拿一天工资，以此糊口养家；一旦没了工作，那就只能饿死或者去

---

① 《马克思恩格斯选集》第 1 卷，人民出版社 2012 年版，第 75 页。

偷窃犯罪。

第三，资产阶级作为工业革命的既得利益群体，应当对工人阶级的状况负责。工业革命使资本集中聚集的趋势影响着所有人。"只要一个人发财，便会有十个人破产，另外还有一百个人因受到某一暴发户的廉价竞争的压力而生活得比以前更坏了。"大多数人破产成为无产者的同时，一个垄断一切生产资料和生活资料的大工业资本家阶级出现了。由于无产者没有任何财产，除了接受资产阶级提出的雇佣条件，就只剩下饿死、冻死、逃避文明社会的选择。然而，资产阶级的雇佣条件正是工人阶级悲惨命运的另一面写照，是工人阶级普遍陷入贫困的关键推手。

第四，资产阶级的工厂制度是对人的践踏和摧残。首先表现在，由于技术改进，真正费力的工作逐渐被机器取代，那些和机器竞争的工人得到的工资往往最低。其次，机器生产的发展日益挤掉成年男工，换上工资更低的妇女和儿童。由此引发的后果就是家庭解体：女工无暇照顾孩子，工厂区的小孩因缺乏照料而酿成的事故"惊人地增加起来"[1]，有的妇女分娩三四天就要回到工厂，对母婴身心健康都造成很大伤害。再者，工厂童工死亡率非常高，一是因为他们幼年时作为工人的孩子，贫困杂乱的生活条件对健康伤害很大；二是因为他们大部分从八九岁起就在工厂工作，每天长达 14—16 小时的过度劳累，导致相当一部分人成为畸形者，而恶劣的工厂环境还会引起其他疾病，此外还有可能被机器致残。就算躲过百病侵袭和诸多危险，侥幸活到成年，这些年轻人也是又瘦又弱，以至于适合服兵役的人少之又少。此外，工人阶级及其后代几乎没有接受国民教育的机会，他们不仅缺乏知识教育，也缺乏道德和宗教教育。

恩格斯称工厂制度下的强制劳动是"世界上最折磨人最使人厌倦的无聊"，足以使工人毁掉他的全部体力和智力。[2] 事实上，英国的工人阶级已经开始遭遇整代整代人的毁掉。为了填满资产阶级的钱袋，工人不得不长时间在机器旁工作，遭受这种最残酷的苦刑，其结果必然是身体孱弱、精神萎靡、理智丧失、道德低下。可见，产业革命不过是无产阶级诞生的直接原因，在根本上造成工人阶级这一系列悲惨状况的，其实是资产阶级贪婪逐利的本性及其主导的社会经济和政治制度。

---

[1] 《马克思恩格斯选集》第 1 卷，人民出版社 2012 年版，第 429 页。
[2] 《马克思恩格斯选集》第 1 卷，人民出版社 2012 年版，第 463 页。

二、揭示无产阶级之为现代大工业的必然产物

在旧制度中，学徒、小手工业者是成为资产者的过渡阶段，但是现在，在这场工业化的浪潮中成为无产者的工人，再也没有任何可能成为资产者，只能深深陷入无止境的动荡和贫苦。然而，掌握政治权力的资产阶级囿于私利的偏见，对工人阶级的处境无动于衷，"在任何地方，一方面是不近人情的冷淡和铁石心肠的利己主义，另一方面是无法形容的贫穷。"①为了避免陷入绝望，工人阶级只有两条出路，要么继续被当作牲口看待并且真的逐渐变成牲口，要么对当权的资产阶级燃烧起烈火般的憎恨和愤怒。有的工人选择了前一种道路，在酗酒和放荡中走向堕落，可是，这不过是绝望的特殊表现形式罢了；还有的工人则选择了后一条道路，愤而做出反抗举动。

第一，恩格斯高度评价了英国工人阶级的斗争热情。在资产阶级的代言人看来，工人阶级敌视、反抗资产阶级是不知感恩和道德败坏，因为在做一天工作拿一天工资的形式公平的外衣下，掩盖着工人阶级被剥削被压迫的实质不公平。恩格斯赞同工人阶级应当设法摆脱他被剥削被压迫的非人状况。当社会变革把大量人口抛入无产阶级队伍，造成他们极端贫困动荡处境的同时，也破坏了他们的道德。尽管还有一部分工人很讲道德，哪怕山穷水尽也不肯偷抢犯罪，结果是别无出路的他们，要么饿死要么自尽。面对生死存亡，道德一般而言是次要的。"无产者凭什么理由不去偷呢？……当无产者穷到完全不能满足最迫切的生活需要，穷到要饭和饿肚子的时候，蔑视一切社会秩序的倾向也就愈来愈增长了。"②换句话说，正是工人阶级的非人处境迫使他们走向反抗现有社会秩序的道路。

第二，在恩格斯看来，支配英国工业社会发展的基本原则是自由竞争。自由竞争原则使个人自私自利的本性急剧膨胀，造成了一切人反对一切人的社会战争。既有的社会秩序就是隐秘的社会战争，在这场社会战争中，资本就是武器。由于个别人在产业革命进程中把一切利益都攫为己有，剥夺了社会上大多数成员的生活资料，使他们沦为无产者，因而在一切人反对一切人的战争中工

---

① 《马克思恩格斯选集》第1卷，人民出版社2012年版，第304—305页。
② 《马克思恩格斯选集》第1卷，人民出版社2012年版，第400页。

人阶级处于十分不利的地位，也就不可避免地陷入悲惨境况。根据英国的犯罪统计表可以发现，这场社会战争已经愈演愈烈，一年比一年激烈、残酷而不可调节；同时，敌对的各方面已经逐渐分为互相斗争的两大阵营，一方面是少数掌握一切生产资料和生活资料的资产者；另一方面是占据人口大多数却一无所有地生活在极度贫困和不确定中的无产者。

第三，恩格斯在分析介绍英国工人运动历史的基础上，阐述了无产阶级的历史使命。尽管处于不利地位，工人阶级早在工业发展开始后不久，就表现出了对资产阶级的反抗，并且已经发展出了各种不同阶级。工人们的反抗心情，最初的、最原始、最不自觉、最没有效果的形式就是犯罪。"罪犯只能一个人单枪匹马地以盗窃来反对现存的社会制度；社会却能以全部权力来猛袭一个人并以占绝对优势的力量压倒他。"[1] 这样的反抗不仅粗陋、初级，而且在庞大的国家机器面前注定无效。

工人阶级第一次反抗资产阶级，是在产业革命初期用暴力来反对机器应用，表现为砸毁机器和捣毁工厂。这种反抗形式尽管具有一定的组织，体现了工人阶级的利益诉求，但是局限于个别地区，并且只是针对社会制度的某一个方面，没有触及社会制度的根本。"而且只要工人一获得转瞬即逝的胜利，社会权力就以自己的全部压力来袭击这些再度变得手无寸铁的犯罪者，给他们各种各样的惩罚，而机器还是使用起来了。"[2]

为此，工人们必须寻找一种新的反抗形式。1824 年法律赋予工人在过去只有贵族和资产者才享有的结社的权利，使原本秘密存在的工人团体很快遍布全英国，在所有的劳动部门中都成立了工会。它们作为集体力量来与雇主谈判工资，限制剥削，并且帮助失业工人。多得令人难以置信的罢工证明了社会战争的蔓延程度，它们确凿地反映了工人阶级和资产阶级的对立关系。然而，工会的合法斗争历史"充满了工人的一连串的失败，只是间或才有几次个别的胜利"[3]。工会的力量显然还无法改变工资取决于劳动市场上供求关系这个经济规律。只要还有工人没有加入工会或者加入者不够坚定，那么在局部罢工时，工厂主就能从所谓的"工贼"中找到突破口，联合起来的工人的努力便会付诸东流。

---

① 《马克思恩格斯选集》第 1 卷，人民出版社 2012 年版，第 502 页。
② 《马克思恩格斯选集》第 1 卷，人民出版社 2012 年版，第 502 页。
③ 《马克思恩格斯选集》第 1 卷，人民出版社 2012 年版，第 505 页。

对于工会组织罢工这种新的反抗形式，恩格斯认为，这是工人阶级试图团结起来消灭竞争的第一次尝试，证明了工人阶级已经意识到资产阶级的统治和压迫正是建立在工人彼此间的竞争上。同时，工人们在罢工中充分显示了他们的勇气和坚毅，以及能够摧毁整个资产阶级的巨大力量。然而，为什么大多数罢工都是以工人吃亏而告终呢？恩格斯指出，局部的工会罢工远远不够，必须明确资产阶级的利益与工人阶级的利益完全对立，必须彻底粉碎资产阶级势力。一句话，工人阶级为了争取自身解放必须推翻资本主义制度，这是它的历史使命。如果工人们不想他们之间的竞争卷土重来，那么，比争取经济领域的合理工资更为重要，也比打击报复"工贼"更为重要的是，他们自身要继续前进，从根本上消灭竞争，而不是消灭一部分竞争。

三、阐述无产阶级领导历史前进的客观必然性

在《英国工人阶级状况》一书中，恩格斯对于无产阶级领导历史前进的必然性论证，存在两条相互交叉的线索，一条是从哲学上进行论证，另一条是尚未完全成熟的唯物史观的表达。

首先，恩格斯认为工人阶级的解放不仅是整个社会解放的先决条件，也是全人类解放的组成部分。工人阶级是"'统一而不可分的'人类大家庭中的成员"，工人阶级"前进中的每一步都将有助于我们共同的事业，全人类的事业"。[1] 由于"英国的工业和整个市民社会运动把最后的一些还对人类共同利益漠不关心的阶级卷入了历史的巨流"，产业革命所引发的社会变革就具有了世界历史意义。[2] 波及社会方方面面的产业革命使工人从旧式的田园牧歌般庸碌生活中脱离出来，把他们完全变成了简单的机器，结果是，一方面，工人被剥夺了"最后剩下的一点独立活动的自由"，另一方面，工人也因此被迫思考，被迫去争取"人应有的地位"。[3]

恩格斯在1892年德文第二版序言中强调，社会主义不是凌驾于一切阶级

---

① 《马克思恩格斯选集》第1卷，人民出版社2012年版，第277页。
② 《马克思恩格斯选集》第1卷，人民出版社2012年版，第284页。
③ 《马克思恩格斯选集》第1卷，人民出版社2012年版，第283—284页。

对立之上的人的解放，"只要有产阶级不但自己不感到有任何解放的需要，而且还全力反对工人阶级的自我解放，工人阶级就应当单独地准备和实现社会变革。"①也就是说，无产阶级在必要时可以通过革命专政，独立地领导历史运动。

其次，在抽象地谈论共同利益、人类解放的同时，恩格斯还立足工人运动的实际发展来阐述无产阶级领导历史前进的客观必然性。工人阶级"用自己的发明和自己的劳动创造了英国的伟业，他们日益意识到自己的力量，日益迫切要求分享社会设施的利益"②，伴随着工人阶级意识的觉醒，工人在阶级斗争中表达自我要求的勇气和力量都得到了增强。无产阶级越来越觉悟到"他们团结起来就会成为一个相当巨大的力量，在最必要的时候是能够向资产阶级挑战的。这种觉悟是一切工人运动的重大成果"③。19世纪30年代形成的宪章运动就反映了英国工人阶级有了比较自觉的发展，是工人运动从经济领域的自发斗争向政治领域的自觉斗争的转变。他们提出的"人民宪章"是依据真正的民主原则来改组下院，因而作为现代社会第一个工人政党的宪章派，与过去一切资产阶级政党的区别就是体现了社会性，能够将政治权力推进到实现社会幸福。

尽管在1848年革命后，宪章运动走向崩溃，工人运动在政治上犯了尾巴主义错误，与自由党达成和解，但是，"人民宪章"却获得了法律效力，英国工厂们反而充当了革命的"遗嘱执行人"④。这是否可以说明无产阶级领导的工人运动实际上站在了历史前列，成为时代精神呢？相对于"所有的产业工人都被卷到反对资本和资产阶级的各种斗争中去了"的结果而言，或许可以说宪章运动较好地完成了它的历史使命。⑤此外，在19世纪末新工联的合法斗争也取得了新突破。恩格斯希望我们从这些"令人信服的实例"中看到，只要工人阶级提出了要求，并且明白自己要求的是什么，"他们在英国就成为一种决定性力量。"⑥

问题在于，工人阶级能够提出什么样的要求，并且明白自己要求的是什么。恩格斯指出，宪章派之所以走向消亡，是因为他们没有反对自由贸易本

---

① 《马克思恩格斯选集》第1卷，人民出版社2012年版，第70页。
② 《马克思恩格斯选集》第1卷，人民出版社2012年版，第102页。
③ 《马克思恩格斯全集》第2卷，人民出版社1957年版，第548页。
④ 《马克思恩格斯选集》第1卷，人民出版社2012年版，第73页。
⑤ 《马克思恩格斯选集》第1卷，人民出版社2012年版，第529页。
⑥ 《马克思恩格斯选集》第1卷，人民出版社2012年版，第80页。

身，一旦"工人下定决心不再让别人买卖他们的时候，当工人弄清了劳动的价值究竟是什么，工人作为一个不仅具有劳动力并且具有意志的人出现的时候，到那时，全部现代国民经济学和工资规律就完结了。"①

在1892年德文第二版序言中，恩格斯明确提出工人阶级应当反对资本主义制度本身。他指出，持续扩大化再生产是资本主义生产方式存在的基础，否则就要陷入停滞危机，产生资本过剩和劳动力过剩。然而，持续再生产的可持续空间是有限的，资本主义生产正在陷入全面危机，英国工业垄断地位也有了松动的迹象。"英国一年比一年紧迫地面临这样一个问题：要么是民族灭亡，要么是资本主义生产灭亡。"② 而摆在无产阶级面前的也有两条路：要么饿死，要么革命。在这里，无产阶级的利益诉求和他们的命运，与全国性、民族性的存亡问题紧密相连，无产阶级的利益与民族的根本利益实现了同一，于是无产阶级不仅在人数上占据绝大多数，而且代表着民族国家的根本利益，体现了社会历史发展的根本要求。

与无产阶级不断觉醒的状况相对应的是，占据统治地位的资产阶级却看不到危机四伏，认为自己是最强大的阶级，并且把自己的私利说成是民族的根本利益。这说明资产阶级深受阶级偏见和先入之见的遮蔽，对社会战争的严重后果表现出极端盲目和无比冷漠。"虽然他们赖以生存的地盘正从他们脚下被挖空并且每天都可能坍塌，而这种很快就会发生的坍塌就像某个数学和力学定律那样肯定无疑，他们还是可笑地安然自得"。③

第四节 对青年黑格尔派的集中清算

《神圣家族》写作于1844年8月底到11月间，1845年2月在法兰克福出版，

---

① 《马克思恩格斯选集》第1卷，人民出版社2012年版，第111页。
② 《马克思恩格斯选集》第1卷，人民出版社2012年版，第77页。
③ 《马克思恩格斯选集》第1卷，人民出版社2012年版，第103页。

是马克思和恩格斯共同创作的第一部著作，是他们对青年黑格尔派的集中清算。在马克思主义形成的进程中，青年黑格尔派是一个非常重要的思想背景和参照系，从深受其影响、融入其间，到发生歧见、反叛出来，直至与其进行彻底的思想剥离，马克思和恩格斯逐步实现了思想的变革，创立了唯物史观。《神圣家族》标志着马克思和恩格斯完成了对青年黑格尔派的清算，新哲学世界观即将破土而出，是向唯物史观迈进的重要一步。作为一部论战性的著作，《神圣家族》直接批判的是布鲁诺·鲍威尔主编的《文学总汇报》。马克思和恩格斯之所以与《文学总汇报》直接论战，是因为他们认识到，《文学总汇报》中"整个德国思辨的胡说达到了顶点"，"把哲学对现实的颠倒变成最明显的滑稽剧"，是"现实人道主义"最危险的敌人。为了捍卫"现实的人道主义"，必须对《文学总汇报》、青年黑格尔派乃至黑格尔哲学作全面清算。《神圣家族》深入批判了布鲁诺·鲍威尔的"自我意识哲学"，并在思辨唯心主义批判中阐明了唯物主义的世界观，是马克思主义发展史上一部重要的著作。

一、《神圣家族》的写作背景

《神圣家族》是马克思和恩格斯对《文学总汇报》的批判。《文学总汇报》由布鲁诺·鲍威尔创办，1843 年 12 月到 1844 年 10 月分 12 期（其中第 11、12 期为合刊）由柏林夏洛滕堡的艾格伯特·鲍威尔出版，主要供稿人包括布鲁诺·鲍威尔、埃德加·鲍威尔、施里加、荣格尼茨、卡尔·赖哈特、茹尔·法赫尔等，文章的题材涵盖了理论论文、时局评论、诗歌、读者来信等。在《德国年鉴》和《莱茵报》被查封之后，《文学总汇报》成了青年黑格尔派的主要理论阵地。《文学总汇报》中的"思辨唯心主义"观点引起了马克思和恩格斯的警惕，他们决定合作《神圣家族》完成对青年黑格尔派的清算。这部著作是马克思和鲍威尔关于"犹太人问题"论战的延续和拓展。在恩格斯加入战局之后，他在英国通过经验观察和实证研究获得的知识加速了马克思的思想转变，深化了马克思对思辨哲学局限性、市民社会的经济属性和无产阶级历史使命的认识。这部著作是马克思和恩格斯为创立无产阶级科学世界观而合作的第一个文件，他们两人的研究相得益彰，为一生的伟大友谊打下了基础。

（一）"犹太人问题"论战的直接延续

《神圣家族》是马克思和鲍威尔围绕"犹太人问题"论战的直接延续。当德国理论界围绕"犹太人问题"展开争论的时候，布鲁诺·鲍威尔率先发表了《犹太人问题》和《现代犹太人和基督徒获得自由的能力》，提出了消灭宗教是解决"犹太人问题"的前提。1844 年 2 月，马克思在《德法年鉴》上发表《论犹太人问题》，点名批判布鲁诺·鲍威尔混淆了"政治解放"与"人的解放"。《论犹太人问题》在法国发表之后，迫于书报检查机关的压制，只有少量刊物流入德国，并没有引起太大的社会反响。尽管如此，马克思还是时刻关注《论犹太人问题》会遭到怎样的评价，尤其是他所批判的布鲁诺·鲍威尔将要如何辩解。终于，1844 年 7 月马克思在《文学总汇报》第 8 期上读到了布鲁诺·鲍威尔的《目前什么是批判的对象？》。尽管布鲁诺·鲍威尔在这篇文章中并没有提到马克思的《论犹太人问题》，但是其批判的锋芒已经指向了马克思在《德法年鉴》上的文章。在《目前什么是批判的对象？》中，鲍威尔为自己讨论"犹太人问题"的相关著述做了辩护，并提出了"纯粹批判"的纲领。他明确反对马克思等人提出的"组织群众"进行社会革命的观点，认为历史发展的动力是精神和自我意识，群众是精神和历史发展的敌人，是批判的对象而非依靠力量。

马克思读到布鲁诺·鲍威尔的《目前什么是批判的对象？》之后，就有意再次与鲍威尔展开论战。1844 年 8 月 11 日，马克思写信给费尔巴哈说，"对于德国人来说，要摆脱对立的片面性是很困难的，我的多年的朋友（但现在同我越来越疏远了）布鲁诺·鲍威尔在他的柏林出版的批判性报纸《文学报》中重新证明了这一点。"[1] 马克思在信中告诉费尔巴哈，他将与鲍威尔进一步论战。8 月底，恩格斯从英国返回欧洲大陆，顺道在巴黎与马克思会见。相比于第一次会面时的冷漠，这一次马克思和恩格斯发现二人在一切重大理论问题上表现出惊人的一致，"当我于 1844 年夏天在巴黎访问马克思时，我们发现我们在一切理论方面都是完全一致的，并且从此开始了我们共同的工作"。[2] 他们都认识到，要想改变无产阶级群众的悲惨生活状

---

[1] 《马克思恩格斯全集》第 47 卷，人民出版社 2004 年版，第 75 页。
[2] 《马克思恩格斯选集》第 4 卷，人民出版社 2012 年版，第 202—203 页。

态，必须为无产阶级提供一种新的哲学世界观。创立这种新的世界观，必须彻底打破德国思辨哲学一直以来谙熟的观念批判。对于马克思来说，进一步批判布鲁诺·鲍威尔已经超出了如何理解"犹太人问题"这一个具体问题的范围，而是两种历史观的斗争，必须进一步揭露鲍威尔思辨哲学的真面目，肃清历史唯心主义的危害。由此，《神圣家族》的写作正式提上日程。

（二）创立无产阶级科学的共同追求

在合作创作《神圣家族》之前，马克思和恩格斯都经历过艰辛的思想探索。为无产阶级创立科学世界观的共同追求最终把他们结合在一起，为他们的第一次合作打下了基础。马克思和恩格斯的第二次会面之所以能够取得巨大成功，在根本上是因为他们分别从不同的道路得出了"完全一致"的理论观点，都确立起了无产阶级的阶级立场，并把无产阶级和全人类的解放作为自己的奋斗目标。对于他们来说，青年黑格尔派"用'自我意识'即'精神'代替现实的个体的人"[①]，否定了人民群众在历史中的主体地位，抹杀了无产阶级实践斗争的历史作用，这种观点是他们不得不面对的对手。这种理论不仅在德国的思想界有广泛的市场，而且曾经深刻地影响了他们自身。因此，这场理论批判又是他们清算自己"哲学良心"的斗争。

《神圣家族》不仅是马克思和恩格斯共同追求的体现，而且是他们共同创作的结晶。在《神圣家族》22印张的篇幅中，恩格斯只完成了一个半印张，不到全书的十分之一，批判的对象也都是布鲁诺·鲍威尔周围无足轻重的小人物。但是，马克思却把恩格斯署名为第一作者。这一信息提醒我们：《神圣家族》是马克思和恩格斯密切合作的产物，文本篇幅显示出来的只是二人合作关系的冰山一角。马克思把恩格斯署名为第一作者的事实提醒我们，马克思认为恩格斯为《神圣家族》贡献了重要的思想内容。这一思想内容就是，恩格斯先于马克思形成的唯物史观的思想萌芽。恩格斯在英国深切地体会到工业革命以来的大工业生产对历史进程的影响，开始用"英国原则"（物质生产）取代"德国原则"（思想观念）来理解历史发展。恩格斯不仅在政治经济学研究上影响了马克思，而且在唯物史观的思想形成中也影响了马克思。恩

---

① 《马克思恩格斯文集》第1卷，人民出版社2009年版，第253页。

格斯在英国的发现推动马克思把对历史的理解建立在经济活动和物质生产而非精神和自我意识的基础之上，这是《神圣家族》批判青年黑格尔派的重要思想方法。在《神圣家族》的写作过程中，马克思通过批判思辨唯心主义，解剖现代市民社会等扎实的理论研究更进一步拓展了恩格斯的发现所蕴藏的理论空间和革命性意义。

（三）捍卫"现实人道主义"的必然要求

在《神圣家族》一开篇，马克思和恩格斯就提出，"现实人道主义在德国没有比唯灵论或者说思辨唯心主义更危险的敌人了"①。显然，《神圣家族》批判思辨唯心主义的目的在于捍卫"现实的人道主义"。在《神圣家族》中，马克思和恩格斯之所以批判"思辨唯心主义"，是因为思辨唯心主义用"自我意识"取代了"现实的个体的人"。团结在布鲁诺·鲍威尔周围的青年黑格尔派"把哲学对现实的颠倒变成最明显的滑稽剧"，而马克思和恩格斯写作《神圣家族》的目的正是为了"识破思辨哲学的幻想"。也就是说，马克思和恩格斯是要把布鲁诺·鲍威尔所颠倒的"现实"再次倒转过来，即颠倒鲍威尔所坚持的"自我意识"与"现实的个体的人"的关系，把"现实的个体的人"重新确立为新哲学世界观的出发点。

事实上，"现实的人道主义"构成了《神圣家族》的理论主题。"现实的人道主义"是《神圣家族》不同于《1844 年经济学哲学手稿》中"积极的人道主义"的地方，也是向着《德意志意识形态》中的唯物史观继续发展的重要一步。恩格斯参与《神圣家族》的创作是马克思完成从《1844 年经济学哲学手稿》到《德意志意识形态》过渡的重要中介。因为恩格斯在自己独立的探索过程中不仅深刻地把握住了经济生产的决定性力量，而且注意到无产阶级革命的历史进步意义。恩格斯的经验观察为马克思进一步研究市民社会中的经济活动和无产阶级的历史地位提供了指引。在《神圣家族》中，"现实的人道主义"统一起了马克思和恩格斯在哲学、政治经济学和社会主义共产主义上的研究，并在这一理论主题之下把它们带到了一个新的理论高度，朝着马克思主义的创立迈出了坚实的一步。

① 《马克思恩格斯文集》第 1 卷，人民出版社 2009 年版，第 253 页。

二、质疑自我意识哲学的"神圣"特征

布鲁诺·鲍威尔是《文学总汇报》的创办者和主要撰稿人，为《文学总汇报》的"纯粹批判"制定了以群众为批判对象的基本纲领。这一激进的哲学路线是从布鲁诺·鲍威尔的"自我意识哲学"发展而来的。深刻理解马克思和恩格斯在《神圣家族》中对布鲁诺·鲍威尔及其伙伴的批判，必须首先掌握"自我意识哲学"。

（一）布鲁诺·鲍威尔的"自我意识哲学"

尽管"自我意识"是布鲁诺·鲍威尔哲学的核心概念，但是他却很少直接界定这个概念。理解布鲁诺·鲍威尔的"自我意识"概念需要把握三组关系：第一，布鲁诺·鲍威尔的"自我意识"与黑格尔的"绝对精神"的关系。尽管黑格尔的"绝对精神"达到自我意识的整个现象学历程是布鲁诺·鲍威尔提出"自我意识"概念的基础，但是必须看到布鲁诺·鲍威尔的自我意识是对黑格尔的超越性的"绝对精神"的反叛。布鲁诺·鲍威尔说，"世界精神（Weltgeist）在人的精神（Menschengeist）中才有其现实性，它并没有一个自为的王国、自为的世界和自为的天国"①。布鲁诺·鲍威尔的"自我意识"是以人的有限的精神为载体的，它在根本上反对任何超越性的实体和无限者。人在自己有限的精神中获得"无限的自我意识"或"真正普遍的自我意识"，就是达到了自由。第二，布鲁诺·鲍威尔的"自我意识"与费希特的"自我"的关系。布鲁诺·鲍威尔说，自我意识是"真正的自因"，它"设定了世界，设定了差别，而且在它所创作的东西中创作了自身"，因而"创作物的差别又被它自身扬弃了"②。布鲁诺·鲍威尔的"自我意识"无疑是从黑格尔的立场向着费希特的主观主义立场的后退，但是二者也是有区别的。如柏林洪堡大学阿恩特教授指出的，"正如费希特的自我必须不停地消灭自己设定的非我，

---

① Bruno Bauer, *Die Posaune des jüngsten Gerichts über Hegel den Atheisten und Antichristen. Ein Ultimatum*, Leipzig:Otto Wigand, 1841, p.85.

② Bruno Bauer, *Das entdeckte Christentum. Eine Erinnerung an das achtzehnte Jahrhundert und ein Beitrag zur Krisis des neunzehnten*, in: *Das entdeckte Christentum im Vormärz*, Zuerich und Winterthur 1843, hrsg. von E. Barnikol, Jena: Eugen Diederichs Verlag, 1927, p.160f.

自我意识要不停地批判实体性，即证明它是自己的产物，从而否定它，而布鲁诺·鲍威尔和费希特的对立则表现在，自我没有被思考为绝对的东西，而是被思考为有限的东西。"① 它可以通过自己的行动把自身确立为普遍的东西，这个行动就是批判。在批判中，自我意识证明一切外在于、超越于自我意识的实体都不外乎自我意识的创造物，只有自我意识是真正普遍的。第三，布鲁诺·鲍威尔的自我意识与宗教意识的关系。宗教意识也是一种类型的自我意识，或者说是异化的自我意识。"无限的自我意识"的形成，是一个教化（Bildung）的历史过程。这个过程是有限的自我意识不断放弃自己的特殊性的立场，成为真正普遍的自我意识的过程。在这个过程中，宗教的意识是自我意识必经的异化阶段，只有扬弃宗教的异化，自我意识才能成为真正普遍的自我意识。鲍威尔自我意识哲学是其宗教批判的哲学基础。② 鲍威尔的"宗教批判"源于他的时代责任感。埃德加尔·鲍威尔曾经这样描述他的兄长布鲁诺·鲍威尔："要想理解鲍威尔，必须理解我们的时代。……我们的时代是革命的时代。"③ 鲍威尔认为他本人正生活在新旧时代的转折点上，新时代的孕育必须要有新的思想观念作支撑，这种新的思想观念的形成必须以打破宗教意识的束缚为前提。

布鲁诺·鲍威尔的"自我意识哲学"之所以能够从宗教批判更激进地发展为批判一切阻碍历史进步因素的"纯粹批判"，这首先与当时的社会政治环境有关。布鲁诺·鲍威尔本来对于缺乏普遍自我意识的公众是冷漠的，对其只有蔑视。但是随着政治形势的恶化，布鲁诺·鲍威尔期待的危机一直没能出现，群众对于他和基督教会的论战也越来越没有热情。布鲁诺·鲍威尔开始怪罪群

---

① Andreas Arndt, "*Jenseits der Philosophie: Die Kritik an Bruno Bruno und Hegel（S.78–100）*", *in: Karl Marx / Friedrich Engels: Die Deutsche Ideologie*, hrsg. von Harald Bluhm, Berlin: Akademie Verlag, 2010, p.160.

② 布鲁诺·鲍威尔的"自我意识哲学"把自我意识达到普遍性作为自由，这种反对一切特殊性（或排他性特权）的哲学在德国"三月革命前夕"（Vormärz）汹涌澎湃的思想激荡中具有明确的政治含义：首先，它反对宗教特权的压迫，反对以宗教为基础的国家，基督教德意志国家是其典型形态。其次，它也反对经济特权的压迫，反对以占有性的个体主义为基础的自由主义，因为自由主义所维护的无非是私人的特殊的经济利益。

③ Edgar Bauer, *Bruno Bauer und seine Gegner*, Berlin: Jonasverlagsbuchhandlung, 1842, pp.4–5.

众不支持批判的事业，批判群众的惰性。① 这正是《文学总汇报》的主题。马克思在与布鲁诺·鲍威尔论战时曾以挖苦的语气说出了"纯粹批判"的诞生记录：

> 我们就按绝对的纪元，从批判的救世主即鲍威尔主编的《文学报》诞生的那一年算起吧！批判的尘世拯救者诞生于 1843 年。……就在这重要的旧历 1843 年即批判的纪元元年，在《德国年鉴》和《莱茵报》被查封之后，鲍威尔先生的虚假政治著作《国家、宗教和政党》出版了。②

马克思在这里向我们交代了一个历史事实，即"纯粹批判"是在《德国年鉴》和《莱茵报》被查封之后登上历史舞台的。这两份刊物曾经是青年黑格尔派最重要的理论阵地，由于对政府的激进立场，它们都没能逃脱被书报检查机构查封的命运。面对这两份为了群众利益发声的报刊被封禁，群众竟冷漠相对。布鲁诺·鲍威尔认识到，如果继续对群众狭隘的立场保持冷漠和高傲，他的哲学最终将一事无成。因此，布鲁诺·鲍威尔提出要对一切阻碍历史进步的因素进行批判，尤其是要批判冷漠的群众。

布鲁诺·鲍威尔从"宗教批判"向"纯粹批判"的激进转变，也是其"自我意识哲学"的必然结果。布鲁诺·鲍威尔从黑格尔的体系中提取出"自我意识"，其本意是为了反对黑格尔的超越于人类精神之上的"绝对精神"。同时布鲁诺·鲍威尔立足于费希特主义的观点把自我意识理解为"自因"，即作为创造性的否定性。为了达到真正普遍的自我意识，布鲁诺·鲍威尔反对一切有别于自我意识的实体性要素，不承认任何有别于思维的存在，把一切有限的物质

---

① 在写作《被揭穿了的基督教》时，鲍威尔对群众的冷漠并没有做出激烈的批判。相反，他写道："现在自我意识已经达到了自身自由的确定性，而且在决定性的时刻也会让不自由的人自由地做不自由的人。自我意识不会强迫他们变得自由。自我意识会用自由征服世界。在危机之后，历史就不是基督教的历史了，也不再是基督徒的历史了；但是历史会宽容地蔑视那些停留在文明世界的边缘的人，以及那些想要为自己维持自身的神灵的人。"参见 Bruno Bauer, *Das entdeckte Christentum. Eine Erinnerung an das achtzehnte Jahrhundert und ein Beitrag zur Krisis des neunzehnten*, in: *Das entdeckte Christentum im Vormärz*, Zuerich und Wintertur 1843, hrsg. von E. Barnikol, Jena: Eugen Diederichs Verlag, 1927, p.164。

② 《马克思恩格斯文集》第 1 卷，人民出版社 2009 年版，第 304 页。

存在都归为"单纯的假象和纯粹的思想"①。布鲁诺·鲍威尔把这种反对一切有别于自我意识的实体的哲学叫做"纯粹批判"。群众就是"纯粹批判"的重点对象。

（二）自我意识哲学是漫画式的德国思辨

马克思和恩格斯指出，布鲁诺·鲍威尔的自我意识哲学是以"漫画形式再现出来"的德国思辨。②所谓"漫画"就是抓住事物一个方面的特征并加以无限夸大，从而造成了滑稽的视觉效果。鲍威尔的自我意识哲学之所以是德国思辨哲学的一幅漫画，原因也正在于他仅仅抓住了黑格尔体系的一个方面并无限夸大，最终把黑格尔哲学扭曲到了滑稽可笑的地步。马克思在《神圣家族》中指出，"施特劳斯和鲍威尔之间关于实体和自我意识的论争，是一场在黑格尔的思辨范围之内进行的论争。在黑格尔的体系中有三个要素：斯宾诺莎的实体，费希特的自我意识以及前两个要素在黑格尔那里的必然充满矛盾的统一，即绝对精神。第一个要素是形而上学地改了装的、同人分离的自然。第二个要素是形而上学地改了装的、同自然分离的精神。第三个要素是形而上学地改了装的以上两个要素的统一，即现实的人和现实的人类。"③布鲁诺·鲍威尔抓住了黑格尔哲学中的"自我意识"要素，"在一切领域中都贯彻自己同实体的对立，贯彻他的自我意识的哲学或精神的哲学……他既反对存在于人之外的自然，也反对人本身这个自然。因此鲍威尔先生把整个世界都当作顽固不化的群众和物质加以摒弃"④。马克思在这里点明了，布鲁诺·鲍威尔哲学之所以是黑格尔思辨的漫画式表现，这一切根源于他只是抓住了黑格尔体系中的一个方面，并把这一个方面无限夸大。与黑格尔类似，布鲁诺·鲍威尔也是把人类历史理解为自我意识自我发展完善的历史。但是，与黑格尔精神哲学所具有的丰富历史内容相比，布鲁诺·鲍威尔的"自我意识"发展的历程是与一切实体相对立并清除一切实体的过程。自我意识在历史发展中的作用被无限夸大，一切不具备"无限自我意识"的都是阻碍历史发展的，都是要被消灭的。只有批判家本人在推动历史发展。

① 《马克思恩格斯文集》第 1 卷，人民出版社 2009 年版，第 345 页。
② 《马克思恩格斯文集》第 1 卷，人民出版社 2009 年版，第 253 页。
③ 《马克思恩格斯文集》第 1 卷，人民出版社 2009 年版，第 341—342 页。
④ 《马克思恩格斯文集》第 1 卷，人民出版社 2009 年版，第 345 页。

鲍威尔虽然抓住了黑格尔体系的一个方面并加以充分发展，但是却无法提供内容丰富的哲学体系，只能提供"毫无内容的漫画"。马克思指出："如果说黑格尔的《现象学》尽管有其思辨的原罪，但还是在许多方面提供了真实地评述人的关系的要素，那么鲍威尔先生及其伙伴却相反，他们只是提供了一幅毫无内容的漫画，这幅漫画只是满足于从某种精神产物中或从现实的关系和运动中撷取一种规定性，把这种规定性变为思想规定性，变为范畴，并用这个范畴充当产物、关系或运动的观点，以便能够以老成练达的姿态、扬扬得意的神气从抽象概念、普遍范畴、普遍自我意识的观点，傲然睨视这种规定性。"① 马克思在这里再次澄清了，鲍威尔及其伙伴之所以是"以漫画形式再现出来的思辨"，是因为他们只满足于从某种精神产物或现实关系中提取出一种规定性，然后把它变为"范畴"，以便自己能够从"普遍自我意识"的高度俯视和批判这种规定性。鲍威尔抓住黑格尔哲学的自我意识这个要素，"在一切领域中都贯彻自己同实体的对立"，把历史的真实过程理解为自我意识和绝对批判的创造物，他所能提供的只是缺少真实内容的"思辨哲学的漫画"。

布鲁诺·鲍威尔的自我意识哲学并没有解决黑格尔哲学的矛盾。首先，自我意识哲学本来是要反对黑格尔的绝对精神实体，但是最终他的"自我意识"也发展成了一个超越于"现实的个体的人"之上的实体。马克思精确地把握到，"在鲍威尔那里，自我意识也是提高到自我意识水平的实体，或者说，是作为实体的自我意识，自我意识从人的属性变成了独立的主体"②。其次，"纯粹批判"本意是推动世界历史的新发展，但是所谓"纯粹批判"就是仅仅在从事批判，对自我意识之外的一切实体性要素进行批判，黑格尔的闭合的、最终会达成和解的辩证法被改造为永恒否定的辩证法。它是一种"按原则和本性'不能提供任何东西'的批判"③，也不能为历史的发展提供积极的东西。马克思和恩格斯用"批判的批判"所讽刺的正是"纯粹批判"专注于同义反复的文字游戏的理论形象。

---

① 《马克思恩格斯文集》第 1 卷，人民出版社 2009 年版，第 358—359 页。

② 《马克思恩格斯文集》第 1 卷，人民出版社 2009 年版，第 340 页。

③ 《马克思恩格斯文集》第 1 卷，人民出版社 2009 年版，第 351 页。

（三）反对鲍威尔的唯心主义历史观

鲍威尔的唯心主义历史观以自我意识哲学为基础，他提出，"世界历史的意义仅仅在于自我意识的生成和发展"①。他认为，自我意识是历史的主体，理论批判或思想变革是推动历史发展的动力。他对法国革命的分析就体现了这种唯心史观。他说，"法国革命是一种还完全属于 18 世纪的实验。它想促成一种新的人的秩序——但是，它所产生的思想并没有超出革命想用暴力来推翻那个秩序的范围。因此，在这场革命消灭了人民生活中的封建屏障以后，它就不得不满足民族的纯粹利己主义要求，甚至煽起这种利己主义，另一方面它又不得不抑制这种利己主义，抑制的办法就是对它加以必要的补充——承认一种最高的存在物——，即借助在更高的层次上确认那必须把单个的自私的原子联合起来的普遍国家制度，来约束这种利己主义。"②布鲁诺·鲍威尔认为，思想没有超出旧的界限是法国大革命失败的根本原因。法国大革命想要建立新的人的秩序，但是却没有推动人的自我意识向着"普遍的自我意识"进步。由于缺少相应的精神支撑，法国大革命消除了封建屏障之后释放了人的利己主义追求，又无法很好地抑制利己主义，只能诉诸国家来约束利己主义，最终陷入了血腥的复辟之中。马克思指出，思想只能从一定的社会环境中产生，永远无法摆脱一定的利益基础，"'思想'一旦离开'利益'，就一定会使自己出丑"③。马克思指出，思想有没有发展并不能解释历史事件是走向成功还是堕入失败，其成功或失败的关键在于，这些事件能不能获得人民群众的拥护。不论思想的实现还是历史的发展都需要使用实践力量的人来推动。任何新的思想在刚出现的时候，都会宣传自己是代表"人的利益"的，这本身就表明思想只有靠着人的行动才能产生现实的作用。而新的思想是否能够得以实现，能否获得群众的拥护，归根结底还是要看它是否真的代表了群众的利益。如果群众认为某种思想没有体现自身的利益，他就不会为了这个思想起来行动。任何思想，只要脱离了群众的利益，最终都难逃破产的命运。与布鲁诺·鲍威尔认为历史上的活动

---

① Bruno Bauer, *Die Posaune des jüngsten Gerichts über Hegel den Atheisten und Antichristen. Ein Ultimatum*. Leipzig: Otto Wigand，1841，p.70.

② Bruno Bauer, *Was ist jetzt der Gegenstand der Kritik?*，Allgemeine Literatur-Zeitung, hrsg.von Bruno Bauer, Charlottenburg: Verlag von Egbert Bauer, Juli 1844（Nr.8），p.24.

③ 《马克思恩格斯文集》第 1 卷，人民出版社 2009 年版，第 286 页。

之所以会失败是因为引起了群众的热情相反，马克思认为，1789 年的法国革命之所以走向了失败，"并不是因为群众对革命'怀有热情'和表示'关注'，而是因为人数众多的、与资产阶级不同的那部分群众认为，在革命的原则中并没有体现他们的现实利益"。①

布鲁诺·鲍威尔唯心史观最大的特点是把群众与精神对立起来，把群众看作历史发展的敌人。马克思指出，布鲁诺·鲍威尔所说的"精神"和"群众"的关系只不过是"黑格尔历史观的批判的漫画式的完成"。黑格尔把人类历史视为精神的发展史，"人类只是这种精神的无意识或有意识的承担者，即群众。"布鲁诺·鲍威尔在这一点上继承了黑格尔的看法，但是他同时也发展了黑格尔的观点。在黑格尔的体系中，为了保证哲学的真理性，哲学家只能描述概念在辩证法的否定性力量的推动下所经历的自我发展过程，哲学家在这个过程中不能加入自身的主观想法，如此才能保证哲学体系的科学性。如马克思所言，这造成了黑格尔体系的两个"不彻底性"：第一，他把哲学视为绝对精神的定在，同时又不承认哲学家是绝对精神；第二，"他只是在表面上让绝对精神作为绝对精神去创造历史"，② 因为绝对精神创造历史的行动只发生在哲学家随后出现的意识中。布鲁诺·鲍威尔把绝对精神创造历史的行动贯彻到底，消除了这两种不彻底性：一方面，"他宣布自己就是绝对精神，而他自己就是批判。"另一方面，在布鲁诺·鲍威尔那里，精神并不是事后通过哲学家才意识到自己是创造历史的力量，批判本身就是创造历史的力量。黑格尔有关精神和群众的关系的看法被布鲁诺·鲍威尔转变成了"鲍威尔及其伙伴同群众的关系"。

需要指出的是，布鲁诺·鲍威尔把群众置于精神的对立面，并不是要放弃群众，而是要改造群众。不过，布鲁诺·鲍威尔是在精神层面改造群众，把群众改造为具有"普遍自我意识"的人。随着精神的改变，群众的生活也随之出现变化，社会的改变和历史的发展由此具有了精神基础。针对布鲁诺·鲍威尔的这一观点，马克思评价道："批判凭借无限的自我意识，使自己凌驾于各民族之上，期待着各民族跪在自己脚下乞求指点迷津，他正是通过这种漫画化的、基督教日耳曼的唯心主义，证明它依然深深地陷在德国民族性的泥坑

---

① 《马克思恩格斯文集》第 1 卷，人民出版社 2009 年版，第 287 页。
② 《马克思恩格斯文集》第 1 卷，人民出版社 2009 年版，第 292 页。

里。"① 在马克思看来，单纯精神领域的改变并不能影响现实的历史进程。马克思指出，"照批判的批判的意见，一切祸害都只在工人们的'思维'中"，但是无产阶级群众"并不认为用'纯粹思维'就能够摆脱自己的企业主和他们自己实际的屈辱地位……他们知道，财产、资本、金钱、雇佣劳动以及诸如此类的东西绝不是想象中的幻影，而是工人自我异化的十分实际、十分具体的产物，因此，也必须用实际的和具体的方式来消灭它们"②。在马克思看来，群众不仅不是历史发展的敌人，而且他们的实践是历史发展的动力，只有在群众实际的斗争中，才能消灭"财产"、"资本"、"金钱"等现实的事物，从而推动社会的发展。

布鲁诺·鲍威尔把精神作为历史过程的主体，事实上是把历史理解为一个脱离了"现实的个体的人"的独立过程。针对这种观点，恩格斯指出："历史什么事情也没有做，它'不拥有任何惊人的丰富性'，它'没有进行任何战斗'！其实，正是人、现实的、活生生的人在创造这一切，拥有这一切并且进行战斗。并不是'历史'把人当做手段来达到自己——仿佛历史是一个独具魅力的人——的目的。历史不过是追求着自己目的的人的活动而已。"③ 马克思和恩格斯强烈反对用抽象的精神代替现实的个体的人，反对把历史抽象为精神和自我意识的发展史的观点，他们把历史理解为"追求着自己的目的的人的活动"。这个命题标志着他们正在向着新世界观迈进。

三、在思辨唯心主义批判中阐明唯物主义世界观

《神圣家族》是马克思和恩格斯在唯物史观创立前夜对德国思辨唯心主义的一次全面清算，揭露了青年黑格尔派所共有的"思辨结构的秘密"，对法国唯物主义发展史做了深入研究，深化了对政治经济学这一市民社会科学的研究，肯定了物质利益在市民社会中的决定性作用，提出了"物质生产"和"生产方式"的观点，基于对市民社会中有产阶级和无产阶级关系的深刻探讨，对

---

① 《马克思恩格斯文集》第 1 卷，人民出版社 2009 年版，第 354—355 页。
② 《马克思恩格斯文集》第 1 卷，人民出版社 2009 年版，第 273 页。
③ 《马克思恩格斯文集》第 1 卷，人民出版社 2009 年版，第 295 页。

共产主义有了进一步的认识。马克思和恩格斯在思辨唯心主义的批判中阐明了唯物主义的世界观。

（一）揭穿"思辨结构的秘密"

在《神圣家族》中，马克思揭穿了"思辨结构的秘密"。在马克思批判施里加的过程中，他以"苹果、梨、草莓、扁桃"等具体事物和"果品"这个抽象概念之间的关系为例解开了"思辨结构的秘密"，指出这个秘密就在于思辨哲学颠倒了具体事物和抽象概念的关系。思辨哲学是通过两个步骤完成这种颠倒的。第一步，"从各种不同的现实的果实中得出一个抽象的'果实'——'果品'"[①]，把这个从具体事物中抽象出来的概念"果品"说成是苹果、梨的真正的本质，并且宣布"'果品'是梨、苹果、扁桃等等的'实体'"[②]。第二步，把千差万别的果实宣布为"'统一的果品'的不同的生命表现"[③]，"宣布为绝对主体即'果品'的自我活动。"[④]"这种办法，用思辨的话来说，就是把实体了解为主体，了解为内在的过程，了解为绝对的人格。"[⑤] 在思辨哲学的体系中，"思想和概念是决定性的本原"[⑥]，其最大的问题就在于颠倒了具体事物和抽象概念之间的关系，这也是黑格尔思辨哲学最大的秘密。马克思对于思辨结构的秘密的揭露，以形象的语言点破了青年黑格尔派共同的思维方式，深化了思辨唯心主义批判。

在《神圣家族》的序言中，马克思明确了黑格尔主义的哲学就是"对现实的颠倒"。在青年黑格尔派这里，这种颠倒表现在以下几个方面：第一，自我意识与现实的个体的人之间的颠倒。马克思指出，"批判的批判的总秘密就是重弹思辨的老调"[⑦]。马克思说的"思辨的老调"指的是黑格尔哲学。"黑格尔在《现象学》中用自我意识来代替人，因此，最纷繁复杂的人的现实在这里只表现为自我意识的一种特定形式，只表现为自我意识的一种规定

---

① 《马克思恩格斯文集》第1卷，人民出版社2009年版，第277页。
② 《马克思恩格斯文集》第1卷，人民出版社2009年版，第276页。
③ 《马克思恩格斯文集》第1卷，人民出版社2009年版，第278页。
④ 《马克思恩格斯文集》第1卷，人民出版社2009年版，第280页。
⑤ 《马克思恩格斯文集》第1卷，人民出版社2009年版，第280页。
⑥ 《马克思恩格斯文集》第1卷，人民出版社2009年版，第510页。
⑦ 《马克思恩格斯文集》第1卷，人民出版社2009年版，第356页。

性。"① 使用了黑格尔的思辨结构的布鲁诺·鲍威尔用"自我意识"取代了"现实的个体的人"。

第二，存在和思维、实践和理论之间关系的颠倒。在《神圣家族》中，马克思指出："存在和思维的思辨的神秘的同一，在批判那里作为实践和理论的同样神秘的同一重复着。"② 马克思所说的存在和思维、实践和理论之间存在着"思辨的神秘的同一"，意思是布鲁诺·鲍威尔认为思维决定意识、理论决定实践。布鲁诺·鲍威尔在《文学总汇报》中曾明确提出这种观点，他说："犹太人现在在理论领域内有多大程度的进展，他们就获得多大程度的解放；他们在多大程度上想要成为自由的人，他们就在多大程度上是自由的人了。"③ 布鲁诺·鲍威尔的思维和存在、理论和实践的同一性理论否认实践的作用，如马克思指出的，布鲁诺·鲍威尔是在"以思辨的黑格尔的形式恢复基督教的创世说"④。

第三，现实的人与历史和精神之间地位的颠倒。在思辨唯心主义哲学那里，"历史也和真理一样变成了特殊的人物（Person），即形而上学的主体，而现实的人类个体倒仅仅是这一形而上学主体的体现者。"⑤ 历史和真理被思考为具有人格的人，成了具有能动性和独立性的主体，而现实的活动着的个体则被思考为单纯的体现者，是没有人格的，也缺少能动性和独立性。马克思和恩格斯则针锋相对地指出，群众才是历史的真正主体，是精神进步的推动者。

第四，现实斗争与观念斗争的颠倒。马克思说，青年黑格尔派从黑格尔那里学会了一种技艺："这就是把存在于我身外的现实的、客观的链条变成纯观念的、纯主观的、只存在于我身内的链条，因而也就把一切外在的感性的斗争都转变成纯粹的思想斗争。"⑥ 布鲁诺·鲍威尔及其伙伴的看法是："只要他们在思想上征服了资本这个范畴，他们也就消除了现实的资本"⑦。他们否认现实斗争的意义、只关心观念斗争和观念批判。在马克思看来，布鲁诺·鲍威尔只是在和自己的内心做斗争，对于改变人的现实处境没有任何帮助。只有通过群

① 《马克思恩格斯文集》第 1 卷，人民出版社 2009 年版，第 357 页。
② 《马克思恩格斯文集》第 1 卷，人民出版社 2009 年版，第 358 页。
③ 《马克思恩格斯文集》第 1 卷，人民出版社 2009 年版，第 297 页。
④ 《马克思恩格斯文集》第 1 卷，人民出版社 2009 年版，第 339 页。
⑤ 《马克思恩格斯文集》第 1 卷，人民出版社 2009 年版，第 284 页。
⑥ 《马克思恩格斯文集》第 1 卷，人民出版社 2009 年版，第 288 页。
⑦ 《马克思恩格斯文集》第 1 卷，人民出版社 2009 年版，第 274 页。

众现实的斗争，才能消除现实存在的锁链。

（二）对近代唯物主义发展史的重新梳理

在《神圣家族》中，马克思详尽地研究了法国唯物主义的发展史。他提出，"法国唯物主义有两个派别：一派起源于笛卡儿，一派起源于洛克。"起源于笛卡儿的派别在医学领域有着广泛影响，经过勒鲁瓦，形成了以拉美特利为中心、以卡巴尼斯为最高峰的机械唯物主义派别。自然科学的发展就是以这一派的理论为基础的。洛克的感觉论启发了法国的孔迪拉克、爱尔维修，他们把感性作为知识与道德的基础，把人视为教育和环境的产物，这为社会主义和共产主义思潮的繁荣提供了理论准备。

第一，马克思辩证评价了机械唯物主义的发展史。法国唯物主义开始于笛卡儿。笛卡儿不仅以"我思故我在"这个哲学命题开启了现代形而上学，而且在数学、物理学等领域亦有建树。他在物理学的范围内，提出了和唯理论的形而上学完全不同的命题："物质是唯一的实体，是存在和认识的唯一根据。"①笛卡儿提出的与形而上学泾渭分明的物理学理论为机械唯物主义发展铺平了道路，例如：参照笛卡儿"动物是机器"的命题，拉美特利提出了"人是机器"，勒鲁瓦甚至更进一步把笛卡儿的命题发展为"思想是机械运动"。

机械唯物主义的第一项功绩是使形而上学在理论和实践上"威信扫地"。机械唯物主义对形而上学的批判首先表现在：它清除了理性主义哲学的神学残余。笛卡儿通过怀疑的方法把"我思"确立为知识的起点，但是他在知识论和存在论上依旧没能摆脱"上帝"这个最终根据。斯宾诺莎同样有"泛神论"的理论观点。理性主义哲学家的"上帝"概念降低了他们一直推崇的人的地位和尊严。当唯物主义者把人以至整个世界理解为物理的机械运动的时候，"创造论"的观点就丧失了它的效力。形而上学从此"在理论上威信扫地"。另一方面，机械唯物主义把哲学思维的方向从思维领域转向世俗的生活。由于人是由原子构成的机械装置，人的思维和行动都是由原子间的联系推动的，有关善恶、道德的理论开始转而关注人的自然条件。这最终导致"形而上学在实践上"也"威信扫地"。② 机械唯物主义的另一大功绩是，它推动了自然科学的发展。伴

---

① 《马克思恩格斯文集》第 1 卷，人民出版社 2009 年版，第 328 页。

② 《马克思恩格斯文集》第 1 卷，人民出版社 2009 年版，第 329 页。

随着机械唯物主义的发展，实证科学纷纷独立，获得自己"独立的活动范围"。包括勒鲁瓦、拉美特利、卡巴尼斯在内的机械唯物主义代表人物都是医生并非出于偶然。随着机械唯物主义把人视为"机器"，人作为上帝造物的神圣形象才被打破，人开始成为包括解剖学在内的经验研究方法的对象。如马克思所言，"科学是经验的科学，科学就在于把理性方法运用于感性材料。归纳、分析、比较、观察和实验是理性方法的主要条件。"① 当这种科学的方法应用于人这个对象身上，以医学为代表的人的科学繁荣发展的同时，人被放在了"显微镜"下，和其他事物一样成了"对象"的一员，人被理解为"对象"而非"主体"。同时，机械唯物主义的决定论不可避免地要抹煞人的能动性，例如人的行为和机器的运转曾被等同看待。可以说：机械唯物主义发展了人的科学，但这是以降低人的地位为代价的。如马克思所言，"唯物主义在以后的发展中变得片面了。霍布斯把培根的唯物主义系统化了。感性失去了它的鲜明色彩，变成了几何学家的抽象的感性。物理运动成为机械运动或数学运动的牺牲品，几何学被宣布为主要的科学。唯物主义变得漠视人了。"②

第二，马克思分析了"和人道主义相吻合的唯物主义"在理论和实践上的发展。在《神圣家族》中，马克思提出了一个重要论断："费尔巴哈在理论领域体现了和人道主义相吻合的唯物主义，而法国和英国的社会主义和共产主义则在实践领域体现了这种和人道主义相吻合的唯物主义。"③ 这个判断既是对费尔巴哈人本学唯物主义以及英法社会主义和共产主义的肯定，也是对其缺陷的批判性反思。

马克思在《神圣家族》中高度肯定了费尔巴哈的哲学贡献。他认为，在黑格尔的后嗣学说中，费尔巴哈不仅独树一帜，开启了唯物主义的方向，而且也是唯一真正做出贡献的。"只有费尔巴哈才立足于黑格尔的观点之上而结束和批判了黑格尔的体系，因为费尔巴哈消解了形而上学的绝对精神，使之变为'以自然为基础的现实的人'；费尔巴哈完成了对宗教的批判，因为他同时也为批判黑格尔的思辨以及全部形而上学拟定了博大恢弘、堪称典范的纲要。"④ 费尔巴哈的经验论一方面揭示了人的本质的丰富性；另一方面也因为其经验论的

① 《马克思恩格斯文集》第 1 卷，人民出版社 2009 年版，第 331 页。
② 《马克思恩格斯文集》第 1 卷，人民出版社 2009 年版，第 331 页。
③ 《马克思恩格斯文集》第 1 卷，人民出版社 2009 年版，第 327 页。
④ 《马克思恩格斯文集》第 1 卷，人民出版社 2009 年版，第 342 页。

直观性而仅仅把人理解为"感性对象",没有把人理解为"感性的活动"。他也没能从人的实践活动出发理解人的"社会联系"和"生活条件",他所理解的还是抽象的人,而不是现实的人。

在《神圣家族》的写作过程中,马克思已经看到了费尔巴哈哲学的局限性。1844 年 11 月,当马克思还在写作《神圣家族》的时候,恩格斯在和马克思的通信中谈到了费尔巴哈。在马克思的影响下,恩格斯对费尔巴哈的态度相较于《神圣家族》"辛里克斯"节已经出现了颠覆性的转变:"施蒂纳屏弃费尔巴哈的'人',屏弃起码是《基督教的本质》里的'人',是正确的。费尔巴哈的'人'是从上帝引申出来的,费尔巴哈是从上帝进到'人'的,这样,他的'人'无疑还带着抽象概念的神学光环。进到'人'的真正途径是与此完全相反的。我们必须从我,从经验的、肉体的个人出发,不是为了像施蒂纳那样陷在里面,而是为了从那里上升到'人'。只要'人'不是以经验的人为基础,那么他始终是一个虚幻的形象。"[1] 尽管马克思写给恩格斯的回信并没有留存下来,但是不难发现,马克思在《神圣家族》完稿之前已经对费尔巴哈有了很深刻的批判性认识。恩格斯在 1845 年 1 月再次回信给马克思时,他表示"完全同意"马克思对施蒂纳的批判,"赫斯动摇一阵之后",也同意马克思的看法。[2] 费尔巴哈的人本学唯物主义是一种蛰居式的唯物主义,它反对通过革命实践改变世界,还不能为科学的共产主义提供理论基础。他的哲学最终成了德国"真正的社会主义"的理论基础。

"和人道主义相吻合的唯物主义"在实践上的发展是由英国和法国的社会主义和共产主义完成的,其理论基础是洛克的唯物主义。洛克一方面主张人的知识起源于经验,另一方面提出社会是人为了实现自己的利益而组成的。"洛克的唯物主义经验论具有双重含义:既有重要的认识论意义,又有重要的政治内涵。"[3] 经过孔狄亚克的译介,洛克的观念被爱尔维修等唯物主义者继承下来,最后汇入傅立叶、德萨米、盖伊等人的社会主义学说。通过对英国和法国的社会主义和共产主义加以研究,马克思得出一个重要结论,即唯物主义能够为社会主义和共产主义提供思想基础。如马克思指出的,"比较有科学根据的法国的

① 《马克思恩格斯全集》第 47 卷,人民出版社 2004 年版,第 329—330 页。

② 《马克思恩格斯全集》第 47 卷,人民出版社 2004 年版,第 334 页。

③ 杨耕:《重新审视唯物主义的历史形态和历史唯物主义的理论空间——重读〈神圣家族〉》,《学术研究》2001 年第 1 期。

共产主义者……把唯物主义学说当做现实的人道主义学说和共产主义的逻辑基础加以发展"①。关于法国唯物主义与社会主义学说之间的内在联系，马克思说道："并不需要多么敏锐的洞察力就可以看出，唯物主义关于人性本善和人们天资平等，关于经验、习惯、教育的万能，关于外部环境对人的影响，关于工业的重大意义，关于享乐的合理性等等学说，同共产主义和社会主义有着必然的联系。"② 英国和法国的社会主义和共产主义者立足于唯物主义哲学对现代资本主义社会做出了较为深刻的批判。犯罪数量持续增加，商业诈骗泛滥，恶意竞争横行，金钱成为社会的第一权力，种种现象对由"理性的胜利"建立起来的资本主义制度形成了"一幅令人极度失望的讽刺画"。社会主义和共产主义思潮就是在这种社会背景中产生的。在法国，傅里叶把资本主义社会的现实和资产阶级思想家的言辞进行了讽刺、幽默的对比，他"揭露了资产阶级世界在物质上和道德上的贫困"，批判了资本主义社会中的婚姻关系和道德状况。在英国，罗伯特·欧文"接受了唯物主义启蒙学者的学说：人的性格是先天组织和人在自己的一生中，特别是在发育时期所处的环境这两个方面的产物"③。为了赋予人以尊严，他组织了一个 2500 人的模范农场。空想社会主义理论家对资本主义的批判开启了社会主义运动的先河。通过社会主义运动，法国唯物主义学说所蕴含的人道主义精神落实到了实践层面，成为英法两国社会主义运动的支柱。在这种人道主义精神的大旗下，欧洲大陆上社会主义和共产主义运动借助于唯物主义哲学获得了认识问题的框架，为其实践层面的发展壮大提供了支撑。

　　但是，受制于法国唯物主义的经验主义认识论，当时的社会主义和共产主义者对资本主义的批判是以资本主义社会造成的能够直观到的苦难现象为立足点的，他们没能历史地理解资本主义的发展，更不能洞察资本主义社会的深层本质。因此，他们对资本主义的批判只能作道德层面的谴责，对于未来社会的组织原则也没有明确清晰的认识。如恩格斯所指出的，这种社会主义还停留在"空想"阶段，而"科学的"理论需要奠基于以人的实践和物质生产为基础的唯物主义之上。

　　第三，马克思为"新唯物主义"指出了方向。在考察法国唯物主义的两条

① 《马克思恩格斯文集》第 1 卷，人民出版社 2009 年版，第 335 页。
② 《马克思恩格斯文集》第 1 卷，人民出版社 2009 年版，第 334 页。
③ 《马克思恩格斯选集》第 3 卷，人民出版社 2012 年版，第 649 页。

发展线索的时候，马克思并没有忘记他自己正处在黑格尔主义的思辨形而上学分化解体的思想语境之中。对照 18 世纪法国唯物主义对 17 世纪形而上学富于成果的批判，马克思认识到，在黑格尔之后哲学富于成果的发展必然要通过唯物主义实现出来，"在黑格尔天才地把 17 世纪的形而上学同后来的一切形而上学以及德国唯心主义结合起来并建立了一个形而上学的包罗万象的王国之后，对思辨的形而上学和一切形而上学的进攻，就像在 18 世纪那样，又同对神学的进攻再次配合起来。这种形而上学将永远屈服于现在为思辨本身的活动所完善化并和人道主义相吻合的唯物主义。"① 新唯物主义将是"为思辨本身的活动所完善化并和人道主义相吻合的唯物主义"，这是一个标志着马克思新唯物主义发展方向的重大论断。从这个论断可以看出，马克思"新唯物主义"是从思辨哲学和人道主义的基础上发展而来的，既扬弃了二者的缺陷和不足，又继承了二者的优秀思想资源。

马克思的"新唯物主义"是为黑格尔主义的思辨哲学所完善了的唯物主义，它克服了旧唯物主义仅仅把人理解为对象和客体的缺陷，发展了人的能动的方面，把人理解为一个在实践活动中创造自己生存条件的主体。马克思的"新唯物主义"从劳动辩证法入手来理解现实的人。② 借助于劳动辩证法，马克思把对人的"自我产生"过程以及人的主体性的理解拉回到人的现实生活过程当中，赋予其具体的社会和历史内涵。同时，马克思对人的能动性的理解又没有陷入主体的思想观念的范围内，在人道主义的价值取向的指引下，马克思的新哲学不再满足于思辨哲学所从事的观念批判，而是致力于改变社会现实，马克思的新哲学不再满足于"解释世界"，而是加入了"改变世界"的新要求。

与思辨形而上学的做法不同，马克思把"现实的个体的人"而非"精神"或"自我意识"作为哲学的出发点。在《神圣家族》中，马克思开宗明义提出："思辨唯心主义"是"现实的人道主义"最危险的敌人。其危险性表现在：以布鲁诺·鲍威尔为代表的思辨唯心主义哲学家用"自我意识"代替"现实的个体的人"，他们把历史理解为自我意识达到"普遍的自我意识"的过程。在这个过程中，不具备"普遍的自我意识"的要素都被鲍威尔哲学视为必须消灭的敌人，这种哲学视群众为精神和历史的对立物。同时，"鲍威尔先生在一切

---

① 《马克思恩格斯文集》第 1 卷，人民出版社 2009 年版，第 327 页。
② 《马克思恩格斯文集》第 1 卷，人民出版社 2009 年版，第 205 页。

领域中都贯彻自己同实体的对立，贯彻他的自我意识的哲学或精神的哲学，因此他在一切领域就不得不只同他自己头脑中的幻想打交道。"①布鲁诺·鲍威尔否认群众的历史进步作用，反对群众发动任何改变社会历史的斗争，他的哲学不能为群众的物质生活带来任何改变。马克思则格外强调"现实的个体的人"。他认为，只有借助于劳动实践活动才能理解人的现实性力量。在《神圣家族》中，马克思和恩格斯更进一步在市民社会的工业和商业活动中理解"现实的个体的人"。只有在人的劳动、工业、商业等具体的实践活动中，才能理解"现实的个体的人"的现实性。这一点恰恰是思辨唯心主义没能做到的，它只是抽象地发展了人的能动性。唯物主义对人的周围环境和世俗生活的关注把对人的思考拉回到现实当中。在吸收借鉴思辨哲学和唯物主义的积极成果的基础上，马克思从实践活动出发在唯物主义的基础上发展了人的能动性。在实践活动中，人把自身本质力量外化，创造出一个确证自己存在的对象世界。同时，人在改造对象世界的过程中，和他人结成一定的社会关系。这种社会关系规定了人的真实本质，人不再是"抽象的人"，而是一定社会、历史发展阶段上的"现实的具体的个人"。在马克思的新哲学的发展过程中，马克思既借助唯物主义揭开了思辨哲学的幻想，又借助思辨唯心主义超越了传统唯物主义的直观性。马克思的"新唯物主义"是从思辨哲学和人道主义的胎胞中孕育而出的。这提醒我们，任何时候都不能把马克思主义降低到德国古典哲学的思想水准之下，也不能在价值观上变成"敌视人"的理论。

（三）深化政治经济学研究

在《文学总汇报》第5期，埃德加尔·鲍威尔发表了长篇批判性评论文章《蒲鲁东》，向德国读者翻译介绍《什么是所有权》。由于蒲鲁东的《什么是所有权》和埃德加尔·鲍威尔的《蒲鲁东》中涉及私有制、资本家和工人的对立（即有产和无产的对立）、思辨哲学的惯用手法等问题，马克思在《神圣家族》中花费了很大的笔墨来评判埃德加尔·鲍威尔和蒲鲁东。我们在这里重点关注马克思对蒲鲁东所有权理论的批判，以期说明马克思在政治经济学和市民社会研究中的新进展。

蒲鲁东的《什么是所有权》一书是以所有权问题为核心，探讨权利和政治

---

① 《马克思恩格斯文集》第 1 卷，人民出版社 2009 年版，第 345 页。

的原理，思考社会公平正义的实现路径。在这本书中，蒲鲁东对资本主义私有制展开了猛烈的攻击，他认为，人人生而平等，每个人都应该平等地享受自己的劳动成果，但是资本家和地主却由于霸占了财富的所有权而能够不劳而获，这在蒲鲁东看来是无法容忍的强盗行为。蒲鲁东着重批判了所有权的两个基础：占有和劳动。占有之所以无法作为所有权的根据，是因为个人总是在社会中占有某一物品，个人之所以能占有一个物品，是因为他生活于其中的社会已经先占了这件物品。从先占的角度看，社会是真正的所有人。把劳动作为所有权的根据同样是站不住脚的，因为它既不能说明不劳而获者的所有权，也不能说明一定时间之内的劳动何以能够产生永久的所有权。蒲鲁东得出一个结论：所有权是社会中苦难的根源："竞争、利害关系的孤立状态、垄断、特权、资本的积累、独占的享受、职能的居于从属地位、个体生产、利润或收益的权利、人剥削人，或者把这种种情况汇总在一个名称之下，就是所有权，乃是苦难和罪恶的主要原因。"[①] 所有权本不应该存在，人类却创造了它；人类创造所有权根源于人的社会本性。在社会性本能的支配下，人期待过一种平等的社会生活，这种生活的组织方式表现为共产制。随着劳动和生产的发展，原始的消极的共产制表现为一种新的奴隶制，因为它压制了人的个性化的生活方式。人摆脱社会性本能控制的结果是，私有制被创造出来。不幸的是，私有制带来了更大的不平等。由此，蒲鲁东指出共产制和私有制都无法实现平等。共产制是用相等的美好生活来酬报劳动和懒惰，所以损害了平等；私有制则是利用专属权和收益权侵犯了平等。基于此，蒲鲁东提出了"第三种社会形式"。这种社会形式是人类社会的真正理想的形式。蒲鲁东相信，借助于人类历史发展的辩证法，这第三种社会形式将自然实现。他说："我们将终于承认，在我们的不知不觉中，甚至就在我们肯定它是不能实现的时候，平等天天在实现着；不用去找寻它，甚至也不用去盼望它，我们就将到处把它建立起来，这个时候已经不远了；那种与自然和真理相符合的政治秩序一定会和平等一起、在平等之中并通过平等而得到实现。"[②] 事实上，蒲鲁东之所以没有具体勾画理想社会的实现途径，原因在于，理想的社会形式的实现并非蒲鲁东著作的主题。当他借助于未来社会的理想蓝图反衬出私有制的罪恶时，他的任务已经完成，"我已经

---

① [法] 蒲鲁东：《什么是所有权》，孙署冰译，商务印书馆1982年版，第340—341页。
② [法] 蒲鲁东：《什么是所有权》，孙署冰译，商务印书馆1982年版，第173页。

完成了我自己规定的工作，所有权已被打败；它永远不会再站起来了。"①

在《神圣家族》中，马克思赞赏蒲鲁东在政治经济学的范围内对所有权和私有财产的批判，在马克思看来，蒲鲁东的著作是"法国无产阶级的科学宣言"②。"由于蒲鲁东把劳动时间，即人类活动本身的直接定在，当做工资和产品价值规定的量度，他就使人成了决定性的因素；而在旧国民经济学中却是资本和地产的物质力量起决定作用，这就是说，蒲鲁东还是以国民经济学的、因而也是充满矛盾的形式恢复了人的权利。"③

马克思虽然承认蒲鲁东把在政治经济学的范围内能够对政治经济学所做的批判都做了，但是他也指出了蒲鲁东的批判并没有真正颠覆私有制。第一，蒲鲁东以平等来反对私有财产带有德国思辨哲学的色彩。蒲鲁东认为，人们是基于平等的愿望才建立所有权制度的，但是所有权造成的结果却是反对平等的，因此，蒲鲁东反对所有权。马克思说，"蒲鲁东在这里的做法和德国的批判家的做法是完全一样的，因为德国的批判家发现了人是证明神存在的根据以后，就从这个观念出发振振有词地直接反对神的存在。"④蒲鲁东质疑所有权，颠覆了国民经济学的理论前提，固然有其理论上的贡献，但是他做到这一点的方式却并不值得称道。蒲鲁东通过平等这个最高的历史法则来反对所有权，而不是通过对政治经济学的深入研究来反驳所有权，这是他的局限之所在。因此，马克思说，通过对国民经济学的批判，能够"科学地超越"⑤蒲鲁东的著作。

第二，蒲鲁东对于私有财产起源的说明带有实用的色彩，"蒲鲁东感到，在否定私有财产的同时，也需要历史地说明私有财产存在的理由。像所有这一类最初的论述一样，蒲鲁东的论述也带有实用的性质，这就是说，他假定过去的各代人都自觉地和深思熟虑地想要在自己的各种制度实现他认为代表人的本质的平等。"⑥按照蒲鲁东的看法，人类之所以会创立私有财产制度，原因在于，在原始的共产主义之下，有才能的人要和没有才能的人平均分配产品，这对于有才能的人构成了剥削，带来了不平等。为了摆脱这种不平等，人类创立

① ［法］蒲鲁东：《什么是所有权》，孙署冰译，商务印书馆1982年版，第295页。
② 《马克思恩格斯文集》第1卷，人民出版社2009年版，第267页。
③ 《马克思恩格斯文集》第1卷，人民出版社2009年版，第270页。
④ 《马克思恩格斯文集》第1卷，人民出版社2009年版，第265页。
⑤ 《马克思恩格斯文集》第1卷，人民出版社2009年版，第255页。
⑥ 《马克思恩格斯文集》第1卷，人民出版社2009年版，第266页。

了私有财产制度，其本意在于平等，结果却与平等发生了冲突，引发了贫富对立，带来了更严重的社会不公。马克思说，这种看法并没有太深刻的理论依据，只是一种服务于自己论证过程的实用性的说明，无法真正说明私有财产的起源。

第三，蒲鲁东对所有权的批判并没有超出国民经济学的范围，这一点在他关于未来理想社会的构想中最为明显。"蒲鲁东想扬弃不拥有以及拥有的旧形式……想扬弃人的自我异化在国民经济学上的表现……但是，由于他对国民经济学的批判还受国民经济学的前提的束缚，因此，蒲鲁东仍以国民经济学的占有形式来理解对象世界的重新获得"①。在马克思看来，蒲鲁东所追求的"平等的占有"是国民经济学的观念，这个观念本身就是"异化的"。马克思说，"蒲鲁东在国民经济学的异化范围内扬弃国民经济学的异化。"②马克思对蒲鲁东的这一评判延续了《1844年经济学哲学手稿》中的看法，他提出，蒲鲁东的社会革命的首要目标是"工资平等"③，这一要求无非是给奴隶以更高的工资，并没有提高人的尊严，反倒把整个社会都理解成了一个大的资本家，它拥有并平均分配人创造的财富。马克思说，蒲鲁东是用"占有反对拥有的旧形式——私有财产"，"把占有解释为'社会职能'"④，如此一来，未来社会只能变成一个大的资本家，所有权在那时不仅没有消灭，反倒保存了下来。

在批判蒲鲁东的时候，马克思对现代资本主义生产方式的社会关系有了进一步的思考。他提出："对象作为为了人的存在，作为人的对象性存在，同时也就是人为了他人的定在，是他同他人的人的关系，是人同人的社会关系。"⑤马克思在这里提出了，人与对象的关系实质是人与人的社会关系的思想。不仅人和对象之间的生产关系，而且人在生产之后对产品的关系，都是由人对人的社会关系决定的。如列宁所言，"这一段话极有特色，因为它表明马克思如何接近自己的整个'体系'（如果可以用这样说的话）的基本思想的——即如何接近生产的社会关系这个思想的。"⑥

---

① 《马克思恩格斯文集》第1卷，人民出版社2009年版，第268页。
② 《马克思恩格斯文集》第1卷，人民出版社2009年版，第268页。
③ 《马克思恩格斯文集》第1卷，人民出版社2009年版，第124页。
④ 《马克思恩格斯文集》第1卷，人民出版社2009年版，第268页。
⑤ 《马克思恩格斯文集》第1卷，人民出版社2009年版，第268页。
⑥ 《列宁全集》第55卷，人民出版社2017年版，第13页。

（四）肯定物质利益在市民社会中的决定性作用

在辨析布鲁诺·鲍威尔关于"犹太人解放"的错误认识时，马克思对现代市民社会进行了深入的剖析，更加明确了经济生产在其中的决定性作用。马克思延续了《德法年鉴》中《论犹太人问题》关于政治解放和人的解放的区分，指出政治解放的完成与政治国家和市民社会的分离是同步完成的。政治国家和市民社会都是现代的产物，随着政治解放的完成，市民社会中的政治要素从市民社会中独立出来，市民社会和政治国家开始分离开。在二者的关系中，市民社会构成了政治国家的自然基础。针对布鲁诺·鲍威尔所说的国家制度在更高的层次上把市民社会"单个的自私的原子"联合起来，马克思提出，市民社会的个体并不是原子，而是有欲望和需求的利己主义的个体；把个体联系起来的并不是政治生活，而是利益和现实的市民生活；市民生活并不是由国家维系的，国家倒是由市民社会维系的。他还指出，"正如古代国家的自然基础是奴隶制一样，现代国家的自然基础是市民社会以及市民社会中的人，即仅仅通过私人利益和无意识的自然必然性这一纽带同别人发生联系的独立的人，即为挣钱而干活的奴隶，自己的利己需要和别人的利己需要的奴隶。现代国家就是通过普遍人权承认了自己的这种自然基础本身。它并没有创立这个基础。"[①]市民社会是国家的自然基础，这已经非常接近于经济基础决定政治国家的唯物史观观点。

在市民社会中，"物质生产"和"生产方式"具有决定性的作用。在《神圣家族》中，马克思不仅提出"历史的诞生地"是"地上的粗糙的物质生产"的观点，而且指出了要想"真正认清"某一个历史时期，必须认识清楚"生活本身的直接的生产方式"[②]。"物质生产"和"生产方式"被理解为历史和社会发展中的决定性力量。这两个概念的提出，是马克思向新世界观迈进的重要一步。马克思之所以能够提出"物质生产"和"生产方式"的观点，是因为他的立足点是"现实的个体的人"。与政治国家和市民社会一样，现实的个体的人也是一个现代的产物。在政治解放完成以前，是没有现实的个体的人的，无论在原始社会、奴隶社会，还是在封建社会，有的只是依附性的人格。只是随着

---

① 《马克思恩格斯文集》第1卷，人民出版社2009年版，第312—313页。
② 《马克思恩格斯文集》第1卷，人民出版社2009年版，第351、350页。

政治解放完成（其标志性事件是法国大革命），人才从封建制的人身依附关系下解放出来，成为一个独立的个体。但是这种独立性只是一种表面现象，因为人又陷入了对物的依赖关系中。从人身依附中解放出来的个体为了满足自己的生存需要，必须与他人建立起联系，"每一个个人都同样要成为他人的需要和这种需要的对象之间的牵线者"，[1] 市民社会中的个体被特殊性的私人利益联系起来。市民社会的一切活动都是现实的个体的人的活动，是现实的个体的人为了满足自己的各种需要而展开的活动。货币作为满足人的需要的中介成了人顶礼膜拜的神。基于此，马克思提出，"现代生活实践"中"非人性的最高表现就是货币制度"，现代人生活于其中的是一个"彻头彻尾渗透着犹太精神的现代世界"。[2] 把"物质生产"和"生产方式"视为市民社会中的决定性力量，这是马克思唯物史观创立过程中的重要一步。

《神圣家族》从"物质生产"和"生产方式"入手深化了现代市民社会批判。物质生产和生产方式虽然是市民社会中的决定性力量，但是物质生产并没有为所有人同等程度地生产财富，而是带来了贫穷和富有的极端对立。这充分地表明了现代世界是一个非人性的世界。此外，货币是人与人交换和交往的中介，人却对其顶礼膜拜。马克思把货币视为现代市民社会非人性的最高表现，这无疑是从社会关系的角度对现代市民社会展开的批判，标志着马克思对现代市民社会的批判更加深入，尽管这种批判还带有费尔巴哈人道主义的色彩。毫无疑问，马克思在《神圣家族》中对市民社会做了深刻的理论批判，但是马克思不同于青年黑格尔派的地方在于，他认为单纯的理论批判是不够的，必须要靠使用实践力量的人改造市民社会。他说："财产、资本、金钱、雇佣劳动以及诸如此类的东西决不是想象中的幻影，而是工人自我异化的十分实际、十分具体的产物，因此，也必须用实际的和具体的方式来消灭它们，以便使人不仅能在思维中、在意识中，而且也能在群众的存在中、在生活中真正成为人。"[3] 马克思把消灭财产、资本、金钱、雇佣劳动等现实的存在，作为实现人的解放的必由之路，这表明马克思已经开始把共产主义建立在现实的基础之上。

① 《马克思恩格斯文集》第 1 卷，人民出版社 2009 年版，第 322 页。
② 《马克思恩格斯文集》第 1 卷，人民出版社 2009 年版，第 308 页。
③ 《马克思恩格斯文集》第 1 卷，人民出版社 2009 年版，第 273 页。

（五）对共产主义的进一步认识

由于物质生产是历史的发源地，马克思更进一步提出了人民群众是历史发展主体的观点。马克思强烈反对布鲁诺·鲍威尔把群众与精神对立起来的观点，提出了"群众史观"。在马克思看来，布鲁诺·鲍威尔之所以能够把群众摆在精神的对立面，是他的思辨唯心主义教条使然。这种思辨唯心主义的教条首先表现在：布鲁诺·鲍威尔不仅把精神视为绝对合理的，而且把群众与精神视为相互外在的，同时他还把群众和精神"变成固定不变的本质"永远对立起来。马克思指出，布鲁诺·鲍威尔只是教条主义地把群众和精神对立起来，他并没有深入研究群众本身，只是简单地把精神的"懦弱无能"归罪于群众。布鲁诺·鲍威尔的教条主义还表现在他对待进步的态度上：他以精神的发展来衡量人类事业的进步，认为历史发展之所以出现了停滞或倒退，是因为存在着进步的敌人，布鲁诺·鲍威尔只是在用"想象的对立物来给群众下定义"。① 马克思认为，布鲁诺·鲍威尔反对群众，其实是在反对整个历史，因为"历史的活动和思想就是'群众'的思想和活动"②。由此，马克思得出了一个重要的结论，即"历史活动是群众的活动，随着历史活动的深入，必将是群众队伍的扩大"③。

人民群众是历史发展的主体，人民群众中的无产阶级是积极的革命力量。无产阶级的革命性源自于其在私有制下异化的、非人的社会地位。马克思在《神圣家族》中提出，私有财产和无产阶级是矛盾的两个方面：私有财产是矛盾的肯定方面，它为了维持自身的存在，保持了无产阶级这个对立面的存在；无产阶级是矛盾的否定方面，它必须消灭私有财产，才能消灭自身。在这组矛盾关系中，"有产阶级和无产阶级同样表现了人的自我异化。但是，有产阶级在这种异化中感到幸福，感到自己被确证，它认为异化是他自己的力量所在，并在异化中获得人的生存的外观。而无产阶级在异化中则感到自己是被消灭的，并在其中看到自己的无力和非人的生存的现实"④。马克思指出了无产阶级的历史使命。马克思说，无产阶级的历史使命"已经在它自己的生活状况和现

---

① 《马克思恩格斯文集》第 1 卷，人民出版社 2009 年版，第 290 页。
② 《马克思恩格斯文集》第 1 卷，人民出版社 2009 年版，第 286 页。
③ 《马克思恩格斯文集》第 1 卷，人民出版社 2009 年版，第 287 页。
④ 《马克思恩格斯文集》第 1 卷，人民出版社 2009 年版，第 261 页。

代资产阶级社会的整个组织中明显地、无可更改地预示出来了"。① 在现代资产阶级社会中，整个社会分裂为两大对立的阶级，这一状况本身就表明了现代资产阶级社会的弊病。其弊病的根源在于社会的物质生产过程和生产方式。无产阶级的历史使命就是推翻这种生产方式，彻底改造社会。马克思提出，"无产阶级执行着雇佣劳动由于为别人生产财富、为自己生产贫困而给自己做出的判决，同样，它也执行着私有财产由于产生无产阶级而给自己做出的判决。"② 无产阶级下达的这份判决书就是，消灭私有制，实现人的解放。在《德法年鉴》中，马克思已经提出了消灭私有制的思想。在《神圣家族》中，马克思更进一步明确，无产阶级只有消灭私有制，才能彻底解决有产阶级和无产阶级之间的对立，以实现人的解放为追求的共产主义有了更具体的内容。

无产阶级要完成自身的历史使命，必须首先形成自为的阶级。在现代资产阶级社会的私有制中，无产阶级身上"一切属于人的东西"都被剥夺了，"在无产阶级的生活条件中集中表现了现代社会的一切生活条件所达到的非人性的顶点，……所以无产阶级能够而且必须自己解放自己"③。马克思提出，"问题不在于某个无产者或者甚至整个无产阶级暂时提出什么样的目标，问题在于无产阶级究竟是什么，无产阶级由于其身为无产阶级而不得不在历史上有什么作为。"④ 正是无产者对于自身"究竟是什么"、"不得不在历史上有什么作为"等问题的追问把无产者统一为一个自为的无产阶级，一个必须为了解放全人类而斗争的阶级。马克思说，无产者在贫困的环境中所经历的异化的折磨并不是没有价值的，"无产阶级并不是白白地经受那种严酷的但能使人百炼成钢的劳动训练的"⑤，经历过劳动的淬炼，"英法两国的无产阶级中有很大一部分人已经意识到自己的历史任务"⑥。无产阶级在劳动中作为一个自为的阶级成长起来，

---

① 《马克思恩格斯文集》第 1 卷，人民出版社 2009 年版，第 262 页。
② 《马克思恩格斯文集》第 1 卷，人民出版社 2009 年版，第 261 页。
③ 《马克思恩格斯文集》第 1 卷，人民出版社 2009 年版，第 262 页。
④ 《马克思恩格斯文集》第 1 卷，人民出版社 2009 年版，第 262 页。
⑤ 《马克思恩格斯文集》第 1 卷，人民出版社 2009 年版，第 262 页。这句话表明，虽然马克思关于无产阶级历史使命的分析带有费尔巴哈人道主义异化论的色彩，但是从马克思思想发展的连续性来看，马克思借助更多的是黑格尔《精神现象学》"主奴辩证法"的分析框架，毕竟他在那个夏天刚刚完成了对黑格尔《精神现象学》的研究。同时，马克思关于现代资产阶级社会异化和无产阶级革命的观点已经完全超出了费尔巴哈的视野。
⑥ 《马克思恩格斯文集》第 1 卷，人民出版社 2009 年版，第 262 页。

承担起消除无产阶级和有产阶级的对立以及由此带来的人的异化的任务。在无产阶级的革命斗争中，共产主义运动才能找到真正的依靠力量。马克思所主张的共产主义是消灭现实枷锁的现实运动。人民所拥护的共产主义"将不会像批判的批判所希望的那样以纯粹的、即抽象的理论为归宿，而将以实实在在的实践为归宿"①。马克思所说的共产主义以"实实在在的实践"为归宿，是改造现代资产阶级社会的运动。这一思想直接通向《德意志意识形态》中把共产主义作为"消灭现存状况的现实的运动"的观点。

---

① 《马克思恩格斯文集》第 1 卷，人民出版社 2009 年版，第 354 页。

第六章　新世界观的天才萌芽和马克思的第一个伟大发现

　　1845年2月初，马克思来到布鲁塞尔，同年4月，恩格斯也来到布鲁塞尔和他会合。他们更加深入地联系无产阶级的先进分子并深入到政治运动中。在当时，影响工人运动较大的是费尔巴哈的唯物主义思想，也有鲍威尔、施蒂纳和"真正的社会主义"用黑格尔哲学和费尔巴哈哲学解释法国共产主义和社会主义的思想。随着斗争的深入，费尔巴哈哲学的局限性不断显露，马克思在研究费尔巴哈《关于哲学改造的临时提纲》和《基督教的本质》等著作之后，思想发生了革命性变革。这集中反映在《关于费尔巴哈的提纲》和《德意志意识形态》中，尽管这两个文本在当时未能公开问世，但它们在马克思主义发展史上具有重要的地位。

　　《关于费尔巴哈的提纲》和《德意志意识形态》不仅是马克思恩格斯世界观告别人本学唯物主义和哲学共产主义的划时代标志，也是他们从实践范式出发，建构历史唯物主义基本理论和科学共产主义哲学基础的奠基性成果。《关于费尔巴哈的提纲》和《德意志意识形态》为马克思恩格斯进一步制定政治经济学批判的科学方法和工人运动的革命纲领提供了根本条件，是经典马克思主义的首批代表性文本，至今仍保持着强大的生命力。

第一节　《关于费尔巴哈的提纲》：新世界观的天才萌芽

《关于费尔巴哈的提纲》是马克思在继与恩格斯合作创作《神圣家族》以后形成的进一步思想成果，是马克思新世界观的奠基性文件，其中包含着一系列新唯物主义的天才萌芽。《关于费尔巴哈的提纲》标志着马克思初步实现了对旧唯物主义和唯心主义的超越，初步实现了新世界观的框架建构。因此，《关于费尔巴哈的提纲》不仅是批判费尔巴哈哲学的提纲，更是以科学的实践观为主线概述新世界观的提纲。恩格斯称它"作为包含着新世界观的天才萌芽的第一个文献"[①]。

《关于费尔巴哈的提纲》是马克思在 1845 年上半年于布鲁塞尔，写在其1844—1847 年笔记本中的笔记上，马克思生前没有发表。恩格斯 1888 年在准备出版《路德维希·费尔巴哈和德国古典哲学的终结》而阅读以前的一些文献时，"我在马克思的一本旧笔记中找到了十一条关于费尔巴哈的提纲"。[②] 恩格斯认为这包含着新世界观的天才萌芽的第一个文件，是非常宝贵的。当时马克思在 1844—1847 年笔记本中的笔记上端写着: 1.关于费尔巴哈。于是，恩格斯把它稍作修改后作为《路德维希·费尔巴哈和德国古典哲学的终结》的附录，以《马克思论费尔巴哈》为题予以发表。德国统一社会党中央，马克思恩格斯研究院在编辑马恩著作时，首次收录了提纲原稿。现在所使用的标题《关于费尔巴哈的提纲》是苏联马克思恩格斯列宁研究院在编辑《马克思恩格斯全集》（MEGA[1]）时所加的。《关于费尔巴哈的提纲》最早的中文译本出现于郭沫若在 20 世纪 30 年代翻译的《德意志意识形态》中。《马克思恩格斯全集》中文第一版（1960 年）第 3 卷收录了马克思的原稿和恩格斯的修改稿，《马克思恩格斯选集》第一版（1972 年）只收录了恩格斯的修改稿，而《马克思恩格斯选集》第二版（1995 年）、第三版（2012 年）的第 1 卷以及《马克思恩格斯文

---

① 《马克思恩格斯文集》第 4 卷，人民出版社 2009 年版，第 266 页。
② 《马克思恩格斯文集》第 4 卷，人民出版社 2009 年版，第 266 页。

集》（2009 年）第 1 卷则收录了马克思的原稿和恩格斯的修改稿。

对于《关于费尔巴哈的提纲》写作的时间有不同的看法。依照恩格斯的说法，《关于费尔巴哈的提纲》写于 1845 年春。恩格斯在晚年回忆说："这一思想在我看来应该对历史学做出像达尔文学说对生物学那样的贡献，我们两人早在 1845 年前的几年中就已经逐渐接近了这个思想。从我的'英国工人阶级状况'一书中可以明白看出，当时我个人独自在这方面达到了何种程度的进展。但是到 1845 年春我在布鲁塞尔重新会见马克思时，他已经把这个思想整理出来，并且用几乎像我在上面的叙述中所用的那样明晰的语句向我说明了。"①因此，恩格斯认为，《关于费尔巴哈的提纲》在他回到布鲁塞尔之前马克思就已经完成了。巴加图利亚认为《关于费尔巴哈的提纲》写作时间"最可能是在 1845 年 4 月，而写于 5 月的可能性较小"②。英格·陶伯特则认为由于《关于费尔巴哈的提纲》涉及关于《神圣家族》论题的论争，《关于费尔巴哈的提纲》只可能写于《维干德季刊》第 2 期出版之后，因此，她认为写作时间应该是 1845 年 7 月。学者们对《关于费尔巴哈的提纲》写作时间的论争从一个侧面反映了对于文本内容判读的差异。

一、解构人本主义范式，确立以实践为核心的新世界观

随着马克思政治经济学研究的不断深入，原有的人本主义异化范式逐渐解构。施蒂纳对费尔巴哈人本主义的批判促使马克思与费尔巴哈哲学进一步划清界限，而对李斯特经济学的批判，促使马克思确立起以实践为核心的新世界观。

（一）人本主义异化范式的解构

在《神圣家族》中，马克思和恩格斯对近代英法唯物主义哲学进行了认真批判和充分肯定，在此基础上，他们试图对唯物主义进行总体批判和建立新唯

① 《马克思恩格斯全集》第 21 卷，人民出版社 1965 年版，第 408—409 页。
② [苏] Г.А.巴加图利亚：《〈关于费尔巴哈的提纲〉和〈德意志意识形态〉》，载于《马克思主义研究资料》2014 年版，第 144 页。

物主义。《关于费尔巴哈的提纲》就是马克思对唯物主义崭新的理解的开始。
马克思在这里对以费尔巴哈为代表的人本学的唯物主义进行批判，概括地提出
了建立新唯物主义的基本设想。早在 1843 年底到 1844 年初，马克思从唯心主
义转向人本学唯物主义、从革命民主主义转向哲学共产主义，确认了宗教异化
根源于世俗世界、对国家和法的批判依赖于对市民社会的解剖、政治解放有别
于人的解放。从《1844 年经济学哲学手稿》开始，马克思力图从哲学、政治
经济学和共产主义的结合上揭示资本主义生产方式的本质和发展趋势，探索人
类历史的奥秘。在《1844 年经济学哲学手稿》、《英国状况·十八世纪》和《神
圣家族》等著作中，他同恩格斯分工合作，提出了一系列历史唯物主义的思想
观点。特别是在写于 1845 年 2 月的《评李斯特的著作〈政治经济学的国民体
系〉》中，马克思最终抛弃了人本主义的话语，新的历史理论亟待构建。在创
立新世界观的过程中，马克思多次公开批判了黑格尔和青年黑格尔派的唯心主
义，但直到出版于 1845 年 2 月的《神圣家族》仍然没有从根本上批判费尔巴
哈和其他旧唯物主义，对唯物主义进行总体批判和建立新唯物主义成为他的理
论使命。

　　青年马克思的思想发展历程中，是费尔巴哈哲学引导他走出青年黑格尔派
的唯心主义立场，费尔巴哈人本主义异化范式深刻影响了他。在《1844 年经
济学哲学手稿》中，马克思运用了费尔巴哈人本主义异化范式来批判资本主义
异化现实。费尔巴哈哲学的出发点有两个，即人和自然，他认为宗教是人的本
质的异化，要用真实的人的类本质取代宗教抽象的本质，哲学应该建立在以自
然为基础的人和以人的自然本性为基础的人的关系之上。不难看出，费尔巴哈
的类本质其实基于感性的"类意识"，而马克思超越费尔巴哈之处在于把类本
质理解为"感性活动"，这不同于费尔巴哈的"感性直观"。费尔巴哈的人本主
义异化范式先验地设定了人应当存在的理想本质和现实异化的对立来展开批
判。在这种哲学影响之下，马克思也从人应有的"自由自觉的活动"来批判现
有的"异化劳动"，构建了从人的本真状态到异化现实再到扬弃异化的否定之
否定的批判过程。虽然他超越了费尔巴哈的感性直观注重人的感性活动，但还
是像费尔巴哈一样设定人应有的类本质的人本主义异化模式。即便这种人本主
义异化批判可以揭露资本主义生产方式的反人道性质，但这种伦理的批判改变
现实的力量却是微弱的。

　　随着马克思政治经济学研究的深入和自身思想在现实中砥砺而发生的变

化，这种人本主义异化范式开始解构。在他写于 1844 年的《詹姆斯·穆勒〈政治经济学原理〉一书摘要》中："社会本质不是一种同单个人相对立的抽象的一般力量，而是每一个单个人的本质，是他自己的活动，他自己的生活，他自己的享受，他自己的财富。"①这表明马克思已经认识到作为人的本质的真正的社会联系，已然不是人本主义异化范式中应有的本真的存在，而是人的实践活动创造出来的。这已经预示着科学的实践观的初步萌芽。

《神圣家族》是马克思高度评价费尔巴哈人本主义和哲学共产主义的最后的文本。马克思恩格斯 1844 年 8 月第二次会面以后所合著的《神圣家族》，其中彻底清算了"自我意识"派，同时宣告"哲学共产主义"派的形成以及对"费尔巴哈崇拜"。由于马克思这个时候还没有能力对市民社会进行科学的政治经济学解剖，在费尔巴哈人本主义思维方式的影响下，他还是用理想的人性与外部现实之间的冲突来把握历史的发展。在《神圣家族》中，马克思已经开始显示出超越费尔巴哈人本主义哲学之处，尤其是不满足于费尔巴哈在历史观上的唯心主义。马克思多次强调"利益"对"原则"的决定作用，明确提出了"尘世的粗糙的物质生产"是历史的发源地，他还强调"群众"在历史上的作用。他认为要认识历史就要从"某一历史时期的工业和生活本身的直接的生产方式"来出发，否则就不能真正把握历史。

我们知道在这之前马克思与卢格的决裂是在 1844 年 3—5 月。马克思对思维与存在关系的历史解说，在历史领域内的唯物主义阐释，同卢格秉持的人本主义历史观产生了分歧。此时，马克思对无产阶级历史使命的论证开始转向科学论证，开始用现实的私有制内部矛盾来论证无产阶级历史使命，但这种矛盾还停留在结构性矛盾即生产关系两个方面的人格化之间的矛盾，没有进到过程性矛盾即新的生产力与旧的生产关系之间的矛盾，所以马克思此时仍然无法超出人本主义框架，直到《评李斯特〈政治经济学的国民体系〉》才达到。

德国经济学家弗里德里希·李斯特的《政治经济学的国民体系》一书的第一卷于 1841 年出版。在 1844 年 11 月 9 日，恩格斯致信马克思打算批判这本书。不过这项工作是 1845 年 3 月由马克思撰文来完成的，遗憾的是目前留存的手稿不完整。马克思针对李斯特的唯心主义的政治经济学体系做了深刻的批判，并肯定了英法政治经济学的科学性。李斯特反对英法自由主义经济学，主张保

---

① ［德］马克思：《1844 年经济学哲学手稿》，人民出版社 2000 年版，第 170—171 页。

护关税。马克思认为李斯特的经济学同英法经济学的对立并非门派之争，而是德国思辨的形而上学同英法科学的政治经济学之间的根本差别。

马克思明确指出，李斯特否认经济学是从实际出发的社会科学，认为整个经济学不过在研究室中冥想编造出来的体系，否认经济学与社会的现实运动的密切联系。马克思肯定斯密等国民经济学家是从市民社会实际出发的，尽管他们"无耻地泄露了财富的秘密并使一切关于财富的性质、倾向和运动的幻想成为泡影"，但是他们的理论确是这个特定历史时代和社会制度的理论表现。李斯特对国民经济学家的攻击，并没有针对这些社会制度等，"他作为一个真正的德国人，对这个社会的理论表现进行批判，指责说它所表现的是事物而不是事物的幻象。"① 因此他的政治经济学不关心现实的社会历史，而是从个人的主观目的出发，用唯心主义理想化的观点看待资产阶级的社会组织。他没有看到现实中工厂是社会的组织者，工厂制度所创造的社会组织是真正的社会组织。李斯特所谓的"生产力理论"倒是符合德国资产者内心虚弱、欺蒙诈骗的状况，"资产者想发财，想赚钱，但是他同时必须同德国大众一直信守的唯心主义相一致，并且同自己的信仰相一致。因此他表明，他猎取的不是非精神的物质财富，不是恶的有限的交换价值，而是精神本质，无限的生产力。"②

马克思这时已经注意到了生产过程中的内在矛盾。他批评李斯特混淆了"交换价值"和"物质财富"，马克思此时已经把"交换价值"看做生产关系，是财富的社会形式，而"物质财富"才是财富的物质内容。他指出了当时的资产阶级绝不会离开交换价值而单单去追求生产力的发展。事实上，资本主义的生产力发展并不是资产阶级有意追求的，不过是在追求交换价值过程中无意识地得到的。马克思还首次论证了无产阶级的历史使命："工业用符咒招引出来（唤起）的自然力量和社会力量对工业的关系，同无产阶级对工业的关系完全一样。今天，这些力量仍然是资产者的奴隶，资产者无非把它们看做是实现他的自私的（肮脏的）利润欲的工具（承担者）；明天，它们将砸碎自身的锁链，表明自己是会把资产者连同只有肮脏外壳（资产者把这个外壳看成是工业的本质）的工业一起炸毁的人类发展的承担者，这时人类的核心也就赢得了足够的

---

① 《马克思恩格斯全集》第 42 卷，人民出版社 1979 年版，第 252 页。
② 《马克思恩格斯全集》第 42 卷，人民出版社 1979 年版，第 250 页。

力量来炸毁这个外壳并以它自己的形式表现出来。明天，这些力量将炸毁资产者用以把它们同人分开并因此把它们从一种真正的社会联系变为（歪曲为）社会桎梏的那种锁链。"① 这些已经表明，马克思的人本主义范式在不断解构。他原来秉持的人的"自由自觉的劳动"的类本质范畴现在已经有了根本的改变："谈论自由的、人的、社会的劳动，谈论没有私有财产的劳动，是一种最大的误解。"② 这种人本主义异化范式已经消解在对现实的社会生产的内在矛盾运动的新的理解中了。

而施蒂纳《唯一者及其所有物》发表的外在刺激则促使马克思彻底告别人本主义异化范式。在 1844 年 11 月出版的《唯一者及其所有物》中，施蒂纳宣称只有个别、自我才是唯一的主宰者，反对任何普遍和共相。马克思看到了费尔巴哈的"人"是没有上帝的上帝，而施蒂纳的"我"则是没有人（类）的（类）人。因为在后者那里，从上帝到每一个人都是同样的"利己主义者"，"唯一性"仅仅被规定为抽象的"独自性"（自然的个体性），还没有上升到行为的"自主性"（行为主体和独立人格）和发展的"独创性"（自我实现和自我发展）。施蒂纳把"唯一性"理解为："作为一个唯一者的你，与其他的个人再没有丝毫共同之点，所以也没有任何使你和其他的个人区分开来或者对立起来的东西"。马克思指出，这种把个性看做是孤立的个别性的观点，恰恰会导致相反地把人看做抽象普遍性的另一极端。"两极相通"，否定个人之间存在着人类的共性，正好同时否定了人的个体的个性。

施蒂纳"十分庄严肃穆而又洋洋得意地说，他不会由于日本天皇吃东西而感觉到饱，因为他的胃和日本天皇的胃都是'唯一的'、'无比的胃'，也就是说它们不是同一的胃"③。马克思认为，这实际上不过是莱布尼茨如下"旧原理"的翻版：没有两片树叶是相同的，"因为自然界中永远不会有两个完全相一致的东西"。对此，马克思讽刺道："在这里，桑乔的唯一性降低为他同任何虱子和任何沙粒所同有的性质。"

在马克思看来，施蒂纳与费尔巴哈的对立不过是"神灵的利己主义者"与"神灵的利他主义者"的对立，是需要改变的对费尔巴哈的原有评价了。1845

---

① 《马克思恩格斯全集》第 42 卷，人民出版社 1979 年版，第 258—259 页。
② 《马克思恩格斯全集》第 42 卷，人民出版社 1979 年版，第 254 页。
③ 《马克思恩格斯全集》第 3 卷，人民出版社 1960 年版，第 520 页。

年 6 月 25—28 日之间出版于莱比锡的《维干德季刊》第 2 期，发表了费尔巴哈《就〈唯一者及其所有物〉谈〈基督教的本质〉》，其中费尔巴哈第一次公开自称"共产主义者"，这是促使马克思阐明自己对费尔巴哈之态度的直接动因。古·尤利乌斯的文章，把马克思说成是"费尔巴哈创立的观点的深造者"，并认为以费尔巴哈和马克思为一方，鲍威尔为另一方，双方的共同基础是"黑格尔的思辨"。另外，赫斯在 1845 年 5 月至 6 月间写的批评文章《论德国的社会主义运动》和小册子《晚近［最后］的哲学家》里批判了费尔巴哈，这也促使马克思重新审视他对费尔巴哈的立场。

《关于费尔巴哈的提纲》的写作直接针对施蒂纳，他用抽象的"唯一者"批判费尔巴哈抽象的"人"。实际上，只有从人与人之间的社会关系出发，才能真正把握现实的人类和现实的个人。施蒂纳不仅陷入了同抽象"一般"既相对立、又畸形互补的抽象"个别"的另一极端，而且根本否定了隐藏在费尔巴哈抽象的"类本质"背后的实际的社会关系，从费尔巴哈倒退了。尽管此时马克思实际上已经超越了这种抽象的对立，但是这种超越仍然是在费尔巴哈哲学的词句下进行的，这就给人们造成一种误解，似乎马克思的观点不过是费尔巴哈哲学的翻版，后来施蒂纳正是以此为口实将《神圣家族》的作者称为费尔巴哈的追随者。这就给马克思造成了同费尔巴哈划清界限的紧迫性。同时，1844年下半年以后，与费尔巴哈哲学中消极因素有着直接渊源关系的"真正的社会主义"，在德国已开始流行并对社会主义运动产生越来越大的影响。在这种情况下，批判费尔巴哈哲学更加具有了为社会主义运动奠定科学基础的重大实践意义。在《关于费尔巴哈的提纲》中，马克思彻底划清了同费尔巴哈人本主义的界限，第一次对费尔巴哈哲学进行了深入的批判。

（二）以实践为核心的新世界观的确立

在《关于费尔巴哈的提纲》中，马克思扬弃了旧唯物主义和唯心主义，确立了以实践为核心的新世界观，根本上超越了费尔巴哈和黑格尔哲学。

在马克思的实践观诞生之前，从亚里士多德到黑格尔乃至青年黑格尔派不少哲学家已经探讨过实践这个概念，其中不乏有价值的观点。亚里士多德就曾提出实践理智以区分人与动物的活动。德国古典哲学很重视实践范畴，黑格尔把实践看做认识达到真理的必经环节，不过他把实践看做绝对精神的发展运动，仅仅是抽象地表达了实践的能动方面。费尔巴哈批判了黑格尔哲学的唯心主义，但遗憾地把实践的能动性也抛弃了，仅仅从旧唯物主义的视角把实践当做卑污的犹太人的活动去理解。青年黑格尔派的切什考夫斯基的实践哲学偏重于个人主观意志的活动，而赫斯的行动哲学仅仅把实践理解为理论方面的群众运动，都没有摆脱黑格尔哲学的思辨的窠臼。

马克思对于实践的理解也有一个发展历程。在《博士论文》中马克思受到青年黑格尔派的影响，他理解的实践还是哲学的实践，是一种理论批判。在《莱茵报》和《德法年鉴》时期，马克思所理解的实践主要限于政治批判。经过《神圣家族》对鲍威尔等人的学说的批判，到《评李斯特的〈政治经济学的国民体系〉》，马克思实践的理解已经站到对工业和物质生产的基石上，新世界观就要诞生了。马克思在《关于费尔巴哈的提纲》第一条前面紧靠着写了四行文字，对这四行文字做一个分析可以看出马克思科学实践观的确立过程。这四行文字是：

> 神灵的利己主义者同利己主义的人相对立。
> 革命时期关于古代国家的误解。
> "概念"和"实体"。
> 革命——现代国家起源的历史。①

这四行字表明《关于费尔巴哈的提纲》是《神圣家族》当中论题的延续。首先，鲍威尔要根据一种普遍国家的概念，建立一种普遍国家，因此就要利用民族利己主义，而在普遍国家建立起来之后，又与民族利己主义发生矛盾，又要压制这种民族利己主义。针对这种论点，马克思在《神圣家族》的"对法国革命批判的战斗"一章中指出不是"概念"，而是市民社会决定国家。"由此可见，正是自然的必然性、人的特性（不管它们表现为怎样的异化形式）、利益把市民社会的成员彼此连接起来。他们之间的现实的联系不是政治生活，而是市民生活。因此，把市民社会的原子彼此连接起来的不是国家，而是如下的事实：他们只是在观念中、在自己的想像这个天堂中才是原子，而在实际上他们是和原子截然不同的存在物，他们不是神类的利己主义者，而是利己主义的人。在今天，只有政治上的迷信才会以为国家应当巩固市民生活，而事实上却相反，

---

① 《马克思恩格斯全集》第 42 卷，人民出版社 1979 年版，第 273 页。

正是市民生活巩固国家。"①其中就有四行字中的第一行字，而第一行又同第二行字联系，这正是对法国革命批判的战斗。这也同第四行字相联系。

第三行字，对应在《神圣家族》"对法国唯物主义批判的战斗"一章。这一章开头就是斯宾诺莎的"实体"，鲍威尔认为"18 世纪，斯宾诺莎主义不仅在他那以物质为实体的法国后嗣学说中占统治地位，而且也在予物质以精神名称的自然神论中占统治地位……法国的斯宾诺莎学派和自然神论的信徒只不过是在斯宾诺莎体系的真谛这个问题上互相争辩的两个流派……　单纯的命运就注定这种启蒙运动要灭亡，就是说，在它被迫向法国运动时期开始的反动投降之后，它已经淹没在浪漫主义里了。"②

马克思在这一章中考证了法国唯物主义真正起源于笛卡儿和洛克。"确切地和在散文的意义上说，法国唯物主义有两个派别：一派起源于笛卡儿，一派起源于洛克。后一派主要是法国有教养的分子，它直接导向社会主义。前一派是机械唯物主义，它成为真正的法国自然科学的财产。这两个派别在发展过程中是相互交错的。"③并且指出鲍威尔的观点是来源于黑格尔，"鲍威尔先生或批判究竟是从什么地方给法国唯物主义的批判的历史搜罗材料的呢？

（1）黑格尔的'哲学史'把法国唯物主义说成斯宾诺莎的实体的实现，这无论如何总比'法国的斯宾诺莎学派'理智得多。

（2）鲍威尔先生不知什么时候从黑格尔的'哲学史'中知道，法国唯物主义就是斯宾诺莎学派。如果他现在从黑格尔的另一著作里发现，自然神论和唯物主义是对同一个基本原则持不同理解的两个派别，那末他就会得出结论说，斯宾诺莎有两个在其体系的真谛方面互相争辩的学派。鲍威尔先生满可以在黑格尔的'现象学'中找到我们所谈到的这一段说明……

（3）最后，鲍威尔先生还可以从黑格尔那里知道：如果实体不在其进一步的发展中过渡为概念和自我意识，那它就会成为'浪漫主义'的财产。"④

所以，这就是对应第三行字，"概念"与"实体"。

由此看来，四行字直接与《神圣家族》联系在一起。但是，这只能说明四行字和接着这四行字的《关于费尔巴哈的提纲》是论法国革命与论法国唯物主

① 《马克思恩格斯全集》第 2 卷，人民出版社 1957 年版，第 154 页。
② 《马克思恩格斯全集》第 2 卷，人民出版社 1957 年版，第 158—159 页。
③ 《马克思恩格斯全集》第 2 卷，人民出版社 1957 年版，第 160 页。
④ 《马克思恩格斯全集》第 2 卷，人民出版社 1957 年版，第 168 页。

义论题的延续，在对象、论域上是一致的。然而，马克思这里的主旨、观点和政治立场都发生了根本变化，直接表现在对法国唯物主义和费尔巴哈的评价。

在《神圣家族》中，对法国唯物主义是肯定的。"我们一方面说明了法国唯物主义的两重起源，即起源于笛卡儿的物理学和英国的唯物主义，另一方面又说明了法国唯物主义同17世纪的形而上学，即笛卡儿、斯宾诺莎、马勒伯朗士和莱布尼茨的形而上学的对立，所以我们就没有必要再来叙述沃尔涅、杜毕伊、狄德罗等人的以及重农学派的观点。德国人只是在他们自己开始同思辨的形而上学进行斗争以后，才觉察出这种对立的。笛卡儿的唯物主义成为真正的自然科学的财产，而法国唯物主义的另一派则直接成为社会主义和共产主义的财产。"①

"绝对批判的思辨循环和自我意识的哲学"一章，表达了对费尔巴哈的肯定。马克思指出"施特劳斯和鲍威尔关于实体和自我意识的争论，是在黑格尔的思辨范围之内的争论。在黑格尔的体系中有三个因素：斯宾诺莎的实体，费希特的自我意识以及前两个因素在黑格尔那里的必然的矛盾的统一，即绝对精神。第一个因素是形而上学地改了装的、脱离人的自然。第二个因素是形而上学地改了装的、脱离自然的精神。第三个因素是形而上学地改了装的以上两个因素的统一，即现实的人和现实的人类"，"只有费尔巴哈才是从黑格尔的观点出发而结束和批判了黑格尔的哲学。费尔巴哈把形而上学的绝对精神归结为'以自然为基础的现实的人'，从而完成了对宗教的批判。同时也巧妙地拟定了对黑格尔的思辨以及一切形而上学的批判的基本要点。"②

总之，肯定法国唯物主义与社会主义、共产主义相联系，费尔巴哈同当时德国的哲学共产主义相联系。

但是，四行字与接下来的《关于费尔巴哈的提纲》就表现出对法国唯物主义和费尔巴哈的批判。有人认为，《关于费尔巴哈的提纲》中的哲学只涉及德国哲学。这个判断不准确。既然四行字是与《神圣家族》联系在一起，是论题的延续，那么肯定就会涉及法国唯物主义。《关于费尔巴哈的提纲》中第一条上来所说的"从前的一切唯物主义"首先指的是法国唯物主义，同时也涉及法国唯物主义"环境决定论"、"教育决定论"，这在《关于费尔巴哈的提纲》第

① 《马克思恩格斯全集》第2卷，人民出版社1957年版，第166页。
② 《马克思恩格斯全集》第2卷，人民出版社1957年版，第177页。

三条提及了。

从马克思这时表达的观点来看，唯物主义，不管是法国唯物主义还是费尔巴哈的唯物主义，都不再被认为是超越形而上学，高于唯心主义的东西。例如《关于费尔巴哈的提纲》第一条：从前的一切唯物主义（包括费尔巴哈的唯物主义）的主要缺点是：对事物、现实、感性，只是从客体的或者直观的形式去理解，而不是把它们当做感性的人的活动，当做实践去理解，不是从主观方面去理解。所以，和唯物主义相反，能动的方面却被唯心主义抽象地发展了，当然，唯心主义是不知道真正现实的、感性的活动的。不难看出，此时马克思的语气是不偏不倚的，认为旧唯物主义与唯心主义都差不多，并没有高看旧唯物主义。

马克思这时的政治立场也发生了变化：在《神圣家族》中，他还认为法国唯物主义是共产主义的哲学基础，费尔巴哈哲学为德国哲学共产主义基础。但是，到《关于费尔巴哈的提纲》中，特别是在随后的《德意志意识形态》文本中，法国唯物主义已经是同"功利"、政治经济学、边沁的理论相联系，认为英国的唯物主义是代表了成熟的资产阶级，而法国则是代表正在成长中的资产阶级而已。在《关于费尔巴哈的提纲》第十条，把法国唯物主义和费尔巴哈唯物主义都说成是"旧唯物主义"，认为"旧唯物主义的立脚点是市民社会，新唯物主义的立脚点则是人类社会或社会的人类"，[①] 这显然已经不同于《神圣家族》中的评价。

不难看出，从论题上看，《关于费尔巴哈的提纲》与写于这页纸上端的四行文字相连接，因而也与《神圣家族》相延续，但同时要看到，仅仅是论题的延续，其主旨、观点和政治立场都发生了根本变化，是一种否定和超越——即从两个肯定到两个批判。可见，《关于费尔巴哈的提纲》上面的四行字表明它是《神圣家族》关于革命、唯物主义、社会主义的论题的延续，但是主旨、理论观点、立场评价完全不同：原来是赞扬，现在是批判；原来是旧唯物主义高于唯心主义，现在两者一样；原来认为他们是社会主义的基础，现在认为是资产阶级的。

因此，我们认为《关于费尔巴哈的提纲》与《神圣家族》有关并且构成了《德意志意识形态》的思想提纲。因为《德意志意识形态》的写作最初动因就是施

---

① 《马克思恩格斯文集》第 1 卷，人民出版社 2009 年版，第 502 页。

蒂纳的《唯一者及其所有物》、鲍威尔在《维干德季刊》上批判费尔巴哈与马克思恩格斯，是马恩的被迫迎战，为的是表明自己与费尔巴哈、鲍威尔等人已经划清界限。马克思最初要写"莱比锡宗教会议"，批判鲍威尔、施蒂纳和卢格。后去掉批判卢格，而单独写一章费尔巴哈，以表明与费尔巴哈的区别。从批判鲍威尔"圣布鲁诺"中抽出一部分，构成"大束手稿"I，又从批判施蒂纳"圣麦克斯"中抽出一部分，构成"大束手稿"II、III，就是组成了第一章的主体。后来又与赫斯发生了争论，因此决定写作第二卷来批判以费尔巴哈理论的人道主义为基础的那个实践的人道主义——"德国的真正社会主义"，《德意志意识形态》遂成两卷。因此，《神圣家族》及其之后的争论，正是《德意志意识形态》写作的动因，也恰恰证明了《关于费尔巴哈的提纲》与《德意志意识形态》的密切联系。

《关于费尔巴哈的提纲》是在对《神圣家族》当中的唯物主义和费尔巴哈问题的反思之后，可能是受到施蒂纳对费尔巴哈的批判的影响，甚至鲍威尔等人对费尔巴哈的批判之后，认真反思与费尔巴哈的关系。因此，《关于费尔巴哈的提纲》不是即兴随意而作而是有其内在完整的逻辑，是马克思新世界观天才萌芽的表现。

应该准确理解马克思在《关于费尔巴哈的提纲》中以实践为核心的新世界观的内涵。《关于费尔巴哈的提纲》第一条，可以看出马克思哲学的核心范畴——实践的基本范式，是区别于以前一切哲学的根本特征。"从前的一切唯物主义（包括费尔巴哈的唯物主义）的主要缺点是：对对象、现实、感性，只是从客体的或者直观的形式去理解，而不是把它们当做感性的人的活动，当做实践去理解，不是从主体方面去理解。因此，和唯物主义相反，唯心主义却把能动的方面抽象地发展了，当然，唯心主义是不知道现实的、感性的活动本身的。费尔巴哈想要研究跟思想客体确实不同的感性客体，但是他没有把人的活动本身理解为对象性的 [gegenständliche] 活动。因此，他在《基督教的本质》中仅仅把理论的活动看做是真正人的活动，而对于实践则只是从它的卑污的犹太人的表现形式去理解和确定。因此，他不了解'革命的'、'实践批判的'活动的意义。"[1] 马克思首先在世界观的层面对旧唯物主义和唯心主义进行批判，提出旧唯物主义和唯心主义都没有正确理解实践，因而都不能正确地说明世界

---

[1] 《马克思恩格斯文集》第 1 卷，人民出版社 2009 年版，第 499 页。

和人的关系。新唯物主义的关键就是实现了对实践及其意义的科学把握。"这实际上是马克思'新唯物主义'的明确宣言，它表明了必须立足于人的实践活动去理解人以及人生活于其中的现实世界的原则立场。"①

首先，马克思指出旧唯物主义仅仅从客体的形式来把握对象，没有从主体方面去理解对象。在《关于费尔巴哈的提纲》中，旧唯物主义泛指从前的一切唯物主义，但主要是指近代英法唯物主义和费尔巴哈唯物主义。马克思指出，这些唯物主义的主要缺陷就在于只是肯定了对象外在于人的意识的客观性，只是肯定了人的意识对对象的直观性和依赖性，而没有同时把对象看做人的实践活动的对象，没有看到对象随着人的实践活动而改变。也就是说，只看到对象的客观性，而没有同时看到人的实践活动对对象的意义。肯定对象外在于人的意识的客观性，坚持对象世界对于人和意识的先在性并没有错，但是把对象和意识、世界和人的关系仅仅归结于此就是片面的。因为在与人的关系中，对象不仅具有客观存在性，而且又是人能动改造的对象，在人的能动改造中，对象也发生着改变。

由于看不到人的能动的实践活动对对象世界的意义，旧唯物主义对对象和人的关系的理解只能是非历史的生物学意义上的抽象：对象世界就是一经存在就永远如此的东西，而人则是只能接受对象作用的被动的生物性存在。

马克思的"实践"不能被误读为主体范畴，马克思反对旧唯物主义仅仅从客体出发，并不是说实践仅仅是主体的行为概念或狭义的主体活动。如果把马克思的实践概念理解成主体范畴，就会陷入人本主义陷阱。马克思在这里只是从批判费尔巴哈的角度，从批判旧唯物主义单从客体方面出发来理解对象，并不是要走向与客体相对立的主体角度。马克思的实践范畴是主客体的统一，既不是单指主体性也不是单指客观性，是主体和客体间的中介性的范畴。

其次，马克思指出唯心主义抽象地发展了能动的方面，没有理解真正现实的感性活动。不同于旧唯物主义，唯心主义肯定了人的活动的能动性，并且把人的活动对对象的意义片面地加以夸大，把人的活动归结为独立存在的意识活动，否定对象对于人的意识的客观性和依赖性。这样，唯心主义就把人的能动性抽象地发展了。在马克思看来，唯心主义这个缺陷的原因就是它没有理解人的客观的实践活动，不理解人的实践活动是"人的感性活动"，它是能动性与

① 舒远招：《马克思主义哲学在当代中国的新发展》，湖南人民出版社 2003 年版，第 78 页。

受动性、主观与客观的统一。

所以，马克思认为，在科学的实践观那里，对象既非旧唯物主义所理解的单纯自在的存在，也非唯心主义所理解的单纯受动的存在。人既非旧唯物主义所理解的单纯受动性存在，也非唯心主义所理解的单纯能动性存在。这就是世界和人的关系的辩证法。

最后，马克思指出了费尔巴哈不了解"革命的"、"实践批判的"活动的意义。马克思对费尔巴哈的世界观和实践观进行专门的讨论。他认为，与黑格尔把绝对精神当做研究对象不同，费尔巴哈把感性客体即人和自然作为研究对象，无疑是一种对唯物主义权威的恢复。费尔巴哈提出，哲学研究的实体不是思维的抽象，而是感性的现实。因为，"只有一个感性的实体，才是一个真正的，现实的实体"。① 在费尔巴哈那里，感性客体指的就是人和自然的存在。

但是，正如马克思早就说过的，费尔巴哈"过多地强调自然而过少地强调政治"②，对人和自然的关系费尔巴哈只是从自然层面而没有从社会历史层面考察。人的活动在他那里就只能是对自然的被动反应或者思辨性的理论活动。在《基督教的本质》中，费尔巴哈就把理论活动看做真正人的活动，从而向唯心主义作出了退让。

马克思说，费尔巴哈缺陷的要害就是没有把人的活动本身理解为对象性的活动，即实践活动。这主要归因于他对实践概念的偏见。在费尔巴哈看来，个人实践的目的性和功利性必然使这种活动成为个人追求私利的卑污活动。这样的活动怎么能成为真正人的活动呢？马克思认为，费尔巴哈之所以产生这种偏见，是因为他只是把市民社会这一历史阶段作为永恒的社会，把个人追求私利的市民活动当做不可超越的活动。他不了解实践活动对对象现有形态的超越性和对未来形态的指向性，不了解作为社会性活动的实践所具有的超私利性和普遍性。

由上观之，马克思把实践理解为人改造对象世界的客观的、能动的社会性活动。对象世界的存在是人及其活动的前提，而人的实践则能动地使对象世界得到改造。在实践基础上人与对象发生着能动的革命性的关系，这就是新世界

① [德]费尔巴哈：《费尔巴哈哲学著作选集》上卷，荣震华、王太庆、刘磊译，生活·读书·新知三联书店1959年版，第166页。
② 《马克思恩格斯全集》第27卷，人民出版社1972年版，第443页。

观的根本观点。

二、以实践为基础的认识论

《关于费尔巴哈的提纲》第二条是对传统哲学认识论的批判性扬弃，是新哲学的存在与意识观。这个意识观超越了原来的认识论范围。传统的一般世界观和认识论讨论思维和存在，但是马克思这里讨论的意识观包括认识论、价值论、审美论。马克思在《关于费尔巴哈的提纲》明确把实践作为认识的基础，科学阐明了认识的基础和检验真理的标准问题。

思维的真理性问题，也即思维的现实性和力量问题、思维与存在同一性问题，在哲学史上长期存在争论。唯心主义在说明认识的来源时，要么像柏拉图、莱布尼茨主张来自"天赋观念"的理性活动，要么像贝克莱、休谟主张的来自脱离现实的感觉。而旧唯物主义虽然认为认识是对客观世界的反映，可是对于这个反映的机制却不能给予科学解答。

马克思明确指出："人的思维是否具有客观的［gegenständliche］真理性，这不是一个理论的问题，而是一个实践的问题。"[1]马克思从实践的维度考察思维与存在的关系，提出了实践是检验思维真理性、思维现实性和力量的唯一路径的思想，从而奠定了马克思主义认识论的基石。正是在这个意义上，列宁指出，实践的观点是马克思主义认识论的首要的和基本的观点。

首先，马克思指出人的思维是否具有客观的真理性，这并不是一个理论的问题，而是一个实践的问题。

人的思维的真理性就是其与存在的一致性，就是思维把握对象的正确性。长期以来，关于人的思维是否能够正确把握对象的问题引起了哲学上广泛的争论。但是，无论是肯定者还是否定者都只是在纯逻辑推论中绕圈子。

马克思认为，人的思维是否具有客观的真理性，并不是一个抽象的理论问题。因为这个问题必须在思维与对象的联系中才能找到答案。而能够把思维和对象联系起来的只有实践。实践是连接思维与对象的唯一桥梁。理论活动仅仅是思维领域内的活动，它只有通过实践才能与对象发生间接性关系。

---

[1] 《马克思恩格斯文集》第 1 卷，人民出版社 2009 年版，第 500 页。

其次，马克思指出人应该在实践中证明思维的真理性、现实性和力量。

马克思提出，人只有在实践中，才能证明思维对对象的把握程度（思维真理性和此岸性），才能证明思维改变对象以实现自己目标的有效性（思维现实性和力量）。也就是说，在思维领域，人只能达到关于对象的主观景象、构造关于未来的主观愿景，对象依然处于思维的彼岸，至于要知道主观景象是否符合客观对象、主观愿景是否现实有效，思维是否在对象中实现，则只有通过实践。

"实践是检验真理的标准"，但是不能仅仅把真理局限于认知性的理性范畴。马克思继承的真理性是来源于黑格尔，在黑格尔那里，真理不仅仅是认识，真理实际上是包括"知、情、义"的统一，就是说，在黑格尔看来，真理本身是"真、善、美"的统一。一个东西假如已经丧失了内在必然性，即使对它的反映是合乎客观实际的，也不能称为真理。只有有内在必然性的、有前途的现存，才是现实。因此，黑格尔才认为："凡是合乎理性的东西都是现实的；凡是现实的东西都是合乎理性的。"① 但是现存的东西一旦丧失了必然性，就不再是现实的，而仅仅只是现存，就将趋于灭亡。在这个意义上，真理不同于"真相"。"人应该在实践中证明自己思维的真理性，即自己思维的现实性和力量，自己思维的此岸性。"② 所以，这里的认识论，包括"知、情、义、欲望、信念"等，不仅仅理解为符合与否，实际上还包括检验真理的客观性、价值性、审美性。

最后，马克思指出关于离开实践的思维是否具有现实性的争论，是一个纯粹经院哲学的问题。

马克思认为，关于离开实践的思维能否正确把握对象、能否对对象产生影响的一切争论，不是无谓的口水仗，就是像中世纪经院哲学那样烦琐而无聊的游戏。马克思在这里提出的关于真理与实践的论述，不仅是一般认识论层面的探索，而且具有具体的针对性。青年黑格尔派的哲学家们都声言自己把握到了真理，要根本改变世界。然而，他们不过是在词句上在理论中进行批判，他们以为这种理论批判一旦完成，就能从根本上改变世界。马克思指出，没有现实的实践，理论上的改变世界就是空洞的。

---

① ［德］黑格尔：《法哲学原理》，范扬、张企泰译，商务印书馆 2009 年版，第 11 页。

② 《马克思恩格斯文集》第 1 卷，人民出版社 2009 年版，第 500 页。

马克思着重批判了费尔巴哈的直观的思维方式。他在《关于费尔巴哈的提纲》第五条指出："费尔巴哈不满意抽象的思维而喜欢直观；但是他把感性不是看做实践的、人的感性的活动。"①这句话的意思是费尔巴哈对抽象的思维不满，他要的是直观，但是，他却没有把感性理解为实践的、人的感性的活动。费尔巴哈哲学的直观比黑格尔绝对精神的自我运动好像更具有唯物主义的基础，但是他所谓的直观不过是局限在精神范围内，是脱离实践的。马克思强调不能把一切东西的认识基础都归源于感性经验，认识的基础是实践。人的感性必须是实践的，即认识的基础是实践而不是直观。在《关于费尔巴哈的提纲》第七条，马克思指出了费尔巴哈哲学抽象的个人和"宗教感情"都是特定的社会形式造成的。这种抽象本身就是历史的产物，抽象的个人恰恰是资本主义的产物。这样，费尔巴哈"离开实践的思维"仍然是一种"纯粹经院哲学"。

三、以实践为基础的人的本质观

马克思在《关于费尔巴哈的提纲》第六条指出：

费尔巴哈把宗教的本质归结于人的本质。但是，人的本质不是单个人所固有的抽象物，在其现实性上，它是一切社会关系的总和。

费尔巴哈没有对这种现实的本质进行批判，因此他不得不：

（1）撇开历史的进程，把宗教感情固定为独立的东西，并假定有一种抽象的——孤立的——人的个体。

（2）因此，本质只能被理解为"类"，理解为一种内在的、无声的、把许多个人自然地联系起来的普遍性。②

马克思在批判费尔巴哈人的本质问题上的错误观点基础上，提出了人的本质在其现实性上是一切社会关系的总和。马克思关于人的本质的观点，展示了新唯物主义认识问题的基本原则，为我们研究人的本质提供了一个科学的思维

---

① 《马克思恩格斯文集》第1卷，人民出版社2009年版，第501页。
② 《马克思恩格斯文集》第1卷，人民出版社2009年版，第501页。

方向。

费尔巴哈把宗教的本质归结于人的本质具有积极意义。马克思对此给予了充分肯定，认为费尔巴哈把宗教的本质归结于人的本质是其宗教批判的一个重要的成果。此成果给当时的思想解放运动以极大的推动：它打击了唯心主义和宗教神学，恢复了唯物主义和无神论的权威。费尔巴哈的哲学思路引导人们从神学的研究走向世俗的批判，从对神的批判转入对人的关注。

费尔巴哈对人的本质作了抽象的理解。他在旧唯物主义的思维圈子中徘徊，离开实践、离开人的社会属性和历史发展考察人的本质。他一方面把人看做孤立的存在个体，同时又强调每个个人的抽象共同性即宗教感情，也就是把人的本质理解为所有人所具有的永恒不变的、纯自然意义上的普遍性，理解为他所谓的"宗教感情"。这种对人的本质的抽象理解，至多只能不全面地解答诸如人和动物相区别的问题，在人的现实问题面前则全然是空洞贫乏的。

马克思指出，费尔巴哈离开实践、离开人的社会属性和历史发展去分析人的本质就必然产生两个错误。第一，具有这样本质的人是抽象的，在现实中是不存在的。费尔巴哈脱离实践、撇开社会历史发展来考察人的本质，其结果必然把人设想成不属于任何社会的一般个体，把人的本质归结为所有人的共同性。这种人和人的本质只存在于想象中。第二，具有这样本质的人只是自然存在物的抽象，在社会中是不存在的。费尔巴哈脱离实践、撇开社会历史发展来考察人的本质，其结果只能看到人的自然性、人与人的自然联系，即"一种内在的、无声的、把许多个人自然地联系起来的普遍性"[①]。而脱离社会的纯粹自然的人和人的本质也只能存在于想象中。

因此，在马克思看来，费尔巴哈关于人的本质的观点是空洞的、抽象的，对人的现实本质他根本没有谈论。费尔巴哈之所以不能看到人的社会关系的现实本质，说到底是因为他所理解的人，还不是从事实际生产的现实的人，没有从人的感性活动、实践出来理解人。

马克思明确人的本质在其现实性上是一切社会关系的总和。马克思以科学的实践观为出发点，从社会历史对现实的人的本质进行探讨，提出人的本质不是单个人或者所有人共同性的抽象物，而是从人的现实性上来把握的一切社会关系的总和。因为人生活在现实的历史实践中，必然处在一定社会的一定历史

---

① 《马克思恩格斯文集》第1卷，人民出版社2009年版，第501页。

中并且从事一定的实践活动。因此每个人的社会关系都有差别，这种差别反映了人的真实存在状况使人互相区分，每个人都反映出历史的真实面貌。马克思认为，人的本质取决于特定的社会关系，因此是具体的不是抽象的。

马克思以实践为出发点的新世界观，强调实践在社会生活中构成了人的本质，实践是认识的基础，实践是自然的改造者，实践是人的存在方式。实践的基础是物质生产活动，然后才有建立其上的社会交往，人的精神生产以及人的自由活动。"人的本质是一切社会关系的总和"不仅仅是回答人"是什么"，而且"如何是"，"怎么是"。如果仅仅从"是什么"来理解人的本质，就把人等同于社会网络上的结，这种理解是阿尔都塞结构主义对马克思的错误理解。"人的本质"不仅仅是回答"人是什么"，对"本质"的理解应当联系黑格尔的本质观，把"本质"看做"根据"。因此，"人的本质是一切社会关系的总和"是指人是由社会关系所决定、所影响、所塑造的，这是间接的反思规定。

在这个基础上，马克思进一步批判了费尔巴哈对人的本质的错误理解。不能撇开社会历史孤立地谈宗教感情和人。马克思认为，费尔巴哈所讲的作为人的本质的宗教感情本身就是在实践的基础上形成的，是社会历史的产物。脱离实践、社会，撇开历史进程孤立地讲宗教感情，那不过是抽象的游戏。事实上，费尔巴哈设想的宗教感情就是他对一定的社会历史时期精神现象的反映。

同样，每个人都是属于一定社会形式的存在，费尔巴哈所分析的抽象的个人，也是他根据一定的社会历史存在构思出来的东西。不过，他这样做就把一定的社会历史形式理解成没有历史的永恒的社会状态了。所以，马克思说："直观的唯物主义，即不是把感性理解为实践活动的唯物主义，至多也只能达到对单个人和市民社会的直观。"[①] 也就是说，直观的唯物主义，即那些把市民社会当做永恒不变事实进行非批判考察的唯物主义，对人的考察也只能停留在人的普遍抽象性上。于是，市民社会的人变成了人的一般，市民社会变成了社会的一般。然而，作为市民社会的成员的人，是"封闭于自身、封闭于自己的私人利益和自己的私人任意行为、脱离共同体的个体"[②]。市民社会是导致了个人的单向度发展亦即抽象化的社会形式，而抽象的个人则是市民社会的自然基础。所以，市民社会中的人和市民社会都是应该在实践中予以扬弃的历史性存在。

---

① 《马克思恩格斯文集》第 1 卷，人民出版社 2009 年版，第 502 页。
② 《马克思恩格斯文集》第 1 卷，人民出版社 2009 年版，第 42 页。

人的本质是一切社会关系的总和的论断，意味着人的本质是生成性的，是人在实践活动中不断获得的。费尔巴哈和其他旧哲学所理解的抽象的人也是根源于特定的社会形式。"必须关注人的现实生活过程，关注人在现实活动过程中的生存方式。"① 随着社会的不断发展，人的本质也随着实践而得到丰富和发展。

四、以实践为基础的社会历史观

《关于费尔巴哈的提纲》从实践出发把唯物主义历史观奠基于主体和客体、人和环境的矛盾之上，从而克服了旧唯物主义和唯心主义在历史观上的错误。实践是社会生活的本质，也是人的存在方式，是环境的改变与人的活动的辩证统一。从实践出发，才能理解社会的结构，以及把握宗教问题的本质。从实践出发，才能抓住全部社会生活的本质。

《关于费尔巴哈的提纲》第三条主要是谈"历史观"，这是马克思变革旧哲学的突出领域，是突破旧哲学的突破点。因为前面第一、二两条还在理论领域里谈问题，这条是在"实践"领域里谈问题，主要是批判法国爱尔维修等人的唯物主义观，如"环境决定论"和教育决定论。普列汉诺夫对唯物史观的诠释往往局限于用"物质"来揭示社会发展，这样就把唯物史观的理论阵营扩大，包括了孟德斯鸠的地理环境论，当然他认为马克思是辩证的唯物史观。对于18世纪的唯物主义，普列汉诺夫认为这种唯物主义陷入了"环境决定意见"和"意见决定环境"的二律背反，但他又认为"环境决定意见"是唯物主义的，"意见决定环境"是唯心主义的。《关于费尔巴哈的提纲》第四条谈论的是社会结构（共时性），第八条谈的是社会生活过程（历时性）。

第一，实践是人与环境、主体与客体相统一的现实基础。历史观的基本问题包含人与环境的关系问题。18世纪唯物主义从人与环境、主体与客体的关系来解释社会历史，超越了先前从抽象的人性来解释社会历史，推动了历史观的进步。但是，由于不懂得实践及其意义，它并没有正确解决人与环境、主体与客体的关系问题。马克思立足于实践的观点对人与环境、主体与客体的关系

---

① 仰海峰：《形而上学批判》，江苏人民出版社2006年版，第104页。

进行探索，提出了实践基础上人与环境、主体与客体相统一的思想。

旧唯物主义离开实践讨论人和环境、教育的问题，只能走向自己的反面。18 世纪法国唯物主义在批判唯心主义和宗教神学的过程中，提出了"环境决定论"和"教育决定论"的观点。例如，爱尔维修指出："我们在人与人之间所见到的精神上的差异，是由于他们所处的不同的环境、由于他们所受的不同的教育所致。"① 人是环境和教育的产物。因此要改变人，就要首先改变环境、实施教育。然而，究竟由谁来改变环境、实施教育呢？

由于 18 世纪法国唯物主义者没有从实践的维度思考问题，所以他们不知道人与环境、人与教育的关系是实践基础上的双向关系。他们"忘记了：环境是由人来改变的，而教育者本人一定是受教育的。因此，这种学说必然会把社会分成两部分，其中一部分凌驾于社会之上。"② 于是，在他们的逻辑中，人是环境和教育的产物，而改变环境、实施教育的则不是一般的人，他们不受环境影响、不接受教育，是先知、是天才。正是这些先知、天才的"意见支配世界"。从"环境决定论"和"教育决定论"到"意见支配世界"，18 世纪唯物主义最终走向自己的反面，陷入唯心主义历史观。

环境的改变和人自身改变的一致，只能被合理地理解为革命的实践。马克思把实践的观点引入历史观，在实践基础上解决人与环境的关系问题。"环境的改变和人的活动或自我改变的一致，只能被看做是并合理地理解为革命的实践。"③ 这就是说，人存在于一定的环境中，并为环境所影响，但人不是消极被动地接受环境的影响，而是在实践中能动地改变着环境，并且在改变环境的过程中改变自己的活动，改变人自身的素质。所以，实践是人与环境相统一的现实基础。

实践是人与环境、主体与客体相统一的现实基础思想，是对历史主客体关系的科学解答。人与环境的相互关系是人在实践中构成的。人在实践中受到环境的制约和影响，又在实践中改变着环境，为自己创设新的环境（即革命的实践），从而改变着自己；同时，人与环境的矛盾只有在实践中才能得到现实的解决。人只有通过革命的实践才能改变不合理的环境，实现现存世界的革命

---

① 北京大学哲学系外国哲学史教研室编译：《十八世纪法国哲学》，商务印书馆 1963 年版，第 467—468 页。

② 《马克思恩格斯文集》第 1 卷，人民出版社 2009 年版，第 500 页。

③ 《马克思恩格斯文集》第 1 卷，人民出版社 2009 年版，第 500 页。

化，从而为自己的发展开拓更为广阔的天地。

第二，实践是消除宗教这一异化现象及其世俗根源的根本途径。马克思肯定了费尔巴哈为代表的旧唯物主义对于反对宗教神学发挥的作用。但是，由于没有从现实社会矛盾中看待宗教，不懂得实践在社会生活中的作用，旧唯物主义对宗教的批判终究具有局限性。马克思提出，实践是消除宗教这一异化现象及其世俗根源的根本途径。

费尔巴哈虽然找到了宗教世界产生的世俗基础，但对于宗教产生的社会根源和消除途径却止步了。费尔巴哈认为，宗教的秘密就在于"宗教上的自我异化"，即把现实世界"二重化"为宗教世界和世俗世界、把现实的人"二重化"为上帝和人，用宗教世界来统治世俗世界，用上帝来统治人。实质上，宗教世界不过是世俗世界的虚幻反映。费尔巴哈说："上帝的人格性，本身不外乎就是人之被异化了的、被对象化了的人格性。那种使人对上帝的意识成为上帝的自我意识的黑格尔式的思辨学说，便是以这种自我异化过程为基础的。"①

马克思指出，费尔巴哈哲学揭露了宗教的秘密，找到了宗教世界的世俗基础。但是，费尔巴哈没有把工作推向深入，没有发现现实社会的矛盾才是宗教产生的真实根源。这个根源就是世俗基础的自我分裂和自我矛盾。马克思说，世俗基础使自己从自身中分离出去产生出宗教世界这一事实只能用这个世俗世界即这个社会内在的矛盾和冲突来说明。社会从没有宗教到产生宗教，只能从社会分裂为对立的阶级和阶级社会、阶级社会中阶级对立来说明。宗教是阶级矛盾的产物和表现。在原始社会，生产力发展的桎梏使得人们神化自然而产生原始宗教。原始宗教只是为后来的宗教提供话题和质料。到后来的阶级社会中，阶级压迫和阶级剥削不断加重。被剥削阶级借助于宗教麻醉自己以摆脱苦难，幻想死后到天国去获得幸福，这些被剥削阶级所利用而产生了严格意义的宗教。

因此，马克思指出，要消除宗教就必须变革宗教产生的世俗基础，以革命的手段消灭社会矛盾和冲突。具体落实到阶级社会，就是用革命来消灭阶级压迫和阶级剥削，建立起人的自由王国，这才是消除宗教的根本途径。马克思说，自从发现了宗教世界的秘密在于现实社会之后，我们就应当对现实社会从

---

① [德]费尔巴哈：《费尔巴哈哲学著作选集》下卷，荣震华、王太庆、刘磊译，生活·读书·新知三联书店1962年版，第267页。

理论上进行批判，并在实践中对其加以革命改造，从而为最终消除宗教开辟出
一条现实的道路。

　　马克思在对费尔巴哈宗教批判的批判及对宗教产生和存在的社会根源、宗
教消除的根本途径的探索中，一方面贯彻了唯物主义基本原则，蕴含社会存在
决定社会意识的观点；另一方面贯彻了辩证法的基本精神，蕴含矛盾分析的方
法要素。

　　第三，全部社会生活在本质上是实践的。坚持对社会生活和意识形态进行
实践理解是马克思在批判以费尔巴哈为代表的唯心主义历史观所得出的基本结
论。马克思在《关于费尔巴哈的提纲》第八条提出："全部社会生活在本质上
是实践的。"[1]这明确地表现了马克思探索社会的基本取向——通过劳动为主要
内容的实践的分析，建构起新唯物主义的历史观。

　　社会生活的本质是实践。马克思从实践出发来理解人与自然界、人与社会
和人与自身的关系。实践事实上是全部社会生活的基础。而旧哲学在历史观上
则陷入唯心主义，黑格尔从绝对观念出发理解社会生活，而费尔巴哈则从宗教
感情类意识出发来理解社会生活，马克思则从唯物主义立场把实践活动作为解
释社会生活的出发点。马克思把实践规定为改造对象世界的客观物质活动，因
此把实践作为社会生活的本质就是历史观上唯物主义革命的关键一步：用人的
物质活动解释社会生活，用人的物质关系解释社会关系，用人物质活动的发展
解释社会历史发展。

　　在解决了历史观的唯物主义基础后，马克思阐发了意识形态问题。马克思
认为，人的精神活动是在实践的基础上进行的，因此，精神领域的问题必然可
以在实践领域找到自己的根源。这是马克思意识形态理论的一个重要内容。

　　从实践出发就能找到意识形态的根源。例如黑格尔哲学的神秘主义，我们
可以从德国资产阶级的既向往革命又患得患失的阶级实践中找到其社会根源，
以及这种社会根源如何产生黑格尔哲学神秘主义的通道。而一旦找到了这些理
论的社会根源，那我们就能够在实践中变革现实来消除这些理论。马克思早在
《1844年经济学哲学手稿》中曾经指出："理论的对立本身的解决，只有通过实
践方式，只有借助于人的实践力量，才是可能的；因此，这种对立的解决绝对
不只是认识的任务，而是现实生活的任务，而哲学未能解决这个任务，正是因

---

[1]　《马克思恩格斯文集》第1卷，人民出版社2009年版，第501页。

为哲学把这仅仅看做理论的任务。"① 在《关于费尔巴哈的提纲》中，马克思更深刻地从社会意识及其社会根源与实践的关系层面强调了实践在意识形态批判中的作用。

最后，在《关于费尔巴哈的提纲》第十条和十一条中，马克思对哲学的社会基础和功能使命进行了阐述，提出了新唯物主义的无产阶级立场和改变资产阶级世界的历史使命，从而彰显出完全不同于旧哲学的新世界观的重要特征。

旧唯物主义的立足点是市民社会，新唯物主义的立足点则是人类社会或社会化了的人类。这里马克思强调的是新唯物主义的社会基础、历史基础和阶级基础。

在马克思看来，以费尔巴哈为代表的旧唯物主义是以资产阶级社会为自己立足点和基础的，是资产阶级的世界观。资产阶级的阶级取向、阶级实践构成了其基本的理论取向和理论内容。在旧唯物主义那里，资产阶级社会就是历史终结了的永恒社会，资产阶级的成员就是完成了发展的抽象的人。在资产阶级革命时期，旧唯物主义把资产阶级社会看做理想社会，把资产阶级的成员看做理想的人；在资产阶级革命后，旧唯物主义把资产阶级社会看做普世社会，把资产阶级的人看做普世性的人的存在。

而新唯物主义则是把无产阶级看做自己的立足点和基础。新唯物主义的立足点的人类社会与旧唯物主义之立足点的市民社会相对立的。作为马克思新唯物主义的立足点，其实并不泛指所有在历史上曾经出现过的现实的人类社会，而仅仅指理想的与市民社会相对的人类社会。在他看来，资产阶级社会是现实历史发展的一个存在极端剥削的阶段，应该而且必然可以超越。新唯物主义就是以超越资产阶级社会，实现理想的人类社会为目标。因此，新唯物主义的一个特征就是其无产阶级的阶级性。

马克思在《关于费尔巴哈的提纲》第十一条强调："哲学家们只是用不同的方式解释世界，问题在于改变世界。"② 马克思认为，黑格尔及其以后的哲学家都只是用不同的方式提供对资产阶级社会即资本主义世界的解释，或是预见、或是辩护、或是形式批判实质辩护。他们都没有超出资本主义私有制基础上社会制度的限度。但现在我们面前的问题是探索改变资本主义世界的道路，

---

① 《马克思恩格斯文集》第 1 卷，人民出版社 2009 年版，第 192 页。
② 《马克思恩格斯文集》第 1 卷，人民出版社 2009 年版，第 502 页。

从而在革命的实践中创建新世界。新唯物主义把改变资本主义世界开创真正人的新世界作为自己的历史使命。

在这里，马克思清晰地展示了新唯物主义与以往哲学在历史使命上的根本区别。无产阶级的世界观，这个通过批判旧世界、发现新世界的科学理论脱颖而出了。马克思和恩格斯说，这些哲学家"只是希望确立对现存的事实的正确理解，然而一个真正的共产主义者的任务却在于推翻这种现存的东西"①。后来《德意志意识形态》中的这段话，可以说是《关于费尔巴哈的提纲》关于哲学历史使命的观点进一步阐发。因此，新唯物主义的另一个特征就是革命的实践性。

第二节　《德意志意识形态》：唯物史观的首次系统阐发

如果说马克思恩格斯第一部合著《神圣家族》标志着他们脱离人本学唯物主义和哲学共产主义的开始，那么他们第二部合著《德意志意识形态》则标志着马克思主义哲学的创立，标志着历史唯物主义和科学共产主义思想的成熟。在这部马克思主义哲学革命过程的关键性著作中，马克思恩格斯通过批判以鲍威尔、费尔巴哈和施蒂纳为代表的青年黑格尔派哲学，首次系统地阐发了他们的唯物史观，同"真正社会主义"彻底决裂，为无产阶级提供了科学的世界观和方法论。

一、清算"德意志意识形态"和"真正的社会主义"

在《德意志意识形态》中，马克思恩格斯在第一卷"对费尔巴哈、布·鲍威尔和施蒂纳所代表的现代德国哲学的批判"文本中，通过批判作为"德意志

---

① 《马克思恩格斯文集》第 1 卷，人民出版社 2009 年版，第 549 页。

意识形态"的青年黑格尔派哲学，对德意志意识形态进行了最终的清算。同时，在第二卷"对各式各样先知所代表的德国社会主义的批判"（副标题为"真正的社会主义"）文本中，同"真正的社会主义"划清界限，为工人运动提供科学的理论指南。

（一）同"德意志意识形态"和"真正的社会主义"划清界限

《德意志意识形态》直接研究和批判的对象是以鲍威尔、费尔巴哈和施蒂纳为代表的青年黑格尔派哲学。青年黑格尔派哲学是当时德国资产阶级思想体系即所谓"德意志意识形态"的主要代表，作为德国资产阶级民主革命的理论准备和先导，曾于1835—1845年期间在德国思想界和社会上产生了重要的影响和作用。青年黑格尔派虽然对封建神学、对宗教进行了较为彻底的批判，但是仅仅局限于对宗教观念的批判，未能进一步深入到德国哲学与德国现实、哲学理论与社会物质环境之间的关系。马克思恩格斯曾经和鲍威尔、费尔巴哈、施蒂纳有过亲密的接触和交往，并受到过他们哲学思想的影响。他们在1841年以前曾经站到鲍威尔"自我意识"哲学的立场之上，1842年以后特别是1843年思想转变的过程中又受到费尔巴哈哲学的强烈影响，而施蒂纳哲学也对他们在1844年以后彻底摆脱费尔巴哈哲学起到了某种启示作用。

这样，《德意志意识形态》的写作实际上就不仅具有了清算作为当时"德意志意识形态"的青年黑格尔派哲学的意义，而且也同时具有了清算马克思恩格斯自己以前所持有的哲学唯心主义立场的意义。所以，马克思在1859年撰写的《〈政治经济学批判〉序言》中曾这样回顾这本书的写作：当1845年初恩格斯也住在布鲁塞尔时，"我们决定共同阐明我们的见解与德国哲学的意识形态的见解的对立，实际上是把我们从前的哲学信仰清算一下。这个心愿是以批判黑格尔以后的哲学的形式来实现的。两厚册八开本的原稿早已送到威斯特伐利亚的出版所，后来我们才接到通知说，由于情况改变，不能付印。既然我们已经达到了我们的主要目的——自己弄清问题，我们就情愿让原稿留给老鼠的牙齿去批判了。"①

当时，布鲁诺·鲍威尔和施蒂纳1845年在莱比锡出版的《维干德季刊》上发表了几篇反驳费尔巴哈、赫斯、马克思和恩格斯的文章，指责马克思恩格

---

① 《马克思恩格斯文集》第2卷，人民出版社2009年版，第593页。

斯为"教条主义"。如布鲁诺·鲍威尔说："异教徒费尔巴哈把 hyle［无定形的本原物质］，把实体据为己有，不肯交出，以致我的无限的自我意识不能在其中得到反映。"① 因此，马克思想利用他们理论批判的成果和教训来深化对费尔巴哈的批判，发展自己已获得的新世界观。马克思在 1845 年《关于费尔巴哈的提纲》中已制定了新的哲学范式和基本框架，把费尔巴哈的"类"改造成"社会关系"。在他看来，施蒂纳用"唯一者"批判费尔巴哈的"类"仍然是"没有上帝的上帝"，确实打中了费尔巴哈的要害，但是，施蒂纳的"唯一者"本身也是抽象的"我"，"唯一者及其所有物"仍然是"按照自己关于神、关于标准人等等观念来建立自己的关系"②。施蒂纳与费尔巴哈是既相互对立、又互为补充的两极，为避免从一个极端走向另一个极端，马克思以"实践"这一范式取代抽象的"人类"和抽象的"个人"，马克思特别强调历史的前提是"现实的个人"，并用"实践（首先是从事生产活动）的个人"、"一定社会关系中的个人"把二者统一起来，这其实是利用施蒂纳发展和完善了自己的新世界观。

马克思借助回击鲍威尔、施蒂纳的攻击，进一步同费尔巴哈划清界限。马克思在《关于费尔巴哈的提纲》中已经对费尔巴哈进行了清算，彻底与其决裂，但《关于费尔巴哈的提纲》并未发表。而公开发表的、与恩格斯共同写作的《神圣家族》仍对费尔巴哈推崇备至，这给人一种归属于"费尔巴哈派"的印象。马克思决定利用对布鲁诺·鲍威尔和施蒂纳的批判，使自己和恩格斯同费尔巴哈公开划清界限，公开声明他们与费尔巴哈之间已经存在"唯物主义观点和唯心主义观点"的根本对立，并力图完整系统地阐述自己的正面观点，以此为基础回击鲍威尔和施蒂纳的攻击。

同时，马克思恩格斯原属于"哲学共产主义"派别，这时也要与之划清界限。恩格斯在《大陆上社会改革运动的进展》中称马克思博士加入了德国哲学共产主义的行列。马克思在《〈黑格尔法哲学批判〉导言》中也说过："德国人的解放就是人的解放。这个解放的头脑是哲学，它的心脏是无产阶级。"③ 马克思恩格斯 1845 年去伦敦与"正义者同盟"领导人以及宪章运动领导人建立联系，接触的是哲学共产主义者。所以，马克思恩格斯在《德意志意识形态》中

① 《马克思恩格斯全集》第 3 卷，人民出版社 1960 年版，第 89—90 页。
② 《马克思恩格斯文集》第 1 卷，人民出版社 2009 年版，第 509 页。
③ 《马克思恩格斯文集》第 1 卷，人民出版社 2009 年版，第 18 页。

指出："许多曾以哲学为出发点的德国共产主义者，正是通过这样的转变过程走向了并且继续走向共产主义，而其他那些不能摆脱意识形态的羁绊的人，将终生宣传这种'真正的社会主义'。"① 他们还在《德意志意识形态》第二卷专门"对各式各样先知所代表的德国社会主义的批判"，对"莱茵年鉴"、卡尔·格律恩、"霍尔施坦的格奥尔格·库尔曼博士"等"真正的社会主义"进行批判，以此进一步划清界限，为工人运动提供科学世界观和方法论。

《德意志意识形态》第二卷集中记录了"真正的社会主义"的错误实质：首先，在社会主义观上，不是把社会主义、共产主义理解为现实的运动，而是看做一种合乎理性或合乎人性的理想制度。其次，在社会主义的哲学基础上，"他们始终一贯地把各个具体的一定的个人间的关系变为'人'的关系，他们这样来解释这些一定的个人关于他们自身关系的思想，好像这些思想是关于'人'的思想。……这样把法国人的思想翻译成德国思想家的语言，这样任意捏造共产主义和德意志意识形态之间的联系，也就形成了所谓'真正的社会主义'"②。最后，在社会主义的实现途径上，不是诉诸无产阶级的阶级斗争，而是呼唤"普遍的人类之爱"，并且主要是面向小资产阶级。"它不是向无产者，而是向德国人数最多的两类人呼吁，就是向抱有博爱幻想的小资产者以及这些小资产者的思想家，即哲学家和哲学学徒呼吁；它一般是向德国现在流行的'平常的'和不平常的意识呼吁。"③

《德意志意识形态》写作的背景和过程体现了以上的意图。首先是马克思写作"圣麦克斯"阶段：马克思利用施蒂纳对费尔巴哈的批判，深化自己已取得的新世界观成果。施蒂纳的《唯一者及其所有物》出版后，马克思恰好在同年读到了该书，随即准备对其进行批判性的评析。马克思1844年12月《致亨利希·伯恩施太因》表明他在那时曾经有一个要出版批判施蒂纳的书的打算。燕妮·马克思1846年2月24日的信，询问马克思批判施蒂纳的书是否写完。马克思按照施蒂纳的书本身的结构，逐段逐句地进行批判，写成了篇幅巨大的手稿。不仅说明了自己观点同费尔巴哈的根本区别，而且认为施蒂纳在某些方面甚至比费尔巴哈更倒退。

---

① 《马克思恩格斯全集》第 3 卷，人民出版社 1960 年版，第 537 页。
② 《马克思恩格斯全集》第 3 卷，人民出版社 1960 年版，第 536 页。
③ 《马克思恩格斯全集》第 3 卷，人民出版社 1960 年版，第 537 页。

接下来是马克思和恩格斯写作"莱比锡宗教会议"阶段：反击鲍威尔和施蒂纳的攻击，同费尔巴哈划清界限。《维干德季刊》在 1845 年 6 月第 2 卷上，发表了费尔巴哈就施蒂纳的书而写的反批判文章；接着赫斯出版了《晚近的哲学家》；在 10 月出版的《维干德季刊》第 3 卷上，鲍威尔和施蒂纳又发表文章批判费尔巴哈，顺便将马克思恩格斯和赫斯作为费尔巴哈的信徒进行了攻击。1845 年 11 月底到 12 月初，马克思和恩格斯首先以一篇批驳鲍威尔和费尔巴哈的论战文章来实现他们对黑格尔以后的哲学的批判，而且这篇文章还"包含对自己的历史理论的阐述"。写一本名为《莱比锡宗教会议》的小册子批判鲍威尔、施蒂纳和卢格的计划，则是在这项工作的下一个过程才产生的。不过后来，他们放弃了批判卢格的计划。

"费尔巴哈"章的独立和《德意志意识形态》第一卷结构的确立阶段：系统地阐发关于唯物史观的观点，同整个德意志意识形态彻底决裂。在对鲍威尔和施蒂纳的批判过程中没有区分同费尔巴哈的观点。马克思恩格斯从"圣布鲁诺"的部分手稿与"圣麦克斯"中的部分手稿组成新的第一章"费尔巴哈"，以此系统阐发唯物史观并批判费尔巴哈，并且确立了《德意志意识形态》第一卷的三章结构。

《德意志意识形态》两卷结构的确立阶段：同赫斯和"真正的社会主义"的决裂，为共产主义奠定了科学基础。马克思把写作《德意志意识形态》的过程，对自己原有人本学唯物主义和哲学共产主义信仰进行自我清算。由于最初参与这一著作的赫斯坚持原有的立场，不得不同他划清界限。1846 年 1 月马克思在《特利尔日报》发表了《声明》表示不赞成哲学共产主义即"真正的社会主义"；赫斯同马克思决裂，并在大约 1846 年 3 月 22 到 29 日之间离开。这期间，《德意志意识形态》两卷结构确立，第二卷对"真正的社会主义"进行了全面的批判。①

尽管《德意志意识形态》在马克思恩格斯生前并未公开出版，只有部分片段发表，甚至该书的手稿本身就是不完整的，不仅第二卷第二、三章手稿阙如，最重要的第一卷第一章的写作本身都没有完成，特别是在第二卷中作为批判对象的赫斯也参与了写作。尽管写作过程、表述形式如此复杂，但它真实地

---

① 姚顺良：《马克思主义哲学史：从创立到第二国际》，北京师范大学出版社 2010 年版，第 92—93 页。

记录了马克思恩格斯思想的突破性进展，在马克思主义发展史上具有划时代意义。在理论上，它完成了由《关于费尔巴哈的提纲》开始的哲学革命，第一次系统阐发了唯物史观。这包括新历史观的前提和出发点，作为新历史观的基本内容，作为新历史观最终归宿的社会革命和人的解放学说。在实践上，它第一次同"真正社会主义"彻底决裂，奠定了以《共产党宣言》为代表的科学共产主义纲领的哲学基础。

（二）《德意志意识形态》的文本概况

由于《德意志意识形态》最终没有出版，甚至没有写完，因此对于马克思恩格斯写作该书的背景和目的，以至于该书的结构和内容，长期以来众说纷纭，莫衷一是。该书现存手稿和部分刊印稿包括两卷：第一卷题为"对以费尔巴哈、布·鲍威尔和施蒂纳为代表的德国现代哲学的批判"，包括三章"一、费尔巴哈"、"二、圣布鲁诺"、"三、圣麦克斯（即施蒂纳）"，在第二、三章前后分别有"莱比锡宗教会议开幕"和"莱比锡宗教会议闭幕"；第二卷题为"对各式各样先知所代表的德国社会主义的批判"，现存导言"真正的社会主义"和三章，即"一、真正的社会主义的哲学"、"四、真正的社会主义的历史编纂学"和"五、真正的社会主义的预言"。

这部手稿自它诞生以来就命运不佳。马克思和恩格斯从 1846 年到 1847 年间，马克思恩格斯和魏德迈曾多次找出版商，但是由于书报检察机关的阻挠，还由于出版商对书中所批判的哲学流派及其代表人物的同情，一直未能出版。1846 年 12 月 28 日，马克思在致安年柯夫的信中说明了当时出版《德意志意识形态》的困难，"您很难想象，在德国出版这种书要碰到怎样的困难，这些困难一方面来自警察，一方面来自与我所抨击的一切流派利益攸关的出版商。至于我们自己的党，它不仅很贫困，而且德国共产党内有相当大的一部分人由于我反对他们的空想和浮夸而生我的气。"①《德意志意识形态》在马克思恩格斯生前并未公开出版。只有第二卷中批判卡尔·格律恩的第二卷第四章，署名马克思发表在《威斯特伐里亚汽船》杂志 1847 年 8 月和 9 月号，以及第一卷第二章（"圣布鲁诺"）和第二卷第五章（批判库尔曼，赫斯写）的两个片断匿名发表在 1845 年底到 1846 年初的《社会明镜》杂志上。后来马克思和恩格斯

---

① 《马克思恩格斯文集》第 10 卷，人民出版社 2009 年版，第 53 页。

觉得已经达到了弄清问题的目的，也就没再做出版努力，而是"情愿让原稿留给老鼠的牙齿去批判了"。也正如马克思所说的那样，这部手稿在80年后重见天日以前遭到了"老鼠的牙齿去批判"，不仅有几张手稿遗失，而且现存的手稿中也有破损。恩格斯去世以后，这部手稿改由伯恩施坦保管，但是伯恩施坦也未能将其付梓，据说梅林也曾看过这部手稿，但是他觉得这部手稿分量过大，而且有近七成是冗长的施蒂纳批判，再加上第一章"费尔巴哈"是未定稿，也就放弃了出版计划。后来，这部手稿因战乱而被带到了荷兰的阿姆斯特丹。现在，除了"序言"的几页纸以外，手稿都保存在阿姆斯特丹的"社会史国际研究所"里。

《德意志意识形态》第一卷第一章第一次发表是在1924年，由苏共中央马克思恩格斯研究院发表了该章的俄译本，由梁赞诺夫主编。《德意志意识形态》全书第一次发表是在1932年，以德文原文形式发表于《马克思恩格斯全集》历史考订版第一部分第五卷，由维·拉多茨基主持编辑。1962年荷兰阿姆斯特丹国际社会历史研究所新发现《德意志意识形态》第一卷第一章两张（四页）手稿片断，苏共中央马列主义研究院由巴加图利亚负责，对该章作了重新整理编排，并在1965年苏联《哲学研究》杂志第10、11期发表，1966年又出版了单行本。1966年东德《德国哲学杂志》第10期也用德文发表了该章的新编版本。《德意志意识形态》第一卷第一章的第一个中文译本是由郭沫若翻译并于1938年在上海言行出版社出版的。新中国成立之后，1960年中共中央编译局根据俄文第二版编译了《德意志意识形态》全书，列为《马克思恩格斯全集》第3卷出版，1961年又整理出版了《德意志意识形态》第一卷第一章的新单行本。

《德意志意识形态》从它公开发表以来，在内容的编排上经过了几次大的改动，特别是第一章"费尔巴哈"的命运更为坎坷，下面就让我们简单地回顾一下"费尔巴哈"章的出版史，以及学者对"费尔巴哈"章所进行的文献学研究的状况。

"费尔巴哈"章的德文手稿第一次出版是在1926年，发表于《马克思恩格斯文库》第一卷中。这一版本是由当时苏联的"马克思恩格斯研究所"的第一任所长梁赞诺夫主持出版的，因此也称作梁赞诺夫版或简称梁版。这一版本是编者们在拿到手稿的影印件后仓促排版、印刷的，不仅对文本的判读很不充分，而且有很多错误、遗漏。但是，它采取的是将手稿的修改过程如实地排成铅字的方针，即把恩格斯和马克思几次修改、删除的内容也直接印在正文中，这一方针对后来的"费尔巴哈"章的编辑产生了重大的影响，它的编辑方针后来被日本学者广松版、涩谷版、小林版所继承。

1932 年，由梁赞诺夫的后任阿多拉茨基主持编辑出版的版本称作阿多拉茨基版（简称"阿版"）。阿版第一次把《德意志意识形态》的两卷手稿一起发表，"二战"后被世界各国翻译，成为对世界影响最大的《马克思恩格斯选集》和《马克思恩格斯全集》的底本。但是，仅就"费尔巴哈"一章而言，阿版对梁版进行了两个大的改动：第一，它不再把对手稿的修改、删改等内容直接印在正文中，而是把这些内容统一放到卷末的"文本异文"中予以说明，这一编辑方针后来被新 MEGA 所继承。第二，它把马克思和恩格斯的手稿分成约 40 个断片，无视作者标注的页码序号，人为地进行了编排，从文章的构成来看已经和原稿有了天壤之别。从尊重作者的原则来看，阿版的这一做法是失败的。这一不足成为后人重新编辑《德意志意识形态》的直接动因。

"齐格弗里德·巴纳于 1962 年发现了这三页手稿"①，即被马克思标有第 1、2 页和第 29 页的手稿。这一发现给当时的马克思研究带来了冲击，引发了一场重新编排"费尔巴哈"章手稿的运动。1965 年，巴加图利亚在苏联的《哲学问题》杂志第 10、11 期上连载了新编译版"费尔巴哈"章。巴加图利亚版的编辑方针后来被东德的女学者英格·陶伯特（IngeTaubert）采用，成为她编排新德文版的依据。

1966 年的新德文版是前东德的"马克思列宁主义研究所"以巴加图利亚俄文版为底本编辑而成的。新德文版继承了巴加图利亚俄文版的编辑方针，只不过删除了巴加图利亚版的 26 个节标题。巴纳所发现的那几页手稿也被加进了正文中。但是，这一版本省去了关于删除、修改、增补以及马克思和恩格斯笔迹的详细记载，其史料价值不高。

后来，出现了新 MEGA 的试刊版。由于人们对如何编排"费尔巴哈"章存在着分歧，1972 年，苏联和东德的马克思主义研究所又在新德文版的基础上发表了"费尔巴哈"章的新 MEGA 试刊版，这一版本首次按照手稿的写作方式采取了左右两栏的印刷方式，将没有指定插入位置的增补内容都排印在右栏。它继承了阿版的排版模式，将手稿的修改过程、增补以及笔迹等详细信息

---

① ［德］英格·陶伯特编：《MEGA：陶伯特版〈德意志意识形态·费尔巴哈〉》，李乾坤、毛亚斌、鲁婷婷等编译，张一兵审定，南京大学出版社 2014 年版，第 10 页。

等都放在卷末的"异文明细"中。同阿版相比，试刊版"异文明细"的记述要比阿版"文本异文"精确得多，其记述方法也科学得多，依据"异文明细"在理论上可以使手稿复原。由于 MEGA 的权威性，试刊版成为目前国际上通用的基本版本。

　　值得一提的是，日本学者先后出版过四个版本。1974 年广松版《新编辑版〈德意志意识形态〉》出版。广松版是由日本河出新房新社出版的，因此也叫"河出版"。1965 年，广松就在季刊《唯物论研究》上发表了《〈德意志意识形态〉编辑上的问题》的论文，开创了日本研究《德意志意识形态》文献学的先河。这篇论文详细地分析了《德意志意识形态》手稿的内在构造以及梁赞诺夫和阿多拉茨基版的缺点，得出了阿多拉茨基版"事实上等于伪书"的著名结论。广松版有两个明显的缺陷：一个是广松本人在编辑《德意志意识形态》时没有对照过马克思恩格斯的原始手稿；另一个是广松版的译文晦涩难懂，不适合于一般读者。出于对广松版的不满，在广松版出版以后，日本又出现了几个版本。第一个是 1996 年的服部版。服部文男等人从"只有看了实物才能研究"的原则出发，重新翻译了"费尔巴哈"章。同广松版相比，服部版不仅有一部分译文是在对照原始手稿的基础上译出的，而且译文平易、流畅，容易阅读。1998 年涩谷正版的《草稿完全复原版〈德意志意识形态〉》是继广松版以后日本出现的最重要的版本，因为"本书是第一本在照片复印和原始调查的基础上形成的译本"。涩谷曾在 1995 年 3 月至 12 月在"社会史国际研究所"对手稿进行过调查，亲眼看过和誊写了手稿，在这个意义上，它应该是最接近马克思恩格斯手稿的文本，其译文的可靠程度远远超过包括广松版在内的其他版本，特别是在复原手稿中被删除的部分上，涩谷版做得最为出色，超过了新MEGA 的试刊版和广松板。正因为如此，日本出现过用涩谷版代替广松版的趋势。2002 年，日本出现了岩波文库版《德意志意识形态》。文库版的底本是广松版的"德文文本"篇，其翻译编辑工作是由广松的弟子小林昌人完成的。小林在翻译时曾参照了山中隆次的私家版，并根据涩谷版的研究成果对广松版中手稿的删除部分进行了全面修订。

　　2004 年，新 MEGA 又出版了《德意志意识形态》的先行版。先行版在排版方式上，延续了 1972 年试刊版的编辑方针，按照新 MEGA 的"编辑准则"，把最终的文稿和关于手稿修改过程等的说明分别编进"文本"和"附属资料"两个相互分离的卷中。在手稿的排序上，先行版决定不再把《德意志意识形态》

手稿编辑成一部完整的著作，而是尊重各篇手稿和刊印稿的原貌，严格按照手稿的写作时间顺序排序。

以上是按时间顺序考察的"费尔巴哈"章的德文版和日文大部分版本的基本情况。从这些情况来看，"费尔巴哈"章的出版史可以看做一个逐渐恢复手稿本来面目的历史。在这一过程中，巴加图利亚和广松涉的文献学研究具有重要的意义，他们促成了欧洲和日本两种编排"费尔巴哈"章手稿的运动，同时掀起了一场从原始手稿的角度研究《德意志意识形态》和历史唯物主义的新高潮。

二、新世界观的基本出发点："现实的个人"与物质生产

马克思恩格斯在《神圣家族》中通过对黑格尔思辨哲学的批判，揭露了黑格尔唯心主义的历史观及其哲学体系，超出了宗教和哲学范围而深入到社会经济领域，开始由抽象的个人走向现实的个人，从人类概念走向生产关系概念。在《关于费尔巴哈的提纲》中，马克思最终确立了基于实践活动的一切社会关系的总和是人的现实本质的观点。这种观点在《德意志意识形态》中得到了进一步的阐述，成为新历史观的前提和基础。

（一）从"现实的个人"与物质生产出发来理解社会历史

在《关于费尔巴哈的提纲》中，马克思还只是运用实践这个哲学范畴批判旧唯物主义与唯心主义的共同缺陷，并没有具体指出决定历史发展的实践是什么。在《德意志意识形态》中，马克思恩格斯想要科学地说明刚刚发现的新的历史观，阐述历史唯物主义的基本思路，首先就是要确定新的历史理论的理论前提是什么，即新的历史理论所观察和描述历史究竟应当以什么为出发点。根据有生命的个人存在是人类历史的第一个前提，而这种个人又是从事物质生产活动、为物质生产活动所规定的个人，马克思恩格斯把从事物质生产的个人明确地规定为唯物主义历史观的出发点："我们的出发点是从事实际活动的人。"①

---

① 《马克思恩格斯文集》第 1 卷，人民出版社 2009 年版，第 525 页。

　　马克思恩格斯认为："全部人类历史的第一个前提无疑是有生命的个人的存在。"①但是，仅仅从人类个体的生命性以及他们的感性需要出发，并不能揭示出人类历史的本质，因为单纯的"有生命的个人"不能作为新历史理论的出发点。"这里所说的个人不是他们自己或别人想象中的那种个人，而是现实中的个人，也就是说，这些个人是从事活动的，进行物质生产的，因而是在一定的物质的、不受他们任意支配的界限、前提和条件下活动着的。"②青年黑格尔派的哲学家们颠倒了理论与现实的关系，以所谓的"自我意识"（鲍威尔）、"类"（费尔巴哈）或者"唯一者"（施蒂纳）作为自己哲学的出发点，不能真正理解生产实践在人类历史中的决定作用。马克思恩格斯新世界观运用纯经验的方法，从"有生命的个人"的物质生产活动出发来确认历史的前提和主体。

　　马克思恩格斯强调，从现实的人出发就是从物质生活的生产方式出发。马克思恩格斯指出实践是人与自然相统一的基础。而费尔巴哈的局限性就在于，没能把感性世界理解为构成这一感性世界的个人的实践活动。他仅仅从感性直观来看待世界、看待自然，将其看成始终如一的东西。但是，人们"周围的感性世界决不是某种开天辟地以来就直接存在的、始终如一的东西，而是工业和社会状况的产物，是历史的产物，是世世代代活动的结果"③。物质生产在人类历史发展过程中具有基础地位和重要作用。人们最基本的实践活动即物质生活资料的生产是"人的生存的第一个前提"，是人的"第一个历史活动"，是一切历史的一种基本条件。

　　在马克思恩格斯看来，人的本质是由他们的物质生活资料生产方式决定的，是由生产什么和怎样生产决定的。在不同的历史条件下，人们的已有的和需要再生产的生活资料不同，生产的水平也不同，因为这些差异，人们的本质的发展程度也就会有所不同。由此，物质生活资料的生产成为人区别于动物的根本标志。

　　马克思恩格斯进一步指出，作为历史观前提的物质生产是人们物质生活的生产和再生产。他们分析了生产的三个方面或三个因素，首先当然是狭义的物质资料的生产。当人开始生产自己的生活资料的时候，人本身就开始把自己和

① 《马克思恩格斯文集》第1卷，人民出版社2009年版，第519页。
② 《马克思恩格斯文集》第1卷，人民出版社2009年版，第524页。
③ 《马克思恩格斯文集》第1卷，人民出版社2009年版，第528页。

动物区别开来。其次则是需要的再生产。推动人们从事物质资料生产的第一个
需要是自然的需要，但是在他们看来：已经得到满足的第一个需要本身、满足
需要的活动和已经获得的为满足需要而用的工具又引起新的需要。同物质资料
的生产一样，"这种新的需要的产生是第一个历史活动"①。最后是人本身即人
们的相互关系的生产，包括他人生命和家庭关系的生产，特别是由需要与人口
增长造成的新的社会关系的生产。人的生产表现为自然和社会的双重关系。在
他们看来，物质生活资料的生产不仅保证了个人肉体存在的再生产，是个人生
命的生产方式，而且，它还是个人的活动方式、生活方式即存在方式。马克思
恩格斯认为，由这三个方面或三个因素构成的人们生活的生产又可以划分为
两种关系。"生活的生产——无论是自己生活的生产（通过劳动）或他人生活
的生产（通过生育）——立即表现为双重关系：一方面是自然关系，另一方面
是社会关系。"正是这两种关系表明，人们所达到的生产力的总和决定着社会
状况。

确立唯物史观的出发点之所以重要，是因为只有从从事实际活动的人出
发，才能打破以往思想史和观念史的神秘性和欺骗性，才能正确地认识历史。
"历史就不再像那些本身还是抽象的经验主义者所认为的那样，是一些僵死
的事实的汇集，也不再像唯心主义者所认为的那样，是想象的主体的想像活
动。"②唯物史观以现实的人作为出发点，就成为"描述人们实践活动和实际发
展过程的真正的实证科学"。

（二）不是意识决定生活，而是生活决定意识

在《德意志意识形态》的序言中，马克思恩格斯对该书第一卷的写作目的，
即对于青年黑格尔派的唯心主义历史观的批判，有了明确的说明。马克思恩格
斯曾说："我们这些意见正是针对费尔巴哈的，因为只有他才至少向前迈进了
一步，只有他的著作才可以认真地加以研究。"③所以，马克思恩格斯对青年黑
格尔派的批判是从费尔巴哈开始的。

费尔巴哈站在一般唯物主义的立场上，通过对宗教及其唯心主义哲学基

---

① 《马克思恩格斯文集》第 1 卷，人民出版社 2009 年版，第 531—532 页。
② 《马克思恩格斯文集》第 1 卷，人民出版社 2009 年版，第 525—526 页。
③ 《马克思恩格斯文集》第 1 卷，人民出版社 2009 年版，第 514 页。

础，尤其是黑格尔思辨哲学的批判，把人类历史的前提明确规定为受自然规定性所制约的感性的即"有生命的个人"，这正是他的功绩所在。但他将人认为是"有意识的类存在物"与动物相区别，这样做的同时，又把人给抽象化了。可见，费尔巴哈唯心史观的出发点实质上是抽象的人。费尔巴哈把人看做是自然的存在物，是抽象的生物学意义上的人，他看到的是"现实的，单独的，肉体的人"，而不是感性的活动的人。因此，费尔巴哈撇开了人与现实活动的联系，只看到人是自然的产物，而没有看到人更是社会的产物。最终，这样的人就只能停留在抽象的范畴中。

马克思恩格斯明确唯心史观和唯物史观的根本分歧在意识与生活的关系上。唯心史观是从意识出发，主张意识决定生活。意识是人所具有的精神现象，它在人的活动和历史发展中都起着一定的作用，对意识与生活关系的理解，唯物主义和唯心主义存在着根本分歧。在包括青年黑格尔派成员在内的唯心主义哲学家看来，人的意识即精神对于人类生活来说具有决定意义，他们把观念史理解为自身独立的历史就说明了这一点。但是，在马克思恩格斯看来，所谓的观念史并不具有真正意义上的独立性，它依附于人们的物质生产和物质交往，人们在改变现实的同时也改变着自己的思维和思维的产物。意识在历史发展过程中虽然获得了独立的外观，然而，这只是相对的，意识的形式和内容归根到底是由现实生活和社会关系决定的。所以，不是意识决定生活，而是生活决定意识。虽然意识是人类历史的一个非常重要的因素，但它并非历史发展的基础因素。

而唯物史观"和唯心主义历史观不同，它不是在每个时代中寻找某种范畴，而是始终站在现实历史的基础上，不是从观念出发来解释实践，而是从物质实践出发来解释各种观念形态"。① 因为意识和语言一样都是由于和人交往的需要才产生的，都是社会的产物，社会性是它们最重要的特性。意识的生产最初是直接与人们的物质活动、物质交往、语言交织在一起的，观念、思维等产物这时还是人们物质关系的直接产物。后来，随着物质生产和社会关系的发展，社会意识也日益发达起来，具有了多种多样的形式。在脑力劳动与体力劳动的分工发生以后，社会意识便获得了相对独立的外观，它与社会物质生活的关系被弄得模糊不清了。但是，"意识［das Bewuβtsein］在任何时候都只能是被意

---

① 《马克思恩格斯文集》第 1 卷，人民出版社 2009 年版，第 544 页。

识到了的存在 [das bewuβteSein]，而人们的存在就是他们的现实生活过程。"①
即使是作为"虚假意识"的意识形态（如宗教），也可以在现实中找到它的客
观基础。如果在全部意识形式中，人们和它们的关系就像在照相机中一样是倒
现着的，那么这种现象也是从人们生活的历史过程中产生的。统治阶级要把这
种统治扩展到思想领域中去把本阶级的利益说成是社会利益，赋予本阶级的思
想以普遍性的形式。所以唯心史观从观念出发解释实践，而唯物史观是从物质
实践出发来解释各种观念形态的。

三、唯物史观的主要内容

在《德意志意识形态》中，马克思恩格斯批评了德国意识形态家的思想局
限，开始转向现实的物质生产。"马克思在《德意志意识形态》确立的广义历
史唯物主义，主要揭示了物质生产是人类生存的一般基础，这是永恒的自然必
然性。"②马克思以生产力、交往关系、生产方式、市民社会、上层建筑等范畴
建构起历史唯物主义关于社会结构和社会进程的理论。

《德意志意识形态》第一卷第一章对新历史观基本内容的阐发，首先是关
于社会结构的理论。这一理论把社会结构划分为两个层次：物质生活领域和社
会政治生活领域。前一领域的基本矛盾是生产力和交往形式的矛盾，后一领域
的基本矛盾则是市民社会同国家和法，以及意识形态的矛盾。

（一）生产力与交往形式的辩证关系

马克思恩格斯在《德意志意识形态》中第一次阐明了生产力与交往关系的
概念以及两者之间的辩证关系。其中的生产力概念源于李斯特，但马克思恩格
斯否弃了李斯特的唯心主义性质。生产力不仅包括人本身的劳动、"自然产生
的生产工具"和"由文明创造的生产工具"，它还包括人们在相互交往和共同
活动中产生的社会力量。不过他们在这里使用生产力概念仍然有局限性，就是
把生产力与材料、资金等并用。"历史不外是各个世代的依次交替。每一代都

① 《马克思恩格斯文集》第 1 卷，人民出版社 2009 年版，第 525 页。
② 张一兵主编：《马克思哲学的历史原像》，人民出版社 2009 年版，第 277 页。

利用以前各代遗留下来的材料、资金和生产力"①。但是，马克思恩格斯已经深刻地指出了生产力对人类历史发展的作用。生产力是不依人们的主观意志为转移的客观的物质力量，是前人留下来的既定的物质基础。历史的每一阶段都遇到一定的物质结果，遇到前一代传给后一代的大量生产力、资金和环境等。马克思恩格斯还分析了在资本主义工业大生产阶段，生产力由于被片面利用，从而对多数人来说成为了破坏的力量。"在这个阶段上产生出来的生产力和交往手段在现存关系下只能造成灾难，这种生产力已经不是生产的力量，而是破坏的力量（机器和货币）。"②

马克思恩格斯在《德意志意识形态》中还第一次使用了"交往形式"概念，有时也用交往关系、交往方式等术语，虽然没有后来使用的生产关系概念那样准确清晰，没有将生产（经济）交往与（非经济的）社会交往、政治交往，以至精神交往严格区分开，但基本内涵是一致的。

关于生产力和交往形式的关系，马克思恩格斯明确提出：生产本身是以个人之间的交往为前提的，而这种交往的形式又是由生产决定的。在生产力发展的一定阶段上，人们必然要结成一定的相互关系，他们是在一定的生产力和需要的基础上相互发生交往的。这种交往又决定着生产和需要，并每天都在重新创造着现存的关系。可见，生产力不仅决定着人们改造自然的能力，同时还决定着社会的状况。在生产力发展的一定阶段上，人们必然要结成一定的相互关系。因为人们的生产、生活等实践活动不是孤立的单个人进行的，只要进行这些活动，就必然发生各种各样的关系，并且以这些关系为前提。

生产力的发展水平决定了不同的交往形式。马克思恩格斯通过详细考察生产力发展推动所有制形式的变革的历史来证明这一结论。工场手工业经过长期的发展才摆脱了行会的束缚，工人和雇主之间的金钱关系就不同于行会中帮工和师傅之间的宗法关系。不过，工场手工业逐渐被机器大工业所取代，所有制关系也随之发生了变化，与此同时形成了无产阶级同资产阶级的对立。

一切历史冲突都根源于生产力与交往形式之间的矛盾。生产力与交往形式的关系中，生产力是最基本的因素，它决定了人们的交往形式。不过，交往形式并不是完全被动的因素，它对生产力的发展会产生一定的反作用，当它不适

---

① 《马克思恩格斯文集》第 1 卷，人民出版社 2009 年版，第 540 页。
② 《马克思恩格斯文集》第 1 卷，人民出版社 2009 年版，第 542 页。

应生产力的发展时，就会成为一种阻碍力量。交往形式在历史的发展阶段开始时都与当时的生产力发展相适应，不过随着生产力的发展，它慢慢变为生产力发展的桎梏，当条件具备时，就产生了新的交往形式。这样，整个历史发展就表现为生产力与交往形式之间"适应—不适应—适应"的矛盾运动。生产力与交往关系的矛盾甚至产生各种社会冲突，马克思恩格斯指出"一切历史冲突都根源于生产力与交往形式之间的矛盾。此外，不一定非要等到这种矛盾在某一国家发展到极端尖锐的地步，才导致这个国家内发生冲突。由广泛的国际交往所引起的同工业比较发达的国家的竞争，就足以使工业比较不发达的国家内产生类似的矛盾(例如，英国工业的竞争使德国潜在的无产阶级显露出来了)"①。马克思恩格斯还指出："生产力和交往形式之间的这种矛盾——正如我们所见到的，它在迄今为止的历史中曾多次发生过，然而并没有威胁交往形式的基础——，每一次都不免要爆发为革命，同时也采取各种附带形式，如冲突的总和，不同阶级之间的冲突，意识的矛盾，思想斗争，政治斗争，等等。"②在这个基础上，马克思恩格斯划分了交往形式的几个历史阶段：部落所有制、古代公社所有制、封建的或等级的所有制以及资本主义所有制。

（二）市民社会及其同国家和法以及意识形态的辩证关系

马克思恩格斯在《德意志意识形态》中详细地考察了市民社会对于国家和法以及意识形态的决定作用，"这一名称始终标志着直接从生产和交往中发展起来的社会组织，这种社会组织在一切时代都构成国家的基础以及任何其他观念上的上层建筑的基础"。③同时他们还说明了后者对市民社会的相对独立性和能动反作用。

什么是市民社会呢？马克思恩格斯在《德意志意识形态》中指出："在过去一切历史阶段上受生产力所制约、同时也制约生产力的交往形式，就是市民社会"，"这个市民社会是全部历史的真正发源地和舞台"。④他们把市民社会看做是交往形式，并把它看做是整个人类历史的基础。他们将交往形式作为社会结构中具有决定性的因素，并沿袭传统社会学的术语将其称为"市民社会"。

① 《马克思恩格斯文集》第1卷，人民出版社2009年版，第567—568页。
② 《马克思恩格斯文集》第1卷，人民出版社2009年版，第567页。
③ 《马克思恩格斯文集》第1卷，人民出版社2009年版，第583页。
④ 《马克思恩格斯文集》第1卷，人民出版社2009年版，第540页。

按照他们的理解，"市民社会"这个用语是在 18 世纪产生的，当时财产关系已经摆脱了古典古代和中世纪的共同体，而真正的市民社会只是随着资产阶级发展起来的。市民社会包括各个人在生产力发展的一定阶段上的一切物质交往，包括该阶段上的整个商业生活和工业生活，也标志着直接从生产和交往中发展起来的社会组织。

在《关于费尔巴哈的提纲》中市民社会概念主要指资本主义社会，那么在《德意志意识形态》中，马克思恩格斯明确"市民社会包括各个个人在生产力发展的一定阶段上的一切物质交往"，他们把物质生产关系从各种关系中剥离出来，用"交往形式"来定义市民社会。这个意义上的市民社会，它的总和实际上就是社会经济基础，与上层建筑构成辩证运动关系。

马克思恩格斯认为国家是市民社会的真正代表，法权及其观念实际上反映了现实中的交往关系。不同于黑格尔强调国家的普遍性，马克思恩格斯强调国家的政治性质，认为国家是人的政治生活领域。国家产生的根源是分工，由于分工发展导致了人们单个人或家庭的特殊利益和共同利益发生了矛盾，于是共同利益采取了国家这种虚幻的共同体的形式。

在市民社会同国家和法的关系上，马克思恩格斯反对黑格尔从伦理精神出发谈论二者的关系，而是从物质领域和政治领域的角度进行区分，并且强调"对市民社会的解剖应该到政治经济学中去寻求"，这样就把国家和法奠基于现实的物质生产关系基础上。其实早在 1843 年《黑格尔法哲学批判》中，马克思就指出不是国家决定市民社会，而是市民社会决定国家。在《德意志意识形态》中，他们更加明晰地分析了国家和法的经济基础和实质。"因为国家是统治阶级的各个人借以实现其共同利益的形式，是该时代的整个市民社会获得集中表现的形式，所以可以得出结论：一切共同的规章都是以国家为中介的，都获得了政治形式。由此便产生了一种错觉，好像法律是以意志为基础的，而且是以脱离其现实基础的意志即自由意志为基础的。"[1] 这就是说，国家和法的存在不以统治阶级意志为转移，实际上是从人们的物质生产方式中产生的，仅仅在形式上好像是统治阶级意志的表现。

马克思恩格斯进一步分析了国家和法在阶级社会中的相对独立性和能动反作用。因为国家和法的发展落后于经济基础的发展，因此随着生产力的发展，

---

① 《马克思恩格斯文集》第 1 卷，人民出版社 2009 年版，第 584 页。

旧的国家、法的上层建筑同新的经济基础就会发生矛盾和对抗。这种矛盾和对抗既是生产力发展引起的，其解决也要依赖于生产方式的变革。

马克思恩格斯在阐述他们的新历史观时，还用专门的篇章论述了意识形态概念，并深刻地论述了同市民社会的辩证关系。马克思讨论意识形态概念"是从两个意义上来讨论的，其一是脱离现实的意识形态，其二是进一步分析脱离现实的原因，这一原因是现实中存在的矛盾"①。

马克思恩格斯在《德意志意识形态》中深刻批判了德意志意识形态。黑格尔及其后的鲍威尔、施蒂纳的唯心主义哲学，颠倒了思维与存在的关系，对人们有很强的欺骗性和迷惑性。在《德意志意识形态》中虽然没有明确地定义"意识形态"，但指出了意识形态的虚假性，他们写道："迄今为止人们总是为自己造出关于自己本身、关于自己是何物或应当成为何物的种种虚假观念。他们按照自己关于神、关于标准人等等观念来建立自己的关系。他们头脑的产物不受他们支配。他们这些创造者屈从于自己的创造物。"②意识形态的虚假性是马克思恩格斯意识形态批判理论最重要的特征。这种虚假的主客体的颠倒来自于意识形态家们的有意制造，是故意歪曲的、欺骗性的意识。马克思恩格斯还指出"整个意识形态不是曲解人类史，就是完全撇开人类史"③。

马克思恩格斯认为，统治阶级的思想体系就是意识形态。"统治阶级的思想在每一时代都是占统治地位的思想"④，统治阶级不仅要支配物质生产资料，还要支配社会的精神生产资料。统治阶级的统治领域不仅包括社会物质领域和政治领域，也包括思想领域。也就是说，统治阶级不仅作为物质生产的管理者进行统治，而且，还作为思维着的人、作为思想的生产者进行统治，调节着自己时代的思想的生产和分配。统治阶级对意识形态的需要是与他们实现长久统治一致的。

占统治地位的思想不过是占统治地位的物质关系在观念上的表现。马克思恩格斯在指出意识形态是社会上占统治地位的思想、是统治阶级的思想的基础上，进一步找到了意识形态的根源，认为意识形态作为在社会上占统治地位的

---

① 魏小萍：《探求马克思〈德意志意识形态〉原文文本的解读与分析》，人民出版社2010年版，第80页。
② 《马克思恩格斯文集》第1卷，人民出版社2009年版，第509页。
③ 《马克思恩格斯文集》第1卷，人民出版社2009年版，第519页（编者注）。
④ 《马克思恩格斯文集》第1卷，人民出版社2009年版，第550页。

统治阶级的思想，是社会物质生产关系的反映。马克思恩格斯强调，占统治地位的思想之所以是统治阶级的思想，说到底，是因为统治阶级的物质关系是社会上占统治地位的物质关系，而"占统治地位的思想不过是占统治地位的物质关系在观念上的表现，不过是以思想的形式表现出来的占统治地位的物质关系"[1]。由此可见，意识形态还是根源于人们的社会存在，意识形态必然服务于统治阶级。这实际上指出了意识形态同市民社会的辩证关系。

马克思恩格斯揭示了唯心主义历史观把思想、观念当做历史上占统治地位的东西的根源，是统治阶级中的"积极的、有概括能力的玄想家"在编造思想。马克思恩格斯将其归结为这样三个手段：第一，把进行统治的个人的思想同这些进行统治的个人本身分割开来，从而承认思想或幻想在历史上的统治。这实际上是为思想的独立化来创造条件。第二，必须使这种思想统治具有某种秩序，证明在一个承继着另一个而出现的占统治地位的思想之间存在着某种神秘的联系，而要做到这一点就得把这些思想看做是概念的自我规定。这实际是割断思想和现实基础的联系，把这些思想神秘化。第三，为了消除概念的神秘外观，统治阶级还要为其理论披上世俗的外衣，在历史上找出各种统治思想的体现者和代表者。在列举完这三个手段后，马克思恩格斯进一步指出："要说明这种曾经在德国占统治地位的历史方法，以及说明它为什么主要在德国占统治地位的原因，就必须从它与一切意识形态家的幻想，例如，与法学家、政治家（包括实际的国务活动家）的幻想的联系出发，必须从这些家伙的独断的玄想和曲解出发。而从他们的实际生活状况、他们的职业和分工出发，是很容易说明这些幻想、玄想和曲解的。"[2]这就进一步从现实的物质交往关系即市民社会的基础揭示了意识形态产生的根源和实质。

在《德意志意识形态》中，马克思恩格斯所用的黑格尔的市民社会术语还有一定局限性，使用的上层建筑术语也没有后来那么丰富的内涵，但是唯物史观关于经济基础与上层建筑辩证关系和矛盾运动的基本原理其实已经完全成熟了。在其中，马克思恩格斯阐述了社会结构两对矛盾、两个层次之间的辩证关系。由于市民社会被规定为交往关系的总和，马克思恩格斯得以把整个社会在结构上剖析为五个方面，即生产力、交往关系、市民社会、国家和法以及意识

---

[1]　《马克思恩格斯文集》第 1 卷，人民出版社 2009 年版，第 550—551 页。
[2]　《马克思恩格斯文集》第 1 卷，人民出版社 2009 年版，第 554 页。

形态，这其中已经蕴含生产力、社会状况以及意识这三个领域。《德意志意识形态》中的这种分析，同后来的《〈政治经济学批判大纲〉序言》中"生产力、生产关系（经济基础）以及上层建筑"的结构模式相比，既在本质上相一致，又有着自己的特点。

马克思恩格斯比较系统完整地阐发了关于社会结构的理论，正如他们自己所说："这种历史观就在于：从直接生活的物质生产出发阐述现实的生产过程，把同这种生产方式相联系的、它所产生的交往形式即各个不同阶段上的市民社会理解为整个历史的基础，从市民社会作为国家的活动描述市民社会，同时从市民社会出发阐明意识的所有各种不同的理论产物和形式，如宗教、哲学、道德等等，而且追溯它们产生的过程。这样做当然就能够完整地描述事物了（因而也能够描述事物的这些不同方面之间的相互作用)。"①

（三）历史进程中的四种所有制

马克思恩格斯认为，人们在生产中形成的交往形式和社会状况是随着生产力的发展，在历史上变动着的。因而，人类社会并不存在永恒不变的"社会结构一般"，而是在历史上不同结构的社会形态更替的过程，呈现出历史的阶段性；而在这些阶段中，又存在着演进的历史趋势。

在《德意志意识形态》中，马克思恩格斯虽未明确区分出社会分工和工场手工业内部分工，局限于斯密的工场手工业时期的分工来理解"分工"概念，但是他们强调了分工对所有制的影响。"通过分工这个关键词，导引出一种历史性的现实社会批判，即走向包括资产阶级社会在内的四种所有制形式的历史性批判。"② 在《德意志意识形态》中，马克思恩格斯认为所有制的本质就是私有制，是对他人劳动的支配，是私有者之间共同对付被统治者的一种联合。在马克思恩格斯看来，生产力决定了分工；分工既是生产力发展的结果，同时又是交往关系或生产关系的前提和基础。生产力决定分工，进而决定所有制和交往形式。研究社会分工的形成与实质不仅关系到对人类历史发展规律的揭示，而且关系到对人类社会在不同历史阶段的社会性质的理解。在《德意志意识形

---

① 《马克思恩格斯文集》第1卷，人民出版社2009年版，第544页。
② 张一兵：《回到马克思——经济学语境中的哲学话语》，江苏人民出版社2009年版，第435页。

态》中，马克思恩格斯研究了社会分工的历史起源，揭示了分工的客观历史性，进而揭示了不同所有制形式产生的原因，从根本上否定了社会分工宿命论和私有制永恒性的观点。

马克思恩格斯指出，各民族之间的相互关系取决于每一个民族的生产力、分工和内部交往的发展程度。同样，一个民族本身的整个内部结构也取决于自己的生产以及自己内部和外部的交往的发展程度。一个民族的生产力发展的水平，最明显地表现于该民族分工的发展程度。任何新的生产力，只要它不是已知的生产力单纯的量的扩大（例如，开垦土地），都会引起分工的进一步发展。在这里，马克思恩格斯科学说明了社会分工的物质前提，从根本上批驳了以前各种关于社会分工的理论。由于分工的每一个阶段还决定个人在劳动材料、劳动工具和劳动产品有关的相互关系，也就是说，生产力通过决定社会分工进而决定了所有制的不同形式，决定了人与人之间的相互关系即交往形式。马克思恩格斯还认为，分工和所有制是同义语，分工是就活动而言，所有制是就活动的结果而言。分工发展的不同阶段就是所有制的不同形式。

马克思恩格斯在《德意志意识形态》中对所有制划分了不同的形式，实际上这也是划分人类社会的发展形态，这是马克思恩格斯第一次为人类社会历史划分形态。在他们看来，由于分工发展的不同阶段才造成了所有制的不同表现形式。"分工的各个不同发展阶段，同时也就是所有制的各种不同形式。这就是说，分工的每一个阶段还决定个人在劳动材料、劳动工具和劳动产品方面的相互关系。"①

马克思恩格斯把所有制分为四种："第一种所有制形式是部落［Stamm］所有制。这种所有制与生产的不发达阶段相适应。"②因为在这个阶段，分工还很不发达，仅限于家庭中现有的自然形成的分工的进一步扩大。这种部落所有制其实就是父权制，部落内部采取共同占有形式，而对其他部落则采取私有的形式。

"第二种所有制形式是古典古代的公社所有制和国家所有制。这种所有制首先是由于几个部落通过契约或征服联合为一个城市而产生的。在这种所有制

---

① 《马克思恩格斯文集》第 1 卷，人民出版社 2009 年版，第 521 页。
② 《马克思恩格斯文集》第 1 卷，人民出版社 2009 年版，第 521 页。

下仍然保存着奴隶制。"① 这里的国家所有制是指部落通过联合成为国家，然后以国家的名义来占有奴隶，这样就扩大了所有制的形式。这种所有制基本上属于奴隶制。尽管这个时期也开始出现了资本主义生产关系的萌芽，"随着私有制的发展，这里第一次出现了这样的关系，这些关系我们在考察现代私有制时还会遇到，不过规模更为巨大而已。一方面是私有财产的集中……另一方面是由此而来的平民小农向无产阶级的转化……"② 但这种资本主义生产关系和无产阶级的出现只是偶然和初步的。

"第三种形式是封建的或等级的所有制。古代的起点是城市及其狭小的领域，中世纪的起点则是乡村……这种所有制像部落所有制和公社所有制一样，也是以一种共同体为基础的，但是作为直接进行生产的阶级而与这种共同体对立的，已经不是与古典古代的共同体相对立的奴隶，而是小农奴。"③ 应该说，这种等级制是普遍的，它有两种主要形式，一是土地所有制和束缚于土地所有制的农奴劳动，二是拥有少量资本并支配着帮工劳动的自身劳动。"这样，封建时代的所有制的主要形式，一方面是土地所有制和束缚于土地所有制的农奴劳动，另一方面是拥有少量资本并支配着帮工劳动的自身劳动。这两种所有制的结构都是由狭隘的生产关系——小规模的粗陋的土地耕作和手工业式的工业——决定的。"④ 在乡村发展的封建所有制是以一种共同体为基础的，由此产生了农村等级制，按照政治权力的等级来占有土地并支配农奴。而在城市中则产生了同业公会所有制，即手工业的封建组织。

第四种所有制形式就是"资本所有制"。"在大工业和竞争中，各个人的一切生存条件、一切制约性、一切片面性都融合为两种最简单的形式——私有制和劳动。货币使任何交往形式和交往本身成为对个人来说是偶然的东西……私有制，就它在劳动的范围内同劳动相对立来说，是从积累的必然性中发展起来的。"⑤ 这里积累的必然性就是指资本的积累，这是由大工业造成的资本所有制形式。

马克思恩格斯区分了所有制的不同发展阶段后，提出了四种所有制形式依

---

① 《马克思恩格斯文集》第 1 卷，人民出版社 2009 年版，第 521 页。
② 《马克思恩格斯文集》第 1 卷，人民出版社 2009 年版，第 521—522 页。
③ 《马克思恩格斯文集》第 1 卷，人民出版社 2009 年版，第 522 页。
④ 《马克思恩格斯文集》第 1 卷，人民出版社 2009 年版，第 523 页。
⑤ 《马克思恩格斯文集》第 1 卷，人民出版社 2009 年版，第 579 页。

次更替的演进序列，即部落的所有制、古典古代的公社所有制和国家所有制以及中世纪的、封建的或等级的所有制和现代的、阶级的即资产阶级的所有制。这里已经蕴含着后来"经济的社会形态"的思想。

马克思恩格斯将上述四种所有制进一步划分为"家庭"和"市民社会"，即自然关系占主导和社会关系占主导两大类型。他认为在前三种所有制形式属于前一种类型，"真正的市民社会只是随同资产阶级发展起来的"。① 同时，他们还将整个人类历史划分为"自发结合"和"自觉联合"两大时期：前者是到目前为止的四种所有制，而后者则是行将代替资本主义所有制的、与一切旧的生产和交往关系的基础都完全不同的共产主义社会。将这两个方面联系起来，我们就可以发现这实际上就是后来马克思关于"三大社会形态"的观点。

（四）历史向"世界历史"的转变

马克思恩格斯在《德意志意识形态》中指出大工业、资本和世界市场是世界历史形成的根源、动因和基础。"大工业创造了交通工具和现代的世界市场，控制了商业，把所有的资本都变为工业资本，从而使流通加速（货币制度得到发展）、资本集中。大工业通过普遍的竞争迫使所有个人的全部精力处于高度紧张状态。它尽可能地消灭意识形态、宗教、道德等等，而在它无法做到这一点的地方，它就把它们变成赤裸裸的谎言。它首次开创了世界历史，因为它使每个文明国家以及这些国家中的每一个人的需要的满足都依赖于整个世界，因为它消灭了各国以往自然形成的闭关自守的状态。"② 在这个基础上，地域性的历史就开始转向世界历史。

在黑格尔时代，世界历史概念有两层含义：一是指历史学、编纂学意义上的世界历史；二是指由维柯以来到黑格尔所完成的哲学精神层面上的世界历史概念。黑格尔的"世界历史"是绝对精神发展的历史，是"自我意识"、宇宙精神或者某个形而上学怪影的某种纯粹的抽象行动。马克思恩格斯在批判地继承了前人尤其是黑格尔世界历史理论的合理内核基础上，把世界历史理论建立在人的现实的实践活动基础之上，提出了自 18 世纪以来由资本主义生产和交往方式的迅猛发展而使世界成为统一整体、统一格局的历史。在《德

---

① 《马克思恩格斯文集》第 1 卷，人民出版社 2009 年版，第 582—583 页。

② 《马克思恩格斯文集》第 1 卷，人民出版社 2009 年版，第 566 页。

意志意识形态》中，马克思指出："各个相互影响的活动范围在这个发展进程中越是扩大，各民族的原始封闭状态由于日益完善的生产方式、交往以及因交往而自然形成的不同民族之间的分工消灭得越是彻底，历史也就越是成为世界历史。"① 这个思想在后面的《共产党宣言》、《资本论》等著作中还有进一步的阐发。

马克思恩格斯认为，人类历史的发展不仅表现为不同所有制基础上的社会形式的纵向演进，而且表现为从地域性历史向世界历史的横向拓展。在人类发展的初期，每一个地域创造出来的生产力，每一项发明，都是单独进行的。"一些纯粹偶然的事件，例如蛮族的入侵，甚至是通常的战争，都足以使一个具有发达生产力和有高度需求的国家处于一切都必须从头开始的境地。"② 只是到了资产阶级时代，由于日益完善的生产方式、世界市场的形成、交往的扩大，以及因交往造成的各民族之间自然形成的分工的消灭，历史才成为世界历史。

在马克思恩格斯看来，在不同历史发展阶段，生产力的发展水平和人的交往活动之间又形成了多重相互作用关系，这种多重相互作用关系强调，不能离开生产力的发展水平来空谈人的交往，同时也不能忽视交往扩大对生产力发展的能动作用，而必须同时考虑这两个方面，因为构成推动世界历史发展动力的机制是不同时代所形成的生产力与交往之间的互动关系。世界历史的总体基础"不是各个民族和国家的生产力与生产关系的关系系统相加的总和，而是各个民族和国家的生产力与生产关系的关系系统间的相互联系、相互作用的总和"③。

马克思恩格斯还通过对"世界历史"的剖析，透过生产的社会化和市场的扩展，指出每个人的解放程度是与历史转变为世界历史的程度一致的。因此，世界历史的形成是人的解放的必要前提，并且将为共产主义革命的到来创造前提条件。他们还由此得出结论：无产阶级的存在和历史使命只能是世界历史意义的，共产主义将开辟世界历史的新阶段。共产主义不可能是地域性的，而只能是世界历史性的存在，最终在全球获得胜利的必将是共产主义。

总之，马克思恩格斯关于人类历史进程中的所有制以及历史向世界历史转

---

① 《马克思恩格斯文集》第 1 卷，人民出版社 2009 年版，第 540—541 页。

② 《马克思恩格斯文集》第 1 卷，人民出版社 2009 年版，第 559—560 页。

③ 叶险明：《世界历史理论的当代建构》，中国社会科学出版社 2014 年版，第 119 页。

变的理论，也揭示了社会历史发展的动因和机制。因为"一切历史冲突都根源于生产力和交往形式之间的矛盾"①。交往形式产生之初适应并推动当时生产力向前发展，但随着生产力的持续发展，原有的交往形式慢慢变成了生产力发展的桎梏，新的交往形式由此产生。这种新的交往形式又会继续重复这种由适应到不适应继而发生变革的运动形式。这样，在整个历史发展过程中就形成了一个有联系的交往形式的序列。历史的过程通过生产力与交往关系的适应和不适应的矛盾运动，第一次揭开了神秘的面纱，在人们面前显得如此简单明了和有规律性。纷繁复杂的社会历史运动最后被归结为交往形式的依次更新和发展，而交往形式的变化又归结为生产力的发展。二者之间的矛盾发展到一定阶段，就会引起连锁反应，造成社会冲突。这些冲突表现为各个阶级之间的冲突，表现为意识的矛盾、思想斗争等。总之，这种矛盾每一次都不可避免地爆发为社会革命，通过社会革命来解决矛盾并推动矛盾在新的社会结构和历史条件的统一体中继续发展，由此推动着整个人类历史的进步。

四、共产主义与人的解放

《德意志意识形态》系统阐述的新历史观，其目的和归宿就是实现共产主义和人的解放。马克思恩格斯明确写道："共产主义对我们来说不是应当确立的状况，不是现实应当与之相适应的理想。我们所称为共产主义的是那种消灭现存状况的现实的运动。这个运动的条件是由现有的前提产生的。"②显然，这里之所以要特别地把共产主义（作为现实的运动）同理想对立起来，是针对把共产主义仅仅理解为一个理想，没有确认其现实的、经验的基础，从而把共产主义当成脱离现实基础的乌托邦。这里他们理解的共产主义不再是马克思在《1844年经济学哲学手稿》中设想的伦理道德意义上的应有状况，而是建立在私有财产的现实基础上并通过扬弃私有财产而实现的现实运动。

在《德意志意识形态》中，马克思恩格斯写道："实际上，而且对实践的唯物主义者即共产主义者来说，全部问题都在于使现存世界革命化，实际地反

① 《马克思恩格斯文集》第1卷，人民出版社2009年版，第567—568页。
② 《马克思恩格斯文集》第1卷，人民出版社2009年版，第539页。

对并改变现存的事物。"①

他们还特别批评了费尔巴哈的做法。费尔巴哈借助于"共同人"这一规定来宣称自己是"共产主义者",把这一规定变成"一般人"的谓语,以为这样一来就可以把表达现存世界中特定革命政党的拥护者的"共产主义者"一词变成一个"纯范畴"。"费尔巴哈关于人与人之间的关系的全部推论无非是要证明:人们是互相需要的,而且过去一直是互相需要的。他希望确立对这一事实的理解,也就是说,和其他的理论家一样,他只是希望确立对现存的事实的正确理解,然而一个真正的共产主义者的任务却在于推翻这种现存的东西。"②

马克思恩格斯在这里谈到了存在和本质的重要关系。在《未来哲学原理》中,费尔巴哈指出:某物或某人的存在同时也就是某物或某人的本质;一个动物或一个人的一定的生存条件、生活方式和活动,就是使这个动物或这个人的"本质"感到满意的东西。任何例外在这里都被看做是不幸的偶然事件,是不能改变的反常现象。马克思恩格斯批评道:"这样说来,如果千百万无产者根本不满意他们的生活条件,如果他们的'存在'同他们的'本质'完全不符合,那么,根据上述论点,这是不可避免的不幸,应当平心静气地忍受这种不幸。可是,这千百万无产者或共产主义者所想的完全不一样,而且这一点他们将在适当的时候,在实践中,即通过革命使自己的'存在'同自己的'本质'协调一致的时候予以证明。"③共产主义不仅是一种理想的社会形态,同以往一切旧的市民社会相对立,而且是指一场现实的革命运动,同时也是指革命阶级的革命意识或共产主义意识。

这种现实运动建立在资本主义社会生产力与交往形式矛盾运动的基础上,生产的社会化和生产资料的私人占有之间的矛盾是不可克服的。资本主义生产方式下,工人完全沦为资本家的工具,异化劳动使得工人不堪忍受。"对于无产者来说,他们自身的生活条件,即劳动,以及当代社会的全部生存条件都已变成一种偶然的东西,单个无产者是无法加以控制的,而且也没有任何社会组织能够使他们加以控制。单个无产者的个性和强加于他的生活条件即劳动之间的矛盾,对无产者本身是显而易见的,特别是因为他从早年起就成了牺牲品,

---

① 《马克思恩格斯文集》第 1 卷,人民出版社 2009 年版,第 527 页。
② 《马克思恩格斯文集》第 1 卷,人民出版社 2009 年版,第 548—549 页。
③ 《马克思恩格斯文集》第 1 卷,人民出版社 2009 年版,第 549 页。

因为他在本阶级的范围内没有机会获得使他转为另一个阶级的各种条件。"①无产者要消灭这种生存条件，就要反对资产阶级，进行现实的彻底的革命，从而实现共产主义和人的彻底解放。马克思后来在《资本论》中进一步科学论证了资本主义灭亡和共产主义胜利的必然性。

马克思恩格斯还在《德意志意识形态》中从异化的扬弃以及分工的角度系统论述了共产主义与人的解放。早在《1844年经济学哲学手稿》中，青年马克思强调消灭主体的"异化"状态就能实现共产主义，不过当时还受到费尔巴哈哲学的影响。在《德意志意识形态》中，马克思恩格斯进一步认为是奴役性分工造成了异化，这比之前用人的类本质来说明异化是很大的进步，实际上他们已经用生产力的历史发展来说明异化。生产力的落后制约着人们相互之间的社会交往关系，由此造成的社会关系的狭隘性又制约着人们对自然的关系。

马克思恩格斯注重从分工的历史起源及其后果来理解共产主义与人的解放。在《1844年经济学哲学手稿》中马克思是倾向于从否定的角度去思考分工，而在《德意志意识形态》中，由于受到李斯特的经济学的影响，加上马克思恩格斯对政治经济学研究的不断深入，他们在新的高度上考察了工业社会下的分工，并且将分工引入哲学领域。马克思恩格斯用分工来解释脑力劳动与体力劳动的分化、生产力与交往关系的运动、私有制的形成、阶级和国家的产生乃至人的实践活动发生异化的根源。这是一种泛分工论的社会历史解读模式。"只要分工还不是出于自愿，而是自然形成的，那么人本身的活动对人来说就成为一种异己的、同他对立的力量，这种力量压迫着人，而不是人驾驭着这种力量。"②《德意志意识形态》中所讲的分工主要是社会分工，是建立在私有制基础上的不平等、异己的分工，是私有财产统治下对人的全面发展的扼杀的分工。

共产主义社会则是消灭了奴役性分工，消除了异化状态，能够自觉地驾驭人们社会生产中的异化力量。因为这种人们在相互作用中自发产生的社会力量支配着人、驱使着人。只有当生产力获得高度的发展，人们之间的世界性的交往才能建立起来，狭隘的地域性的个人才会真正成为普遍的个人。个人能利用人类全面生产的一切积极成果，通过共产主义革命实现人的解放。

① 《马克思恩格斯文集》第1卷，人民出版社2009年版，第572页。
② 《马克思恩格斯文集》第1卷，人民出版社2009年版，第537页。

    因此，"每一个单独的个人的解放的程度是与历史完全转变为世界历史的程度一致的"。个人解放与人类解放是一致的。"只有在共同体中，个人才能获得全面发展其才能的手段，也就是说，只有在共同体中才可能有个人自由。在过去的种种冒充的共同体中，如在国家等等中，个人自由只是对那些在统治阶级范围内发展的个人来说是存在的……在真正的共同体的条件下，各个人在自己的联合中并通过这种联合获得自己的自由"。① 个人不是在社会之外生活，社会也不是脱离个人的抽象物，个人与社会的对立是历史的产物。随着生产力的极大提高和社会关系的全面丰富，并且经过共产主义革命，个人的独立和自由发展才不再是一句空话。

    马克思恩格斯对共产主义的价值目标进行了系统和清晰的阐述。他们认为，共产主义是"各个人在自己的联合中并通过这种联合获得自己的自由"的一种"真正的共同体"。这个真正的共同体不同于过去的各种虚假的共同体，它消除了一切自发形成的前提对个人的压迫和统治。共产主义是"把个人的自由发展和运动的条件置于他们的控制之下"的个人的一种联合。"共产主义和所有过去的运动不同的地方在于：它推翻一切旧的生产关系和交往关系的基础，并且第一次自觉地把一切自发形成的前提看做是前人的创造，消除这些前提的自发性，使这些前提受联合起来的个人的支配。"② 这段话既肯定了共产主义是革命运动，也交代了它的目标即建立真正的个人联合体。

    实现了共产主义，劳动相应成为一种"自主活动"，人们可以自由地支配自己的活动及其外部条件，每个人的个性得以自由而全面的发展："只有在这个阶段上，自主活动才同物质生活一致起来，而这又是同各个人向完全的个人的发展以及一切自发性的消除相适应的。同样，劳动向自主活动的转化，同过去受制约的交往向个人本身的交往的转化，也是相互适应的。随着联合起来的个人对全部生产力的占有，私有制也就终结了。"③ 在马克思恩格斯那里，自主活动是同强制劳动和雇佣劳动相对立的，是强制劳动和雇佣劳动的扬弃形式，是共产主义阶段人的实践活动的特征。"而在共产主义社会里，任何人都没有特殊的活动范围，而是都可以在任何部门内发展，社会调节着整个生产，因而

---

① 《马克思恩格斯文集》第1卷，人民出版社2009年版，第571页。
② 《马克思恩格斯文集》第1卷，人民出版社2009年版，第574页。
③ 《马克思恩格斯文集》第1卷，人民出版社2009年版，第582页。

使我有可能随自己的兴趣今天干这事，明天干那事，上午打猎，下午捕鱼，傍晚从事畜牧，晚饭后从事批判，这样就不会使我老是一个猎人、渔夫、牧人或批判者。社会活动的这种固定化，我们本身的产物聚合为一种统治我们的、不受我们控制、使我们的愿望不能实现并使我们的打算落空的物质力量，这是迄今为止历史发展的主要因素之一。"①马克思恩格斯认为，在以往社会，自主活动的存在是偶然的，劳动已经丧失了自主活动的假象，成了摧残人的生命的形式。只有到了共产主义社会，人们才能真正做到和实现自主活动，即"对生产力总和的占有"以及"个人本身才能的一定总和的发挥"。

五、对施蒂纳和"真正的社会主义"的批判

在《德意志意识形态》中，马克思恩格斯在系统阐发唯物史观的同时，用全书十分之七左右的篇幅对施蒂纳的利己主义思想、无政府主义及唯心史观进行了深入的批判。针对"真正的社会主义"思潮对工人运动的影响和阻碍，马克思恩格斯对它进行了坚决的批判和斗争，进一步深化了唯物史观。

（一）对施蒂纳的批判

施蒂纳是德国无政府主义、历史虚无主义的先行者。他 1845 年出版的《唯一者及其所有物》是青年黑格尔派的重要著作，此书以"唯一者"为核心，极力宣扬利己主义、无政府主义和唯我论。《唯一者及其所有物》这本书前半部分批判了费尔巴哈所提出的"人"的思想，后半部分则提出了施蒂纳的"唯一者"的思想。在施蒂纳看来，宗教和道德都涉及一个最高本质，是超出人自身的东西，并不能代表人，对人来说是无所谓的，而关于人的问题只有回到人自身来讲。道德并没有摆脱宗教和神学，反而囿于宗教之中，桎梏了人的本性。为此，他提出了"唯一者"的思想，主张利己主义，把"无"当做"我"事业的基础。

费尔巴哈主张把宗教立场的"神"换成道德立场的"人"，认为神的东西才是真正人的东西，强调道德是"社会生活和国家的基本支柱"。施蒂纳对此

---

① 《马克思恩格斯文集》第 1 卷，人民出版社 2009 年版，第 537 页。

观点持完全相反的态度。他认为，现实存在的主体不应当寄托于抽象的事物，上帝、道德都是抽象的。费尔巴哈所主张的道德，包括黑格尔的绝对精神、鲍威尔的自我意识等都不是真正的"我"的本质，而是和上帝一样的抽象的本质。施蒂纳认为"人对人来说是最高本质"，一切事物都可分为"我"和我的所有物，这个"我"就是以现实为基础的"唯一者"，也就是创造性意义上的"无"。在施蒂纳的逻辑里，我是独一无二的，是不依附于任何个人或者任何外物的"唯一"，是"自我"，也就是"唯一者"。他认为"唯一者"即利己主义的"我"是一种不受任何约束的超人，他把"我"视为最核心的事物，只有"唯一者"才是万事万物的最高，万事万物是"唯一者"的所有物，我决定我；在我之外不存在任何法。"唯一者"的行动是绝对自由的，不受任何是非标准、行为规范、道德原则和公共生活准则的束缚。他所建构的这个唯一者显然更为抽象。

为了实现"全能的自我"，凡是束缚自我的东西，如上帝、真理、道德等都应当抛弃，国家、法律、社会秩序等约束力量也应当否定。他坚决反对共产主义和无产阶级革命，尤其是反对共产主义者提出的废除私有制的原则，认为这是不能容忍的。这种思想观点实质上是反映濒临破产的小资产阶级力图挽救自己灭亡的绝望心情和企图以精神征服世界的幻想。

马克思恩格斯在《德意志意识形态》中用了很大的篇幅来批评施蒂纳的"唯一者"，说明了施蒂纳关于唯一者的思想是没有现实依据的空想，共产主义并非自我牺牲，也不要求自我牺牲，个人利益与共同利益都是特定的历史条件下的产物，人除了自我还有他人与他物，社会属性是人的根本属性。马克思对施蒂纳利己主义思想和历史观等方面进行了系统全面的批判，用"现实的人"颠覆了施蒂纳的"唯一者"，实现了哲学史上的伟大变革。

1. 对施蒂纳利己主义思想的批判

利己主义是施蒂纳在《唯一者及其所有物》这部著作中自始至终所宣扬的，施蒂纳作为资产阶级的代表，其对利己主义的推崇绝非偶然。施蒂纳在其著作中所凸显的"人"也是为了阐述利己主义思想。

在施蒂纳看来，利己主义者不是一个普通人所能做到的，同时这一称谓也不是常人可以轻易得到的，只有上帝或类似于上帝的存在才可以成为一个高贵的利己主义者。但上帝是宗教情结怪想的结果，所以施蒂纳要用一种只能承认自身是"唯一"的自我本身的存在来替代这种幻想。在这种逻辑下，人类的自由和幸福与我是没有关系的，国家和我是势不两立的，更甚的是我会反对人类、国家的幸福与自由，因为我的幸福和自由并不是国家、民族、人类所设定的，我所追求的东西是由我自身的存在所设定的，追求的内容在于不追求什么和反对什么。施蒂纳运用黑格尔的三段式将利己主义划分为三种，即"通常理解的利己主义"、"自我牺牲的利己主义"和"自我一致的利己主义"。"通常理解的利己主义"是非常普通的贪婪者，他们只为自己、贪得无厌，并不是现实的，而只是观念上抽象的贪得者。"自我牺牲的利己主义者"是有教养的贪婪者，施蒂纳所说的"有教养"是表面的，哲理的"自我牺牲"指的是为了一个起统率作用的欲望而牺牲掉其他的所有的欲望，牺牲的目的在于满足统率的欲望。前两种利己主义是片面的，还需要向"本质"与"概念"的统一的更高的阶段过渡——"自我一致的利己主义"。"自我一致的利己主义"是"通常理解的利己主义"和"自我牺牲的利己主义"的"否定的统一"，依施蒂纳所言，它是存在和本质的统一，是全部历史的使命和真理，是"唯一者"，而世界上的一切都归属于"唯一者"。由此可见，施蒂纳认为，人的本质就是利己的，而只有"唯一者"才是真实的存在，其他一切都是无。

施蒂纳对利己主义的三种划分表现了黑格尔思辨哲学的思维烙印。马克思恩格斯在《德意志意识形态》中明确指出，施蒂纳所讲的"通常理解的利己主义"代表的是个人利益；"自我牺牲的利己主义"代表的则是共同利益，而二者都是小资产阶级的意识反映。施蒂纳看到了"在历史上表现出来的两个方面，即个别人的私人利益和所谓普遍利益，总是互相伴随着的"[1]。但是，施蒂纳将这两方面对立起来了。马克思说："在个人利益变为阶级利益而获得独立存在的这个过程中，个人的行为不可避免地受到物化、异化，同时又表现为不依赖于个人的、通过交往而形成的力量，从而个人的行为转化为社会关系，转化为某些力量，决定着和管制着个人，因此这些力量在观念中就成为'神圣的'力量，这是怎么回事呢？"[2]由此，马克思阐述了共同利益是如何从个人利益产生的以及是如何和个人利益相对立的。个人利益与普遍利益是对立统一的，而施蒂纳仅仅看到了二者之间的绝对对立而忽略了二者之间的转化。

在马克思恩格斯看来，个人利益与普遍利益的对立是表面的，当个人利益

---

① 《马克思恩格斯全集》第 3 卷，人民出版社 1960 年版，第 272—273 页。
② 《马克思恩格斯全集》第 3 卷，人民出版社 1960 年版，第 273 页。

发展为阶级利益时就转化为了普遍的共同利益。我们不应该脱离一定的时代和一定的个人来谈论利益问题，一个人倾向于个人利益还是共同利益，要因人因时而定。施蒂纳完全脱离时代和个人，抽象的谈论普遍利益和个人利益之间的关系，忽略了二者之间相互转化与统一的关系，在他那里，是原则创造了生活，而非生活创造了原则。马克思一针见血地指出："不是原则创造了生活，而是生活创造了原则。"

在马克思看来，共同利益没有自己独立的历史，一切都是由生活实践所决定、由物质条件所制约的，共同的利益总是由个人利益所产生的，"所谓'普遍的'一面总是不断地由另一面即私人利益的一面产生的，它决不是作为一种具有独立历史的独立力量而与私人利益相对抗，所以这种对立在实践中总是产生了消灭，消灭了又产生……过去的由物质决定的个人生存方式由物质所决定的消灭，随着这种生存方式的消灭，这种对立连同它的统一也同时跟着消灭。"① 所以，共产主义者是不利用利己主义来反对自我牺牲的，也从来不利用自我牺牲来反对利己主义；共产主义者不会进行任何道德说教，不会向人们提出任何道德上的要求，因为不论是利己主义还是自我牺牲，它们都是一定条件下个人自我实现的一种必然形式。马克思就此作出结论，施蒂纳随社会历史自然过渡的利己主义者完全是建立在一种无事实依据的幻想和人的现实关系的错觉之上的。

我们可以看到，施蒂纳所主张的人的本质是利己的，利己的"唯一者"是真实的存在，是唯一的存在，他完全脱离了现实，完全脱离了生产生活条件，因此，他除了看到人的利己的方面，完全忽略了人的其他方面，最终只能在资本主义意识的窠臼中虚构一个"唯一者"。"唯一者是就是活生生的、有形体的个人，它不是虚构出来的，而是人千辛万苦、上下求索的结果，是思想、精神的极致，是只属于'我'本身的那种东西，不能定义，难以形容，更不能替代和重复，因为它是唯一的。"②

2. 对施蒂纳无政府主义的批判

施蒂纳在《唯一者及其所有物》中，站在小资产阶级无政府主义立场上，否认国家、法律、社会秩序等约束力量。在施蒂纳看来，康德、费希特乃至费

---

① 《马克思恩格斯全集》第 3 卷，人民出版社 1960 年版，第 276 页。

② 聂锦芳：《批判与建构：〈德意志意识形态〉文本学研究》，人民出版社 2012 年版，第 286 页。

尔巴哈这些思想家们所谓的"主体"都是一种普遍的贬低和诋毁个体的独特性的存在，而他的"主体"则彰显了个体的独特性和特殊性，是与"本质"完全对立的、不受普遍性的束缚的完全自由的"自我"。他用"唯一者"代替自己。

施蒂纳清楚地知道"唯一者"不能存在于现实世界中，因此，他没有硬性要求唯一者切断与所有有关联的事物的关系，但要求"唯一者"切断与任何事物关联的必然性，不要跟着别人走，不要被别人同质化，避免不固定"唯一者"被同质化的成员或自己某些群体思想侵蚀而失去了他的神圣性。为了做到这一点，施蒂纳要求"唯一者"不能有跟其他人一样的思想、原则和思路。他不承认任何的义务，也不愿意被任何义务所束缚，"我的意志任何人都不能束缚，我的反抗意志永远是自由的！"[1] 如此一来，作为"集体"最高的政府就成了他摒弃的事物了。事实上，这种"唯一者"是小资产阶级的自我真实意愿的表达。不过，这种表达方式仍然是基于社会达尔文主义的丛林法则之上的。

马克思认为，施蒂纳承认与"本质"相对立的"唯一者"，但是他忘记了"唯一者"的个体性和唯一性的实现，都必须建立在与社会与他人的各种联系中的，社会与个体、个体与个体之间都是普遍联系的。"从他们彼此不需要发生任何联系这个意义上来说他们不是唯一的，由于他们的需要即他们的本性，以及他们求得满足的方式，把他们联系起来（两性关系、交换、分工），所以他们必然要发生相互关系。"[2] 因此，施蒂纳所提倡的"唯一者"的绝对自由是不存在的，只要存在于世界之中，就必然会受各种关系的束缚，被人与自然、人与人之间的关系所制约，这是客观现实，是不可改变的。唯一者是否"接受"这些东西，绝不取决于他。也就是说，无论他愿不愿意、接不接受，周围的除他之外的事物仍是存在的，而且是个体存在所必不可少的。而且，即使接受了这种设定，对于无产阶级、劳动阶层来说，他们能选择的可能性也是很少，除了饿死和用食物果腹之外别无他选，因此，这种个人自救的方案并不适用于劳动阶层。若真如施蒂纳所说个人与集体、个人与他人、个人与他物保持距离，最终导致的结果是永远得不到他所推崇的自由，因为这种脱离社会现实的虚无，反而会导致个体丧失唯一性、特殊性。

由此可以看出，在不发达和不完善的社会关系中，"唯一者"要实现自我

---

[1]　《马克思恩格斯全集》第 3 卷，人民出版社 1960 年版，第 384 页。
[2]　《马克思恩格斯全集》第 3 卷，人民出版社 1960 年版，第 514 页。

保护非常困难，它缺乏普遍的法律来保护，一些偶然性的突发性的意外会左右人的存在，个人摒弃不了他人和他物。而施蒂纳设想："一旦国家的全体成员退出国家，国家就会自行崩溃；如果全体工人拒绝接受货币，货币就会失去它的效用。"① 对此，马克思认为，这只是一种"陈旧的空想"，这种说法忽略了个人所处的具体的历史情景以及客观社会物质条件，必然陷入荒谬。"我们已经看到'摆脱'顶多是对自己的我的摆脱，即自我舍弃。我们也已经看到，与'摆脱'相对立的是作为自我肯定，作为自私自利的'独自性'。我们同样也看到了，这种自私自利本身还就是自我舍弃。"② 在这个意义上，施蒂纳的"唯一者"不可能摆脱现实而做到自我舍弃，这种无政府主义必然破产。

3. 对施蒂纳唯心主义历史观的批判

施蒂纳的历史观建立在唯实主义、唯心主义、利己主义的范畴之上，具有黑格尔思辨哲学的显著特征。施蒂纳将历史理解为哲学史和观念的发展史，认为人类全部历史的基础是抽象概念。他将人生划分为三个阶段：儿童、青年、成人，在施蒂纳看来，因为儿童沉迷于物质，好奇、贪玩，喜欢尝试一切新鲜事物，所以儿童是唯实主义的化身，在儿童时期，"解放的过程就是我们力图洞察事物的底细或探究'事物背后'是什么……一旦我们知悉事物背后是什么，我们就心安理得。"③ 因为施蒂纳认为，儿童时期只具有对事物的意识，而并不具有对事物意识的意识，所以，人需要向更高级进化，即进化到青年阶段，青年是唯心主义的化身。人进化到青年阶段，他就会试图掌握思想，具有了对事物意识的意识，摆脱物质世界，沉迷于精神世界；但是，青年并没有达到精神与"我"的统一，掌握的思想不够，因此青年再一次向更高的阶段迈进——成人阶段，成人是真正的利己主义者。在成人阶段，人实现了精神世界和物质世界的统一，"我"是整个世界的所有者。另外，施蒂纳将三个哲学范畴的化身儿童、青年、成人对应于人类历史之中，即古代人、近代人和未来之人，未来之人是成人，是唯一者，也就是"我"，是人自我发现的最高阶段，是人类历史发展的最高阶段，他实现了唯实主义和唯心主义的否定的统一，是真正的利己主义者。

---

① 《马克思恩格斯全集》第3卷，人民出版社1960年版，第440页。

② 《马克思恩格斯全集》第3卷，人民出版社1960年版，第357页。

③ ［德］麦克斯·施蒂纳：《唯一者及其所有物》，金海民译，商务印书馆1997年版，第8页。

马克思恩格斯指出，施蒂纳关于人生阶段的划分来源于黑格尔的思辨哲学，其历史观是黑格尔历史哲学的翻版。黑格尔在《历史哲学》中将人生分为儿童、青年、成人、老人四个阶段。人生只有到了老人阶段才会达到主观和客观的真正统一，完成人与世界的真正的和谐。运用其三段论来解释，儿童阶段是肯定，青年阶段和成人阶段是否定，而老人阶段是否定之否定。所以，施蒂纳模仿了黑格尔历史哲学的内容。

对于施蒂纳所讲的"儿童"，马克思恩格斯认为："这样一来，儿童立即变成力求洞察'事物底蕴'的形而上学者了。这个好思辨的儿童心爱'事物的本性'更甚于他的玩具。"[1] 而对于施蒂纳所说的"青年"，他们指出："这个青年于是又把'对象''搁到一旁'，完全'陶醉于''自己的思想'；'他把所有非精神的东西轻蔑地称为外部事物。"[2] 在马克思看来，青年从来没有离开过物质世界，他一直与物质世界发生着关系，而这完全是施蒂纳思辨哲学在作怪。最后，对于施蒂纳"成人"即"唯一者"亦即"我"的论述，马克思指出："他将世界作为他心目中的世界，这就是说，作为他必须如此地把握的世界来把握，这样他就把世界据为己有了，把世界变成他的所有物了。这种获取的方式的确在任何一个经济学家那里都找不到，而'圣书'却揭示了这种获取的方法和成就，这就显得更加出色了。但实质上，他不是'把握世界'，而只是把他关于世界的'热病时的胡想'当作自己的东西来把握并占为己有。他把世界当作自己关于世界的观念来把握，而作为他的观念的世界，是他的想象的所有物、他的观念的所有物、他的作为所有物的观念……"[3]。在此，马克思明确地指出施蒂纳的意图，即他想要将世界据为己有，将世界变为"我"的所有物。

在马克思恩格斯看来，物质变化和社会变化是人类历史进化的根本动力，意识的发展是由物质的变化和社会的变化所引起的。然而，在施蒂纳眼中，他没有看到物质变化和社会变化对人类历史发展所起的作用，他只看到了意识、概念，这样，意识的差别就构成了人的生活，至于个人身上所发生的、产生意识变化的物质变化和社会变化，施蒂纳将其置于一边，不闻不顾。所以，他完全撇开了历史时代、民族、阶级等，夸大了他周围与他最接近的阶级的占统治

---

[1] 《马克思恩格斯全集》第 3 卷，人民出版社 1960 年版，第 120 页。

[2] 《马克思恩格斯全集》第 3 卷，人民出版社 1960 年版，第 120 页。

[3] 《马克思恩格斯全集》第 3 卷，人民出版社 1960 年版，第 127 页。

地位的意识，并把它提升为"人的生活"的正常意识。因此，他根本就没有谈生活。

总而言之，马克思恩格斯认为，施蒂纳所讲的历史和人生都是观念的历史、思想的历史，是人的"自我发现"的过程，"人"只是纯粹的意识体，与真实的、实实在在的、有肉体的人没有任何关系，他的历史观是黑格尔式的唯心主义的。他完全脱离了人类的生产实践和现实的生活，因此，施蒂纳所阐述的"人"跟费尔巴哈所讲的"抽象的人"是一样的，是根本不存在的，因为真实的"人"应该是一个"现实的人"，"现实的人"才是人的真实存在。

费尔巴哈把人的本质理解为"类"，并且从人的爱的情感中引申出关于未来哲学和社会的构想；施蒂纳则从"唯一者"和"我"中找寻实现自我利益的秘密，这两种理解殊途同归，都是一种形而上学的界定，是一种哲学上的虚构，不存在任何事实上的根据。马克思在《德意志意识形态》中将"现实的人"作为新世界观的前提。马克思指出，我们要谈的世界观的前提不是教条，也不是任意想出来的，而是一些现实的个人，是他们的活动和他们的物质生活条件，包括他们得到的现成的和由他们自己的活动所创造的物质生活条件，所以，任何人类历史的第一个前提肯定是有生命的个人的存在。马克思所说的从现实的人出发，实际上就是从物质生产出发。因为人在社会中进行生产，他们所进行的物质生产条件决定着人，所以，历史的物质前提无疑是现实中的人。马克思认为，任何人类历史的第一前提就是物质生活资料的生产，因为人们为了生活、为了创造历史，首先应该解决的就是衣食住行等基本的生活需求，所以，人必须进行生产。"任何历史记载都应当从这些自然基础以及它们在历史进程中由于人们的活动而发生的变更出发。"[①] 物质生产是"历史的发源地"和"现实的人"是历史的前提是一致的，马克思在此第一次提出了"物质生活条件"的重要概念，"现实的人"是从事物质生产活动的人、生活在自然和社会关系中的人、历史活动中的人，这远远超越了施蒂纳的"唯一者"，是对整个旧形而上学的超越。

施蒂纳试图用"唯一者"来抗衡和终结一切"神圣观念"对人的束缚，实现人的肉体和感性的解放，他的哲学精神和理想是可贵的，但是他的思想自始至终没有跳出传统形而上学的怪圈。他试图以"唯一者"提升人的生命个性来

---

① 《马克思恩格斯文集》第 1 卷，人民出版社 2009 年版，第 519 页。

解决一切问题，却将思辨唯我的"超验性"推向了巅峰。对施蒂纳看似思维缜密的思辨体系，马克思恩格斯看透了施蒂纳哲学思想的阶级立场和社会根源，敏锐地察觉到施蒂纳所提出的"唯一者"的超现实性、"非现实性"。他们从"现实的人"出发，瓦解和颠覆了"唯一者"的虚幻性，为人类现实的解放和自由提供了现实的基础，创立了唯物史观。

（二）对"真正的社会主义"的批判

《德意志意识形态》第二卷的标题是"对各式各样先知所代表的德国社会主义的批判"，主要是针对"真正的社会主义"的批判。该卷的内容只有第一卷的五分之一，与第一卷的篇幅极不相称。目前所见的 1960 年《马克思恩格斯全集》版的《德意志意识形态》第二卷分为序言、第一、四、五章，缺少第二、三章，这两章是遗失还是未完成尚没有定论。

"真正的社会主义"又称"德国的社会主义"，是 19 世纪 40 年代流行于德国的小资产阶社会主义。其主要代表人物有莫斯泽·赫斯、卡尔·格律恩、奥托·吕宁、弗里德里希·施纳克、海尔曼·皮特曼和海尔曼·克利盖等[①]。这个流派的阶级基础是当时德国的小市民、小资产阶级。他们从维护小私有制出发，散布一系列阻碍资产阶级民主革命和工人运动的反动谬论，在当时的德国产生了非常恶劣的影响。它的影响表现在政治、哲学、文学等各个方面。

"真正的社会主义"受到费尔巴哈哲学的直接影响，如赫斯、格律恩等继承发展了费尔巴哈唯心主义的宗教伦理观点，把他的抽象的人道主义同英法的空想社会主义结合起来，提出了以宣扬超阶级的抽象的人为中心的、以调和阶级矛盾的泛爱说教为主要特征的理论，把共产主义看成从费尔巴哈哲学中得出的必然的结论。格律恩称其理论为"真正的社会主义"。后来，马克思和恩格斯就以讽刺的口吻用这个名称称呼他们的社会主义学说。

"真正的社会主义"把英国和法国的某些共产主义思想和德国的哲学前提混为一团，他们把法国的空想社会主义理论翻译成德国哲学语言的时候，完全抛开了法国和德国当时所处的不同的现实生活条件。他们勾销了法国空想社会主义的重要组成部分即对现存制度的揭露和批判，只剩下其中的关于未来社会

---

① 黄楠森、庄福龄、林利编：《马克思主义哲学史》第 1 卷，北京出版社 1996 年版，第 495 页。

的幻想，反而以为自己克服了"法国人的片面性"，认为自己代表"不属于任何阶级"的"人的本质的利益，即一般人的利益"。

当时，在德国工人队伍中手工业者占优势，因此，反映小资产阶级利益的"真正的社会主义"思潮不仅在知识分子和小市民中间，而且也在工人中间广泛地传播起来了。德国工人阶级最初的一些组织都受到了"真正的社会主义"的影响。特别是巴黎的正义者同盟的成员，由于格律恩等人的大肆活动，受"真正的社会主义"的毒害很深。

在《德意志意识形态》中，马克思恩格斯对"真正的社会主义"进行了深入的批判。首先，是对"真正的社会主义"的哲学前提进行批判。"真正的社会主义"主要的哲学前提是建立在费尔巴哈人道主义和黑格尔的思辨哲学体系上，比如"异化"、"类本质"、"真正的人"等主要范畴。马克思和恩格斯揭示了"真正的社会主义"对于黑格尔哲学的依赖，所谓的"真正"指向的是一种"真理"，而实现这种"真理"要依赖强调理性的德国哲学，这种哲学不是社会经济发展的结果，而是从"纯粹的思想"出发逻辑思辨的产物，显然是虚假的。另一方面，马克思和恩格斯揭露"真正的社会主义"对于费尔巴哈人道主义哲学体系的依赖，以抽象的人为出发点，而不是对现实中具体、现实人的关照。其次，是对"真正的社会主义"的理论渊源进行批判。盛行于德国的"真正的社会主义"思潮深受英国、法国的空想社会主义理论及其相关实践的影响，归根到底仍是一种空想的社会主义学说，这种空想性源于它并没有同由大工业所造就的人类最先进的无产阶级及其解放运动结合起来，因而它必然带有空想的性质，因而也容易为破产的贵族、竞争中失败的资本家和小资产阶级所利用，其预言具有虚幻性和欺骗性。最后，他们对"真正的社会主义"的阶级基础进行了批判。在德国，小资产阶级是人数最多的阶层之一，他们从自身的利益出发，一方面，渴望在社会经济政治生活中能够得到更多发声的机会，想要获得无产阶级的支持，渴望社会变革；另一方面，又拒斥暴风骤雨式的革命，担忧政权的旁落，那么，披着社会主义羊皮的"真正的社会主义"不失为一个不错的选择。对此，马克思和恩格斯给予了彻底的揭露与批判。

《德意志意识形态》第二卷第一章的题目是"'莱茵年鉴'或'真正的社会主义'的哲学"。该章分为两部分：一是"A.共产主义、社会主义、人道主义"；二是"B.社会主义的建筑基石"。《莱茵年鉴》是《莱茵社会改革年鉴》的简称，它是由当时的出版商海·皮特曼办的杂志，其总的方向为"真正的社会主义"思潮的代表人物所左右。马克思恩格斯的批判首先针对发表在这一杂志上的两篇文章《共产主义、社会主义与人道主义》和《社会主义的基石》来展开，因为他们认为，这两篇文章特别具有"真正的社会主义"的特色。《共产主义、社会主义、人道主义》是海尔曼·泽米希在《莱茵年鉴》上发表的论文。他把共产主义看做是法国的现象，社会主义是德国的现象，并指认二者最终都将消融在人道主义之中。在马克思恩格斯看来，"在这篇文章中十分自觉地、而且以强烈的自尊感表露出'真正的社会主义'的德国民族性质"，其实全文的"整套词句"差不多是从别人的著述中抄来的，作者在社会主义方面所做的"科学工作"只限于把其他著作中的思想"加以组织和重复而已"。这种"披着社会主义外衣的德国哲学，为了装饰门面，也转向'粗暴的现实'，但是它对现实却始终保持很大的距离"。而"真正的社会主义"者在发表了自己关于一般体系的意见以后，就不必费力气去研究共产主义体系本身了。总之，马克思恩格斯认为，"这篇文章使我们再一次认清，德国人的虚假的普遍主义和世界主义是以多么狭隘的民族世界观为基础的。"①《社会主义的基石》是鲁道夫·马特伊的文章。它以"美文学的诗的形式"为开场白，宣称"当旧世界的大厦倒塌了的时候，人类的怀着自己一切愿望的心在彼岸世界找到了避难所；它把自己的幸福移到了那里"。在马克思恩格斯看来，这篇文章的"整个开场白是幼稚的哲学神秘主义的典型"，是"从必须消灭生活和幸福之间的二重性这样一种思想出发的"。马克思恩格斯详尽地分析了文章所谓"三块建筑基石"的虚幻性。

《德意志意识形态》第二卷第四章是对卡尔·格律恩的批判，标题是"卡尔·格律恩.'法兰西和比利时的社会运动'或'真正的社会主义'的历史编纂学"。马克思的批判集中在两个问题上：一是要证明格律恩的基本理论构想依赖于法国社会主义和共产主义的历史以及它同德国哲学和社会理论的联系的"结构图"。这种图式赫斯曾在1843年于《来自瑞士的二十一印张》论文中就已经阐释过。二是马克思想证明格律恩的著作(至少在某些段落)同其前辈(主要是施泰因、雷博和勃朗)的表述之间具有实实在在的相似性，而且格律恩在大段地抄袭这些表述时没有注意到其中存在的错误。马克思首先根据圣西门主义、傅立叶主义、卡贝主义、18世纪启蒙运动和法国唯物主义的历史极其详尽地考察了这些抄袭，把它们同其真正的来源和实际内容进行了对照。马克思

① 《马克思恩格斯全集》第3卷，人民出版社1960年版，第554页。

还特别关注格律恩对法国社会主义者和共产主义者的经济观点所进行的评论，并且注意对照这些观点所产生的根源的"现实描述"。格律恩把德国的哲学和社会理论说成是"更大的真理"，马克思认为这完全是"颠倒事实"。据此马克思揭示了格律恩这种表述的"核心"和目的，指出它纯粹是为现存制度"辩护"，或者"不学无术地和空想式地把现存制度神圣化。"①

《德意志意识形态》的第二卷第五章的标题是："'霍尔施坦的格奥尔格·库尔曼博士'或'真正的社会主义'的预言"，是篇幅最短的一章，是对格奥尔格·库尔曼的《新世界或人间的精神王国。通告》一书的评论。这一章是由赫斯执笔的。库尔曼博士被马克思和恩格斯称为"唯灵论的江湖骗子，是个笃信宗教的骗子，是个神秘主义的滑头"②，他相信灵感、启示、救世主、奇迹创造者，他把整个历史发展都归结为历史发展进程在当代所有哲学家和理论家头脑中形成的理论抽象，是在头脑中的思辨统一，实质就是"救世主"。赫斯在1845年秋就已经针对号称社会主义和共产主义的"救世主"的库尔曼和他的"信徒"贝克尔撰写了一篇题为《共产主义先知的阴谋活动》的尖锐有力的批判文章，并于同年12月发表在《社会明镜》月刊上。这样，当1845年底至1846年初马克思恩格斯计划批判"真正的社会主义"思潮时，邀请他撰写抨击库尔曼的小册子《新世界或人间的精神王国通告》的文章时他就有了可以利用的基础。赫斯指出："一切唯心主义者，不论是哲学上的还是宗教上的，不论是旧的还是新的，都相信灵感、启示、救世主、奇迹创造者，至于这种信仰是采取粗野的、宗教的形式还是文明的哲学的形式，这仅仅取决于他们的教育程度，就像他们消极地还是积极地对待对奇迹的信仰，也就是说，他们是创造奇迹的牧师还是这些牧师的信徒，以及他们所追求的是理论的目的还是实践的目的，都仅仅取决于他们的毅力、性格和社会地位等等一样。"③赫斯深刻地揭示了这些思想家们的精神实质。

马克思恩格斯彻底批判"真正的社会主义"散布的种种反动谬论，清除了其恶劣影响，制止了"真正的社会主义者"在工人运动中的猖狂活动。他们在工人中广泛地传播自己的思想，引导无产阶级走上正确的革命道路。

---

① 《马克思恩格斯全集》第3卷，人民出版社1960年版，第613页。
② 《马克思恩格斯全集》第3卷，人民出版社1960年版，第630页。
③ 《马克思恩格斯全集》第3卷，人民出版社1960年版，第630页。

作为马克思恩格斯构建和创立马克思主义哲学的标志性著作，《德意志意识形态》在当时的思想斗争和政治实践中发挥了巨大的作用。尽管当时存在着经济史知识的欠缺，在论述细节和术语使用上还有缺憾，但是其中已经确立了完备的历史唯物主义的基本原理。在反对"真正的社会主义"的斗争中，马克思和恩格斯后来还写作了一系列战斗性的理论著作。例如，1846年底到1847年初恩格斯写的《诗歌和散文中的德国社会主义》、《"真正的社会主义者"》，1847年马克思写的《驳卡尔·格律思》、恩格斯写的《德国的制宪问题》、《共产主义原理》等。1847年年底到1848年年初，马克思恩格斯在合写的《共产党宣言》中完成了对"真正的社会主义"的总结性的清算。

第七章　新世界观的进一步阐发

　　马克思和恩格斯生前未能将《德意志意识形态》公开出版，只是在杂志上发表了该书的部分章节，即第二章第四节。这样就导致了马克思恩格斯所阐发的新世界观并不为世人所知。1847年7月，马克思的法文著作《哲学的贫困》在布鲁塞尔和巴黎出版，从而使得他和恩格斯的"见解中有决定意义的论点"[①]作了第一次科学的概述。与《德意志意识形态》相比，《哲学的贫困》不论是在理论的表达上，还是概念的使用上，都更为精确和凝练，并且与社会现实的结合也更为紧密。在这里，马克思通过批判蒲鲁东及蒲鲁东主义的方式，将唯物史观首次应用于政治经济学研究和指导社会革命实践，进而将马克思主义哲学、政治经济学和科学的社会主义理论系统地整合起来。

　　在发表《哲学的贫困》之前，马克思在1846年12月28日致帕维尔·瓦里西耶维奇·安年科夫的信中不仅对蒲鲁东的著作《贫困的哲学》作了首次整体性的评述，深刻批判了蒲鲁东的理论实质，而且还对包括生产力与生产关系的矛盾运动等在内的唯物史观基本原理作了准确而翔实的阐释。1847年年底，为了进一步宣传科学的社会主义理论，马克思在布鲁塞尔德意志工人协会的集会上专门作了几次关于雇佣劳动与资本的报告。但这些报告当时未获公开发表，后来以《雇佣劳动与资本》单行本的形式问世。这些讲演是马克思关于自己经济理论首次系统的阐述，也是他和恩格斯创立的新世界观的进一步阐发。因此，它不仅对于马克思主义政治经济学的形成，而且在马克思主义发展史上，也具有十分重要的意义。

[①]　《马克思恩格斯文集》第2卷，人民出版社2009年版，第593页。

第一节　马克思致安年科夫的信

马克思主义的形成和发展，是伴随着对各种错误社会思潮的批判而进行的。蒲鲁东主义就是其中之一，对它的批判贯穿于马克思思想的大部分进程中。自 19 世纪 40 年代起，蒲鲁东主义逐渐在一些欧洲主要资本主义国家中流行起来。随着无产阶级和资产阶级之间对立的日益加剧，极度贫困的处境使得迅速改善生活状况在工人阶级那里成为压倒一切的中心。再加上接受教育程度的低下，使得工人阶级在当时无法理解私有制和劳动的对立、其所属阶级的革命性和共产主义运动的合理性。这就造成了蒲鲁东所宣扬的"财产就是盗窃"、"消灭所有权"之类的简单直观的口号，要比广袤深邃的理论更易于被工人阶级接受。

迎合工人阶级迫切改变物质生活条件的需求，并许以社会地位的平等，固然能在短期内团结一大批工人从事社会主义运动。然而，这绝非长久之计，长此以往会极大地削弱工人阶级革命的彻底性，工人运动在缺乏科学社会主义的指导下终将失败。蒲鲁东提出的改良主义和无政府主义的社会变革方案，不仅会给工人运动造成很坏的影响，而且还阻碍了马克思恩格斯创立的新世界观在工人阶级中的传播。在这种情况下，"为了给只想阐明社会生产的真实历史发展的、批判的、唯物主义的社会主义扫清道路，必须断然同唯心主义的经济学决裂，这个唯心主义经济学的最新的体现者，就是自己并没有意识到这一点的蒲鲁东"[1]，马克思决定从理论上彻底清算和批判蒲鲁东主义，公开阐明他和恩格斯的新世界观。致安年科夫的信就是上述工作的第一个成果。在这封信中，马克思在批判蒲鲁东的理论实质的同时，还专门阐释了生产力与生产关系的矛盾运动。它既丰富和发展了《德意志意识形态》中的相关思想内容，又为马克思创作《哲学的贫困》奠定了理论基础，是后者的重要"提纲"。

---

[1] 《马克思恩格斯全集》第 25 卷，人民出版社 2001 年版，第 425—426 页。

一、马克思和蒲鲁东的复杂关系

在马克思致安年科夫的信的背后，隐含着马克思和蒲鲁东之间错综复杂的思想关联。在阐述安年科夫的来信及其问题之前，有必要对马克思与蒲鲁东的复杂关系作简要回溯。

综观蒲鲁东一生的理论探索和社会实践历程，他始终致力于重塑正义原则，以解决社会经济问题、完成真正的革命为使命，并为此提出了诸多独特的方法和理论，例如语义学分析法、系列辩证法、构成价值理论、直接交换思想、社会清算方法、劳动互助等。蒲鲁东的思想中存有这样一条清晰的主线：形而上学方法→政治经济学重组→社会主义学说（社会革命理论）。这条主线是他在《贫困的哲学》中确立并延续下去的，具体而言：（1）系列辩证法是政治经济学科学化的根本方法，整个社会的经济生活就是一个从分工到人口的经济矛盾的体系，只要实现了价值的构成，就能解决经济矛盾及作为其现实表现的社会贫困问题。（2）解决贫困问题是社会革命的真正使命，只有把包括分工、机器、竞争、所有权等经济力量组织起来，才能实现构成价值和直接交换，才能完成劳动和财产方面的革命，进而推动整个社会的政治革命的完成。（3）只有资产阶级，而不是工人阶级和农民阶级，才是真正的革命者，后两者根本不具有政治能力，社会革命从根本上说就是资产阶级和无产阶级的和解。

不可否认，蒲鲁东革命性和批判资产阶级私有制的一面，一开始给马克思留下了好印象。马克思最早了解蒲鲁东是在《莱茵报》工作时期，彼时马克思正值为解决"物质利益"问题这一"苦恼的疑问"而转变之前的自由理性主义者的立场。马克思认识到人的关系的根本问题和答案就隐藏在政治经济学领域之中，只有从"副本批判"（哲学和国家法的批判）推进到"原本批判"（政治经济学批判），才能从根本上为自由找到出路。由于他和蒲鲁东在关注"物质利益"等社会现实问题、批判当时政治制度和法的制度、从事政治经济学批判、以实现人的解放和自由为目标等方面的一致性，所以马克思此时对蒲鲁东持肯定与褒扬的态度，以关注社会现实为出发点、写作风格清晰的《什么是所有权》博得了他的好感。从某种意义上说，较早从事法的批判和政治经济学批判的蒲鲁东启发了马克思。随着政治经济学研究的深入，马克思得出如下结论：政治经济学的缺陷就在于把私有财产视为理论前提和确定不移的事实，而不对它作任何进一步的考察；蒲鲁东则对政治经济学的基础即私有财产作了第一次具有决定意义的、无所顾忌的和科学的考察，这种考察是能够引起政治经济学的革命并使其有可能成为一门科学的巨大进步。

1844—1845 年，马克思与蒲鲁东是部分一致的，他在《神圣家族》中对蒲鲁东所有权批判理论的公开支持就是直接证据。针对埃德加·鲍威尔在《蒲鲁东》一文中对《什么是所有权》一书的责难，诸如除了诉诸正义、平等之外，别无他法，"劳动摧毁所有权"和所有权的不可能性的论据也存有矛盾，蒲鲁东不具有"认识的宁静"，他的学说没有任何现实性等，马克思反驳说，"批判的蒲鲁东"犯了双重错误：一是在翻译过程中扭曲作者原意并赋予其丑恶的特征；二是通过批判的评注公开攻击蒲鲁东的所有权批判理论。在对"批判的批判"进行批判的过程中，马克思充分肯定了蒲鲁东所有权批判理论的现实意义，并将它提升到引发政治经济学的革命和使其首次有可能成为一门真正科学的高度。基于私有财产与人的异化之间的关系、无产者扬弃私有财产并实现自我解放的分析，马克思认为，蒲鲁东比青年黑格尔派高明的地方就在于他对资产阶级私有制的批判，就在于他充分考量现实，"向社会提出一些直接实践要求"，以"群众的、现实的、历史的利益"即"一种远远超出批判的、也就是导致危机的利益"[1]为理论出发点。

在旅居巴黎时，马克思正式与蒲鲁东结识，同他彻夜争论一系列问题，向他讲解黑格尔辩证法[2]，还将他列入外国杰出社会主义者的行列。[3]马克思此时虽然对蒲鲁东的态度仍以正面肯定为主，但在具体论述中已经彰显了分歧，具体体现为他在《1844 年经济学哲学手稿》和《神圣家族》中揭示了蒲鲁东理论的如下局限性：一是没有正确认识到私有财产和异化劳动的关系，只是在异化范围内克服异化；二是没有把工资、商业、价值、价格和货币等视作私有财产的进一步形式，仍用它们来构建理想的社会形式；三是肤浅地将私有财产

---

[1] 《马克思恩格斯文集》第 1 卷，人民出版社 2009 年版，第 266—267 页。
[2] 《马克思恩格斯文集》第 3 卷，人民出版社 2009 年版，第 18—19 页。
[3] 1845 年年初，马克思曾计划出版一套《外国杰出的社会主义者论丛》，但由于找不到出版商，这一计划并未实现。从他遗留的文稿中可以看出，马克思拟定收录的外国杰出的社会主义者有摩莱里、马布利、巴贝夫、邦纳罗蒂、边沁、霍尔巴赫、阿尔贝、勒鲁、勒克莱尔克、葛德文、傅立叶、爱尔维修、圣西门、欧文、孔西得朗、蒲鲁东等。参见《马克思恩格斯全集》第 42 卷，人民出版社 1979 年版，第 172 页。

视为劳动的创造物，看不到私有财产的主体本质（劳动）和客体形式（资本）之间的关联。

在发表《神圣家族》后不久，马克思继续研究政治经济学和批判青年黑格尔派，其成果有《评弗里德里希·李斯特的著作〈政治经济学的国民体系〉》、《关于费尔巴哈的提纲》和《德意志意识形态》。尤其是在《德意志意识形态》中，马克思讨论了极为广泛的思想议题，"举凡：'离开思辨的基地来解决思辨的矛盾'；理解人生与历史的方式……唯物史观的阐释方式与论证逻辑、理论视域和现实归旨；历史向'世界历史'转变的过程与环节；'现实的个人'与'共同体'关系之辨；社会主义与'哲学论证'；社会主义史的理解与叙述"① 等等。上述思想议题充分彰显出马克思透过观念世界和意识形态的"层层迷雾"，"从现实出发"理解人、社会与历史的致思路向，以及建立在生产力普遍发达等现实基础上的社会变革路径，这为之后批判《贫困的哲学》奠定了坚实的理论基础。②

在马克思写成《德意志意识形态》的同时，蒲鲁东也几乎完成了《贫困的哲学》的写作。从这两本著作的内容中可以看到，马克思和蒲鲁东在社会的前提和存在方式、历史演进过程及其动力、社会变革的途径等方面存在着"不可弥合的裂口"。马克思以现实的个人及其物质生活为前提，推究出促使人的本质和社会变化的动力机制就在于个人生产范围扩大与不同人的生产的联结；他把不同社会形态间的更替即历史演进的动力归结为各民族的生产力、分工和内部交往的发展程度，梳理了从部落所有制到古代公社所有制和国家所有制再到封建的或等级的所有制这样一个由分工所表征的历史演进序列，叙述了"历史向'世界历史'的转变"的过程与环节，论证了作为"消灭现存状况的现实的运动"的共产主义的必要性并以它作为社会变革的主要方式。

与马克思相反，蒲鲁东则推崇理性原则，他把普遍理性或上帝作为社会存

---

① 聂锦芳：《批判与建构：〈德意志意识形态〉文本学研究》，人民出版社 2012 年版，第 691 页。

② 诚如恩格斯在为《哲学的贫困》1885 年德文第 1 版所作的序言中写道的："本书是 1846 年到 1847 年那个冬天写成的，那时候，马克思自己已经弄清了他的新的历史观和经济观的基本特点。当时刚刚出版的蒲鲁东《经济矛盾的体系，或贫困的哲学》一书，使他有机会阐述这些基本特点，来批驳这位从此就要在当时的法国社会主义者中间占据最重要地位的人物的见解。"参见《马克思恩格斯文集》第 4 卷，人民出版社 2009 年版，第 199 页。

在的前提，将整个人类社会描述为一个本身赋有独特智能和活动力、受特殊规律支配的有机统一的"天才"。在蒲鲁东看来，"社会的历史无非一个确定上帝观念的漫长过程，是人类逐渐感知自己的命运的过程"，"人类的事实是人类观念的化身"①，观念是推动历史演进的根本动力。为了在其内部把财富的生产与分配组织起来，"社会天才"经历了一个同理性创造概念完全相同的过程：分工→机器→竞争→垄断→税收→对外贸易→信用→所有权→共产主义→人口。因此，研究社会经济的规律就是创立有关理性规律的理论即创立哲学，在此基础上即可完成社会变革。上述两种截然不同的历史观昭示着马克思与蒲鲁东行将决裂。事实上，马克思在《德意志意识形态》中批判格律恩时就隐含着对蒲鲁东的哲学方法和政治经济学的批评。他认为，蒲鲁东所发现的"系列辩证法"不过是将黑格尔的观念论方法套用到政治经济学中，"这种方法将以思维的过程来代替各个单独的思想。蒲鲁东从法国人的观点出发，寻求实际上和黑格尔所提出的辩证法相似的辩证法"②。同样，蒲鲁东批判政治经济学的"一切证据都是错误的"，他只是提出用"法学家和经济学家的幻想来反对他们的实践"③。

在这一时期，马克思还积极投身于革命实践。1846 年年初，马克思和恩格斯在布鲁塞尔建立了共产主义通讯委员会和德意志工人协会，并着手在法、德、英等国设立通讯委员会的支部。鉴于蒲鲁东在法国社会主义者中的重要地位，马克思搁置了同他的理论分歧，写信邀请他担任共产主义通讯委员会巴黎支部的通信员。马克思在信中阐明了共产主义通信委员会的目的就在于"建立一种经常性的通讯联系，保证能够了解各国的社会运动，以便取得丰硕的、多方面的成果"④，换言之，就是克服工人运动在观念上的混乱状况，从思想上和组织上团结各国的社会主义者和先进工人，从而使革命行动能够坚决起来。然而，蒲鲁东不仅回信拒绝了这一邀请，还否定了"行动的时刻"的说法。他说，从思想上团结工人的实质就是迫使他们信奉共产主义，这种做法是多余且有害的，只会重蹈马丁·路德宗教改革式的覆辙。社会主义者的真正义务是"把批

① ［法］蒲鲁东：《贫困的哲学》（上），余叔通、王雪华译，商务印书馆 2010 年版，第 27、167 页。
② 《马克思恩格斯全集》第 3 卷，人民出版社 1960 年版，第 627 页。
③ 《马克思恩格斯全集》第 3 卷，人民出版社 1960 年版，第 627 页。
④ 《马克思恩格斯文集》第 10 卷，人民出版社 2009 年版，第 32 页。

注性的形式或者说疑问的形式再保留一个时期","共同寻找社会的规律","不要在一切教条主义消灭后使人信奉某种主义"①。并且,"行动的时刻"的实质不是革命的手段,而是诉诸强力和横暴的"动乱",因而不能实现任何改革。蒲鲁东认为,实现社会变革的正确做法是:"通过经济的组合把原先由于另一种经济组合而溢出社会的那些财富归还给社会……用文火把私财烧掉总比对它施加新的力量实行大屠杀要好些。"②这封回信使马克思意识到,同蒲鲁东进行理论论战、批判《贫困的哲学》已刻不容缓。

恩格斯在马克思行将批判蒲鲁东的过程中起着极为关键的作用,他在一定程度上加深了马克思对蒲鲁东学说的危害性的认识。1846年秋,恩格斯来到巴黎担任共产主义通讯委员会在此处支部的通信员。在这段时期内,恩格斯不仅了解到格律恩在工人中间已经开始散播尚未出版的《贫困的哲学》一书中的内容,还觉察到蒲鲁东的协作社计划已得到许多人的支持。为此,恩格斯率先展开了对蒲鲁东的批判和同蒲鲁东的支持者的论战,并把相关情况以书信的形式汇报给共产主义通讯委员会。③其中,恩格斯在1846年9月16日的书信中提到,在巴黎出现的反魏特林主义者的理论"武器"是"真正的社会主义者"的论调和"格律恩化的蒲鲁东学说"——后者是格律恩在巴黎极力鼓吹的蒲鲁东《贫困的哲学》中"凭空弄到钱,使得所有工人都能进入天堂"的"宏伟计划"。而这个"宏伟计划"就是英国人所熟知的、在各处都已破产的"劳动市场"或"劳动产品公平交换所"。④恩格斯分析说,蒲鲁东试图通过由各行业手工业者

① 转引自 [俄] 卢森贝:《政治经济学史》第3卷,郭从周、北京编译社译,生活·读书·新知三联书店1960年版,第218页。
② 转引自 [俄] 卢森贝:《政治经济学史》第3卷,郭从周、北京编译社译,生活·读书·新知三联书店1960年版,第219页。
③ 列宁对此曾写道:"他的注意力主要集中在最重要的和当时传播最广的社会主义学说,即蒲鲁东主义上。早在蒲鲁东的《贫困的哲学》一书出版前(该书1846年10月出版,马克思的答复——著名的《哲学的贫困》一书于1847年问世),恩格斯就对蒲鲁东的根本思想进行了严酷无情和异常深刻的批判,而当时德国社会主义者格律恩则竭力为之鼓吹。恩格斯的英语非常好(马克思掌握英语比恩格斯晚得多),熟悉英国书刊,这使他一下子就能够(1846年9月16日的信)指出标榜一时的蒲鲁东的'劳动市场'在英国遭到破产的例证。蒲鲁东玷污了社会主义——恩格斯愤慨地说道,——因为照蒲鲁东的说法,工人应该赎回资本!"参见《列宁全集》第24卷,人民出版社1990年版,第279页。
④ 马克思后来在《哲学的贫困》中批判蒲鲁东构成价值理论时,也提到了这一点。具体内容参见《马克思恩格斯全集》第4卷,人民出版社1958年版,第117页注释1。

组成的协作社——在那里，全部产品按照原本的费用和劳动费用来议价，并用产品来购买产品；超出协作社所需的产品则用以交换，将所得收入分给这部分产品的生产者——来免除中间商人的利润，这种做法是不切实际的、可笑至极的。这是因为社会产品的交换体系中的各个部分是紧密相连的，取消中间商人的资本及其利润就等同于取消协作社的资本及其利润，"整个这一套办法无非是希望用魔术把利润从世界上清除而把利润的所有生产者保留下来"①。正是这种"和平的药方"，才使得蒲鲁东抱怨和攻击革命。这种"药方"因带有极强的迷惑性而必将给工人运动带来极大的障碍。恩格斯在两天后致信马克思，详细剖析了蒲鲁东用无产者的小额储金及取消资本利息的方式实现产品平等交换的荒谬性。一个多月之后，恩格斯再次给共产主义通讯委员会写信，说明了他同"真正的社会主义者"之间就蒲鲁东的协作社计划问题所引发的关于社会变革路径的争论。在这场争论中，恩格斯公开阐明了共产主义的宗旨和定义："（1）实现同资产者利益相反的无产者的利益；（2）用消灭私有制而代之以财产公有的手段来实现这一点；（3）除了进行暴力的民主的革命以外，不承认有实现这些目的其他手段。"②这样，共产主义定义中用公有财产的主张就将"蒲鲁东的股份公司及其所保留的个人所有权以及与此有关的一切"排斥在外。

随着《贫困的哲学》于1846年10月15日的正式出版，蒲鲁东的思想赢得了数量可观的崇信者，甚至连受马克思影响较深的安年科夫亦不例外。安年科夫曾专门写信给马克思表达了他对这部书的矛盾态度和困惑：他一方面认为蒲鲁东虽然表现出关于上帝、天命等思想方面的混乱，但有关经济学的部分还是写得很有分量的，它第一次清楚地告诉读者"文明不能拒绝它依靠分工、机器、竞争等而获得一切东西——这一切都是人类永远要争取的东西"③；另一方面他从根本上排斥救治社会弊病的任何"药方"，因为后者在反对共产主义的同时又利用它的一个教条来解决贫困问题。由于马克思此时尚未读到《贫困的哲学》一书，所以他没有即刻复信安年科夫。直到1846年12月下旬，马克思在得到并大致浏览了这本书后，便立刻写信向安年科夫阐明对它的整体评述和批判。

① 《马克思恩格斯文集》第10卷，人民出版社2009年版，第36页。
② 《马克思恩格斯文集》第10卷，人民出版社2009年版，第40页。
③ 参见《马列主义研究资料》第55辑，人民出版社1989年版，第78页。

二、批判蒲鲁东的理论实质

马克思对蒲鲁东的理论实质有着极为清楚的认识，并准确地将其定性为"小资产阶级的社会主义"。不可否认的是，蒲鲁东与马克思有着较为相似的理论归旨，即寻求一种解决社会问题的方法，指出社会变革的途径与道路，实现人的全面自由的发展。其中，马克思通过剖析其所处时代的社会，论证作为"消灭现存状况的现实的运动"①的共产主义的必要性，其根本宗旨仍在于人，在于"人的全面自由发展"；蒲鲁东则以创立一种新的社会科学，寻求社会的活动规律为己任，通过政治经济学和哲学的结合，"创造人类的福利以及一切与福利同义的事物"②，真正地实现自由与平等。然而，由于他们对社会和历史的理解不同，具体到实践层面上就产生出截然不同的、甚至是互相对立的社会变革的道路。也正因如此，马克思才会极其严厉地批判蒲鲁东。

蒲鲁东是私有制和所有权的强烈批判者，他把所有权视为一切社会流弊的总和。蒲鲁东认为，所有权的现存性恰恰说明了社会自身已经无力解决这一问题，这就表明历史与客观事实对于人类实现普遍自由和平等毫无意义，唯有超越历史与现实之外的哲学普遍法则才能规范人类社会秩序、引导社会发展。于是，"正义"作为人类社会的基本原则贯穿于蒲鲁东论证的始末，乃至成为衡量一切社会的、法权的、政治的、宗教的原理或标准。在此基础上，蒲鲁东批判了法学、政治经济学和社会主义学说中关于所有权的理论，他运用了如下方法：重新明确正义原则的定义、必要性、体系和公式→检视所有权与正义原则是否相符，完成对所有权理论的破坏工作→从人性论出发，寻求所有权的存在性与不合理性并存的根源，指明重建社会形式的方向。

可是，蒲鲁东并不反对作为客体形式的财产本身，他实际上反对的是财产分配的方式及现状。在他看来，通过改变经济组合的方式把财产归还给社会，再由社会依据平等原则重新进行分配，就能解决私有制所带来的一切弊端，这就是他所谓的"用文火把私财烧掉"的意指所在。只要实现了价值的构成，即社会财富的比例性关系，亦即社会全部产品的直接交换，就能在此基础上建立

---

① 《马克思恩格斯文集》第 1 卷，人民出版社 2009 年版，第 539 页。
② ［法］蒲鲁东：《贫困的哲学》（上），余叔通、王雪华译，商务印书馆 2010 年版，第 172 页。

起一个"绝对平等的体系"，"在这个体系之下，除去所有权或所有权流弊总和之后的一切现有的制度不但可以存在，而且它们本身还可以用来作为平等工具；这些制度包括：个人自由、权力的分立、监察机关、陪审制、行政和司法的组织、教育的统一和完整、婚姻、家庭、直系或旁系的继承权、买卖权和交易权、立遗嘱权、甚至长子继承权，——一个比私有制更能保证资本的形成并维持一切人的积极性的体系"①。

　　表面看来，蒲鲁东的上述既要消灭私有制又要保留资产阶级社会的其他制度的做法是矛盾的。一旦我们认识到他所谓的"用文火把私财烧掉"只是用一种小私有制代替原有的私有制，并没有消灭掉私有制的时候，就会发现这个表面的"矛盾"是根本不成立的。"资产阶级中的一部分人想要消除社会的弊病，以便保障资产阶级社会的生存"②，这正是作为小资产阶级的社会主义者的蒲鲁东对待资产阶级社会的态度的真实写照。

　　马克思始终将社会形态的更替看作是真实的社会运动，因此，社会变革必然要通过现实的行动来解决，单纯依靠理论解决社会变革问题的人注定是一个空论家，"一个不了解社会现状的人，更不会了解力求推翻这种社会现状的运动和这个革命运动在文献上的表现。"③蒲鲁东错误的根源就在于他将范畴看做是历史发展的动力，并将寻求范畴之间的平衡的公式作为社会变革的任务。他用范畴在"头脑中奇妙的运动"代替了社会变革所要经历的"广阔的、持久的和复杂的运动"，即"代替了由于人们既得的生产力和他们的不再与此种生产力相适应的社会关系相互冲突而产生的伟大历史运动，代替了在一个民族内各个阶级间以及各个民族彼此间酝酿着的可怕的战争，代替了唯一能解决这种冲突的群众的实践和暴力的行动"。④并且，调和范畴本身所具有的矛盾也不是简单地趋利避害就行，而是要将这些矛盾的现实基础推翻才能实现。马克思指出，蒲鲁东调和矛盾、寻求解决社会问题的一个平衡公式的做法与18世纪那些平庸的人物所做的努力没有任何不同：他们都在试图"发现一个真正的公式，以便把各个社会等级、贵族、国王、议会等等平衡起来，而一夜之间无论国王、议会或贵族都消失了"，他们完全忽略了"这一对抗的真正平衡是推翻一

---

① ［法］蒲鲁东：《什么是所有权》，孙署冰译，商务印书馆2009年版，第36页。
② 《马克思恩格斯文集》第2卷，人民出版社2009年版，第60页。
③ 《马克思恩格斯文集》第10卷，人民出版社2009年版，第52页。
④ 《马克思恩格斯文集》第10卷，人民出版社2009年版，第51页。

切社会关系——这些封建体制和这些封建体制的对抗的基础。"① 由此，马克思认为蒲鲁东是一个彻头彻尾的"小资产阶级的哲学家和经济学家"。

将"小资产阶级的社会主义"规定为作为批判对象的蒲鲁东理论内容的实质，这是马克思自写作《哲学的贫困》时起就一直延续下去的一个基本观点，只不过在马克思的不同著作中侧重点不同。例如，马克思在《哲学的贫困》中批判的是蒲鲁东想要实现政治经济学和社会主义的"合题"的错误做法，这种做法的结果是蒲鲁东只能成为一个"在资本和劳动、政治经济学和共产主义之间摇来摆去"的小资产者。到了《政治经济学批判。第一分册》中，马克思则是通过剖析格雷"每种商品直接就是货币"等说法的方式，批判了蒲鲁东的社会主义的实质就在于不了解商品和货币之间的必然联系。② 而在《资本论》中，马克思则是在谈到商品的相对价值和等价形式之间对立的第三种形式——除了一个唯一的商品之外、商品世界中的一切商品都不会具有一般的社会的相对价值形式——的时候，专门论述了蒲鲁东理论内容的实质："实际上从一般的能直接交换的形式决不可能看出，它是一种对立的商品形式……对于把商品生产看做人类自由和个人独立的顶峰的小资产者来说，去掉与这种形式相联系的缺点，特别是去掉商品的不能直接交换的性质，那当然是再好不过的事。蒲鲁东的社会主义就是对这种庸俗空想的描绘；我在别的地方曾经指出，这种社会主义连首创的功绩也没有"③。

在批判小资产阶级的社会主义的同时，马克思部分地肯定了蒲鲁东著作的历史功绩。18—19 世纪的法国社会，存在很多的社会思潮，其中就包括社会主义思潮和所有权批判思潮。对所有权进行最早的现代批判与反思正是从法国开始的。当时，落后的小农经济是法国社会的主要生产方式，特别是在 1789年法国大革命后，巴黎当局以法令的形式出售了大量的国有土地，这就使得过去大多数处于第三等级的贫困农民成为小土地所有者。正如蒲鲁东所说："法国革命不过是一次争取土地法的暴动，而土地法实质上是国家把人民都变成土地所有者，从而取得税收来源。"④ 这样看来，在当时的法国社会中，与资产阶级所有权直接形成对立的就是小土地所有者、小资产者，尚未发展到资本与劳

---

① 《马克思恩格斯文集》第 10 卷，人民出版社 2009 年版，第 51、52 页。

② 参见《马克思恩格斯全集》第 31 卷，人民出版社 1998 年版，第 478—481 页。

③ 《马克思恩格斯文集》第 5 卷，人民出版社 2009 年版，第 85 页注释 24。

④ [法]蒲鲁东:《贫困的哲学》(下)，余叔通、王雪华译，商务印书馆 2010 年版，第 593 页。

动对立的阶段。换言之，当时法国社会由所有权带来的贫困问题不是反映了资本与劳动的尖锐对立，而是资本与土地的对立。从这个角度来说，蒲鲁东早期提出的所有权批判理论是与当时法国的国情相适应的。蒲鲁东的小资产阶级的社会主义立场，恰好是法国社会中资本主义思潮、共产主义思潮、所有权批判思潮同占主导的落后的小农经济生产方式之间的矛盾的产物。马克思也看到了这一点，并对蒲鲁东作了一些正面的肯定："这样的小资产者把矛盾加以神化，因为矛盾是他存在的基础。他自己只不过是社会矛盾的体现。他应当在理论上说明他在实践中的面目，而蒲鲁东先生的功绩就在于他做了法国小资产阶级的科学解释者；这是一种真正的功绩，因为小资产阶级将是一切正在酝酿着的社会革命的组成部分。"随着革命实践和理论研究的深入，马克思认识到，小资产阶级的社会主义非但不利于社会革命，反而成为了社会革命的阻碍。于是，马克思开始完全否定蒲鲁东主义。

三、阐释生产力与生产关系的矛盾运动

在批判蒲鲁东理论实质的同时，马克思在致安年科夫的信中阐释了生产力与生产关系的矛盾运动。这种阐释建立在他对蒲鲁东关于社会的前提与存在形式、社会形态的更替及其动力的理解的批判之上，进一步丰富和完善了《德意志意识形态》中的生产力与生产关系的关系理论。

在蒲鲁东那里，普遍理性永远居于主导地位。与同时代的多数哲学家和语言学家一样，蒲鲁东将人类社会视为理性存在或"集体的人"（homme collectif），它区别于个人的地方就在于其自发的本性。这种自发性具体表现为，社会始终有着一种不断地前行和进步的内在"冲动"，国家政体的建立、种姓制度的划分和司法制度的出现就是这种表现的例证。社会的这种"冲动"看似无目的性和无计划性，但人类社会事实上却总在进步且总在有目的地朝这一目标前行。目的性的存在往往表明其背后必然存在某种动力，也就是说，社会始终受某种外在于它的最高意志或不可抗拒的神秘力量的支配。蒲鲁东认为，这个最高意志就是古人所谓的上帝和现代语言中的普遍理性，这两者在本质上是同一个词，只是称谓略有不同而已。这种普遍理性并非源自个人理性这个经由演绎、归纳或综合所得出的先验概念，而是认识社会规律的实

证概念。

为了证明普遍理性的存在，蒲鲁东在考察上帝观念的演变史后指出，在人类社会中始终存在着这样一个三段论公式："一切秩序都必然有一个智慧在指挥，世界既然存在着一种令人惊叹的秩序，因此世界是某种智慧的产物。"① 由于人们始终在探寻这种所谓的"智慧"到底是什么，使得这一公式至今仍是一个未解之谜。与其偏执于证明这一"智慧"是否存在，倒不如找到它，科学论证出普遍理性的存在及正确认识社会规律，实现社会改善和进步。正如蒲鲁东所说："理性的第一个判断以及一切正在寻求认可和依据的政治制度所必需的前提，就是必然要有一位上帝存在；这意思就是说，人们是依靠启示、预谋和智慧来治理社会的。这个排除了偶然因素的判断就是为社会科学奠定可能性的东西；而一切对社会事实进行历史的与实证的研究工作，既然目的都是在求得社会的改善和进步，当然就应该和人民一道假定上帝的存在，然后再对这个判断作出自己的解释。因此，对我们来说，社会的历史无非是一个确定上帝观念的漫长过程，是人类逐渐感知自己的命运的过程。"②

蒲鲁东指出，既然社会存在的前提是普遍理性，那么社会就是一个本身具有独特智能和活动力的、受特殊规律支配的有机统一体；它的存在不是以实物的形式表现出来，而是体现为其全体成员的联合与协调一致。概言之，社会就是一个"集体的人"，是一个充满智慧的"天才"。为了说明这一点，蒲鲁东用普罗米修斯的"创世记"来比喻"社会天才"（génie social）能动的创造过程：第一天，他使用劳动脱离自然状态，创造出价值为 10 的产品(或财富与福利)；第二天，他实行分工使产品增加到 100；第三天，他发明机器以继续增加产品，并使生活范围从感官领域扩展到道德、文化领域……这样社会就以一个能动的形式而存在，它不断通过普遍理性创造出新的诸如分工、机器、竞争、垄断等范畴形式前行。为了在其内部把财富的生产与分配组织起来，"社会天才"经历了一个同理性创造概念完全相同的过程。这一过程首先从分工开始，而分工本身就是一种"真正的二律背反现象"，即它既是劳动增值财富的首要条件，又会导致自我毁灭，成为贫困的源泉。在蒲鲁东看来，这种二律背反现象一旦

---

① ［法］蒲鲁东:《贫困的哲学》(上)，余叔通、王雪华译，商务印书馆 2010 年版，第 18 页。
② ［法］蒲鲁东:《贫困的哲学》(上)，余叔通、王雪华译，商务印书馆 2010 年版，第 26—27 页。

开始，便永无止境。"工业运动随着观念的演绎而分为两股洪流，一股产生有益结果的洪流，另一股产生有害结果的洪流，两者都是必要的，都是同一个规律的合理产物。"①为了解决这种二律背反现象，社会便创造出另一个范畴，即机器，同样这又是一个新的二律背反，存在好的方面和坏的方面。随后，社会又创造出第三个二律背反，第四个二律背反……如此循环往复，直到人类社会全部矛盾的解决为止（在蒲鲁东看来，人类社会的矛盾是有止境的，尽管他还未能证实这一点）。在此之后，再跳向各个出发点，按照一项统一的公式从根本上解决所面临的问题。这样，社会形态便在不断创造与解决二律背反的矛盾中演进。

蒲鲁东将上述过程称作是"经济进化的系列"或"经济矛盾的体系"，其具体顺序为：分工、机器、竞争、垄断、税收、对外贸易、信用、所有权、共产主义和人口。在这样一种矛盾的经济进化的系列中，社会始终是在解决不断出现的贫困问题。由此便不难理解蒲鲁东将其著作命名为"经济矛盾的体系，或贫困的哲学"的原因，即他要从哲学层面探讨贫困问题及其诊治办法。蒲鲁东进一步指出，他所叙述的不是与时间次序相一致的历史，而是符合观念顺序的历史。具体而言，上述经济范畴作为超验的观念的产物，都是永恒的和进化的、简单的且复杂的、箴言式的与从属的。与平等和自由等观念一样，价值、竞争、垄断、税收、交换、分工、机器、关税、地租和遗产等在经济学词汇中出现的一切范畴及它们的反题、合题，在理性上都是同时产生的。当这些经济范畴"映射"到社会现实的时候，它们表现为伴随无数难以预料的事件和长期动乱而极不稳定的社会制度的系列。由此可见，只有用"系列"方法重新组合上述经济范畴，表明它们彼此的生成次序、起源、过程和结果，才能形成一种可被理解的科学。由于上述经济范畴在逻辑上是同时出现和互相影响的、在现实中表现为各种混乱的状态，所以，已有的政治经济学难以将它们系统整合起来。通过重新梳理各种经济范畴的逻辑形式和现实样态，蒲鲁东欣喜地自认为已经把握了经济理论的所谓逻辑顺序和理性序列，只要采取"系列"这种现实与观念并行的方法，就可以同时避免唯物论和观念论各自的片面性——前者仅从经验事实出发，后者则把观念当做一切立论的起点。在蒲鲁东看来，人类的现实就是其观念的化身，观念是推动社会发展的根本动力。"所以，研究社会

① ［法］蒲鲁东：《贫困的哲学》（上），余叔通、王雪华译，商务印书馆 2010 年版，第 27 页。

经济的规律就是创立有关理性规律的理论，就是创立哲学"①。

马克思清楚地认识到，蒲鲁东所发现的那个三段论只不过是一种同义反复，他预先假设了社会秩序是由某种智慧来完成的，然后又不断重复这一论点。正如他所指出的："蒲鲁东先生在历史中看到了一系列的社会发展。他发现进步是在历史中实现的……他无法解释这些事实，于是就作出假设，说是一种普遍理性在自我表现。发明一些神秘的原因即不合常理的空话，那是最容易不过的了。"②在马克思看来，社会的前提并不是永无谬误的普遍理性，而是现实的个人。关于这一点，马克思早在《德意志意识形态》中就有过类似的表述："我们开始要谈的前提不是任意提出的……这是一些现实的个人，是他们的活动和他们的物质生活条件。"③

既然个人是构成社会的"细胞"，那么社会就是人们相互活动的产物。社会发展与个人发展并非毫不相干，而是紧密地联系在一起。个人生产范围的扩大以及个人之间生产活动的联结（engrenement）构成了社会的结构和运动。在人们的交往和生产活动过程中，随着生产力的发展，就会产生一定的交换形式和消费形式。而在人们的生产、消费、交换活动的基础上，就会产生相对应的社会制度形式、家庭、等级或阶级组织，即市民社会。市民社会又决定了作为其正式表现的政治国家。由于个人之间生产活动的联结构成了整个社会的结构及其运动，因此，整个现代社会制度就处于一个联结的关系之中。而这一点，恰恰是蒲鲁东所无法看到的，他的错误不在于他用一种"可笑的哲学"来进行政治经济学批判，而在于"他不了解处于现代社会制度联结[engrenement]……关系中的现代社会制度"。④

从现实的个人出发来把握社会和历史，马克思揭示出了如下历史结构，即现实的人的生产活动及交往形式（生产力）→交换形式与消费形式→社会制度、家庭、等级或阶级组织（市民社会）→政治国家。在这样的历史结构中，现实的个人是不能自由选择社会形式的，因为他们不能"自由选择自己的生产力"——而这是人类"全部历史的基础"⑤。也就是说，生产力不仅取决于人们

① [法]蒲鲁东：《贫困的哲学》（上），余叔通、王雪华译，商务印书馆2010年版，第167页。
② 《马克思恩格斯文集》第10卷，人民出版社2009年版，第42页。
③ 《马克思恩格斯文集》第1卷，人民出版社2009年版，第516—519页。
④ 《马克思恩格斯文集》第10卷，人民出版社2009年版，第42页。
⑤ 《马克思恩格斯文集》第10卷，人民出版社2009年版，第43页。

所处的特定社会形式，而且决定于他们先前所获得的生产力，以及已存在的前一代人创立的社会形式。这样，处于一定社会形式中的一代人不断在获取前一代人生产力成果的基础上为新的生产服务，形成人们在历史中的联系，进而形成人类的历史。马克思由此得出结论："人们的社会历史始终只是他们的个体发展的历史，而不管他们是否意识到这一点。他们的物质关系形成他们的一切关系的基础。这种物质关系不过是他们的物质的和个体的活动所借以实现的必然形式罢了。"①

马克思进一步指出，社会形式不是一成不变的，而是暂时性的和历史性的，当人们的交往方式不再适合于既得生产力时，往往会改变他们所继承的社会形式。也就是说，随着新的生产力的获得，人们便会改变生产关系，以及与其存在必然联系的经济关系。因此，历史演进的动力不是某种外在于人之外的神秘力量，不是观念、普遍理性，恰恰是现实的人的生产活动及交往形式——"这正是蒲鲁东先生没有理解、更没有证明的"，他所描述的历史不是历史的实在进程，而是观念的历史；作为社会的前提的现实的个人只能外在于社会、历史之外，成为"观念或永恒理性为了自身发展而使用的工具"。②

在马克思看来，蒲鲁东所描绘的经济进化的系列不外是"在绝对观念神秘怀抱中的进化"，他给我们所提供的经济范畴的排列次序不过"是一个非常没有秩序的头脑中的秩序"。③诸如，他没有看到分工在不同历史时期的形式与作用，甚至没有看到分工所造成的德国在 9 世纪到 12 世纪的城乡分离，更没有谈到分工所带来的 17 世纪世界市场的初步形成。他根本不懂得机器产生与发展的历史，以至于荒谬地将作为生产工具的机器说成是与分工、竞争等并列的经济范畴。事实上，"现代运用机器一事是我们的现代经济制度的关系之一，但是利用机器的方式和机器本身完全是两回事。"④他将所有权规定为一种独立关系、特殊范畴或永恒的抽象观念的做法更是一种"形而上学或法学的幻想"，因为每个时代的所有权都是以各种不同的方式在完全不同的社会关系中发展而来的，封建所有权与资产阶级所有权根本不是一回事。

至于蒲鲁东所说的经济进化系列中的"矛盾"，也是他虚构出来的、不真

---

① 《马克思恩格斯文集》第 10 卷，人民出版社 2009 年版，第 43 页。
② 《马克思恩格斯文集》第 10 卷，人民出版社 2009 年版，第 44 页。
③ 《马克思恩格斯文集》第 10 卷，人民出版社 2009 年版，第 44 页。
④ 《马克思恩格斯文集》第 10 卷，人民出版社 2009 年版，第 46 页。

实的。大体而言，蒲鲁东呈现这种"矛盾"的公式可以简述如下：以平等为原则的分工、信用、机器等观念在事实中却造成了贫困与不平等。质言之，经济范畴（观念）的永恒性与历史发展的过程具有不相容性，历史是在矛盾的对抗性中发展的。马克思指出，这种论述方式表明蒲鲁东陷入了"严重的智力上的痉挛"，他以垄断与竞争为例说明了这一点。在蒲鲁东那里，竞争与垄断对于社会来说是必要的，是好东西，不好的是它们在现实中带来的破坏作用与灾害，特别是竞争与垄断之间的相互吞并现象。解决这一问题的办法就是将它们综合起来以保留好的方面。但是，如果"稍稍看一下现实生活"就会发现：一方面，竞争与垄断的综合不是观念之间的公式，而是现实的运动；另一方面，不改变竞争与垄断赖以存在的社会形式，是无法从消除它们所造成的对抗性后果。不仅如此，马克思还设想：如果按照他的辩证法，蒲鲁东如何处理自由和奴隶制的对抗？马克思认为，蒲鲁东处理这一问题只会采取一种折中主义的方法，即寻求奴隶制和自由的平衡。这种做法的实质是在掩盖矛盾，并没有真正的解决矛盾。正确的做法应当是：在看到直接奴隶制推动现代大工业发展的进步性同时，看到它作为一种社会制度的历史暂时性，即它是必然会灭亡的。

由此，马克思指出蒲鲁东犯了双重错误：第一，缺乏历史知识，没有看到历史真实进程中的生产力对生产关系的决定作用，即"人们在发展其生产力时，即在生活时，也发展着一定的相互关系；这些关系的形式必然随着这些生产力的改变和发展而改变"①；第二，将经济范畴看作是外在于现实关系之外的独立事物，没有看到它们是由现实关系决定的，"只是这些现实关系的抽象，它们仅仅在这些关系存在的时候才是真实的"②。马克思认为，观念与现实、历史的关系可以简述如下：生产力→生产关系→观念、范畴；由于生产关系始终是暂时的和历史性的，因此，观念、范畴不是永恒的，而是历史的和暂时的产物。蒲鲁东始终无法认识到这一点，他只能将观念、范畴当作是与人分离的纯粹理性的存在物，不断地进行着这种"抽象本身就是抽象"的"美妙的同义反复"！③

---

① 《马克思恩格斯文集》第10卷，人民出版社2009年版，第47页。
② 《马克思恩格斯文集》第10卷，人民出版社2009年版，第47页。
③ 《马克思恩格斯文集》第10卷，人民出版社2009年版，第50页。

第二节 《哲学的贫困》与蒲鲁东主义批判

马克思敏锐地觉察到，蒲鲁东的立论要点在于通过描述整个社会经济生活所处的经济矛盾的体系，来阐明构成价值理论的合理性和实践性，进而实现全部社会产品的平等交换即"只能用产品来购买产品"。只要推翻了构成价值理论和经济矛盾的体系，蒲鲁东关于工人运动和暴力革命无效性的论断便不攻自破，《贫困的哲学》对工人运动所造成的不利影响自然也会消除。相应地，马克思《哲学的贫困》一书分为"科学的发现"和"政治经济学的形而上学"两个部分。这样看来，马克思一方面囿于《哲学的贫困》这本书的批判性质，对其新世界观的阐发主要是以批判蒲鲁东的具体思想和论证结构的方式出现的，至于马克思本人的直接观点多以微言大义式的论断的方式出现。另一方面，就《哲学的贫困》中公开问世的唯物史观、政治经济学观点和科学的社会主义理论而言，它在马克思主义发展史中的地位是非常重要的。

一、阐发唯物史观的基本原理

马克思在《哲学的贫困》中对蒲鲁东的批判不仅是直接的且严厉的，有时还是间接的且不屑一顾的。举凡：马克思在批判蒲鲁东关于价值二重性的解释时，就从蒲鲁东的直接批判对象古典政治经济学的价值理论本身出发来反驳蒲鲁东的各种谬误；马克思在驳斥蒲鲁东构成价值理论的实际应用时是以大段引述、评论约翰·布雷（John Bray）的学说的方式来暗示蒲鲁东的理论无任何新颖之处，他认为布雷的理论已在实践和理论上都被证明是失败的，构成价值理论必然也难逃失败的命运；马克思还将蒲鲁东的系列辩证法直接称为"冒牌的黑格尔语句"，他批判它时运用的手法直接是驳斥黑格尔的逻辑范畴及运动的抽象性等。正是在批判蒲鲁东系列辩证法的基础上，马克思对唯物史观的基本原理作了进一步阐发。

（一）批判蒲鲁东的哲学方法

蒲鲁东认为，建立"绝对平等的体系"要有新的哲学方法即系列辩证法，后者既是认识方法又是存在原则。这种方法在社会经济学的具体运动中表现为以下几个方面：第一，普遍理性对人类社会起着决定作用，"社会天才"（普罗米修斯）是通过普遍理性创造经济范畴的形式而不断进步的。第二，经济范畴是普遍理性在社会中的具体展开。第三，社会经济形态的演进是经济范畴矛盾运动的结果。为了解决价值的构成问题，"社会天才"先后创造出分工、机器、竞争、垄断、税收、对外贸易、信用、所有权、共产主义、人口等经济范畴。它们本身都是"真正的二律背反"现象，有着"好的方面"和"坏的方面"，后一个经济范畴始终是为了解决前一个经济范畴的固有矛盾而出现的，直到人口这个经济范畴为止。整个社会就在不断解决二律背反的过程中，实现了不同的经济形态之间的更替，每个经济范畴对应着一个社会阶段。第四，经济范畴的固有矛盾是不可避免的。它所反映的是观念与现实之间的矛盾。不论是分工和机器，还是竞争与垄断等，都是以平等为基本原则的。但是，它们在现实中却造就了贫困和不平等。不能通过消灭经济范畴来解决矛盾，而是寻求一项统一的公式。这个公式就是价值的构成规律，因为当"走向"矛盾尽头的时候，人们就会发觉一切矛盾都是由价值的二律背反引起的，只要跳回到原来的出发点，一切矛盾即可迎刃而解。第五，"要叙述的不是那种与时间次序相一致的历史，而是与观念顺序相一致的历史"①。由于上述经济范畴在逻辑上是同时出现和互相影响的、在现实中表现为各种混乱的状态，所以政治经济学难以将它们系统整合起来。只要通过系列辩证法重新梳理各种经济范畴的逻辑形式和现实样态，就能掌握经济理论的逻辑顺序和理性序列。第六，实现政治经济学与社会主义学说的合题。既然社会的发展取决于普遍理性，而理性判断往往是以既有的经验事实为依据，那么，作为对经验进行总结的科学有权参与到社会的治理与改革中。政治经济学和社会主义学说是互相对立的且各自都自认为科学的理论。正确的做法是认清它们各自的进步性和局限性，存利去弊。

面对上述充斥着哲学和辩证色彩的错误方法，马克思以新哲学观即唯物史观回应和批判，并作了"七个比较重要的说明"。这七个重要说明是与系列辩

---

① ［法］蒲鲁东：《贫困的哲学》（上），余叔通、王雪华译，商务印书馆2010年版，第177页。

证法在社会经济学中的具体运用，几乎是一一对应的。这体现了马克思批判的针对性与深刻性，他是在完全理解系列辩证法实质的基础上展开批判的。

第一，逻辑范畴和黑格尔辩证法的实质。逻辑范畴能够进行自我设定的原因就在于其纯粹性，除其自身外没有与之合成的主体和与之对立的客体，这决定着逻辑范畴只能在围绕自身不停颠倒。逻辑范畴没有呈现具体事物的多样性，它离事物的现实样态越来越远。黑格尔辩证法不是对整个世界进行分析，而只是抽象。蒲鲁东依法"炮制"的"经济进化的系列"只是将人们所熟知的经济范畴用哲学语言加以修饰和编排次序而已。他试图用二律背反解释社会经济的现实运动过程，但只是描述了经济范畴的"好的方面"和"坏的方面"，只是简单形式的正题和反题，与真正的辩证法相差甚远。

第二，经济范畴只是社会生产关系的理论表现。社会生产关系的历史性和暂时性，决定了经济范畴只是历史的暂时的产物。蒲鲁东不仅将两者的关系颠倒了，还错误地把经济范畴视作永恒的事物。

第三，社会形态必然依附于整个社会机体之上。在每个特定的社会形态中都会形成相应的生产关系，它们"都形成一个统一的整体"，即"一切关系在其中同时存在而又互相依存的社会机体"①。而作为社会生产关系的理论表现的经济范畴，如分工、竞争、垄断和所有权等，亦作为其中的环节在同一个具体社会形态中构成了有机统一体，不能成为某个特定社会阶段的直接表征。

第四，经济范畴本身固有矛盾的"矛盾"。"好的方面"和"坏的方面"共同构成了每个经济范畴所固有的矛盾，用一个范畴消解另一个范畴的矛盾的做法不仅会陷入矛盾的无限循环中，还会因消除"坏的方面"而切断真正的辩证运动即两个对立方面的共存、斗争与融合。

第五，历史的真正起点是现实的个人。"与观念顺序相一致的历史"若能成立，便会推论出"不是历史创造了原理，而是原理创造了历史"。若进一步追问为何某个特定的原理会出现在特定的时期，就需研究这些特定时期的人们的生活、需要、生产力水平和相互关系。这就是说，即使存在观念上的历史，其前提也是探究现实的和世俗的历史。

第六，"与观念顺序相一致的历史"的虚构性。经济范畴本身固有矛盾的运动所导致的"矛盾"，使蒲鲁东只能寻求一个公式"跳"出一切矛盾，并最

---

① 《马克思恩格斯文集》第 1 卷，人民出版社 2009 年版，第 603、604 页。

终用"天命"来解释历史。但天命终究只是一种解释历史的方式，与真实的历史之间不能画等号，其危害在于把各个历史时期人们的不同需求和生产资料全部当成依天命行事，割裂了旧生产力所取得的产品与新生产资料之间的有机联系。

第七，合题的实质是"一种合成的错误"。理论是社会现实的产物与时代的"印记"，纷繁复杂的时代背景造就了充满差异的、形式多样的政治经济学理论和社会主义学说，它们在各自领域内尚且无法达成统一，理论领域之间的合成就更无从谈起了。蒲鲁东期许实现政治经济学和社会主义学说的合题的愿景，注定只会是"一种合成的错误"。

（二）对经济范畴本质的正确揭示

马克思对蒲鲁东系列辩证法的上述批判，是基于新的哲学方法即唯物史观展开的；它不是马克思通过对基本概念或观点进行概括、推演的形式来完成的，而是根植于现实和历史的深邃哲思。

首先就是对经济范畴本质的正确揭示，它科学地回答了社会历史观的根本问题，即社会存在与社会意识的关系。在马克思主义形成和发展之前的全部社会历史学说，从总体上来说是一种历史唯心主义，它们基本上都把社会意识视为社会生活中首要性的东西。这就导致这些学说虽然能够取得部分有价值的成果，但却始终无法正确揭示人类历史发展的本质、动力和最终原因。蒲鲁东亦不例外，他一方面确实看到了实现于历史中的进步，但另一方面又发现，人们作为个人来说并不知道他们在做什么事情，他们的社会发展看似是和他们的个人发展不同的、分离的和毫不相干的。蒲鲁东无法解释这些事实，只好假设它们是一种普遍理性的自我表现。蒲鲁东沉湎于唯心主义的幻想，这并不是偶然的。因为他彻头彻尾的是个小资产阶级的哲学家和经济学家。小资产者由于本身所处的社会地位，必然既迷恋大资产阶级的财富，又同情人民的贫苦。他们本身就是社会矛盾的体现。他们信奉的是所谓不偏不倚的中庸之道和"真正的平衡"。他们一方面渴望现实的改变，另一方面又本能地惧怕这种改变。所以，他们很自然地倾向和赞同那种主张只要改变思想和范畴就能改变现实生活的哲学。

马克思在批判蒲鲁东的唯心主义观点的同时，实际上已经重申了唯物史观的一项基本原则。这就是，在社会存在与社会意识的相互关系上，只能是前者决定后者，而不能是相反。从而第一次把社会历史观建立在科学的基础之上，实现了思想史上的伟大变革。在马克思看来，"人们按照自己的物质生产率建立相应的社会关系，正是这些人又按照自己的社会关系创造了相应的原理、观念和范畴。"①"经济范畴只不过是生产的社会关系的理论表现，即其抽象。"②这些道理，蒲鲁东是一概不了解的。他的政治经济学虽然懂得人们是在一定的生产关系内进行生产，但不明白，"这些一定的社会关系同麻布、亚麻等一样，也是人们生产出来的。社会关系和生产力密切相联。随着新生产力的获得，人们改变自己的生产方式，随着生产方式即谋生的方式的改变，人们也就会改变自己的一切社会关系。手推磨产生的是封建主的社会，蒸汽磨产生的是工业资本家的社会。"③事实上，关于对"抽象"的理解，从来就有唯心主义和唯物主义这两种哲学主张。前者的主要代表有柏拉图的"理念"和黑格尔的"绝对精神"等，他们主张将抽象的东西作为世界的本原。而马克思反对上述观点，他主张认识活动的科学抽象，即形成概念（范畴）和理论的正确的思维过程和方法。它是在对感性具体进行分析的基础上，舍弃其个别的、表面的、非本质的东西，抽取出一般的和本质的东西的思维活动，旨在揭示事物现象背后的本质和规律。正是在上述意义上，马克思才十分重视抽象，指明经济范畴是抽象的结果，是社会生产关系的理论表现。而在蒲鲁东那里，创造历史的却是抽象和范畴，而不是人。

由于《德意志意识形态》在马克思生前没有公开出版，《哲学的贫困》将对蒲鲁东和整个资产阶级政治经济学所主张的经济范畴决定社会存在这一传统历史唯心主义的批判，集中到了对经济范畴本质的揭示上来。把马克思对于社会存在与社会意识关系的观点公之于世，这一理论工作在唯物史观的发展中具有重要意义。

（三）对生产力与生产关系原理的更科学表述

作为唯物史观的核心范畴，生产力与生产关系一直是马克思恩格斯的研究重点，他们在《德意志意识形态》中首次尝试全面诠释唯物史观时就曾对这一

---

① 《马克思恩格斯文集》第 1 卷，人民出版社 2009 年版，第 603 页。
② 《马克思恩格斯文集》第 1 卷，人民出版社 2009 年版，第 602 页。
③ 《马克思恩格斯文集》第 1 卷，人民出版社 2009 年版，第 602 页。

对范畴作了系统说明。当然，受旧的术语形式的影响，马克思和恩格斯在《德意志意识形态》中尚未完成对生产力与生产关系原理的科学表述。直到《哲学的贫困》的公开发表，马克思才得以在唯物史观的理论内容和表达形式高度统一的基础上，既对生产力与生产关系这对重要范畴作了更科学、更准确的规定，又系统阐述了生产力与生产关系的矛盾运动。

在《德意志意识形态》中，马克思和恩格斯对生产力的内涵及作用作了如下说明：第一，任何生产力都是一种社会的生产力，它表现人与自然的关系，同时又与人们的社会关系紧紧联系在一起；第二，生产力是历史的基础，人们所达到的生产力总和决定着社会状况，不同的生产力状况造成了不同的社会面貌和不同的意识形态；第三，作为一种既得的物质力量，生产力虽然是人的活动的产物，但它却是不依人的意志为转移的。当然，马克思恩格斯此时对生产力概念的使用确实有一些不够确切的地方，诸如，经常把生产力同物质生产、生产方式和分工等概念相提并论，对生产力诸要素的地位和作用也缺乏必要的分析等。而在《哲学的贫困》中，这些不足都得到了进一步完善和补充。作为唯物史观的基本范畴和特殊术语，生产力的内涵和外延都已经变得十分明确。这时，马克思将生产力明确界定为相对生产方式和生产关系而言的、人类改变自然的能力。此外，马克思还专门分析了构成生产力的人的要素和物的要素的不同地位和作用。他指出，作为能动的直接劳动的人的要素，在生产力中具有基础性作用。离开了处于特定社会关系中的人，一切生产工具和劳动资料都将变为被动因素。"在一切生产工具中，最强大的一种生产力是革命阶级本身。"① 突出人的要素作为生产力最重要的基本要素，并意味着马克思对生产力中物的要素的忽视。早在《德意志意识形态》中，马克思就已经充分肯定了生产力中物的要素，特别是生产工具的作用：生产工具形成生产力的物质前提，每一历史时代的生产力水平总是以生产工具发展的水平为标志的。在此基础上，马克思在《哲学的贫困》中明确指出，生产工具不仅标志着时代的生产力水平，而且还标志着时代的生产关系和社会形态。"手推磨产生的是封建主的社会，蒸汽磨产生的是工业资本家的社会。"② 可见，社会发展的最终原因在此被归结为生产力（生产工具），生产力推动历史发展的作用得到了明确的说明。

---

① 《马克思恩格斯文集》第 1 卷，人民出版社 2009 年版，第 655 页。
② 《马克思恩格斯文集》第 1 卷，人民出版社 2009 年版，第 602 页。

关于生产关系的概念，马克思恩格斯在《德意志意识形态》中就已经使用。基于一定历史阶段上的交往形式和市民社会的认识，马克思对生产关系的概念作了如下概括："分工的各个不同发展阶段，同时也就是所有制的各种不同形式。这就是说，分工的每一个阶段还决定个人在劳动材料、劳动工具和劳动产品方面的相互关系。"① 在这里，马克思不仅指明了生产关系是由分工即生产发展的表现和结果决定的，而且还结识了生产关系的诸基本要素及其相互关系，即对劳动材料和工具等生产资料的所有制关系，以及由所有制关系和产品分配关系决定的人们在生产过程中的相互关系。这正是我们通常所理解的马克思主义生产关系的基本内涵。

在《德意志意识形态》中，生产关系的概念尚未完全确定下来，还只是一个"雏形"。马克思往往将生产力和交往形式联系起来表示生产力和生产关系的辩证关系，有时直接使用生产关系的概念，有时也把生产关系和交往形式并列使用。这说明，生产关系的概念还处于从交往、交往关系、交往方式、交往形式等概念的"脱胎"过程中，马克思正在交往形式和生产关系这两个不同的概念中进行选择。到了写作《哲学的贫困》时期，马克思在对生产力概念规范化的同时，也对生产关系概念加以规范化，具体体现为：其一，交往形式概念已经被生产关系所代替；其二，社会关系与生产关系已经明确地加以界定；其三，生产关系的准确内涵也被确立。正如马克思在致安年科夫的信中指出的：（1）任何形式下的社会都是人们交互活动的产物；（2）整个社会历史结构可被概括为：现实的人的生产活动及交往形式（生产力）→生产、交换与消费的形式（生产关系）→社会制度、家庭、等级或阶级组织（市民社会）→政治国家。这就表明，马克思已经对人与人之间的关系进行了区分，其中，社会关系是由交往形成的广泛关系，它不仅仅包括物质生产中人与人的关系，还包括政治活动等领域的关系；而生产关系则是与一定生产力发展状况相适应的客观物质关系，主要包括交换关系和消费关系。

虽然马克思此后有时还会用社会关系来指称生产关系，但这里的生产关系明确是指生产方面的交往关系；而交往形式和交往关系，则是作为表征一般社会关系的概念，继续在马克思晚年著作中使用。此外，马克思还强调了生产关系的客观性和基础作用。他指出："每一个社会中的生产关系都形成一个统一

---

① 《马克思恩格斯文集》第 1 卷，人民出版社 2009 年版，第 521 页。

的整体"①;"人们是在一定的生产关系中制造呢绒、麻布和丝织品的……这些一定的社会关系同麻布、亚麻等一样,也是人们生产出来的"②。作为人们物质生产的必要前提,生产关系是物质生产活动的产物;物质生产关系构成人们的一切关系的基础,其他的社会关系都是在生产关系的基础之上得以确立的。

随着生产力和生产关系的概念在此时得到了更为明确的规定,马克思在论及它们的关系时就更为直接了,可以明确探讨生产力与生产关系的辩证关系和矛盾运动,并由此而论述历史过程及其动力。马克思一方面强调生产力的最终决定作用,把历史发展最终动力归结为生产力的发展;另一方面他又指出生产关系是物质生产得以实现的前提和条件。二者是不能孤立地看待的,它们之间的矛盾运动可以归结为这样的辩证过程:"社会关系和生产力密切相联。随着新生产力的获得,人们改变自己的生产方式,随着生产方式即谋生的方式的改变,人们也就会改变自己的一切社会关系。"③

马克思在此基础上批驳了古典经济学家将资本主义生产关系美化为"自然的、因而是永恒的资产阶级社会生产关系"的观点,具体分析了无论是封建生产关系还是资本主义生产关系,都是生产力发展和生产力与生产关系辩证运动的必然结果,都是历史过程的暂时产物。为了正确地判断封建的和资本主义的生产,"必须把它当做以对抗为基础的生产方式来考察"④。在这种对抗的生产方式下,生产力与生产关系的矛盾必然表现为一种阶级的对抗式关系。事实上,"当文明一开始的时候,生产就开始建立在级别、等级和阶级的对抗上……没有对抗就没有进步。这是文明直到今天所遵循的规律。到目前为止,生产力就是由于这种阶级对抗的规律而发展起来的"⑤。在阶级对抗的社会中,被压迫阶级的存在是这个社会得以存在的必要条件,同时也是促使社会发生变化的革命因素。这个作为革命因素的被压迫阶级,一般说来总是与生产力相联系着的,成为生产力的代表,而现存的社会关系或生产关系,一般总是与占统治地位的阶级相联系。生产力的发展必然导致不同阶级的对抗的发展。具体到资本主义社会,生产力与生产关系的矛盾运动表现为无产阶级和资产阶级的对

① 《马克思恩格斯文集》第 1 卷,人民出版社 2009 年版,第 603 页。
② 《马克思恩格斯文集》第 1 卷,人民出版社 2009 年版,第 602 页。
③ 《马克思恩格斯文集》第 1 卷,人民出版社 2009 年版,第 602 页。
④ 《马克思恩格斯全集》第 4 卷,人民出版社 1958 年版,第 154 页。
⑤ 《马克思恩格斯全集》第 4 卷,人民出版社 1958 年版,第 104 页。

抗，这种对抗的结果是无产阶级逐渐联合起来，完成从"自在的阶级"向"自为的阶级"的转化，以政治革命的方式完成全社会的解放。

（四）对社会有机体思想的阐发

马克思第一次明确使用"社会有机体"的概念就是在《哲学的贫困》中。通过批判蒲鲁东将经济范畴按照一定的次序排列成为一个系列并以此描述整个经济社会的做法，马克思提出了"每一个社会中的生产关系都形成一个统一的整体"和"一切关系在其中同时存在而又互相依存的社会机体"等基本论断。也就是说，马克思在此阐述社会有机体的思想是带有针对性的。客观而言，从某种程度上来说，蒲鲁东也把社会视为一个有机体，他认为"只有依靠沉默和冷静的深思"才可以解开"社会机体的秘密"①，而他所构建的经济矛盾的体系就是这个"不解之谜"的答案。在他看来，政治经济学家虽然找出了资产阶级社会中的各种基本经济范畴，但他们只是把这些范畴当成客观存在的现实，并未揭示出它们之间的内在关联。而他本人则把这些范畴按照一定的逻辑关系组合了起来，并彰显出"与观念顺序相一致的历史"背后的意义——每个经济范畴都有着相对应的社会阶段，后一个范畴都是从前一个范畴中的矛盾中产生的，每一个社会阶段也就相应地在历史中逐一呈现出来。马克思认为，蒲鲁东的这种做法实际上已经割裂了各个经济范畴之间的关系，作为社会生产关系的理论表现的各个经济范畴之间的关系只有置于特定的社会阶段才能被透视清楚，因为每一个社会生产关系都属于特定社会阶段的产物，它们只有在形成它的特定社会形式中才构成了一个统一的整体。例如，只有把分工和使用机器的生产方式置于现代大工业时代中才能考察清楚它们的关系；而在此之前的社会形式中，真正意义上的机器尚未出现，蒲鲁东不可能勾勒出现代大工业时期之前的分工和机器之间的关系。由此可见，蒲鲁东构筑社会机体的方法的唯一短处就是："在考察其中任何一个阶段时，都不能不靠所有其他社会关系来说明，可是当时这些社会关系尚未被他用辩证运动产生出来。当蒲鲁东先生后来借助纯粹理性使其他阶段产生出来时，却又把它们当成初生的婴儿，忘记它们和第一个阶段是同样年老了。"②蒲鲁东用政治经济学的范畴来构筑一种意识形态体

① ［法］蒲鲁东：《贫困的哲学》（上），余叔通、王雪华译，商务印书馆2010年版，第40页。
② 《马克思恩格斯文集》第1卷，人民出版社2009年版，第603页。

系的"大厦"，其实质就是把社会体系的各个环节割裂开来，以及把社会的各个环节变成同等数量的依次出现的单个社会。试问："单凭运动、顺序和时间的唯一逻辑公式怎能向我们说明一切关系在其中同时存在而又互相依存的社会机体呢？"①

阐述马克思此时的有机体思想自然离不开他对"社会"和"有机体"这两个概念基本内涵的理解。在马克思看来，所谓社会，就是现实的个人之间的交互活动的产物，它是由人们在从事社会生产中所形成的基本关系及其由此衍生的一切关系所构成的，其形式并不能为人们自由地选择。整个社会结构就是："在人们的生产力发展的一定状况下，就会有一定的交换〔commerce〕和消费形式。在生产、交换和消费发展的一定阶段上，就会有相应的社会制度形式、相应的家庭、等级或阶级组织，一句话，就会有相应的市民社会。有一定的市民社会，就会有不过是市民社会的正式表现的相应的政治国家。"② 这样看来，现实的社会囊括了社会生活的各个领域及其相互联系所形成的序列、个体与共同体及其相互关系、作为社会主体的现实的个人同作为社会客体形式的社会生活领域序列之间的联系及形式和中介等。所谓有机体就是上述一切关系"同时存在而又互相依存"的有机统一的系统。由于生产力对社会发展具有决定性作用，而它又是不断变化发展的，所以，社会有机体是一个动态系统，只有在社会动态发展的过程中才能把握其特质。这就是马克思后来在《资本论》中所说的"现在的社会不是坚实的结晶体，而是一个能够变化、并且经常处于变化过程中的有机体"③ 的意指所在。还需指出的是，马克思的社会有机体思想早在他进行"副本批判"时就已经显现端倪，他在肯定黑格尔关于"国家机体"的内涵及本性的论断④ 的基础上，强调"国家机体"同现实的个人之间的内在关联，"人就是人的世界，就是国家，社会"⑤。在剥离同费尔巴哈哲学的关系、形成自己的独特哲学时，马克思指出社会有机体的实践本质，"全部社会生活在本质上是实践的"⑥。至于他在转向"原本批判"所得出的用于其研究工作的

---

① 《马克思恩格斯文集》第 1 卷，人民出版社 2009 年版，第 604 页。
② 《马克思恩格斯文集》第 10 卷，人民出版社 2009 年版，第 42—43 页。
③ 《马克思恩格斯文集》第 5 卷，人民出版社 2009 年版，第 10—13 页。
④ 参见 〔德〕黑格尔：《法哲学原理》，范扬、张企泰译，商务印书馆 2009 年版，第 268 页。
⑤ 《马克思恩格斯文集》第 1 卷，人民出版社 2009 年版，第 3 页。
⑥ 《马克思恩格斯文集》第 1 卷，人民出版社 2009 年版，第 501 页。

那个"总的结果",则更为人们所熟知。以上这些论述为马克思社会有机体思想的形成奠定了坚实的思想基础。

二、初步改造劳动价值论

马克思对蒲鲁东构成价值理论的批判,基本上是站在赞同李嘉图劳动价值论的立场上,并从这一理论出发来进行的,诸如"指出资产阶级生产的实际运动""现代经济生活的科学解释"、"科学的体系"[①] 等较高评价说明了这一点。在从李嘉图劳动价值论出发批判蒲鲁东构成价值理论的同时,马克思完成了对劳动价值论的初步改造,为马克思主义政治经济学的发展奠定了坚实的理论基础。

(一)揭示使用价值与交换价值的现实关系

价值的二重性即价值分为使用价值与交换价值,是政治经济学家们的共识。在承认价值具有二重性的同时,蒲鲁东还指出价值具有矛盾性,即使用价值与交换价值之间既存在联系又对立。过去的政治经济学家只是揭示了价值的二重性这一不言自明的事实,却没有看到价值的矛盾性,而后者才是从根本上需要解决的问题。在蒲鲁东看来,满足人类需求决定了使用价值向交换价值的转变,而满足人类需求的物品的有限性则决定了价值的二重性。满足人类生存所需的物品的有限性乃至不存在性决定了他们要进行生产;又因为受其精力限制,人类个体不可能生产出满足其需求的全部物品,所以他就开始求助于各行各业的生产者,并"建议"(proposer)他们将其产品与他的产品进行交换。当然,这种交换必须要在他们各自的产品有剩余,即生产大于消费的前提下进行的,这种"默契"是以商业的形式实现的。

蒲鲁东认为,价值的矛盾性的奥秘在于,使用价值和交换价值是既对立又命定地相互联系的,这种矛盾是必然的、无法避免的,因为它既是由人类对产品的需求且必须通过劳动获得产品这一命定的必然决定的,又是由需求者(消费者)与供给者(生产者)在产品交换过程中的双方"同意"及其背后的自由

---

① 《马克思恩格斯文集》第 1 卷,人民出版社 2009 年版,第 598 页。

意志（libre arbitre）决定的。自由意志既是交换的前提又是使价值在效用与议价之间摇摆的重要因素。一方面，一旦取消了产品交换的自由，交换就被掠夺所取代，经济生活秩序就无法得到保障。另一方面，自由的需求者决定了产品是否符合其需求及愿意为其付出的价格，而自由的供给者则尽可能达到产品售价与成本的差额的最大化，产品的价格于是就永远是自由的交换双方任意估定的，并将始终处于波动之中。

在马克思看来，蒲鲁东的上述说法漏洞百出：其一，蒲鲁东是在交换价值已经产生的前提下论证交换价值的产生过程，他只是在作循环论证而已。由于满足人类各种需求所进行的不止一个人的生产就意味着分工已然存在，有了分工则意味着就有了交换，因此，需求决定生产应被扩展为这样的逻辑顺序：需求→生产＝分工＝交换→交换价值。"这样看来，本来一开头就可以假定有交换价值存在。"[1]其二，从需求到交换的过程不仅是蒲鲁东凭空捏造出来的，还与他本人提出的定理相矛盾。处于鲁滨逊式的孤独状态的生产者个人通过求助于各行各业合作者的方式进行产品交换是毫无历史依据的，把建立在分工和交换基础上的需求当做交换价值的起源是对力图作出比其他经济学家更明确阐述的蒲鲁东的一种极大讽刺。更为重要的是，要说明交换价值就必须依次说明要有交换、分工和需要，这表明最终的前提还是"假定"需要的存在，而不是否定需要。这显然又与蒲鲁东在开篇提出的"只是假定上帝存在，就等于否定上帝"[2]的基本方法论相矛盾。其三，用建议、交换等永恒范畴取代人类进行产品交换的历史，抹杀了交换在不同历史时期存在的质的差异。比如，中世纪时期用于交换的只是生产超过消费的过剩品，而在较为发达的商业社会，一切产品都处在商业范围之内，全部生产都以交换为目的。甚至到了最后，一切物质的和精神的东西，包括德行、爱情、信仰、知识以及良心等在内，都可以变为交换价值。此时，蒲鲁东只能用向他人即其他行业中的合作者们"建议"来实现上述最初的、二次方的、三次方的交换。蒲鲁东用"建议"来叙述历史的方式甚至还可以套用到一切社会的经济范畴起源的解释中去，他只需假定某个人向其他行业中的合作者们"建议"去完成这一经济范畴产生的动作即可。这种解释方式显然是极为肤浅的、荒谬的。

---

① 《马克思恩格斯全集》第 4 卷，人民出版社 1958 年版，第 78 页。
② ［法］蒲鲁东：《贫困的哲学》（上），余叔通、王雪华译，商务印书馆 2010 年版，第 1 页。

在政治经济学的发展史上，使用价值与交换价值的对立早已不是什么奥秘，它早在李嘉图所处的时代就成为了流行的观点，西斯蒙第、罗德戴尔等人对两种价值的对立性早已作过充分的论证。经济学中有这样一个常识：只有在需求不变时，产品的交换价值才会与它的数量成反比。这样看来，蒲鲁东用稀少与众多这对范畴来说明价值的矛盾性，完全忽视了需求不变的前提。真正决定产品的使用价值与交换价值的关系不是数量的多少，而是供给与需求。当供大于求时，产品的交换价值或价格就会相对降低；反过来说（vice versa），供越是小于求时，产品的交换价值或价格就会越高。当需求不变时，产品数量的增加也就会自然意味着逐渐供大于求，产品的价格自然会逐渐降低。上述经济学的基本常识可谓是老生常谈了，但蒲鲁东却全然不知，可见他的第一个手法是多么不值一提！

此外，蒲鲁东通过效用与意见、自由意志来说明价值的矛盾性，也"高明"不到哪里去。首先，供求关系不能直接替代效用与意见的对立，"归根到底，供给和需求才使生产和消费互相接触，但是生产和消费是以个人交换为基础的。"①也就是说，供给的产品的效用不仅由消费者的需求来决定，它还在生产过程中与一切具有交换价值的东西实际地发生着交换。供给的产品代表的不仅是效用，更是某种交换价值的总和，而需求也是只有掌握了交换条件才能够生效。其次，生产者与消费者的自由意志的发挥是受限制的。生产者不能随心所欲地制造产品，生产力的发展水平决定了他只能在一定限度内进行生产。而消费者的意见从根本上来说是由他在整个社会组织中的地位决定的，是以他的资金和需求为基础的。表面看来，工人购买马铃薯和妇女购买花布都在根据他们本人的意见行事，但是社会地位的不同决定了他们的意见存在着质的差别。更为悲惨的是，工人购买马铃薯是劳动异化下的一种被迫行为，即工人为了生存不得不去重新购买且只能勉强购买得起他本人生产出来的生活必需品。整个社会需求的体系也是建立在整个生产组织的基础上的，世界贸易几乎根本不由个人消费的需求所决定。最后，蒲鲁东的整个论述是用抽象和矛盾的概念来代替使用价值和交换价值、需求和供给的复杂现实关系的一种错误的辩证法。使用价值与交换价值的对立不是抽象的生产者和抽象的消费者的互相斗争的观念上的产物，而是不同生产者之间的竞争和不同消费者之间的竞争等相互作用的

---

① 《马克思恩格斯全集》第 4 卷，人民出版社 1958 年版，第 85 页。

产物。供给与需求的关系受生产力发展水平、生产费用、消费者的社会地位、交换手段、竞争等一系列因素的影响。一旦去掉了上述因素，任何关于供求关系的公式都是荒谬绝伦的。

（二）阐述由劳动时间衡量的相对价值的实质

在反驳了蒲鲁东关于使用价值与交换价值关系方面的观点后，马克思将批判的笔锋旨向了蒲鲁东精心"构筑"的"构成价值"。在蒲鲁东看来，构成价值作为一种事实的规律必然有其产生的原因，其直接目的在于将价值与交换价值协调起来。由于构成价值是关于组成财富的各个元素的规律，因此，创造财富的力量也成为了构成价值的决定因素。这一因素或力量就是劳动。与政治经济学家一样，蒲鲁东也认同劳动创造财富的观点。在他看来，劳动，且只有劳动，才能创造组成财富的一切元素，并按照可变而又相对固定的比例规律把这些元素组合起来。而且，正是劳动本身所具有的固定性和丰富多样性，才使得财富的组合不断变动并形成比例。于是，就形成了这样一个基本事实：社会或者说"集体的人"创造着无数的物品，社会福利就是享受这些物品，且这一福利会随着产品的数量、质量和比例的改进而提高。依据上述基本事实，蒲鲁东顺理成章地得出两个结论：第一，在任何社会时期都存在产品的比例，它的合理化程度与社会生产力发展水平共同决定着人们所能享受的社会福利；第二，产品的数量丰足、种类繁多和比例合适是构成作为社会经济学研究对象的财富的三大要素。

剩下只须说明产品的比例性关系的建立过程就行了，此时，蒲鲁东的"普罗米修斯"又出场了。为了实现劳逸结合、享受劳动带来的乐趣，普罗米修斯每天平均劳动 10 小时、休息 7 小时、娱乐 7 小时。为了提高劳动的效率，普罗米修斯不断汲取经验，不断征服自然，创造更多的产品以享受更大的福利。在上述过程中，这位"劳动者"逐渐把劳动当成一种生活的享受。一旦他懂得了生产每种产品所需的时间、投入与财富的正比关系后，他为了维持生存必然就会先生产一些成本最低因而也就是最必需的东西（les choses les moins, et par conséquent les plus nécessaires）。随着生活越来越能得到保障，他才逐渐考虑生产一些精神产品以及奢侈品。这个聪明的"普罗米修斯"一定也会按照每一种物品所需成本（包括时间成本和生产费用等）的大小的自然顺序来进行生产。由于计划失误或贪图一时享受而忽视眼前必需品的生产，"普罗米修斯"

有时也会劳而无获、饥寒交迫。这就表明规律是不可违的，凡违反者必将遭受规律的制裁与惩罚。

由此可见，蒲鲁东归根结底就是在说劳动创造价值、效用和需求决定构成价值。以此为理论前提，蒲鲁东还得出了如下结论："任何产品的价值都等于它的成本，只能用产品来购买产品，可以推论出生活条件平等的定理。"① 具体来说就是，劳动日是人类生产系列中的基本单位，任何一个劳动日与另一个劳动日都是相等的，不存在质的差别。因此，社会上一切成员的工资都是相等的，交换是在完全平等的基础上实现的。

对于蒲鲁东所津津乐道的构成价值，马克思始终不以为然，他在"科学的发现"一章中用了一半以上的篇幅来剖析这一理论。在《哲学的贫困》写出将近20年之后，马克思在评论蒲鲁东的构成价值理论时还特别说明，"蒲鲁东对整个问题的基础——交换价值的理解始终是模糊、错误和不彻底的，他还把对李嘉图的价值理论的空想主义解释误当做一种新科学的基础"②。真正的科学不是可用来先验地构想某种解决社会问题的公式，而是从对历史运动的批判的认识中，即对本身就产生了解放的物质条件的运动的批判的认识中得出的。以解决价值的矛盾性为目的的构成价值却充斥着各种矛盾，具体如下所示：

首先，构成价值的实质是相对价值或交换价值，它是在用抽象的交换价值公式来解决使用价值与交换价值的对立。就某种产品而言，只要承认它具有某种效用，就意味着劳动是创造它的价值的源泉，即劳动是价值的尺度。由于劳动的尺度又是时间，因此，在以商品生产为基础的一切生产方式（包括资本主义生产方式）中，产品的相对价值就由生产这种产品所需的劳动时间来确定。而价格则是产品的相对价值的货币表现。稍微比照李嘉图的价值理论与蒲鲁东的那种"玩弄辞句的企图"，就会高下立分：李嘉图谈论的是资产阶级生产的实际运动，即价值的现实构成；蒲鲁东却撇开现实、苦心造诣地去发明所谓的新公式（它只不过是上述李嘉图已表述的现实运动的理论表现）来建构认识世界的新方法。李嘉图以现实为起点，指明社会怎样构成价值；蒲鲁东则是采取绕圈子、叙述、想象的方式来推测构成价值如何成为社会现实的前提性因素。劳动时间确定价值在李嘉图那里是交换价值的规律，蒲鲁东却把它变为综合了

---

① ［法］蒲鲁东：《贫困的哲学》（上），余叔通、王雪华译，商务印书馆2010年版，第122页。
② 《马克思恩格斯文集》第3卷，人民出版社2009年版，第20页。

使用价值和交换价值的构成价值的公式。李嘉图从一切现实的经济关系中得出其科学公式，并用来解释各种现象；蒲鲁东则完全凭肆意的假设重复李嘉图的公式，甚至不惜歪曲、捏造各种例证作为其理论的现实应用。

其次，由劳动时间衡量的相对价值注定会是工人遭受现代奴役的公式，而非使无产阶级获得解放的平等革命学说。蒲鲁东的抽象公式尚且无法在理论内部解决使用价值与交换价值的对立，把它当做社会变革的理论手段就更是无稽之谈了。由劳动时间衡量的相对价值所表征的根本不是平等，而是工人受奴役、剥削的残酷现实映照。"资产阶级最大的秘密"就在于劳动在资产阶级社会中已经彻底沦为商品，它是由生产它时所必需的劳动时间，即"为了生产维持不断的劳动即供给工人活命和延续后代所必需的物品的劳动时间"[1]来衡量的。劳动的自然价格（正常价格）无非就是工资的最低数额，而工资的市场价格总是趋向于这一数额，因为资本家为了现实利润的最大化会尽可能地降低工人的工资。工资的具体数额的决定权是掌握在雇用工人的资本家的手中，工人只能依靠微薄的工资来购买能够勉强维持生计的必需品，这样，工人的命运就被牢牢地掌握在了资本家手中。由此可见，由劳动时间衡量的相对价值所反映的现实不仅是产品的异化、工人和资本家的异化，还是资本家对工人的现代剥削和奴役。在这样残酷的现实面前，当务之急就是揭露问题、找到解决办法。至于蒲鲁东有关劳动是否具有价值的"标新立异"的讨论则显得不值一提了。

就其实质而言，蒲鲁东把劳动时间当成价值尺度得出平等的结论是一种没有事实根据的假说。以麻布、呢绒为例，它们本身都包含着一定的劳动量，这些劳动量不会随着制造上述产品的人们之间的相互地位的变化而变动。同样，假定生产麻布、呢绒所需的劳动量是相等的，那么它们之间就是等价交换，这种交换也不会改变产品制造者之间的相互关系。当呢绒和麻布进行交换的时候，呢绒的生产者就会在麻布上恰好占有他们以前在呢绒中所占有的那一份。这也就意味着平等分配在交换之前就是可以存在的。因此，蒲鲁东所认为的由劳动时间来衡量价值的产品的交换会使生产者获得均等报酬，这种说法的实质就是用平等来证明平等的循环论证。

除此之外，把劳动时间当做价值尺度也并不意味着任何一个劳动日都是相等的。在现实的经济生活中，只有竞争才是各种不同劳动日的尺度。尽管竞争

---

[1] 《马克思恩格斯全集》第4卷，人民出版社1958年版，第94页。

可以决定着一个复杂的劳动日包含多少简单劳动日，即复杂劳动日可以化为倍加的简单劳动日，但是这不能代表简单劳动可以成为价值尺度。在马克思看来，将复杂劳动日化为一定数额的简单劳动日与蒲鲁东的任何劳动日都是相等的说法，在实质上是一回事，它们都是在用一种换算方式或比例公式把不同质的劳动等同起来，从而忽视了不同劳动在现实中质的差异。这样做的实质是在假定简单劳动已经成为了整个社会生产活动的枢纽，其就会带来严重的后果：由于极端的分工和机器的普遍使用，不同的劳动逐渐趋向一致；劳动把它的主体即人置于次要地位，钟表成了两个工人相对活动的尺度；在一切生产活动中，时间就是一切，人至多不过是时间的体现！正如后马克思时代的一些学者所言，工业革命的标志不是蒸汽机的发明和使用，而是钟表成为一切生产行为的尺度。这种劳动的量化与平均化不是蒲鲁东所说的永恒公平的体现，而是现代工业生产的真实写照。用劳动时间来衡量相对价值不但不能使无产阶级获得蒲鲁东所期许的报酬均等，反而使他们彻底沦为现代工业的奴隶。正如若干年后马克思对蒲鲁东进行总评时所说："他同空想主义者一起追求一种可用来先验地构想某种解决社会问题的公式的所谓'科学'，而不是去从对历史运动的批判的认识中，即对本身就产生了解放的物质条件的运动的批判的认识中得出科学"[1]。

最后，用劳动价值来确定的相对价值从根本上来说，是与建立在阶级对抗基础上的经济事实不相容的和相抵触的。马克思之所以认为蒲鲁东从李嘉图学说中引申出的一切皆平等的结论是一种谬误，其根本原因就是蒲鲁东没有正确地区分"劳动价值"与"劳动价值的产品"，即他把用商品中所包含的劳动量来衡量的商品价值和用劳动价值来衡量的商品价值混为一谈。同样，他把生产费用和工资也混为一谈了。在现实的经济生活中，劳动价值根本不能成为价值尺度，商品能够购买（交换）的劳动量与生产商品所耗费的劳动量根本不是一回事。固定单位数量的商品的相对价值可能会增加或减少，但这些商品本身的使用价值始终是固定不变的。例如，如果生产一缪伊的粮食由原来耗费一个劳动日增加到两个劳动日，这就是说它的相对价值要比原来增加一倍；但是这一缪伊粮食能购买的劳动量绝不会增加一倍，因为它的效用和原来一样。同理可知，若用同样的劳动能生产出比原来多一倍的衣服，那么衣服的相对价值就会

---

① 《马克思恩格斯文集》第3卷，人民出版社2009年版，第20页。

因此降低一半；但是这些衣服所能支配的劳动量并不会降低一半，还是和原来一样。因此，用劳动价值来确定商品的相对价值就是一种与经济事实相抵触的循环论证，因为劳动价值本身就是一种需要确定的相对价值，劳动能生产的商品数量始终是变动不居的。亚当·斯密只是把用生产商品所必要的劳动时间来衡量相对价值和用劳动价值来确定相对价值并列起来使用，而蒲鲁东却把二者混而为一。更令人惊叹的是，循环论证法在蒲鲁东的论述中屡见不鲜：他通过确定价值尺度推导出劳动者平等报酬的结论，但与此同时，他把任何劳动日都是相等的，即一定劳动量所创造的产品的价值都是相等的——这也就意味着劳动者的报酬都是相等的——当做既成事实来确定价值尺度。多么奇妙的辩证法！

更令蒲鲁东感到恐慌的是，劳动力在现代社会中已经成为了可以被买卖的商品，整个现代社会就是建立在劳动力商品的基础上，因为他的构成价值理论全部建立在劳动价值之上。为了应对这一困境，他宁愿把劳动价值及其正式名称工资解释为一种理论假设或文法简略。然而，现实毕竟是现实，它不是建立在某种破格的诗文和比喻性的用语之上的。劳动是被买卖的商品就意味着：第一，劳动也具有交换价值，它取决于食物的贵贱、劳动人手供应量的大小等，但劳动价值或作为商品的劳动本身并不生产什么。第二，进行买卖的不是一般性劳动，而是某种特定的、具体的劳动，这类劳动的特性与劳动对象之间互为决定要素。第三，同其他商品一样，人们购买劳动的原因就在于它的效用，把它当成生产工具，这与购买机器无异。总的来说，"由于劳动是商品，所以具有价值，但它并不生产东西"[①]。因此，蒲鲁东的立论要点——劳动不是作为直接消费对象才被购买——是完全错误的。

（三）萌发剩余价值思想

剩余价值理论是马克思主义政治经济学的极其重要的理论成果，也是揭示资本主义经济运动实质的关键。在《哲学的贫困》中，这一理论虽然还没有以完备的理论形式出现，但马克思却已准确地找到了问题的症结，他通过批判蒲鲁东的"任何劳动必有剩余"的定理，为进一步提出剩余价值理论做好了准备。

---

① 《马克思恩格斯全集》第4卷，人民出版社1958年版，第101页。

蒲鲁东认为，构成价值理论在实践中的一个典型运用就是证实了剩余劳动定理。就事实而言，个人活动的规律是与社会规律是相对立的，个人财富的损益与社会财富的损益是无法比拟的，甚至是成反比的。从理论上说，整个社会就是一个系统，生产、交换、消费、运输等一切环节都是相互联系的整体，不同形式的劳动必然也是相互联系、形成比例的，各种实业家的活动更是一体化的。对能够增加生产的庞大劳动工具即新的机器或发明来说，只有在公众消费能够保证它的使用，或者其他的劳动能够供养得起它的时候，它才能被制造出来。就整个人类社会即"集体的人"而言，他每天所消费的总是他已经生产的物品，由于他在消费过去的产品的同时，又不断生产出新的物品，所以就会出现剩余。当然，劳动剩余定理只是在"集体的人"的层面上得到了实现，远未体现在每一个社会个体身上，社会贫富分化现象就是一个很好的例证。劳动者本来能够在工资均等的情况下享受不断增长的剩余产品而日益富裕，可是，社会上却同时出现了从中获利和因之变穷的两个不同群体。财富的增长（价值的比例性）始终是占支配地位的规律，这一规律对社会贫困持乐观态度，即"以所谓公共福利的逐步增长和最贫困阶级的生活条件也已经得到改善为理由来反驳社会主义者的控诉"① 的政治经济学理论，是一种否定与谴责。他再次以"教训人的口吻"要求政治经济学按照构成价值理论来理解劳动剩余的定理，指责他们在进行着人为提高比例、增加产品价格的荒谬假设。

马克思指出，蒲鲁东上述理论的前提无非就是把社会看做是"集体的人"，它拥有与个体的人毫不相关的特殊规律，政治经济学之所以没有正确证明出任何劳动必有剩余的定理，原因就在于它其中不存在这个前提。但是，政治经济学并非像蒲鲁东所说的那样，这一学科体系中恰恰存在着这个前提，人们总是把社会称作精神实体，并赋予它各种实际不存在的属性，而这正是引起政治经济学的困难与误解的原因所在。即便蒲鲁东之劳动剩余的定理能应用于个人，并以此说明社会中个人的生产可以超过孤独的个人的生产，或者是意指联合的个人的生产剩余要多于没有联合的个人的生产剩余，他也只是在重复政治经济学中的基本常识，没有任何独创性。社会作为集体的人只是一种臆想。

① ［法］蒲鲁东：《贫困的哲学》（上），余叔通、王雪华译，商务印书馆 2010 年版，第 116 页。

蒲鲁东通过社会作为"集体的人"这一臆想无非是要证明：任何新的发明或机器都会使产品的交换价值下降，而产品则会不断增多；社会所获得的利益不是更多的交换价值，而是更多的产品；发明者则在竞争的影响下获得下降到一般水平的利润。虽然蒲鲁东没能证明上述论点，但是这并不妨碍他去责难政治经济学家也没有做到这一点。然而，事实却恰好相反，无论是主张用劳动时间确定价值的李嘉图，还是拥护供求规律决定价值的罗德戴尔，他们都已经证明新的发明或机器的普遍使用会使得资本不断涌入利润高的生产部门，直到这一生产部门的利润率跌至一般水平为止。

在马克思看来，蒲鲁东把社会贫富分化现象归结为劳动剩余的定理尚未体现在每一个个人身上的说法也与现实完全不相符。阶级贫富分化是发展生产力和增加劳动剩余的必要条件，英国的一个工作日的生产率在70年间（1770—1840年）增加了27倍就是一个很好的例证。蒲鲁东所说的"集体的人"，究其实就是建立在阶级对抗上的社会关系，就是资本家和工人之间、农民和地主之间的对立关系。一旦抹杀了这些关系，就等同于消灭了工厂和分工，"集体的人"也就变成了一个"没有手脚的怪影"。即便蒲鲁东所说的劳动剩余定理在每个人身上得以实现，也只需在实践中把现有的一切财富平均分配到每个人手中就可以了，而不必改变已有的生产条件。显然，在生产条件无法得到改变的前提下，个人将始终无法获得极大的社会福利。

此外，要反驳蒲鲁东的论证，还需回答一个问题，即财富的增长（价值的比例）是否为始终在社会中处于支配地位的规律，它的应用是否是对政治经济学家的理论的否定与谴责。马克思认为，这里首先应当明确这种公共福利或社会财富究竟是指什么。其实，它是整个资产阶级的财富，而非个别资产者的财富。当政治经济学家在阐述公共福利日益增长、最贫困阶级生活条件在得到逐步改善时，他们其实是在说明如下内容：在现存的生产关系中，整个资产阶级的财富就是在不断增长的；至于工人阶级能否因资产阶级财富的增长而使得生活条件得到改善就不得而知了；即使工人阶级能够临时分享这种社会财富的增长，其生活条件得到了局部改善，那么这一事实也是对政治经济学家的理论的一种确认，而非否定或谴责。如果真要对某种理论进行谴责的话，那也必然是谴责蒲鲁东的构成价值理论。由于构成价值的实质是用劳动时间衡量的相对价值，这就造成无论社会财富是否增长，工人的工资始终都要趋向它的自然价格即最低额度。只有这样，蒲鲁东的价值比例规律才能生效。"正是由于竞争使工资时高时低于维持工人生活所必要的生活资料的价格，工人才有可能在某种程度内（即使微不足道）分享社会财富的增长；但正因为如此，他们也可能死于贫困。这就是在这方面没有任何幻想的经济学家们的全部理论。"① 既然蒲鲁东本人的理论都应受到严厉的谴责，那么他还有什么资格以"教训人的口吻"再要求经济学家们做这做那呢？

马克思在《哲学的贫困》中暂还没有明确提出剩余价值，不过，他在实质上已经打算解决这一问题。② 由劳动时间来衡量的相对价值注定是工人受奴役的公式，劳动产品在直接劳动者和生产资料所有者之间的不平等分配等提法就表明，马克思已经完全弄清了工人劳动所创造的价值和工人凭借自己的劳动从资本家手中得到的价值是有差别的。由于工人的劳动能力只有借助于生产资料才能得以实现，因而上述两种价值的差额成了生产资料所有者的财产。值得注意的是，马克思此时对李嘉图劳动价值论的肯定是带有条件和限度的，这种肯定一方面是同批判蒲鲁东构成价值理论相联系的，是一种"相对而言"的肯定；另一方面是肯定它对理解"现代经济生活"即资产阶级社会的各种经济现象的正确性，用马克思的话说，"向我们解释了生产怎样在上述关系下进行"③。但与此同时，马克思又明确指出它"没有说明生产这些关系的历史运动"。就价值这一范畴而言，包括李嘉图在内的国民经济学家虽然赋予它以"灵魂"即劳动，但是他们没有给劳动提供任何东西，而是给私有财产提供了一切。更为重要的是，李嘉图劳动价值论的根本性错误在于将价值视为永恒的经济范畴，而马克思则强调这一范畴和其他经济范畴一样，具有历史的暂时的性质。马克思此时就已认识到，价值所表征的不是物与物之间的关系，而是人与人之间的关系，是社会生产关系；而且，他已经对社会和生产关系的真正内涵有了明确的理解，这在与《哲学的贫困》同年所写的关于雇佣劳动和资本的演讲中可以得到证明。

---

① 《马克思恩格斯全集》第 4 卷，人民出版社 1958 年版，第 137 页。

② 恩格斯就曾指出，马克思在 19 世纪 40 年代"不仅已经非常清楚地知道'资本家的剩余价值'是从哪里'产生'的，而且已经非常清楚地知道它是怎样'产生'的。这一点，从 1847 年的《哲学的贫困》和 1847 年在布鲁塞尔所作的、1849 年发表在《新莱茵报》第 264—269 号上的关于雇佣劳动与资本的讲演，可以得到证明。"参见《马克思恩格斯文集》第 6 卷，人民出版社 2009 年版，第 12 页。

③ 《马克思恩格斯文集》第 1 卷，人民出版社 2009 年版，第 598 页。

三、批判蒲鲁东主义的社会革命说

自《什么是所有权》问世以来，蒲鲁东始终以"革命者"的形象示人。然而，他却反对任何形式的暴力革命，他认为这些做法根本无益于社会的发展，只会带来流血和灾难。蒲鲁东在《贫困的哲学》中将上述观念阐释得更为极端，他不仅否认一切形式的工人运动的有效性，还将共产主义解释成为经济矛盾的体系中的一个阶段和乌托邦。在他看来，社会全部产品完全按其中所包含劳动的价值直接交换即价值的按比例构成，才是通往未来社会形态的康庄大道，贫困问题在那时自然会迎刃而解。马克思对此不以为然，他认为若以这种小资产阶级的社会主义理论为指导原则，势必会将工人运动和整个社会主义事业导入歧途——事实上，蒲鲁东的这种理论在当时得到了广泛的传播，直至19世纪70年代仍对工人运动和社会革命产生着重要影响。正是基于上述认识，马克思才将《贫困的哲学》称作是"一本坏书"、"一本很坏的书"，并着重批判了蒲鲁东主义的社会革命学说。

（一）批判蒲鲁东关于工人运动无效性的论断

蒲鲁东彻底否定工人同盟和罢工行为的有效性，他认为这些行为毫未改变整个社会财富的各个组成部分之间的比例性关系。大体而言，蒲鲁东主要依据以下几种理由和所谓的事实来反对工人运动。

一是任何旨在提高工资的运动只会加剧贫困。一方面，在社会总产品的数量增加以前，任何旨在提高工资的运动，除了使粮食、酒、肉类、糖、肥皂和煤炭等按同样的比例涨价，亦即加剧贫困以外，不会有别的结果。另一方面，工资的实质是小麦、酒、肉类和煤炭等一切物品的成本或综合价格，是工人阶级每天为再生产而消费的各种财富组成要素之间的比例性。要言之，它是价值比例性关系的一种表现。这就表明，工资必须要以社会总产品的数量为前提。这样看来，一味地提高工资也就意味着发给生产者以超过其生产量的产品，这显然是一种矛盾的做法。即使是在少数生产部门内部提高工资，也会造成社会产品的比例性关系失调，从而引发产品交换的普遍混乱。

二是英国工人在19世纪40年代中期的同盟和罢工行为似乎已经停止，博尔顿工人与工厂主和解等一系列事件就是很好的例证。这是工人斗争经验逐渐丰富的表现，它源自工人们的如下常识判断，他们不想今后除了机器带来的贫困之外再加上自愿罢工所造成的贫困而已。不论是否采取罢工或结盟的方式，工人阶级的贫困局面都没有改变，其前途和命运永远只是既往的那种悲惨情景的翻版。博尔顿的工人们不应该被供求关系和"必然性的鞭子"去支配，而是认清经济矛盾的体系中的现实，在劳动互助中实现联合。工人们既不能在有工可做且工资够花的时候向上帝感恩祈祷，又不可在生活陷入贫困时埋怨命运不好，相互勉励要好生忍耐。当然，罢工和工人同盟的停止在蒲鲁东看来并不意味着工人就要忍受贫困的现实和学会逆来顺受，他只是希望工人在对抗贫困的现实时切莫采取这种激进的措施罢了。

三是社会本身不容许工人依靠同盟的力量来对垄断施加暴力。在整个 19 世纪乃至之后的很长一段时期内，罢工被绝大多数国家的政府视为一种蔑视国家权威的非法活动。"竞争是合法的，股份公司是合法的，供求是合法的，以及从竞争、股份公司和自由贸易中直接产生的一切事物也都是合法的；反过来，工人罢工却是非法的。这点不但刑法典上有明文规定，而且是经济制度和现有秩序的必然性所要求的。劳动只要还没有主宰一切，就理应遭受奴役，社会只有以此为代价才能生存下去。"① 作为社会事务管理者的政府镇压罢工的事实还昭示着，社会本身就不容许工人依靠同盟的力量来对垄断施加暴力。

马克思逐一摘录批判了蒲鲁东的上述三个论断。第一，工资的普遍提高（即所有人的收入水平都提高）不一定会引发物价上涨。一方面，价格的普遍上涨只是一个相对的或由比较得出的概念，如果工资和一切物品的价格增加的比重是相同的，那就意味着物品的价格在实质上或相对而言没有任何变化，起变化的只是说法而已；另一方面，工资与商品的价格之间根本不是同涨同跌的关系，也就是说，工资的普遍提高绝不会引起商品价格或多或少的普遍上涨。事实上，只有工资和利润之间才是直接的、此消彼长的关系。"如果除去某些波动情况，普遍提高工资的结果就不是蒲鲁东先生所说的价格普遍上涨，而是价格的局部下跌，主要是用机器制造的商品的市场价格的下跌"② 。究其实质而

① ［法］蒲鲁东：《贫困的哲学》（上），余叔通、王雪华译，商务印书馆 2010 年版，第 348—349 页。
② 《马克思恩格斯文集》第 1 卷，人民出版社 2009 年版，第 650 页。

言，工资和利润的提高或降低只表示资本家和工人分享一个工作日的产品的比例，在大多数情况下不会影响产品的价格。旨在提高工资的罢工会引发价格的普遍上涨，甚至引起生活必需品的匮乏，从而加剧贫困，这种思想只能在不可理解的、严重脱离现实的诗人的头脑中才会出现。

第二，罢工和工人同盟的结果并不只是引起各种用来抗衡工人反抗的机械发明；即使这就是唯一的结果，也不能说罢工和工人同盟的无效性，反而却证明了它们对工业的发展也是有巨大影响的。尽管 1844 年和 1845 年英国工业的繁荣使得这一时期的罢工比往年减少了一些，但那时也没有一个工联解散。而且，博尔顿的工人们和蒲鲁东在提高工资就等于提高产品价格这一点上是同声相应的：前者要求工人不应该结成同盟来要挟厂主增加工资所持的理由是，厂主根本无法操纵世界市场，因而不能操纵产品价格，进而不能决定工资；相反，后者禁止工人同盟是唯恐引起工资的提高，从而引发生活必需品的匮乏。令蒲鲁东对博尔顿的工人们恼怒的原因在于，后者用供求关系来确定价值，毫不关心构成价值以及价值的构成过程中所包括的不断交换的可能性、其他一切同天命并列的关系的比例和比例性的关系。

第三，禁止罢工不是资产阶级生产关系的必然产物，相反，在资产阶级生产关系较为发达的英国，罢工却是议会的法令所认可的行为，而且正是当时经济制度与自由竞争所造成的环境迫使议会作出了这个决定。"现代工业和竞争越发展，产生和促进同盟的因素也就越多，而同盟一经成为经济事实并日益稳定，它们也必然很快地成为合法的事实。"[1]刑法典中禁止工人建立联合会和罢工的条目，只能证明现代工业和竞争在制宪议会和帝制时期还没有得到充分发展。在谴责同盟这一点上，蒲鲁东显然是吸收了当时的经济学家和社会主义者的观点，只是动机不尽相同：经济学家的目的在于维护现有的资产阶级社会的经济秩序，社会主义者则是让工人们适应旧社会的秩序，以便更好地进入他们用"非凡的先见之明"构想的新社会。然而，不论这些理论家们如何去劝说、论证，工人同盟还是会随着现代工业的发展和成长而日益进步和扩大。甚至可以说，一个国家内部工人同盟的发展程度就是该国在世界市场等级中所处位置的重要表现。例如，工业最为发达的英国就有最大而且组织得最好的同盟：所有的地方工联已经结成了一个拥有 8 万名成员的全国职工联合会，中央委员会

---

[1] 《马克思恩格斯文集》第 1 卷，人民出版社 2009 年版，第 652 页。

设在了伦敦，工人们在宪章派的名义下形成了一个巨大的政党。在这样的事实面前，真正的理论家要做的不是出于维护自身学派的利益或迫于斗争的困难性去取缔同盟，而是从理论上论证同盟的必要性，从而引导同盟更好地在实践中发展，进而成为变革社会的重要力量。

（二）阐述劳动者结成同盟和进行政治革命的必要性

马克思指出，同盟是劳动者最初试图联合时普遍采取的形式，这种形式自出现时就具有双重目的，即消除工人之间的竞争，以便同心协力地同资本家竞争。随着斗争形势的变化，同盟的目的也在发生变化：起初，工人们进行反抗是为了维护工资这一对付雇主的共同利益；后来，随着资本家为压制工人而逐渐联合起来，原来孤立的工人同盟就组成集团，此时对工人来说，维护自己的同盟的重要性就要远大于维护工资。从对抗资本的统治这一点来说，劳动者已经（相对来说是被动地）形成了一个阶级，但还不是自为的阶级，因为资本的统治只是为劳动者创造了同等的社会地位和共同的利害关系。劳动者只有在斗争中才能真正地联合起来，从而形成一个自为的阶级。① 此时，他们所维护的利益就变为阶级的利益，他们的斗争就变成阶级同阶级的斗争，即政治斗争。

在劳动者或无产者组成阶级所采用的形式这个问题上，资产阶级的历史可以作为一个重要的参照系，他们在封建社会时期也是无产者，也是从组织反封建的局部性同盟开始进行斗争的。马克思将资产阶级的发展史划分为两个阶段：一是资产阶级在封建主义和专制君主制的统治下形成阶级，这个过程历时最长、花的力量最多；二是形成阶级之后，推翻封建主义和君主制度，把社会改造成资产阶级社会。资产阶级的经济学家和当时的社会主义者都极为清楚地

---

① 马克思在《哲学的贫困》中关于无产阶级联合的思想是同《德意志意识形态》一脉相承的，他在《德意志意识形态》中就曾论证了无产阶级联合起来的必要性。在他看来，只有联合起来的个人占有了生产力的总和，个人的自主活动才能同物质生活相一致。"占有只有通过联合才能实现，由于无产阶级本身固有的本性，这种联合又只能是普遍性的，而且占有也只有通过革命才能得到实现，在革命中，一方面迄今为止的生产方式和交往方式的权力以及社会结构的权力被打倒，另一方面无产阶级的普遍性质以及无产阶级为实现这种占有所必需的能力得到发展，同时无产阶级将抛弃它迄今的社会地位遗留给它的一切东西。"参见《马克思恩格斯文集》第1卷，人民出版社2009年版，第581页。

了解这段历史，他们对资产者从城市自治团体直到构成阶级的过程也作了不少的探讨。既然如此，他们为何却在对无产阶级的斗争形式给以明确说明的时候，要么就陷入了真正的惶恐，要么就显出先验的蔑视呢？可见，当时的政治经济学家和社会主义者对劳动阶级的政治斗争的认识是多么的肤浅！在以阶级对抗为基础的社会中，无论它表现为何种制度形式，被压迫阶级的存在都是这个社会的必要条件，因此，被压迫阶级的解放必然意味着新社会的建立。被压迫阶级解放自身就必须使既得的生产力和现存的生产关系不再能够继续并存，换句话说，在保存既得生产力的同时，消灭与之不适应的现存生产关系；这是因为"在一切生产工具中，最强大的一种生产力是革命阶级本身。革命因素之组成为阶级，是以旧社会的怀抱中所能产生的全部生产力的存在为前提的"①。在马克思看来，劳动阶级在旧社会崩溃之后成为新政权的统治阶级并不意味着他们已经得到了解放，因为有统治阶级就意味着有被压迫阶级，这种新的政权迟早会被新的被压迫阶级推翻。劳动者解放的条件就是要消灭一切阶级，创造出一个消除阶级和阶级对抗的联合体来代替旧的市民社会。原来意义的政权自此也不会存在了，因为政权正是市民社会内部阶级对抗的正式表现。要言之，工人阶级解放的条件是消灭一切阶级，无产阶级夺取政权是消灭旧的社会形态的必要条件。

当然，在没有阶级与阶级对抗的联合体建立之前，无产阶级和资产阶级之间的对抗仍然是阶级反对阶级的斗争，这个斗争的最高表现就是全面革命，这种政治运动就是一种与社会相适应的运动。从这个角度来说，任何试图调和资产阶级和无产阶级、否定无产阶级斗争的合法性与社会性的说法（包括蒲鲁东的学说在内），都绝对是错误的。针对蒲鲁东的经济矛盾的体系说和经济革命优于政治革命说，马克思指出，建筑在阶级对立上面的社会最终将导致剧烈的矛盾和人与人的斗争，这种矛盾不是某种观念或经济范畴自身二律背反在现实中的表现，而是现实的产物；产生这种矛盾的根源是极为简单和明显的，就是存在阶级和阶级对抗的社会现实，根本用不着在矛盾的问题上大做文章。只有在不存在阶级和阶级斗争的情况下，社会进化（évolutions sociales）才将不再是政治革命（révolutions politiques）。而这之前，在每次社会全盘改造的前夜，必然会是革命与斗争，正如乔治·桑在《扬·杰士卡》

---

① 《马克思恩格斯文集》第 1 卷，人民出版社 2009 年版，第 655 页。

中所说:"不是战斗,就是死亡;不是血战,就是毁灭。问题的提法必然如此。"① 马克思在此主张暴力的政治革命是主要针对蒲鲁东而言的彻底性,也就是有针对性的暴力革命,而不是始终主张暴力革命。这就解释了马克思缘何在 1848—1852 年关于革命的文献中时而主张暴力革命、时而主张和平过渡的原因所在。

（三）全面清算蒲鲁东主义的革命策略

马克思在《哲学的贫困》中并没有对蒲鲁东关于劳动组织和互助主义的论断进行批驳,只是在批判布雷的平均主义体系时隐约地提到了作为蒲鲁东互助论的表现形式的劳动交换的实质。造成这一现象与蒲鲁东在《贫困的哲学》并未详细论及社会改良方案有着密切的关联,事实上,蒲鲁东在社会革命的总体评判、互助主义的实质与作用的剖析、工人阶级是否具备政治能力以及具体的实际的社会改良举措等方面阐述的一系列见解,都是在《贫困的哲学》之后的诸多作品中提出来的。质言之,囿于所批判的文本的实际内容,马克思的确无从展开对蒲鲁东互助论的批判。然而,在《哲学的贫困》发表之后,蒲鲁东并没有被马克思所彻底打倒,甚至还形成了名为"蒲鲁东主义"的理论体系,而且在欧洲对工人运动的影响仍旧持续了很长时期。随着蒲鲁东愈发广泛地关注各种社会问题,他提出的社会改良方案愈来愈多,对工人运动的影响也愈发深入。在 19 世纪 50—70 年代的近 20 年间,蒲鲁东主义的影响力遍及法国、德国、意大利、比利时、西班牙等欧洲主要国家。这种状况正如恩格斯所描述的那样:"'20 年以来,除了蒲鲁东的著作以外,罗曼语地区的工人就没有过任何别的精神食粮',顶多再加上'无政府主义之父'巴枯宁对蒲鲁东主义所进行的进一步的片面化,在巴枯宁的眼中,蒲鲁东是'我们共同的导师'——notre maître à nous tous。虽然当时蒲鲁东主义者在法国只是工人中间的一个小小的宗派,但是只有他们才具有明确规定的纲领,才能够在公社时期担任经济方面的领导。在比利时,蒲鲁东主义曾在瓦隆工人中间占有无可争议的统治地位,而在西班牙和意大利两国工人运动中,所有的人,除了极少数例外,只要不是无政府主义者,就都是坚定的蒲鲁东主义者。"② 正因为如此,马克思和恩格斯

① 《马克思恩格斯文集》第 1 卷,人民出版社 2009 年版,第 656 页。
② 《马克思恩格斯文集》第 3 卷,人民出版社 2009 年版,第 240—241 页。

始终没有停止对蒲鲁东及蒲鲁东主义的批判。①

1848—1857 年，马克思先后在《共产党宣言》、《蒲鲁东反对梯也尔的演说》、《1848 年至 1850 年的法兰西阶级斗争》和《波拿巴的雾月十八日》等著作、文章中对蒲鲁东的社会革命理论及其著述进行了深入批判。具体内容涉及以下几个方面：第一，揭示了蒲鲁东所属的"保守的或资产阶级的社会主义"及其学说的目的与危害所在，即消除社会弊病以维护资产阶级社会的存在、以改革经济关系有助于无产阶级的利益为由诱使工人阶级放弃革命行为。第二，提出要以客观的态度来审视蒲鲁东在二月革命、六月起义期间的态度及表现，既要批判他用包括交换银行制度和产品交换制度在内的小资产阶级的幻想来缓和劳动与资本的、无产阶级与资产阶级的矛盾这种企图的空想性，又要部分地肯定他在反对梯也尔时所起到的积极作用。第三，反驳了蒲鲁东所谓的"非革命和真正革命说"，证明了法国 1848—1849 年革命的真正意义所在："在这些失败中灭亡的不是革命，而是革命前的传统的残余……只是通过和这个敌对势力的斗争，主张变革的党才走向成熟，成为一个真正革命的党"②。第四，批判了蒲鲁东将整个 19 世纪的革命视为法国 1789 年革命未竟事业之继续的说法，强调法国 19 世纪革命所独有的、开创历史新纪元的意义。第五，针对蒲鲁东把雾月政变归为以往历史发展的结果、呼吁波拿巴继续革命等诸多观点，将雾月政变视为对二月革命的葬送，并且深刻地揭示了法国阶级斗争所造就的局势和条件是如何使平庸的波拿巴成为"英雄"的过程。第六，批评了蒲鲁东在革命中醉心于教条的实验，即成立交换银行和工人团体的做法，指出其注定失败的原因就在于没有认识到推翻旧世界的正确方式，"即不去利用旧世界自身所具有的一切强大手段来推翻旧世界，却企图躲在社会背后，用私人的办法，在自身的有限的生存条件的范围内实现自身的解救，因此必然是要失败的"③。

---

① 在这一方面，恩格斯主要撰写的论著和文章有：《蒲鲁东》(1848)、《对蒲鲁东的〈十九世纪革命的总观念〉一书的批判分析》(1853)、《论住宅问题》(1872—1873)、《论权威》(1872—1873)、《蒲鲁东〈战争与和平〉一书摘要》(1873) 等。恩格斯在 1879 年 12 月 19 日写给约翰·菲力浦·贝克尔的信中曾回忆说："从《宣言》发表时起（确切些说，早在马克思反对蒲鲁东的著作问世时起），我们就在不断地同那种小资产阶级社会主义进行斗争。"参见《马克思恩格斯全集》第 34 卷，人民出版社 1972 年版，第 409 页。

② 《马克思恩格斯文集》第 2 卷，人民出版社 2009 年版，第 79 页。

③ 《马克思恩格斯文集》第 2 卷，人民出版社 2009 年版，第 478 页。

　　在此之后，马克思继续进行政治经济学研究，对蒲鲁东革命理论的批判工作也暂时告一段落，转而去批判他的经济学理论。直到 19 世纪七八十年代，马克思才对蒲鲁东所代表的政治冷淡主义进行了全面清算，写成了《政治冷淡主义》一文。在这篇文章中，马克思将蒲鲁东主义定性为"政治冷淡主义"，这是因为蒲鲁东主义者极力鼓吹工人阶级进行政治斗争的无效性，并诱导工人阶级不要参加任何形式的政治斗争。

　　马克思指出，蒲鲁东主义者并没有汲取圣西门、傅立叶、欧文等第一批社会主义者和互助论的"鼻祖"布雷等人的"前车之鉴"：前者由于当时的社会关系还没有发展到足以使工人阶级组织成为一个战斗的阶级，所以必然仅仅去幻想未来的模范社会，并谴责工人旨在稍微改变自身生活状况的诸如罢工、结成同盟和参与政治生活之类的尝试；后者则是在英国工人阶级的政治斗争和经济斗争已经具有非常明确性质的时候，却专门去论述工人通过他们目前的斗争来争取一切补救办法都是徒劳无益的。面对已变得十分强大的工人阶级运动，蒲鲁东主义者竟然不敢重复他们过去关于政治斗争所提出的论断，竟然幼稚到禁止工人阶级使用一切现实斗争手段的程度。蒲鲁东也未能免于犯这样的错误，一方面，他反对同其救世理论，即互助论相抵触的包括罢工和结成同盟等在内的任何经济运动；另一方面，他却用自己的理论和实践鼓励工人阶级的政治斗争。蒲鲁东并没有接受马克思《哲学的贫困》中对他的批判，反而在法国已经在有限范围内给工人结成同盟以权利的时候，写了《论工人阶级的政治能力》，并且重复了《贫困的哲学》中评价里沃—德日耶事件的论断。[①] 然而，与布鲁土斯所不同的是，资本家在为了挽救自己的利益而牺牲工人的时候却从来没有犹豫过！

　　马克思总结指出，蒲鲁东提出的永恒原则主要有三条：（1）工资水平决定商品价格，或者说，工资就是一切商品的综合价格；（2）准许结成同盟的法律从根本上说是同任何社会和制度相抵触的，是极端反经济学和法学的；（3）使

[①]　蒲鲁东在《论工人阶级的政治能力》一书中疾呼道："枪杀里沃—德日耶的采煤工人的当局已处于十分尴尬的境地。但是，它是像古人布鲁土斯那样行动的。布鲁土斯不得不在父爱和自己的执政官的职责之间作出选择：必须牺牲自己的儿子，以拯救共和国。布鲁土斯没有犹豫，而后世也不敢谴责他。"转引自《马克思恩格斯文集》第 3 卷，人民出版社 2009 年版，第 342 页。并参见蒲鲁东：《贫困的哲学》（上），余叔通、王雪华译，商务印书馆 2010 年版，第 349 页。

工人阶级摆脱所谓低贱的社会地位，这一口号容易被一些别有用心的人利用去抵制整个市民阶级，"他们煽动工人民主派鄙视和仇恨这些不体面的中等阶级的代表；他们宁肯要商业战争和工业战争而不要合法的抑制手段，宁肯要阶级对抗而不要国家警察"①。马克思对上述三条永恒原则进行逐一批判。② 首先，李嘉图在《政治经济学原理》中已经彻底驳倒了"工资水平决定商品价格"这个因袭的错误。而且，英国在以低于欧洲其他国家的价格销售本国的同类商品的同时，其工资水平却高于欧洲其他国家，这是一个连不懂得任何经济学常识的人都知道的事实，蒲鲁东对此却视而不见。其次，第二条永恒原则就是在说，准许结成同盟的法律是"同自由竞争的经济权利相抵触的"。如果这一原则是成立的，蒲鲁东又该如何解释英国早在40年前（1825年）就颁布了准许结成同盟的法条？他又该如何解释这一事实，即随着大工业和自由竞争的发展，工人同盟竟然迫使资产阶级把它当做某种必要的东西加以采纳？蒲鲁东或许会发现，自由竞争的经济权利只存在于资产阶级政治经济学的教科书中，其理论依据是劳动是财富的源泉，或者说，财产是劳动的成果。而他们实际上所依据的却是"财产是对他人劳动成果的掠夺"。最后，第三条永恒原则的实质是，维护雇主、企业主和资产者等这类宁肯要国家警察也不要阶级对抗的人的统治秩序，即资产阶级社会的现有经济秩序。为了维护这种秩序，蒲鲁东要求工人阶级放弃阶级对抗，转而以"自由或竞争"为保障，以迎接"互助论王国"的到来。总而言之，蒲鲁东宣扬经济冷淡主义的目的是要捍卫自由或者资产阶级的竞争；而他的理论追随者鼓吹政治冷淡主义则是要捍卫资产阶级的自由。这种冷淡主义自然非常适合资产阶级的"口味"，而工人却只能继续遭受每天14小时或16小时的劳动所带来的肉体和精神的双重压迫。

综上所述，马克思主义创始人反对蒲鲁东主义的斗争持续了几十年，直到巴黎公社失败以后，才彻底消除了蒲鲁东主义。但马克思在《哲学的贫困》中已经彻底批判了蒲鲁东主义。作为第一部公开发表的、完整阐述作为新世界观

① 《马克思恩格斯文集》第3卷，人民出版社2009年版，第344页。

② 关于前两条永恒原则，蒲鲁东早在《贫困的哲学》中就已经有过类似的表述，而马克思也曾批判过（详细内容参见前文）。在《政治冷淡主义》一文中，马克思也再度阐发了他在《哲学的贫困》中提出的观点。可见，《政治冷淡主义》是《贫困的哲学》"罢工和工人同盟"一节的重要补充阅读材料，对这篇文章的解读会有助于我们学习和研究《哲学的贫困》。

的马克思主义著作,《哲学的贫困》对于肃清当时国际工人运动中各种错误思潮发挥了巨大作用。它直接为处于酝酿过程中的第一个国际性的工人政党的建立作了思想上和理论上的准备。所以,恩格斯当时就将其看做"我们的纲领",列宁则把它同《共产党宣言》相提并论,称之为第一批成熟的马克思主义著作。

第三节 《雇佣劳动与资本》

《雇佣劳动与资本》是青年马克思研究经济学的最初科学成果,被看做是马克思主义政治经济学的第一次全面阐述,具有重要地位。马克思在这本著作中科学分析了雇佣劳动与资本之间的矛盾,论述了构成资产阶级社会中阶级斗争物质基础的经济关系,批判了资产阶级的种种谬论,揭示了无产阶级同资产阶级之间的根本对立,揭露了资产阶级生产关系的实质,从而为无产阶级革命斗争提供了锐利的思想武器。"现在,在我们的读者看到了1848年以波澜壮阔的政治形式展开的阶级斗争以后,我们想更切近地考察一下经济关系本身,也就正当其时了,因为这种经济关系既是资产阶级生存及其阶级统治的基础,又是工人遭受奴役的根由。"①

一、理论价值与现实意义

1847年革命形势的高涨,使马克思意识到从政治经济学出发正面阐发对资产阶级生产方式和社会的科学批判的重要性和必要性。11月底,共产主义者同盟在伦敦召开第二次代表大会,会议委托马克思和恩格斯起草同盟的新纲领——《共产党宣言》。在着手起草《共产党宣言》的过程中,马克思和恩格

---

① 《马克思恩格斯文集》第 1 卷,人民出版社 2009 年版,第 712 页。

斯在布鲁塞尔德意志工人协会向德国工人作了关于雇佣劳动与资本的几次演讲。在1848年2月《共产党宣言》问世的同时，马克思曾试图在布鲁塞尔出版《雇佣劳动与资本》，但是，这一计划由于二月革命和马克思被比利时反动当局驱逐而未能实现。在关系到1849年欧洲革命成败的紧要关头，《新莱茵报》于1849年4月5—8日和11日以一组社论的形式，连续刊载了马克思的演讲内容。1880年、1881年、1884年，又出版了单行本。为了捍卫马克思主义的无产阶级革命路线，保证国际工人运动沿着正确的方向前进，1891年，恩格斯亲自校订了这本书，进行了必要的修改补充，并写了一个《导言》，在柏林重新出版。马克思在这本书中批判了资产经济学家的错误观点，对一些经济范畴做了科学的分析，对自己经济理论首次正面系统阐述，在马克思主义发展史中占有重要地位。

第一，《雇佣劳动与资本》是马克思关于资本主义认识和理解史中的一个重要理论文本。在这里，马克思在同小资产阶级的思想家普鲁东论战过程中所阐述的政治经济学思想，第一次获得了系统的的表述。继《哲学的贫困》之后，马克思在此将历史唯物主义运用于政治经济学的研究，依据劳动价值论的方法，首次全面对人类社会的一个经济形态——资本主义社会的生产关系进行分析，对"资本"这种历史性的生产关系进行全面的说明，体现了对资本和资产阶级社会关系理解的高水平：一方面，雇佣劳动与资本这两个关键词的标识，就已经标志着资本主义的科学批判一般理论框架；另一方面，马克思已经直接着手解决"资产阶级生产方式"的剥削本质，为即将开始的对剩余价值问题的科学研究奠定了基础。

第二，《雇佣劳动与资本》是对资本主义社会经济关系本质的剖析，对国际共产主义运动的影响也极为深远。不仅对科学社会主义思想在德国工人中的传播起了很大作用，得到西欧各国革命工人的推崇，在世界其他地方也广为流传。在我国，由李大钊主持的北京《晨报》副刊的《马克思研究》专栏，于1919年5月9日至6月1日发表了从日文转译的《劳动与资本》，即《雇佣劳动与资本》，是中国第一次发表的马克思经济著作的完整译文。中国共产党成立以后，中央机关设立的人民出版社在1922年发行马克思著作两种，一是《共产党宣言》，另一种就是《雇佣劳动与资本》。中国共产党人对《雇佣劳动与资本》的重视，反映出这部著作对劳动人民的解放事业的重大意义。

二、劳动力成为商品与工资的实质

为了揭露资产阶级社会中工人阶级于资产阶级之间的对立关系，马克思首先从工资分析入手。资本和雇佣劳动的交换，采取工资形式，常常给造成一种假象阻碍工人去认识工资本质。所以，对于工人阶级来说，首先弄清楚工人工资的本质是十分必要的。

第一，工人出卖的不是劳动而是劳动力。在 1891 年《雇佣劳动与资本》单行本导言中，恩格斯指出："我所作的全部修改，都归结为一点。在原稿上是，工人为取得工资向资本家出卖自己的劳动，在现在这一版本中则是出卖自己的劳动力。关于这点修改，我应当作一个解释。向工人们解释，是为了使他们知道，这里并不是单纯的咬文嚼字，而是牵涉到全部政治经济学中一个极重要的问题。"[1] 工人出卖的不是劳动而是劳动力，这是因为：首先，劳动力存在于工人身体内，而劳动是它的职能；其次，劳动是价值的实体和内在尺度，它本身并没有价值；再次，如果认为劳动是商品，那么资本家购买的是工人的劳动，工资就是工人全部劳动的报酬，那么，利润连同以雇佣劳动为基础的资产阶级生产都不可能存在了；最后，只有在工人将自己的劳动力出卖给资本家以后，劳动在在工人与生产资料相结合以后才可能进行，劳动力的支配权、使用权连同劳动创造出的产品已经归资本家了。这个理论发展和更正之所以重要，是因为它区别了"劳动"和"劳动力"，解决了长期困扰以往政治经济学的理论矛盾，增强了劳动价值论的理论解说力量。

第二，劳动力成为商品不是一切社会都有的，而是资产阶级社会所特有的现象。在资产阶级社会，资本家占有生产资料，工人一无所有，被迫把自己的劳动力当作商品卖给资本家，"以获得自己所必需的生活资料"[2]。在以前的各种形态的社会中，奴隶和农奴虽然也丧失了生产资料，但是他们的劳动力却不是商品。在奴隶社会和封建社会，奴隶和农奴由于他们的人身隶属于奴隶主和封建主，不具备人身自由的条件，因而他们的劳动力不能成为商品。在资产阶级社会里，工人没有人身依附关系，但是，他把劳动力作为商品出卖给资本家

---

[1]　《马克思恩格斯文集》第 1 卷，人民出版社 2009 年版，第 702 页。

[2]　《马克思恩格斯文集》第 1 卷，人民出版社 2009 年版，第 715 页。

以后，劳动力的使用权却属资本家所有，资本家有权使工人在劳动力的出卖时间内为资本家劳动。从表面上看来，工人由于没有先前那个人身依附关系因而是自由的，他可以把自己的劳动力出卖给这个或者那个资本家，但是工人不能离开这个或那个资本家。"但是，工人是以出卖劳动力为其收入的唯一来源的，如果他不愿饿死，就不能离开整个购买者阶级即资本家阶级。工人不是属于某一个资本家，而是属于整个资本家阶级"。①

第三，工资是劳动力商品的价格，决定一般商品价格的因素必然也决定着工资。资本家购买工人的劳动力，如同购买其他商品一样也必须按照一定的比率来进行。商品的价格"是由买者和卖者之间的竞争即需求和供给的关系决定的"。② 卖主之间、买主之间以及买主和卖主之间的竞争都会影响商品的价格。但是，决定商品价格的实际上还是其生产费用。商品价格总是围绕商品价值这个轴心波动。调节一般商品价格的规律，当然也同样调节劳动力商品的价格即工资。工资的波动依劳动力供求关系的变化为转移，但是劳动力价格即工资是由劳动力的生产费用决定的，也就是由生产劳动力商品所必需的劳动时间决定的。那么，劳动力的生产费用是什么呢？"这就是为了使工人保持其为工人并把他训练成为工人所需要的费用"③，再加上"延续工人后代的费用"④。也就是说，劳动力生产费用包括三个部分：一、维持工人自身生活所必需的生活资料的价值；二、养活工人家属所必要的生活资料的价值；三、工人必需的一定的教育和训练费用。但是，工人的训练费用是微乎其微的，有些部门只需要简单劳动，从事这种简单劳动的工人就是简单劳动力。简单劳动力的生产费用很低，"就是维持工人生存和延续工人后代的费用。这种维持生存和延续后代的费用的价格就是工资。这样决定的工资就叫做最低工资额。"⑤

工人把劳动力卖给资本家所得到的工资，正是劳动力这个商品价值的货币表现，也即劳动力的价格。"工资只是人们通常称之为劳动价格的劳动力价格的特种名称，是只能存在于人的血肉中的这种特殊商品价格的特种名称。"⑥ 马

---

① 《马克思恩格斯文集》第 1 卷，人民出版社 2009 年版，第 717 页。
② 《马克思恩格斯文集》第 1 卷，人民出版社 2009 年版，第 717 页。
③ 《马克思恩格斯文集》第 1 卷，人民出版社 2009 年版，第 722 页。
④ 《马克思恩格斯文集》第 1 卷，人民出版社 2009 年版，第 723 页。
⑤ 《马克思恩格斯文集》第 1 卷，人民出版社 2009 年版，第 723 页。
⑥ 《马克思恩格斯文集》第 1 卷，人民出版社 2009 年版，第 714 页。

克思还批判了那种认为"工资是生产物的一部分"的谬论。资本家占有生产资料，从而占有工人所生产的全部劳动产品，工人如同劳动工具一样，"在产品中或在产品价格中是没有份的"，"工资不是工人在他所生产的商品中占有的一份。工资是原有商品中由资本家用以购买一定量的生产性劳动力的那一部分。"① 工人根本不能和资本家一起参与企业中产品的分配。

第四，工资与利润都是工人在劳动过程中新创造的价值，二者在工人与资本家之间进行分配，从比例上来说是此消彼长的关系，由这种比例关系决定的工资叫做相对工资或比较工资。由此可见，相对工资受资本家利润的调节。"工资和利润是互成反比的。资本的份额即利润越增加，则劳动的份额即日工资就越降低；反之亦然。利润增加多少，工资就降低多少；而利润降低多少，则工资就增加多少。"② 这就是"决定工资和利润在其相互关系上的降低和增加的一般规律"。③ 实际工资与相对工资不同，它是受商品价格制约的劳动力价格，其他商品价格的变化会影响实际工资的变化。由于相对工资和实际工资的不同，二者的升降趋向可能也是不一致的。"实际工资可能仍然未变，甚至可能增加了，可是尽管如此，相对工资却可能降低了。"④ 利润的增加不一定是由于工资的降低，但是工资的降低一定是由于利润的增加，也就是说利润所占比例的增加可能不会降低绝对工资，但是总会使相对工资下降。这是因为"资本家用同一数量的他人的劳动，购得了更多的交换价值，而对这个劳动却没有多付一文。这就是说，劳动所得的报酬同它使资本家得到的纯收入相比却减少了"⑤。

既然资本家的利润与工人的工资是截然对立的，那么资本的增长只不过意味着利润的迅速增长，而利润的迅速增长又是以工资的下降为条件的。不管工人的名义工资如何增加，实际工资也不可能与资本家的利润同等地增加。即使在资本繁荣的时期，工资的增加也慢于利润的增加，工人就业人数的增加只不过意味着受剥削的工人数量的增加。生产资本的增加不是像资产阶级经济学家所讲的那样对工人有利，而是造成阶级对立的加剧。这是由于三个原因：首

① 《马克思恩格斯文集》第 1 卷，人民出版社 2009 年版，第 715 页。
② 《马克思恩格斯文集》第 1 卷，人民出版社 2009 年版，第 732 页。
③ 《马克思恩格斯文集》第 1 卷，人民出版社 2009 年版，第 732 页。
④ 《马克思恩格斯文集》第 1 卷，人民出版社 2009 年版，第 731 页。
⑤ 《马克思恩格斯文集》第 1 卷，人民出版社 2009 年版，第 733 页。

先，即使工资提高了，工人的物质生活状况改善了，"也不能消灭工人的利益和资产者的利益即资本家的利益之间的对立状态"，因为"利润和工资仍然是互成反比的"。① 其次，工资的提高以利润的更迅速增长为前提，工人物质生活的改善以承受更重的经济剥削和社会地位的降低为代价。"横在他们和资本家之间的社会鸿沟扩大了。"② 再次，生产资本增加进而导致工人就业人数的增加，实际上是资本对劳动支配规模的扩大和支配力量的增强，对工人阶级来说，无非是"满足于为自己铸造金锁链，让资产阶级用来牵着它走。"③

三、生产关系的历史性与资本的本质

在资产阶级经济学家看来，资本就是"物"，就是"积累劳动"，即生产资料。马克思认为，资本虽然表现为一定的生产资料，但是生产资料不一定就是资本，只有在一定的生产关系和社会关系条件下，它才成为资本。"黑人就是黑人。只有在一定的关系下，他才成为奴隶。纺纱机是纺棉花的机器。只有在一定的关系下，它才成为资本。脱离了这种关系，它也就不是资本了"④。只有在奴隶制条件下黑人才成为黑奴，机器只有在资产阶级社会条件下才是剥削工人的手段。这是因为，人们与自然的关系必须通过人与人的社会关系尤其生产关系来予以"中介"。生产关系虽然受到生产力决定，但是生产活动却要在一定的生产关系和社会关系中来进行。"人们在生产中不仅仅影响自然界，而且也互相影响。他们只有以一定的方式共同活动和互相交换其活动，才能进行生产。为了进行生产，人们相互之间便发生一定的联系和关系；只有在这些社会联系和社会关系的范围内，才会有他们对自然界的影响，才会有生产。"⑤ 正是在一定的生产关系即在资产雇佣劳动的关系中，资本家占有的生产资料才成为资本。因此，"资本也是一种社会生产关系。这是资产阶级的生产关系，是资

① 《马克思恩格斯文集》第 1 卷，人民出版社 2009 年版，第 734 页。
② 《马克思恩格斯文集》第 1 卷，人民出版社 2009 年版，第 735 页。
③ 《马克思恩格斯文集》第 1 卷，人民出版社 2009 年版，第 735 页。
④ 《马克思恩格斯文集》第 1 卷，人民出版社 2009 年版，第 723 页。
⑤ 《马克思恩格斯文集》第 1 卷，人民出版社 2009 年版，第 724 页。

产阶级社会的生产关系。"① 也就是说，资本不是单纯的自然物，而是一种特定的生产关系，是表现资产阶级社会生产关系的历史范畴。资产阶级经济学家把资本说成是一般的生产资料，把任何社会中存在的生产资料都看成是资本，抹杀了它是资产阶级社会生产关系的历史特殊性。

第一，雇佣劳动是资本的必要前提。在资产阶级社会中，生产是最发达的商品生产。"资本所包括的一切产品都是商品。"② 研究资本，不仅要着眼于其物质形式，还要着眼于其价值和社会形式。资本的物质形式可以经常变化，但是价值和社会形式却是不变的。不同商品之间的交换是以其价值量为基础，商品价值量不因其经过交换而发生任何变化。但是，资本却不然，它在同一种特殊商品交换之后价值会增殖，这种特殊商品就是劳动力。商品"它成为资本，是由于它作为一种独立的社会力量，即作为一种属于社会一部分的力量，通过交换直接的、活的劳动力而保存并增大自身"。③ 商品之所以能够成为资本，就是因为为它被掌握在资产阶手里，资产阶级用它购买了工人的劳动力之后，具有了一种支配工人劳动、榨取工人创造的价值的权力。"是由于积累起来的、过去的、对象化的劳动支配直接的、活的劳动，积累起来的劳动才变为资本。"④"资本的实质并不在于积累起来的劳动是替活劳动充当进行新生产的手段。它的实质在于活劳动是替积累起来的劳动充当保存并增加其交换价值的手段。"⑤

第二，资本竞争的加剧带来分工的细化和大机器的广泛采用。封建主往往把对农民剥削过来的剩余产品挥霍掉，以占有奴仆的数量或者自己衣着的华丽程度来夸耀自己的富有。资本家与封建主不同，随着资本积累的不断发展，资本家之间的竞争必然加剧。竞争对每一个资本家来说都是你死我活的问题，每个资本家都想把另一个逐出战场并占有他的资本。要做到这一点，他就必须廉价生产，必须尽量增加劳动的生产力。而增加劳动生产力的首要办法是更细地分工，更全面地运用和经常地改进机器。只有这样，他可以把商品卖得便宜一些而又不破产，进而把别的资本家挤垮。所以，资本竞争首先表现在每个资本

---

① 《马克思恩格斯文集》第 1 卷，人民出版社 2009 年版，第 724 页。
② 《马克思恩格斯文集》第 1 卷，人民出版社 2009 年版，第 725 页。
③ 《马克思恩格斯文集》第 1 卷，人民出版社 2009 年版，第 726 页。
④ 《马克思恩格斯文集》第 1 卷，人民出版社 2009 年版，第 726 页。
⑤ 《马克思恩格斯文集》第 1 卷，人民出版社 2009 年版，第 726 页。

家都竭力设法扩大分工和增加机器并尽可能大规模地使用机器。某个资本家由于更细地分工和采用新机器，就可以获得超额利润，也即商品的个别生产费用和商品的一般生产费用之间的差额。但是，某个资本家得到超额利润的特权是不会长久，这是因为别的资本家同样也可以实行更细的分工，采用新机器。一旦这些措施得到普及，一般生产费用就会下降。于是在新的生产费用的基础上，一场新的竞争又重新开始了。又有某个资本家开始实行更细的分工，采用效率更高的机器。在资本规律和资本逻辑的推动下，分工不断扩大，机器不断更新，生产资本的规模不断来扩大。"分工如何必然要引起更进一步的分工；机器的采用如何必然要引起机器的更广泛的采用；大规模的劳动如何必然要引起更大规模的劳动。"①"所以先前的斗争就会随着已经发明的生产资料的生产效率的提高而日益激烈起来。所以，分工和机器的采用又将以更大得无比的规模发展起来。"②

第三，随着分工的扩大、机器的改进进而生产资本的扩大，工人却不断遭到排挤，地位不断遭到挤压。"因为在最先使用机器的地方，机器就把大批手工工人抛向街头，而在机器日益完善、改进或为生产效率更高的机器所替换的地方，机器又把一批一批的工人排挤出去。"③"这种战争有一个特点，就是制胜的办法与其说是增加工人大军，不如说是减少工人大军。统帅们即资本家们相互竞赛，看谁能解雇更多的产业士兵。"④但是，工人阶级的绝对数量却在迅速增长，大批小生产者、小产业家、小食利者不断破产，加入到工人阶级的队伍。更细的分工和机器的采用使劳动趋向简单化。劳动力的再生产费用减少了，从而工资必然要降低。随着分工和机器的发展，工人的工资必然不断下降。

第四，除了正述分工的扩大和生产资本的增加对工人的消极影响外，马克思还批评了资产阶级经济学家在这个问题上的错误看法。资产阶级经济学家否认机器的采用必然造成大批工人失业的事实，宣扬因机器的采用和改进而成为多余的工人可以在新部门中找到工作。马克思指认为，新的产业部门固然会不断产生，但工人队伍的却同样在增加。即使在面临失业的青年工人面前出现了

---

① 《马克思恩格斯文集》第1卷，人民出版社2009年版，第737页。
② 《马克思恩格斯文集》第1卷，人民出版社2009年版，第738页。
③ 《马克思恩格斯文集》第1卷，人民出版社2009年版，第740页。
④ 《马克思恩格斯文集》第1卷，人民出版社2009年版，第740页。

新的就业门路，这也不过是说明资本家并不缺少可供剥削的新鲜血液。至于那些因采用机器而被资本家赶到街头、在死亡线上挣扎的大批失业工人，资本家是无暇顾及的。"他们让死人们去埋葬自己的尸体。"① 还有的资产阶级经济学家认为机器制造业的工人是一种例外。马克思认为，这也不符合历史事实："从1840年起，这种原先也只有一半正确的论点已经毫无正确的影子了"②。在1840年英国完成了产业革命后，机器制造业本身也开始使用机器，机器排挤工人的现象在机器制造业也和其他工业部门一样严重，没有任何特殊的地方了。还有的资产阶级经济学家认为，在一个男工被机器排挤出去以后，工厂方面也许会雇佣三个童工和一个女工，这样就可以增加了就业。马克思指出这不过是说明了要养活一个工人家庭需要三倍于以前的劳动力。"现在要得到维持一个工人家庭生活的工资，就得消耗比以前多三倍的工人生命。"③ 马克思在批驳了资产阶级经济学家的种种谬论之后指出："总括起来说：生产资本越增加，分工和采用机器的范围就越扩大。分工和采用机器的范围越扩大，工人之间的竞争就越剧烈，他们的工资就越减少。"④ 随着生产资本的增长，随之而来的是无产阶级的贫困化，成千上万的失业大军流落街头，"伸出来乞求工作的手就像森林似的越来越稠密，而这些手本身则越来越消瘦。"⑤

第五，随着生产资本愈增长，必然迫使资本家更加盲目地扩大生产，使生产愈加超过消费，经济危机会更加频繁而剧烈地爆发。随着生产资本的增长和生产的盲目扩大，人民群众却是日趋贫困化，购买力日益相对地缩小，国内市场便变得越加狭窄。此时就必然导致"产业方面的地震"。经济危机不仅在一个国家内部爆发，还必然蔓延到全世界范围内，使整个世界都遭受到经济危机的打击。这是因为，与资本的生产发展相比，世界市场也会显得狭窄，满足不了资本增值的无限欲望。"就是因为随着产品总量的增加，亦即随着对扩大市场的需要的增长，世界市场变得日益狭窄了，剩下可供榨取的新市场日益减少了，因为先前发生的每一次危机都把一些迄今未被占领的市场或只是在很小的

---

① 《马克思恩格斯文集》第 1 卷，人民出版社 2009 年版，第 740 页。
② 《马克思恩格斯文集》第 1 卷，人民出版社 2009 年版，第 741 页。
③ 《马克思恩格斯文集》第 1 卷，人民出版社 2009 年版，第 741 页。
④ 《马克思恩格斯文集》第 1 卷，人民出版社 2009 年版，第 741 页。
⑤ 《马克思恩格斯文集》第 1 卷，人民出版社 2009 年版，第 741 页。

程度上被商业榨取过的市场卷入了世界贸易。"①

　　在《雇佣劳动与资本》中，虽然"资本主义"这一特定概念还未被使用，但资本主义社会最基本的生产关系——雇佣劳动同资本之间的关系，就这样通过严格的经济学分析、通过各种不同经济范畴从不同的角度、从各种量的关系被揭示出来了。马克思通过系统分析资产阶级社会的内部经济结构，揭示了无产阶级与资产阶级的根本对立，分析了资本这一生产关系运动的必然趋势，从而形成了对资产阶级社会的科学认识。《雇佣劳动与资本》为剩余价值理论的形成、科学社会主义学说的创立和第一个国际性的工人政党纲领——《共产党宣言》的制定奠定了经济理论基础。

---

① 《马克思恩格斯文集》第 1 卷，人民出版社 2009 年版，第 742 页。

第八章 《共产党宣言》的发表与马克思主义的诞生

　　历史唯物主义的确立，在实践上为欧洲正在兴起的工人运动提供了有力的理论武器。但是，当时在欧洲，法国、英国、德国等国的工人运动在组织上是分散的，在思想上受到了各种小资产阶级共产主义、社会主义思潮的影响。因此，这一时期摆在马克思和恩格斯面前的首要任务是：从组织上把分散的各国工人运动统一起来，并为其撰写科学的政治纲领。马克思和恩格斯围绕这项工作进行了组织工作和理论批判工作，最终写成了《共产党宣言》。

　　《共产党宣言》的公开发表标志着马克思主义的诞生，它是马克思和恩格斯为世界上第一个国际性的无产阶级政党——共产主义者同盟起草的政治纲领，是马克思主义与国际工人运动相结合的产物，也是对马克思主义首次系统、完整的表述。借助《共产党宣言》的发表，科学社会主义彻底同空想社会主义划清了界限，工人运动从此走上了正轨，并在后来的革命实践中不断走向成熟和辉煌。

第一节 《共产党宣言》的诞生背景

　　《共产党宣言》的诞生经历了一段历史过程。马克思和恩格斯转向唯物主义后，结合当时的社会主义和共产主义思潮，在理论探索中逐渐对历史唯物主义有了更清晰的认识，从而为科学社会主义的创立铺设了道路。在实践层面，马克思和恩格斯竭尽全力影响当时德国较大的工人组织——正义者同盟，尽力从思想上改造和统一这支先进的无产阶级队伍，并在 1847 年 6 月成功助其改组，成立了人类历史上第一个无产阶级政党组织——共产主义者同盟。在理论层面，马克思和恩格斯通过与当时错误的社会主义和共产主义思潮进行斗争，总结、归纳、完善自己的思想理论。其中，最直接的理论成果，就表现为恩格斯和马克思先后为共产主义者同盟起草的政治纲领《共产主义信条草案》（1847 年 6 月）、《共产主义原理》（1847 年 11 月）和《共产党宣言》（1847 年 12 月至 1849 年 1 月），即《共产党宣言》的"三个稿本"。《共产主义信条草案》和《共产主义原理》更是在马克思和恩格斯创作《共产党宣言》时，成为了不可或缺的参考文献。

一、马克思恩格斯和正义者同盟

19 世纪上半叶的欧洲，特别是法国、英国和德国的工人运动，在组织上是各自分散的，在理论上受到各种小资产阶级共产主义、社会主义思潮的影响。因此，这时马克思和恩格斯有两个重要任务，一是从组织上把分散的各国工人运动统一起来，一是批判各种错误思潮，为统一的工人运动制定行动纲领。

马克思和恩格斯为正义者同盟的改组做出了卓越的贡献。同盟成立于 1836 年，它的前身是"流亡者同盟"，这是一个由德国流亡者于 1834 年创建于巴黎的秘密组织，其盟员大多最激进的无产阶级分子。从 1843 年起，马克思和恩格斯就开始同工人阶级密切地接触。1885 年，恩格斯在《关于共产主义者同盟的历史》一文中提到了"三个真正的男子汉"①：卡尔·沙佩尔（1812—1870）、约瑟夫·莫尔（1813—1849）和亨利希·鲍威尔（约生于 1813 年）。恩格斯之所以对这三个人毫不吝啬赞美之词，就是因为他们自始至终都是同盟真正的领导人。同盟的创建离不开沙佩尔等人的努力和斡旋，就连共产主义者同盟的最终"出现"，缺少了这三个人的大力支持和组织是

---

① 《马克思恩格斯文集》第 4 卷，人民出版社 2009 年版，第 228 页。

根本无法实现的。

那么，马克思和恩格斯从 1843 年起，和同盟这个工人组织之间的关系究竟是怎样的呢？国内学者多半认同马克思和恩格斯是同盟的"思想建设者"这种观点。理由是马克思和恩格斯自从关注同盟的运动和发展以来，就不曾间断地与各种空想社会主义、机会主义和小资产阶级学者进行论战和辩争，以使得同盟的领导人及大多数成员相信马克思和恩格斯的科学社会主义思想是正确的。在同魏特林的手工业共产主义，格律恩（1817—1887）、克利盖（1820—1850）等人的"真正的社会主义"以及蒲鲁东的小资产阶级改良性质的普鲁东主义"交锋"的过程中，马克思和恩格斯不厌其烦、逐字逐句地纠正了各种偏误的思想和观念，同时保持同同盟领导人员的书信交流和联系，耐心细致地对同盟进行了思想建设，从而使得科学共产主义成为同盟纲领《共产党宣言》的核心内容和要点。

马克思和恩格斯在 1847 年同盟"一大"之前在同盟里没有实际的职务，他们算不上是同盟的"领导成员"。虽然说，未必非得有"实职"才能对同盟的创建做出贡献，但这至少可以说明同盟的创建绝非马克思和恩格斯二人所为。同盟的组建或是说改组，离不开沙佩尔、莫尔、鲍威尔这样的人物的承担和统领，也与其他优秀的同盟成员密不可分。马克思和恩格斯在同盟创建中起到的"中流砥柱"作用，主要体现在他们对同盟的"思想建设"做出的巨大贡献。可以说，如果没有马克思和恩格斯的思想传播和理论论争，同盟完全不会成为一个"整体"；那些杂七杂八的"共产主义"绝对能够将同盟搅得七零八碎。

在 1846 年前后，同盟内部的很多成员在一些知识分子的影响下开始阅读和学习费尔巴哈等哲学家的著作。同时，卡贝（1788—1856）等空想社会主义者的思想还在德国工人界大有市场。起初，莫泽斯·赫斯（1812—1875）的"哲学共产主义"思想也有着为数较多的学习者和迷恋者，这一思想都成为格律恩、克利盖等人所鼓吹的"真正的社会主义"的理论基础。"真正的社会主义"比之手工业共产主义更能混淆视听，消弭人的意志，因为它在实质上主张资产阶级对无产阶级的统治。"真正的社会主义"往往用华丽和冗繁的学术辞藻来掩饰它的反动本质，用关于"爱"的呓语来消磨无产阶级对资产阶级的仇恨和敌视，于无形中把"共产主义"的实现塑造成一个客观的"理论自我演进的过程"。在这中间，无需暴力、无需革命、无需战斗，只要"理论"和"爱"不停息地"自我运动"和"自我发展"，共产主义社会迟早会到来。克利盖、格律恩自诩他们发现了"真正的"共产主义理论，在同盟内部造成了极坏的思想影响。与此同时，"真正的社会主义"者还谩骂和诋毁像马克思和恩格斯这样的正直的共产主义者，在同盟内部制造不团结、不和谐的因素和氛围。针对这群脱离了客观实际的反动的"理论小丑"和"同盟的敌人"，马克思和恩格斯对其进行了彻底的、毫不留情面的斗争。可以说，只要是"真正的社会主义"所发表的言论，马克思和恩格斯都写文章给予严厉的评论和尖锐的反驳。他们无情揭露了"真正的社会主义"者为资产阶级利益服务的虚伪丑陋的本来面目，并动员同盟将这些无产阶级的叛徒排除出组织。同"真正的社会主义"的斗争是非常激烈的，以至于诸如《反克利盖的通告》这样的评论一度受到了沙佩尔等人的误解，认为言辞如此偏激会破坏同盟的团结。不过，通过驳斥"真正的社会主义"，马克思和恩格斯的思想在同盟中的影响力被最大化，这一点在恩格斯1846 年 10 月 23 日给布鲁塞尔通讯委员会的信中得到了体现：同盟中绝大多数人同意，如果"格律恩分子"不承认他们是"共产主义者"的话，他们就必须和同盟脱离干系。①

对革命形势的错误理解，能够使同盟误入歧途。如果说魏特林的手工业共产主义"激进"的话，那么"真正的社会主义"者就是一群不折不扣的"投降派"。而他们共同的理论缺陷都根源于对时代要求和革命形势的"不得要领"。同"真正的社会主义"一样，蒲鲁东也是一位"投降派"，他主张小资产阶级的改良，奉行"改造资本主义社会"的原则，是一位彻头彻尾的"反无产阶级"者。但即使是这样的一个人物，却凭借其一知半解的辩证法和古典政治经济学知识在德国工人群体中博得了一定的名声。马克思和恩格斯曾经争取过蒲鲁东，但这位"天才"的"法国哲学家和德国经济学家"却谢绝了马克思和恩格斯的"思想援助"，并公开向他们挑衅。马克思于 1847 年写下的《哲学的贫困》，将蒲鲁东批评得体无完肤，指出蒲鲁东既不懂黑格尔的辩证法，又不懂高深的经济学，他的"改良之路"会将无产阶级推下悬崖，葬身谷底。新社会的建立必须寄希望于被压迫阶级的解放，而且，无产阶级只有通过自己的双手才能解放自己。普鲁东主义和"真正的社会主义"都是资产阶级性质的反动理论，同盟如果接受了这些思想，就不可能成为真正的无产阶级组织。

---

① 《马克思恩格斯文集》第 10 卷，人民出版社 2009 年版，第 40 页。

借助对蒲鲁东主义的批判，马克思主义、科学共产主义的完整思想得到了首次公开的阐述。《哲学的贫困》这部书在同盟内部引起了不小的反响，沙佩尔等领导人纷纷提出要求，希望大家能够好好学习和参悟这本著作。马克思和恩格斯的努力终于得到了回报，同盟主要领导人的思想"悄悄地发生了变化"①。"他们越来越明白，过去的共产主义观点，无论是法国粗陋的平均共产主义还是魏特林共产主义，都是不够的……过去的理论观念毫无依据以及由此产生的实践上的错误，越来越使伦敦的盟员认识到马克思和我的新理论是正确的。"② 在同盟"一大"召开之前，马克思和恩格斯的"思想建设工作"颇见成效。

回顾这个过程，我们可以看到：（1）马克思和恩格斯对同盟的思想建设过程并不短暂，他们对同盟的思想建设和改造过程进行得非常艰辛，从魏特林、格律恩、克利盖到蒲鲁东，他们都有一定数量的信徒，想要扭转这些人的思想，马克思和恩格斯需要投入极大的精力；（2）马克思和恩格斯对同盟的思想建设和改造主要是通过"旁敲侧击"和"制造舆论"等方式来进行的，也就是在"侧面"对同盟的成员进行影响，而不是在"正面"直接通过"公告"、"文件"的形式来有效改造盟员的思想。这与马克思和恩格斯并不是同盟领导人物有很大的关系。

通过以上两点我们可以知道，马克思和恩格斯对共产主义者同盟的组建的贡献是无人可比的，对盟员的"科学共产主义思想建设和改造"的工作在当时只有马克思和恩格斯能够完成，说马克思和恩格斯是共产主义者同盟的主要组建者是没有任何问题的。同时，同盟的改组过程中的"组织工作"，也就是具体的操作层面的工作，主要是由同盟原先的工人领导完成的。因此，马克思和恩格斯是正义者同盟的思想建设和改造者、是共产主义者同盟的主要组建者。

二、魏特林与正义者同盟

鉴于威廉·克里斯蒂安·魏特林（1808—1871）对早先工人运动和同盟的

---

① 《马克思恩格斯文集》第4卷，人民出版社2009年版，第234—235页。
② 《马克思恩格斯文集》第4卷，人民出版社2009年版，第235页。

较大影响力，我们在这里专门讨论魏特林与同盟的有关情况。

魏特林是 19 世纪欧洲一个重要的激进主义者，是德国工人运动的活动家和德国著名的空想社会主义者。他 1808 年生于普鲁士王国的马格德堡，是一位女厨师和一位法国军官的私生子。少年时代的魏特林求知欲很强，读过《三十年战争史》、《拿破仑战争史》等书。中学毕业后，魏特林学会了缝纫妇女服装的手艺。他单纯天真、充满活力、心存斗志，1828 年，他为了逃避兵役，到汉堡自由市去当裁缝，并得到了一张流动手艺人的证书，借此漫游德国各地。1830 年，他到莱比锡，在那里参加了革命活动，并写诗讽刺和抨击专制暴君。1832 年，他到萨克森首都德雷斯顿，两年后又辗转到奥地利帝国的首都维也纳，开始系统研究社会问题。1835 年，魏特林来到当时欧洲革命的中心巴黎，这是他革命活动的真正起点。法国丰富多彩的社会生活开阔了魏特林的视野。在此期间，魏特林广泛接触和研究了各种空想社会主义著作，逐步形成自己的空想社会主义思想体系。当年，他参加了"流亡者同盟"，次年，"流亡者同盟"更名为"正义者同盟"，魏特林也成为了与沙佩尔和鲍威尔齐名的领导人。

1838 年，魏特林写完了空想社会主义著作《现实的人类和理想的人类》，并想把它当成同盟的纲领。1841 年，他迁居瑞士，建立了"共产主义联合会"，并出版期刊《年轻一代》来宣传共产主义。1842 年，他写成并出版了他的另一部重要著作《和谐与自由的保证》，这本书在瑞士、法国和德国的工人中受到了热烈欢迎，在知识界中也引起了强烈反响。次年，他又写成了《贫困罪人的福音》。

作为一名空想社会主义者，魏特林运用唯心主义历史观对资本主义进行了全面深刻、严厉激烈的批判。魏特林首先把批判的矛头对向了私有财产，认为私有财产是一切罪恶的根源。他着重批判了资本主义私有制、资本主义社会中的金钱拜物教现象、资本主义社会风俗道德和资产阶级民族主义。他认为，在资本主义社会中，金钱是人们生活的唯一目的："统治人物、传教士、立法者、教师、法官、强盗、凶手、窃贼，一切的一切都向黄金伸出那贪得无厌的手，人人都相信他那现实的幸福必须在这里找寻。"[1]他认为在追逐私利的资本主义社会里，以掌握着私有财产的资本家的利益为标杆的风俗道德是剥削和压迫的

---

① [德]魏特林：《和谐与自由的保证》，孙则明译，商务印书馆 1982 年版，第 96 页。

根源。他对资产阶级民族主义的批判更为深刻，他说，"祖国"这个概念是资产阶级用来欺骗无产者的谎言："只有那种自己专有一份财产或是和其他人共有一份财产的人才有一个祖国"①，谁没有财产，"谁也就没有祖国。"② 他在空想社会主义史上第一次明确宣布无产阶级没有祖国。

魏特林在批判资产阶级社会的同时，精心设计了未来的共产主义社会。在《和谐与自由的保证》一书中，他把他设计的未来社会制度称为"和谐与自由的社会制度"。这一社会制度由各地的家庭联盟组成，也称为"民主共产主义家庭联盟"。这一社会以"财产共享"为基础，满足全体成员的欲望，发挥全体成员的能力。在这种社会制度里，一切有劳动能力的人都得参加劳动，社会实行平均分配和按劳分配相结合的方案，凡是按照社会规定的统一劳动时间参加劳动的人，都可得到同等的生活必需品。在通往共产主义的道路问题上，魏特林相信，革命是唯一的推翻旧制度、建成新社会的途径。

魏特林的空想社会主义根源于当时德国不成熟的资本主义生产状况和复杂的阶级状况，总体上是不成熟的社会主义理论，其中既包含有非常幼稚的想法，又有很有价值的意见。首先，他不像以前的空想社会主义者那样，把劳动人民解放的希望寄托于资产阶级的"慈悲"，而主张工人阶级团结起来，发动暴力革命，真正践行自己的革命实践，实现创建新社会的理想。其次，他主张无产阶级在革命时期必须组织革命军队，建立革命政权，剥夺资产阶级的财产，并力图在思想精神上同资产阶级划清界限。正是在这个意义上，恩格斯认为魏特林是德国共产主义的创始人。

1844 年，马克思和恩格斯曾试图帮助魏特林克服空想社会主义的见解，遭到他的拒绝。从 1845 年 2 月中旬至 1846 年 1 月初，同盟开展了关于共产主义问题的讨论，这使得魏特林的共产主义思想得到了进一步传播，其在工人中的影响逐渐扩大。但在这个时期，魏特林与同盟其他领导人产生了意见分歧，但他始终坚持自己的错误观点。例如，他主张不要反对基督教，认为君主政体优越于共和政体等。此时，魏特林的手工业共产主义的缺陷开始暴露了出来，他对人类社会的发展进程和资本主义社会都缺乏科学认识。

1846 年，魏特林应马克思邀请抵达布鲁塞尔。这时他"已经不再是一个

① ［德］魏特林：《和谐与自由的保证》，孙则明译，商务印书馆 1982 年版，第 124 页。
② ［德］魏特林：《和谐与自由的保证》，孙则明译，商务印书馆 1982 年版，第 124 页。

年轻天真的裁缝帮工了"①，他认为"他是一个由于自己的优势而受忌妒者迫害的大人物，到处都觉得有竞争者、暗敌和陷阱"②。马克思和恩格斯力图使他克服手工业共产主义，可魏特林自诩为人间的救世主，掌握着在人间建成天堂的现成药方，并且觉得每个人都在打算窃取他的这副药方。他从一开始就和马克思和恩格斯处于尖锐的对立中，反对制定科学共产主义纲领，反对组织无产阶级政党和开展群众性的政治斗争。魏特林不知道，他的那种还带有"密谋性质"的"突然革命"方案早已经被历史所否弃，那是不科学和鲁莽的革命道路，是带有鲜明的德国手工业者色彩的"平均共产主义"的一个变种。马克思和恩格斯当然不能够在这个问题上妥协，否则，德国的工人运动会重蹈"四季社"的覆辙，进入到"密谋—起义—遭受血腥镇压"的死胡同去。在 1846 年 3 月底召开的布鲁塞尔通讯委员会会议上，这种根本分歧得到了清晰的展现。恩格斯在会上提到要制定团结无产阶级进行斗争的共同纲领，马克思则公开说明，魏特林的手工业共产主义已造成了德国工人的思想混乱，魏特林和"真正的社会主义"应该受到批判。魏特林固执地认为，没有必要用科学的理论来教育工人，德国也不能发生资产阶级革命。在德国，共产主义革命的时机已经到来，工人只需凭借热情就可以发动革命，取得胜利。魏特林还指责马克思和恩格斯提出的资产阶级民主革命策略是对共产主义信念的"背叛"。对此，马克思激烈地反驳道，魏特林的这种想法非常无知，工人必须得到科学思想和正确学说的指引，如果只是凭空判断与冒险，完全是对民众的欺骗，就同传教士们玩弄无耻把戏没有什么区别。不仅不能拯救苦难的人们，反而会把他们引向毁灭，成为历史的罪人。

魏特林还反对马克思和恩格斯对"真正的社会主义"的斗争。在 1846 年 5 月中旬召开的通讯委员会上，只有他一人投票反对通过反克利盖的决议。会后他立即写信给克利盖，对这一重要决议以及马克思和恩格斯进行了恶毒攻击。同盟领导人逐渐意识到了魏特林的局限性和错误，最终坚决地同马克思和恩格斯以及他们的科学社会主义思想站在了一起，并按马克思和恩格斯制定的科学社会主义原理对同盟进行了彻底改组，开始使之成为一个国际性的无产阶级政党。1847 年 6 月，同盟"一大"决定把魏特林开除出同盟。之后，魏特

---

① 《马克思恩格斯文集》第 4 卷，人民出版社 2009 年版，第 234 页。
② 《马克思恩格斯文集》第 4 卷，人民出版社 2009 年版，第 234 页。

林往返于美国和德国，应邀到美国为克利盖主办的报纸工作去了，专门从事宣传其手工业共产主义的活动。但这些活动相继失败，魏特林逐渐退出了德国和欧洲工人运动的舞台

三、正义者同盟的改组和共产主义者同盟的创建

1846 年初，为了对同盟施以科学、积极、正确的引导，马克思和恩格斯建立了布鲁塞尔共产主义通讯委员会。建立这个国际性组织的主要目的是：让德国的社会主义者同法国和英国的社会主义者建立联系，使这些国家经常了解德国不断发展的社会主义运动，并且向国内的德国人报道法国和英国社会主义运动的进展情况。通过这种方式，可以相互交流思想，从而得以发现意见分歧，进行无私的批评。简言之，就是要沟通欧洲主要国家的社会主义运动情况，了解和批评社会主义运动内部的错误思想，积极宣传和阐发科学社会主义观点。

在马克思和恩格斯的领导下，布鲁塞尔通讯委员会的工作获得了很大发展，在德国国内和伦敦、巴黎建立了共产主义通讯委员会，并同许多地方的共产主义者建立了巩固的联系。通过这一组织活动，他们圆满地达到了预定的目的，并从组织上和理论上为建立无产阶级政党准备了条件。

如前所述，马克思和恩格斯在创建通讯委员会过程中，经历了非常激烈的思想斗争和理论斗争。马克思和恩格斯通过布鲁塞尔共产主义通讯委员会等组织，在反对各种资产阶级、小资产阶级的社会主义思潮的斗争中，卓有成效地传播了科学社会主义思想，对当时在国际间进行革命活动的同盟产生了积极的影响。同盟的领导人逐渐认识到，他们以前奉行的空想社会主义观点，他们越来越相信马克思和恩格斯制定的新理论的正确性。于是同盟中央在 1847 年 1 月便正式派出莫尔邀请马克思和恩格斯加入和改组同盟。莫尔向他们表示：如果能使中央领导人确信他们的观点是正确的，也确信必须使同盟摆脱陈旧的密谋性的传统和方式；如果他们愿意加入同盟，他们将有可能在同盟的代表大会上以宣言的形式阐述自己科学的共产主义理论，然后可以作为同盟的宣言公之于世。由于马克思和恩格斯早就认识到建立一个基于科学理论的工人阶级组织的必要性，所以他们接受了同盟的要求，担负起从思想上和组织上改组同盟的

历史任务。

　　1847年6月，同盟在伦敦举行了第一次代表大会。恩格斯和代表马克思所在的布鲁塞尔支部的威廉·沃尔弗（1809—1864）参加了这次大会。大会决定，正义者同盟改名为共产主义者同盟，用具有鲜明阶级性的新的战斗口号"全世界无产者，联合起来！"，取代"人人皆兄弟"的旧口号。制定共产主义信条是共产主义者同盟第一次代表大会的主要议题之一。恩格斯为大会草拟的、并由大会决定分发给支部讨论与修改的《共产主义信条草案》，为同盟第二次代表大会的召开和《共产主义原理》的写作奠定了科学的理论基础。

四、《共产主义信条草案》的写作过程及其主要内容

　　《共产主义信条草案》全文有22条问答，每条问答包含一个问题，一个解答，全文大约3000字，它的主要作者是恩格斯。在同盟"一大"上，人们一致决定请恩格斯主笔写作《共产主义信条草案》，完成后分发给各个支部进行讨论，最终在"二大"前定稿。一方面，同盟在《共产主义信条草案》前，有相关准备性的文献，不过里面充满了各种空想社会主义思想残余。另一方面，同盟内部，尤其是同盟的领导人迟迟未能在同盟政治纲领上达成一致意见，因此，只能委托更年轻、思维更敏捷且有着深厚的理论功底的恩格斯来起草《共产主义信条草案》。总的看，恩格斯在创作《共产主义信条草案》之时，遇到了方方面面的困难，既有来自组织、身份上的限制，又有思想理论上的挑战，主要是如何淡化《共产主义信条草案》中的空想社会主义思想痕迹，尽量将其写成一份符合科学社会主义精神的纲领性草案。从最终的结果上看，恩格斯做到了最好：整个《共产主义信条草案》，只有前六条问答的空想社会主义痕迹较浓，文献的主体部分坚持和体现了科学社会主义原则。

　　在《共产主义信条草案》之前，同盟曾有过多个纲领草案，虽然这些纲领草案由于各种各样的原因而最终"流产"，但它们作为《共产主义信条草案》的"前身"，应该被称做《共产主义信条草案》的"草稿"。比如，魏特林为同盟所起草的"20条"，同盟发布的"十一月公告"、"二月公告"等，都是同盟成员为"同盟纲领"的起草、撰写所做出的努力和尝试。

　　《共产主义信条草案》前六条问答中充满了同盟成员当时固有的空想社会

主义思想成分。《共产主义信条草案》虽然在整体上很好地体现了科学共产主义思想，但同时它也向同盟内部的多数人（这些人多半还未能清除其头脑中旧有的一些空想）做出了妥协。前六条问答是：

第一个问题：你是共产主义者吗？

答：是的。

第二个问题：共产主义者的目标是什么？

答：建立这样的社会：使社会的每一个成员都能完全自由地发展和发挥他的全部才能和力量，并且不会因此而损害这个社会的基本条件。

第三个问题：你们打算怎样实现这一目标？

答：消灭私有制，代之以财产公有。

第四个问题：你们的财产公有建立在什么基础上？

答：第一，建立在通过发展工业、农业、商业和垦殖而产生的大量的生产力和生活资料的基础上，建立在因使用机器、化学辅助手段和其他辅助手段而使生产力和生活资料无限增长的可能性的基础上。

第二，建立在这样的基础上：在每一个人的意识或情感中都存在着某些原理，这些原理是颠扑不破的准则，是整个历史发展的结果，是无须加以论证的。

第五个问题：这是一些什么原理呢？

答：例如，每个人都追求幸福。个人的幸福和大家的幸福是不可分割的，等等。

第六个问题：你们打算用什么方法为实现你们的财产公有作准备？

答：通过对无产阶级进行宣传教育并使他们联合起来。[1]

第二个问题、第四个问题和第五个问题的回答笼统且模糊，缺乏现实的根据和基础。尤其是第四条问答，其第一个回答和第二个回答的差别"是与代表大会的报告相矛盾的"[2]，很显然这两个回答是不同的思想势力相互博弈所达成

---

① [德] 马克思、恩格斯：《共产党宣言》，人民出版社 2014 年版，第 69—70 页。

② [德] 马丁·洪特：《〈共产党宣言〉是怎样产生的》，金海民译，商务印书馆 1979 年版，第 84 页。

的"妥协"式的结果。

第6条问答将"实现财产公有"的方法归结为"通过对无产阶级进行宣传教育并使他们联合起来",这也有鲜明的空想社会主义痕迹。圣西门（1760—1825）、傅立叶（1772—1837）和欧文（1771—1858）等人都反对暴力革命，他们寄希望于提升人们的思想意识来实现社会主义。在他们那里，对人们进行重新教育和启发是通向美好社会制度的必经之路。

因此，《共产主义信条草案》前六条问答的作者很可能不是恩格斯。但《共产主义信条草案》的主体后16条问答的作者是恩格斯，恩格斯主要阐述了下列四个方面的内容：

第一，"生产力决定生产关系"的基本原理。恩格斯在《共产主义信条草案》第4条问答中讲到，"财产公有制"也就是共产主义社会必须"建立在通过发展工业、农业、商业和垦殖而产生的大量的生产力和生活资料的基础上，建立在因使用机器、化学辅助手段和其他辅助手段而使生产力和生活资料无限增长的可能性的基础上"①，认为共产主义制度的建立是需要物质基础的，它不可能根源于道德学说和情感意志，必须在生产力和生活资料高度发达和极为丰富的前提下，才有实现的物质保证。这句话体现出了"生产力决定作用"的历史唯物主义原理，这也是马克思和恩格斯在1847年前所取得哲学成果的展现，在《哲学的贫困》、《德意志意识形态》中，他们已经达到了这样的理论认识高度，只是未能将这些认识运用在具体的工人运动中。除此之外，恩格斯在《共产主义信条草案》中，在论述到无产阶级和资产阶级的产生、无产阶级革命不能采取简单的密谋式道路、私有制不能一下子就废除、无产阶级民主制必须一步步来建立等思想时，都坚持了历史唯物主义的分析方法，将历史唯物主义的思想贯穿到了整个《共产主义信条草案》中。

第二，无产阶级的产生是历史发展的必然结果。恩格斯先是在第7条问答中明确指出无产阶级"是完全靠自己的劳动而不是靠任何一种资本的利润为生的社会阶级"②，紧接着在第8、9条问答中具体说明了无产阶级的独特性：由于资本主义社会促进了生产力的快速发展，资本主义社会中的两大阶级——资产阶级和无产阶级就日益对立了起来，他们都是资本主义大工业的产物。工人

---

① ［德］马克思、恩格斯：《共产党宣言》，人民出版社2014年版，第69页。

② ［德］马克思、恩格斯：《共产党宣言》，人民出版社2014年版，第70页。

为取得生活资料而不得不把自己的劳动力出卖给资本家，无产者是整个资产者阶级的奴隶。在不公平的资本主义社会，资产者人数少但掌握着生产资料，因而他们是富有者阶层，是能够剥削和压迫广大劳动者的阶级；无产者人数多却一无所有，他们是被压迫和剥削的、"依赖于资产者的阶级"①。因此，无产阶级是"穷人和劳动阶级"②，这一点和历史上的奴隶和农奴没有什么区别，但无产阶级并不是"一向就有的"③，它是历史发展的产物。恩格斯紧接着分析和解释了无产阶级相比于奴隶、农奴和手工业者的差别，指出无产者并不是依附于特定的剥削者，而是依赖于整个资产阶级，也就是整个剥削阶级，他们随时可以被任一掌握有资本的资产阶级所雇佣，成为他们的奴隶。而且，相比于无产者，农奴和手工业者还算"幸福"，因为他们还可以享有自己部分的劳动成果（农奴），甚至还可以有机会成为剥削他人的阶级（手工业者），因此，"无产者生活无保障"④，他们只有"通过消灭私有制、竞争和一切差别而获得解放"⑤，同时创造出新的、没有剥削和压迫的新社会。恩格斯在《共产主义信条草案》第 13 条问答中直接提出了共产主义理论产生的历史条件："共产主义是关于奴隶、农奴或手工业者不可能实现而只有无产者才可能实现的那种解放的学说，因此它必然属于 19 世纪，而以往任何时候都是不可能有的。"⑥

　　第三，无产阶级的革命策略。在《共产主义信条草案》中，恩格斯用言简意赅的语言阐明了无产阶级的革命策略必须适时、适当。首先，针对同盟惯用的错误的密谋方式，恩格斯强调指出"任何密谋都不但无益，甚至有害"，并进一步阐发了革命运动的历史规律："革命不能故意地、随心所欲地制造，革命在任何地方和任何时候都是完全不以单个的政党和整个阶级的意志和领导为转移的各种情况的必然结果。"⑦其次，无产阶级需要通过暴力革命方式夺取政权。恩格斯认为，无产阶级力量的强大引起了资产阶级的恐慌，"世界上几乎所有国家的无产阶级的发展都受到有产阶级的暴力压制，因而是共产主义者的

---

① ［德］马克思、恩格斯：《共产党宣言》，人民出版社 2014 年版，第 71 页。
② ［德］马克思、恩格斯：《共产党宣言》，人民出版社 2014 年版，第 70 页。
③ ［德］马克思、恩格斯：《共产党宣言》，人民出版社 2014 年版，第 70 页。
④ ［德］马克思、恩格斯：《共产党宣言》，人民出版社 2014 年版，第 72 页。
⑤ ［德］马克思、恩格斯：《共产党宣言》，人民出版社 2014 年版，第 72 页。
⑥ ［德］马克思、恩格斯：《共产党宣言》，人民出版社 2014 年版，第 73 页。
⑦ ［德］马克思、恩格斯：《共产党宣言》，人民出版社 2014 年版，第 73 页。

敌人用暴力引起革命。如果被压迫的无产阶级因此最终被推向革命，那么，我们将用行动来捍卫无产阶级的事业，正像现在用语言来捍卫它一样。"①无产阶级在命悬一线之际，只有"以暴制暴"，方能成功进行武装革命，取代资产阶级，成为社会的领导阶级，进而建设更加完美的共产主义社会制度。再次，无产阶级需一步步实现民主统治。无产阶级成为统治阶级后，要按照生产力发展的客观规律来行事，避免急于废除私有制、实行民主制度，因为"群众的发展是不能命令的"②。恩格斯一一回答了当时困扰工人队伍的诸多问题，如何实现新型的社会教育、如何对待各种民族和宗教、如何看待所谓的"公妻制"、如何实现社会发展的过渡，等等，这些思想都在5个月后的《共产主义原理》中，得到了补充、丰富和发展。

第四，初步展望共产主义制度。恩格斯在回答具体问题时，谈到了他对未来的共产主义社会的一些看法，客观上对未来的共产主义社会做出了描述。恩格斯首先在第2条问答中说明：共产主义社会就是"使社会的每一个成员都能完全自由地发展和发挥他的全部才能和力量，并且不会因此而损害这个社会的基本条件"③。开宗明义地把共产主义社会看成是为了人的全面发展而建立起的社会制度。在谈到财产公有的共产主义社会如何实现时，恩格斯指出"实现财产公有的第一个基本条件是通过民主的国家制度达到无产阶级的政治解放"④，民主的共产主义社会能够"保障无产阶级的生存"⑤，一再强调共产主义社会的民主程度要比资本主义社会高出许多，并且其保障的是所有人的根本利益。而且，共产主义社会并不像资产阶级所蔑称的那样，是实行可怕的"公妻制"的社会，共产主义社会是没有私有制的社会，随着生产资料社会占有制的建立、发展与完善，旧有的家庭、民族、宗教、教育、工业、商业等都会发生根本的变化，有的还会在历史中逐步走向消亡。比如，所有的劳动者都会在国家所有的工厂和农场中就业，所有的儿童都能享受公费的教育，不同的民族会因私有制的消灭而融合，一切现有的宗教也会因阶级的消失而失去自身存在的价值，人们无须再去寻求精神的慰藉和安抚了，因为共产主义社会能

---

① [德] 马克思、恩格斯:《共产党宣言》，人民出版社2014年版，第73页。
② [德] 马克思、恩格斯:《共产党宣言》，人民出版社2014年版，第73页。
③ [德] 马克思、恩格斯:《共产党宣言》，人民出版社2014年版，第69页。
④ [德] 马克思、恩格斯:《共产党宣言》，人民出版社2014年版，第73页。
⑤ [德] 马克思、恩格斯:《共产党宣言》，人民出版社2014年版，第73页。

够在物质和精神上都给人们以极大的满足。可以看出，恩格斯的这些展望还
未能彻底摆脱空想社会主义的影响，这和《共产主义信条草案》创作的背景
息息相关，不过其中的合理思想成分也被《共产主义原理》和《共产党宣言》
所吸收。

《共产主义信条草案》分发到同盟各支部后，成员们对其进行了热烈和充
分的讨论和交流，并在此过程中不断地学习其中的科学共产主义理论，净化思
想、提高认识。譬如，在巴黎、里昂和马赛，"纲领的讨论总是和对格律恩和
蒲鲁东观点的斗争交织在一起"①，在法国的同盟成员借助着内部讨论会，逐渐
接受和理解了马克思和恩格斯的共产主义理论才是真正代表广大工人阶级根本
利益的；在阿姆斯特丹，裁缝帮工约翰·多尔召集同盟的少数成员建立了一个
同盟的支部和一个工人教育协会，并在讨论《共产主义信条草案》的基础上最
终建立了阿姆斯特丹同盟支部；在斯德哥尔摩，"耶尔特勒克把《共产主义信
条草案》、伦敦《共产主义杂志》的材料以致若干卡贝和基督教社会主义的思
想（当时在瑞典颇为流行）改编成一个小册子，于1847年底出版"②；在德国，
仍然有很多同盟成员不理解同盟对魏特林的处置和批判。汉堡支部的领导人马
尔滕斯直到1847年10月还对魏特林和格律恩等人抱有同情之心，但伦敦总部
对其做出了严厉且坚决的批评和回复：格律恩分子只是"体系的兜售者"和满
嘴"梦的呓语"的不负责任的一些小资产阶级者；在莱比锡，仍然有同盟成员
搞不清楚资产阶级和无产阶级的"势不两立"，还在建议伦敦总部"'更符合社
会各阶级地'编写党纲"③；在瑞士，《共产主义信条草案》的讨论状况并不乐
观，魏特林的影响还比较大，卡尔·海因岑（1809—1880）的"积极活动"也
给纲领草案的讨论进展带来了负面的影响，不过，即便这样，"在经过一些回
合之后，首先是过去曾与海因岑保持联系的同盟伯尔尼支部坚决和他断绝了关
系……由于纲领草案的讨论，这里在政治上同样出现了一个有力而积极的发
展。在日内瓦、莱洛克尔、洛桑、拉绍德封和其他约有四至五个地方，在纲领

---

① [德] 马丁·洪特：《〈共产党宣言〉是怎样产生的》，金海民译，商务印书馆1979年版，
　　第92页。
② [德] 马丁·洪特：《〈共产党宣言〉是怎样产生的》，金海民译，商务印书馆1979年版，
　　第94页。
③ [德] 马丁·洪特：《〈共产党宣言〉是怎样产生的》，金海民译，商务印书馆1979年版，
　　第96页。

讨论时也取得了组织上的进展"①，等等。

总而言之，《共产主义信条草案》的篇幅较为短小，内容较为单薄，结构较为单一，理论分析和思想阐述也未能全面展开。即便如此，《共产主义信条草案》还是阐述了一些理论问题，并在随后的《共产主义原理》当中得到了更为具体和深入的阐发和探究。

五、《共产主义原理》的创作及其主要内容

《共产主义原理》写于1847年10月底至11月，是恩格斯对《共产主义信条草案》的补充、扩写、丰富和完善。当时，在同盟各支部讨论《共产主义信条草案》时，马克思和恩格斯在布鲁塞尔亲自指导和认真参与，成员们对《共产主义信条草案》的讨论最为系统和深入，并且提出了详细、真诚的修改意见。毫无疑问，布鲁塞尔支部和巴黎支部的讨论活动对《共产主义原理》形成的作用最大：布鲁塞尔支部的修改意见成为了恩格斯写作《共产主义原理》的指导原则。但是，与此同时，赫斯在巴黎支部提交了另外一份充满了"真正的社会主义"思想色彩的纲领草案，意欲取代《共产主义信条草案》。赫斯的支持者，如格律恩等人在巴黎支部讨论会上极力鼓吹赫斯的这份"教义问答修正稿"，使得恩格斯愤然反击，不仅揭穿了"真正的社会主义"反动的思想本质，还下定决心立即起草新的同盟纲领以争取时间，保证历史唯物主义思想和科学社会主义原则能够在同盟中站稳脚跟、占据主流。于是，恩格斯紧急动笔写作了《共产主义原理》。

《共产主义原理》仍然采用了恩格斯并不满意的"教义问答"形式，共25条，比《共产主义信条草案》多了3条，字数大约为18500字，较之《共产主义信条草案》，内容分量大大增加。它没有保留《共产主义信条草案》的前6条问答，而是将这6条问答换成了一个开门见山式的问题和解答：

第一个问题：什么是共产主义？

① ［德］马丁·洪特：《〈共产党宣言〉是怎样产生的》，金海民译，商务印书馆1979年版，第96—97页。

答：共产主义是关于无产阶级解放的条件的学说。①

这句话具有鲜明的阶级指向性，明确了共产主义不是随便什么人的学说，而是专属于无产阶级。并且，共产主义所追求的是无产阶级的"解放"，即在共产主义社会中，无产阶级可以不再受到各种各样的限制和束缚，获得自由发展的权利。恩格斯试图用这样的一条问答来修正并概括先前《共产主义信条草案》的前 6 条问答，既指明"共产主义"的本质，又说清共产主义者的终极目标和理想。恩格斯想说明：要想明白作为一名共产主义者的职责和使命，首先需要摆正位置和站好队伍，因而用这样的一条言简意赅的问答作为《共产主义原理》的开端。

《共产主义原理》从第 2 条问答开始，正式对《共产主义信条草案》进行补充和丰富，其用语更为精准，论述也更为充分，具有鲜明的无产阶级运动纲领性质和历史唯物主义、科学社会主义特征，已经涵盖了后来同盟的正式纲领《共产党宣言》所论述的基本问题。其主要内容是：

第一，阐明无产阶级进行共产主义革命是不可扭转的历史趋势。恩格斯从唯物史观原理出发，阐明了科学社会主义的本质特征，指出肩负共产主义革命历史重任的无产阶级是由于产业革命而产生的。产业革命使资产阶级最大限度地增加自己的财富，扩充自己的势力，逐渐成为资本主义国家内的第一阶级。社会地位的上升，又使得资产阶级很快在政治上也成为第一阶级。与此同时，随着产业革命的发生，无产阶级也迅猛发展起来，集中在大工业里的无产阶级渐渐意识到了自己的力量和利益，加上大工业不断把工人的工资压到最低限度，他们的处境越来越艰难、越来越无法忍受了。恩格斯得出结论："一方面由于无产阶级不满情绪的增长，另一方面由于他们力量的壮大，工业革命便孕育着一个由无产阶级进行的社会革命。"②

紧接着，恩格斯揭示了资本主义生产制度本身的矛盾，来论证无产阶级革命的历史必然性。他分析了资本主义商业危机的产生及这种危机给工人带来了无限痛苦和深重灾难，认为资本主义商业危机产生的根源在于自由竞争和个人经营之间的矛盾已经变成了大工业发展的枷锁，这实际上已经揭示了资本主义

---

① 《马克思恩格斯文集》第 1 卷，人民出版社 2009 年版，第 676 页。
② 《马克思恩格斯文集》第 1 卷，人民出版社 2009 年版，第 682 页。

制度的基本矛盾，即社会化的大生产同私人占有之间的矛盾。恩格斯进一步认为，大工业主导下的生产发展必然要求建立一个全新的组织，即建立一个新的共产主义社会制度，这是生产力和生产关系矛盾运动的必然结果。

恩格斯表明，对于无产阶级来讲，推翻资产阶级统治的革命活动既是现实的，又是崇高的。现实在于经济危机的确给工人阶级带来无法忍受的艰苦生活；崇高在于既然会有经济危机的产生，就说明资本主义生产关系并不是像资产阶级所鼓吹的那样，是人类社会的终极社会形态，在它之上还有更高级的生产资料所有制——生产资料社会占有。而代表着这种生产关系的阶级正是工业革命的重要产物之一——无产阶级。因此，无产阶级革命在某种程度上是人类自从诞生之后最为神圣的革命运动，它不是以一种私有制代替另一种私有制，而是以重建后的公有制代替私有制："大工业及其所引起的生产无限扩大的可能性，使人们能够建立这样一种社会制度，在这种社会制度下，一切生活必需品都将生产得很多，使每一个社会成员都能够完全自由地发展和发挥他的全部力量和才能。"①

第二，阐述无产阶级的革命道路和策略。同《共产主义信条草案》一样，恩格斯在《共产主义原理》中再次强调了革命运动的客观基础，并且重申了革命不能预先随心所欲地制造，并且任何密谋都是有害的。与《共产主义信条草案》不同的是，恩格斯指出了采取和平的方法消灭私有制的可能性，同时指出能否采取和平的方法不取决于无产阶级的意愿，因为有产阶级总是用暴力压迫无产阶级并把它最终推向革命："几乎所有文明国家的无产阶级的发展都受到暴力压制，因而是共产主义者的敌人用尽一切力量引起革命。如果被压迫的无产阶级因此最终被推向革命，那时，我们共产主义者将用行动来捍卫无产者的事业，正像现在用语言来捍卫它一样。"②

更为重要的是，恩格斯阐释了无产阶级的革命策略。他指出，共产主义者不能像"真正的社会主义"者和魏特林那样，指望在资产阶级取得统治权以前就同资产阶级彻底决裂，进行战斗。无产阶级为了自身的利益，必须依据社会现实和历史发展阶段，先帮助资产阶级尽快取得政权，推翻封建主阶级的统治，建立资本主义制度，随后再同资产阶级进行决战，以最快速度推翻资本主义制度。恩格斯总结道，无产阶级必然要提出废除私有制的要求和任务，但共

---

① 《马克思恩格斯文集》第 1 卷，人民出版社 2009 年版，第 683 页。
② 《马克思恩格斯文集》第 1 卷，人民出版社 2009 年版，第 685 页。

产主义革命不能一下子就把私有制废除，无产阶级只能逐步改造资本主义社会，并且只有在废除私有制所必需的大量物质资料被生产和创造出来以后，才能达到废除私有制的终极目的。也就是说，私有制不是说废除就废除的，不能仅仅依靠革命热情和理想来废除私有制，生产力的发展程度才是变革所有制的根本原因："正像不能一下子就把现有的生产力扩大到为实行财产公有所必要的程度一样。因此，很可能就要来临的无产阶级革命，只能逐步改造现今社会，只有创造了所必需的大量生产资料之后，才能废除私有制。"①

第三，论述无产阶级如何进行社会改造和治理。无产阶级革命成功之后，面临着如何实行无产阶级专政，进而改造资本主义旧社会，真正建立共产主义制度的任务。恩格斯指出："首先无产阶级革命将建立民主的国家制度，从而直接或间接地建立无产阶级的政治统治。"②在这里，无产阶级民主等同于无产阶级专政，要想实现无产阶级民主，同时就要对资产阶级以及所有的旧有剥削阶级进行专政，这是恩格斯概括实际斗争经验而写入《共产主义原理》的一项重要内容。恩格斯认为，无产阶级民主就是要采取各种措施，直接打碎私有制，保证无产阶级生存和生活，否则这种民主制对于无产阶级来说毫无用处。恩格斯的这些论断同他在《共产主义信条草案》中所提出的无产阶级政治解放是实现公有制的第一个基本条件的思想相比较，向前迈了一大步。恩格斯在《共产主义原理》中提出的有关无产阶级民主、无产阶级改造和治理资本主义社会的条文，后来只是经马克思的稍稍改动就收录在了《共产党宣言》中。例如，关于无产阶级民主治理的 12 条措施就几乎被马克思全部吸收，简略改写成了 10 条措施放在了《共产党宣言》的第二章。因此，《共产主义原理》中的有关重要论述，可以看做是《共产党宣言》中无产阶级专政思想的"姊妹篇"。

第四，展望未来的共产主义社会制度。受限于篇幅，恩格斯在《共产主义信条草案》中对未来社会没有做出太多设想，而在《共产主义原理》中已制定出一个关于共产主义社会的蓝图：首先，生产资料社会所有，不会因追逐个人私利而发生盲目扩大生产的现象，社会大生产异常发达，但整个社会生产和生活秩序井然，不会有经济危机，不会有社会灾难。其次，社会产品极为富足，即使人们的需要在不断增长。因此，社会也不需要划分出敌对的阶级，城乡之

① 《马克思恩格斯文集》第 1 卷，人民出版社 2009 年版，第 685 页。
② 《马克思恩格斯文集》第 1 卷，人民出版社 2009 年版，第 685 页。

间、行业之间的差别也会就此抹除。再次，人们不会因为分工而像以前一样，变成片面发展的人。在共产主义社会，每个人都是全面发展的人，他们义务参加劳动，有多少能力贡献多少能力，并得益于优越的社会生产制度，人们获得足够的闲暇时间来发展自己的爱好和专长，从而享受着自由且有序的生活。正如恩格斯所说："由社会全体成员组成的共同联合体来共同地和有计划地利用生产力；把生产发展到能够满足所有人的需要的规模；结束牺牲一些人的利益来满足另一些人的需要的状况；彻底消灭阶级和阶级对立；通过消除旧的分工，通过产业教育、变换工种、所有人共同享受大家创造出来的福利，通过城乡的融合，使社会全体成员的才能得到全面发展，——这就是废除私有制的主要结果。"[1]恩格斯的这种预测看上去和一些空想社会主义者的思想相同，但这是建立在分析大工业发展的基础上的，二者的根本性质截然不同。

第五，批驳各种有害于工人运动的社会主义思潮。恩格斯在《共产主义原理》中把他和马克思代表的无产阶级革命者称为共产主义者，而把其他形形色色的非科学社会主义的社会主义思潮称之为"社会主义者"。恩格斯在《共产主义原理》的第 24、25 条问答中把社会主义者分为三类：第一类是反动的社会主义者，即封建和宗法社会的拥护者，他们主张恢复封建的和宗法的社会，是较为反动、落后和腐朽的社会主义者，他们只是披着社会主义的外衣，代表着被社会历史淘汰了的阶级的利益，共产主义者需要同他们作坚决斗争。第二类是资产阶级社会主义者，他们实质上是资本主义社会的拥护者，主张不触动资产阶级统治的根基而消除社会的弊端，他们所拥护的社会正是共产主义者要推翻的社会，因而共产主义者必须坚持不懈地同他们进行斗争。第三类是民主主义的社会主义者，他们想采取某些措施解决现代社会中的各类问题，但他们不赞同共产主义革命的方法，而求助于各种稀奇古怪、充满唯心主义色彩的言辞和观点。从本质上看，这类社会主义者虽然也在开历史的倒车，但总体而言属于知识分子和"有教养的人"，对共产主义革命构不成实质性的破坏和损毁，只要他们不为资产阶级效劳和不攻击共产主义者，共产主义者就可以在革命的过程中争取和他们达成一定程度上的"统一战线"，尽可能地争取他们的支持和帮助。

值得一提的是，恩格斯十分关心共产主义者的自主性和独立性，在根本的政治立场和理想信念上，共产主义者决不能做出任何的退却和让步，并且要时

---

[1] 《马克思恩格斯文集》第 1 卷，人民出版社 2009 年版，第 689 页。

刻做好准备，共产主义者只能是社会革命的领导阶级和主体力量，他们不能跟着资产阶级亦步亦趋，这样会使他们迷失方向和误入歧途。尽管根据德国的现实情况来看，首先要进行的是资产阶级民主革命："在同政府的斗争中，共产主义者始终应当支持自由派资产者，只是应当注意，不要跟着资产者自我欺骗，不要听信他们关于资产阶级的胜利会给无产阶级带来良好结果的花言巧语。共产主义者从资产阶级的胜利中得到的好处只能是：（1）得到各种让步，使共产主义者易于捍卫、讨论和传播自己的原则，从而使无产阶级易于联合成一个紧密团结的、准备战斗的和有组织的阶级；（2）使他们确信，从专制政府垮台的那一天起，就轮到资产者和无产者进行斗争了。从这一天起，共产主义者在这里所采取的党的政策，将和在资产阶级现在已占统治地位的那些国家里所采取的政策一样。"①

从上述内容可以看出，《共产主义原理》已经是一部较为成熟的马克思主义文献，可以用来做工人政党的纲领草案。但是，恩格斯并不觉得《共产主义原理》能够作为同盟纲领的"最终版本"。恩格斯曾同马克思商量，认为最好抛弃教义问答的形式，并且把新的文献命名为"共产党宣言"。"我想，我们最好不要采用那种教义问答形式，而把这个文本题名为《共产主义宣言》。因为其中或多或少要叙述历史，所以现有的形式完全不合适。"②之后，马克思在撰写《共产党宣言》时采纳了恩格斯的建议，充分借鉴和利用了《共产主义原理》中的历史唯物主义和科学社会主义内容。

第二节 《共产党宣言》的创作与主要内容

《共产主义信条草案》和《共产主义原理》的写作，为马克思和恩格斯撰写共产主义者同盟的政治纲领提供了参考范本，而正义者同盟成功改组为共产

---

① 《马克思恩格斯文集》第 1 卷，人民出版社 2009 年版，第 692—693 页。
② 《马克思恩格斯文集》第 10 卷，人民出版社 2009 年版，第 55—56 页。

主义者同盟，为马克思和恩格斯通过政治平台阐述、宣传自己的革命思想和科学理论提供了组织保证。如前所述，在《共产主义信条草案》和《共产主义原理》写作的前后，同盟内部还深受空想社会主义、小资产阶级思想甚至封建式的陈旧思想等的影响，不少盟员还无法完全接受马克思和恩格斯的科学社会主义理论，在思想和政治立场上左右摇摆。为此，马克思和恩格斯同"真正的社会主义"、小资产阶级民主主义思潮以及其他空想社会主义进行了论战，为统一共产主义者同盟成员的思想和创作《共产党宣言》作理论准备工作。1847 年 11 月，共产主义者同盟"二大"在伦敦召开，会上作出了委托马克思和恩格斯写作政治纲领——《共产党宣言》的决定。马克思和恩格斯拿到了共产主义者提供的相关资料，经过一个多月的反复讨论、打磨与修改，最终在 1848 年 1 月初写成了至今最为知名的马克思主义著作——《共产党宣言》。

一、《共产党宣言》的创作过程

1847 年 11 月底至 12 月初，共产主义者同盟在伦敦举行第二次代表大会。马克思和恩格斯参加了这次大会。大会讨论并通过了同盟章程。经过重大修改而获得通过的同盟章程表明，奠定在科学社会主义理论基础上的第一个国际无产阶级政党建立起来了。大会用绝大部分时间对理论纲领进行了讨论。马克思和恩格斯申述和维护了他们的观点。代表们经过较长时间的辩论，终于消除了分歧和疑虑，马克思和恩格斯所代表的科学社会主义理论取得了胜利。1848 年 1 月《共产党宣言》起草完成，2 月在伦敦公开发表。后来又被译成多种文字，传遍了全世界。

同盟在"二大"上决定委托马克思和恩格斯来起草同盟纲领，并将大量的资料交给他们作参考，其中，《共产主义信条草案》和《共产主义原理》是《共产党宣言》最重要的参考材料。马克思和恩格斯当时写作《共产党宣言》的时间异常紧迫，再加上恩格斯之后就离开了布鲁塞尔，马克思又常常去参加工人集会并发表演讲，因此他在写《共产党宣言》时明显感到时间不够用。此外，同盟当时好像也并不缺乏起草纲领的知识分子，比如赫斯就是这样的一位同盟成员。同盟还针对马克思迟迟不送交《共产党宣言》手稿通过了一份决议：

中央委员会决定委托布鲁塞尔支部委员会通知卡尔·马克思：如果今年2月1日（星期二）之前，他不把在最近召开的代表大会上承诺起草的《共产党宣言》寄到伦敦，那就要对他采取其他措施。如果他不打算起草《共产党宣言》，中央委员会要求他立即退还代表大会提供给他的各种文件。①

马克思如果不能尽快地把《共产党宣言》交给委员会，他就无法用他和恩格斯的科学共产主义思想来左右同盟的共同纲领了。因此，马克思便在《共产主义原理》的基础上修改而成《共产党宣言》，用一个月左右的时间就完成了这份在篇章结构和内容层次上实则尚不完整的千古奇文。

不过，这份决议的本意并不是"威胁"马克思，同盟最信任的人还是马克思和恩格斯，这从同盟成员列斯纳（1825—1910）的一段回忆就能感受出来："这次，卡尔·马克思也出席了大会。……我不是代表，但是我们知道谈的是什么问题，所以我们非常关切地期待着讨论的结果。不久我们就听说代表大会一致赞同了马克思和恩格斯所阐述的原理，并且委托他俩起草宣言。"②同样，恩格斯本人的陈述也是别有一番证明力，他曾在《关于共产主义者同盟的历史》一文中讲道，"马克思也出席了这次代表大会，他在长时间的辩论中——大会至少开了10天——捍卫了新理论。所有的分歧和怀疑终于都消除了，一致通过了新原则，马克思和我被委托起草宣言。"③恩格斯的这篇著作是公开发表在《社会民主党人报》上的，想必恩格斯根本就没有"说谎"的理由：同盟"二大"委托起草《共产党宣言》的人选，在当时只能是马克思和恩格斯。因为，所有对科学共产主义理论的不同意见已经在会上被"驳倒"了。

《共产党宣言》的起草时间虽然不长，但它称得上是一部"经过反复修改、反复锤炼的精心之作"④，马克思为创作《共产党宣言》付出了艰辛的努力，他

---

① 《国际共产主义运动史文献》编辑委员会：《共产主义者同盟文件和资料 I》，中国人民大学出版社 1989 年版，第 458 页。

② 《国际共产主义运动史文献》编辑委员会：《共产主义者同盟文件和资料 I》，中国人民大学出版社 1989 年版，第 436 页。

③ 《马克思恩格斯文集》第 4 卷，人民出版社 2009 年版，第 237 页。

④ 北京大学马克思主义文献研究中心：《〈共产党宣言〉与全球化》，北京大学出版社 2001 年版，第 75 页。

的妻子燕妮也从中给予了帮助，使得马克思在短时间内完成了《共产党宣言》的写作任务。遗憾的是，我们已经找不到《共产党宣言》全部的原始手稿，只能找到一份马克思大约写于 1847 年 12 月底至 1848 年 1 月初的《〈共产党宣言〉第三章计划草稿》：

> （1）// 批判 //（双斜线中的话在手稿中已经划掉——原书注）。批判的空想的体系。（共产主义的。）
> （2）
> （1）反动的社会主义，封建的，宗教的，小资产阶级的。
> （2）资产阶级的社会主义。
> （3）德国的哲学的社会主义。
> （4）批判的空想的文献。欧文、卡贝、魏特林、傅立叶、圣西门、巴贝夫的体系。
> （5）直接的党的文献。
> （6）共产主义的文献。①

马克思没有在《共产党宣言》的最终稿里写到第（5）和第（6）点；而第（4）点中的魏特林、卡贝、巴贝夫（1760—1797）也没有出现在定稿中。一方面，马克思创作《共产党宣言》的时间确实有些不够用了，因此马克思只能择其精要，把当时最需要批判的社会主义思潮一一作出评价和批驳。另一方面，马克思应该是在精研了有关第（5）、第（6）和第（7）的有关材料后，认定将其抄写上去会影响《共产党宣言》的思想内容和整体风格，所以只好作罢。此外，虽然科学共产主义成为了共产主义者同盟的指导思想和理论主张，但同盟内部还是会有相当数量的"真正的社会主义"者，甚至是巴贝夫主义者和卡贝主义者。而这些空想社会主义流派正是马克思所要进行批判的，如果在最后再把自己主张的共产主义宣扬一番，势必会打击这部分成员的革命积极性和热情，这对于当时亟须团结的同盟，损失将是很大的。因此，出于对政治上的考虑，马克思略去了第（5）点和第（6）点。

同样，马克思并没有在第（4）点里批判卡贝、魏特林和巴贝夫。为了对

---

① 《马克思恩格斯全集》第 42 卷，人民出版社 1979 年版，第 384 页。

同盟中这部分革命力量的争取和同盟成员的团结，为了解释他的这个做法，马克思在《共产党宣言》中给出了说法："在这里，我们不谈在现代一切大革命中表达过无产阶级要求的文献（巴贝夫等人的著作）"①。马克思认可巴贝夫等人的历史贡献，因此在《共产党宣言》中就不再专门论述，毕竟大多数同盟成员已经接受了马克思和恩格斯对空想社会主义的相关批判。同样，马克思也没有在《共产党宣言》中继续"讨伐"魏特林。

总的来看，《共产党宣言》总体上是一部成熟的著作，是经过了作者精心琢磨、仔细修改、反复打磨的马克思主义文献。

二、《共产党宣言》的主要内容

《共产党宣言》对马克思主义原理首次作出了集中精辟的论述。他们在《共产党宣言》中，运用唯物主义历史观和剩余价值理论的基本思想，对人类社会特别是资本主义社会进行了科学研究并总结了工人运动的新经验，从而全面阐发了科学社会主义的基本原理，指明了实现这一伟大学说的基本道路和策略思想。

第一，揭示资本主义的历史作用和发展方向。马克思和恩格斯在《共产党宣言》中，运用唯物主义历史观和新的经济理论，深刻揭示了资本主义、资产阶级的历史作用、地位和发展方向。他们认为，资本主义是在封建社会内部孕育和发展起来的，资产阶级的产生和发展经历了一个相当长的历史阶段。资本主义的出现，根本在于社会生产力的发展，当封建主义生产关系不能容纳发展的社会生产力时，资产阶级革命的时代就到来了。资产阶级为追求更多的金钱和资源，不懈地开辟新航路，发现新大陆，把市场扩展到世界各地。在此过程中，资产阶级完成了对资本的原始积累，力量也逐渐壮大起来。资产阶级越来越发现，封建贵族统治的国家和制度已经越来越成为他们追求更大利益的桎梏，因此发动了革命，推翻了封建主义制度，建立了属于自己的时代，夺得了政权，为资本主义生产铺平了道路。

资本主义在历史上曾起过革命的作用。资产阶级把世界各地的各族人民联

---

① 《马克思恩格斯文集》第2卷，人民出版社2009年版，第62页。

系在了一起，在特定的时间段内最大限度地解放和发展了生产力。资本把全部的劳动者变成了整个资本家阶级的奴隶，社会生产再也不局限在固定的地域、人群和资源等条件下，资本主义在不到一百年的时间内，创造出了前所未有的生产力，比资本主义社会之前人类所创造的生产力总和还要多、还要大。

然而，正像封建主义一样，一切社会形态无不带有历史的必然性与暂时性，都会在历史的长河中趋于消亡。资本主义本身有致命的缺陷，仅仅是历史发展中的一个阶段。随着社会化大生产的发展，资本主义的生产关系，也就是生产资料归少数资本家所有的生产关系越来越与社会生产力的发展要求不相适应："社会所拥有的生产力已经不能再促进资产阶级文明和资产阶级所有制关系的发展；相反，生产力已经强大到这种关系所不能适应的地步，它已经受到这种关系的阻碍；而它一着手克服这种障碍，就使整个资产阶级社会陷入混乱，就使资产阶级所有制的存在受到威胁。"[①]一方面是社会化大生产不断向前发展，另一方面是资本家只考虑自己的利益，牢牢把控着生产资料，造成资本主义陷入周而复始的经济危机当中。这说明，资本主义生产关系不能再促进社会生产力和人类文明的进化和发展了，它已经使社会陷入了混乱，需要被变革。而代表社会化大生产的无产阶级，正是推翻资产阶级统治的革命主体。在无产阶级革命的历史浪潮中，资本主义必将寿终正寝，社会主义必将胜利，这是资本主义自身的客观经济规律和社会发展的客观辩证法所导致的必然结果。

第二，阐述阶级斗争理论并论证无产阶级革命的必然性。马克思和恩格斯在《共产党宣言》的开篇明确指出，迄今一切有文字记载的社会，都是建立在压迫阶级和被压迫阶级的对抗的基础上的。自阶级产生以来，整部人类史就是一部阶级斗争史，社会制度的更迭总是表现为阶级矛盾和阶级斗争，阶级斗争成为社会发展的直接动力。现代资本主义社会并没有消除阶级，它只不过用新的阶级、新的压迫条件、新的斗争形式取代了旧的阶级、旧的压迫条件、旧的斗争形式。但与以往的阶级社会不同，资本主义彻底将劳动者变成了无产者，它撕掉了罩在封建主义社会身上的一切面纱，把阶级关系赤裸裸地展现了出来，使社会日益分裂为两大敌对阵营——无产阶级和资产阶级。它们之间只有剥削和被剥削、压迫和被压迫的关系，无产阶级要想获得解放，就必须战胜资产阶级，推翻资本主义制度。而资产阶级在发展自身的同时，也锻造了自己的

---

① 《马克思恩格斯文集》第2卷，人民出版社2009年版，第37页。

掘墓人："资产阶级不仅锻造了置自身于死地的武器；它还产生了将要运用这种武器的人——现代的工人，即无产者。"①

无产阶级是大工业的产物，代表着先进生产力的发展方向和新的生产方式。资本主义社会之所以能存在，正是因为有了无产阶级的劳动，为社会发展提供了源源不断的物质基础。但是，无产阶级并不占有任何的生产资料，他们一无所有，没有退路，要么受雇于资本家，要么奋起革命，改变自己的命运，是真正革命的阶级和未来社会的创造者。在资本主义社会，无产阶级处于绝对的弱势地位，但相比于资产阶级，却是更有前途的阶级。由于社会化大生产让全世界的无产阶级联合了起来，无产阶级也在同资产阶级的不断斗争中积攒了经验，获得了成长，已经具备了革命的基础和能力。更为重要的是，无产阶级在同资产阶级斗争的实践中，其中的先进分子总结了经验，并结合人类优秀的思想成果，提炼出了无产阶级革命的科学理论，指导无产阶级去获得革命的胜利。这些客观和主观条件的成熟，决定了无产阶级革命是历史的必然。马克思和恩格斯对此科学地预断："资产阶级的灭亡和无产阶级的胜利是同样不可避免的。"②

无产阶级承担着废除人类历史上一切私有制的任务。无产阶级是人类历史上最后一个被剥削阶级和被压迫阶级，历史给了他们最艰苦的生活环境，也赋予了他们最伟大的使命。无产阶级必须推翻资本主义雇佣劳动制度，才能翻身求解放，才能掌握全部的生产资料和社会生产力，才能改变自己的生活。同时，无产阶级没有什么自己的东西需要加以保护，他们摧毁的只是束缚劳动者的枷锁，即维护和保障一切私有财产，不仅要在物质、制度层面打破私有制给劳动者设定的藩篱和扣上的锁链，还要在精神和思想层面上同所有与私有制有关的事物决裂。"共产主义革命就是同传统的所有制关系实行最彻底的决裂；毫不奇怪，它在自己的发展进程中要同传统的观念实行最彻底的决裂。"③在这个意义上，无产阶级革命不只是解放无产阶级自身，还是解放全人类。正如马克思和恩格斯在《共产党宣言》中所宣告的那样："无产阶级，现今社会的最下层，如果不炸毁构成官方社会的整个上层，就不能抬起头来，挺起胸来。"④无产阶级必须义无反顾地进行革命，消灭一切阶级、确保人人得以自由发展、

① 《马克思恩格斯文集》第 2 卷，人民出版社 2009 年版，第 38 页。
② 《马克思恩格斯文集》第 2 卷，人民出版社 2009 年版，第 43 页。
③ 《马克思恩格斯文集》第 2 卷，人民出版社 2009 年版，第 52 页。
④ 《马克思恩格斯文集》第 2 卷，人民出版社 2009 年版，第 42 页。

建立实行公有制的共产主义社会。

第三，指明无产阶级革命和建设的道路。马克思和恩格斯在《共产党宣言》中指出，无产阶级从产生的那天起，就开始同资产阶级进行斗争。但是，起初的斗争都是分散、自发的行为，工人所谋求的利益也无非是经济利益，比如争取更高额的工资，等等。随着无产阶级经验的积累、力量的壮大和觉悟的提高，无产阶级逐渐成为自为的阶级，与资产阶级的斗争策略越来越高明，斗争方式越来越多样，并且不再简单追求经济利益，而是上升为更有实质性的政治权益。无产阶级认识到，只有发动大规模的革命，才能炸毁资本主义制度。在概括地叙述了无产阶级反对资产阶级的斗争史后，马克思和恩格斯指明了无产阶级革命的基本道路："在叙述无产阶级发展的最一般的阶段的时候，我们循序探讨了现存社会内部或多或少隐蔽着的国内战争，直到这个战争爆发为公开的革命，无产阶级用暴力推翻资产阶级而建立自己的统治。"①这就是说，无产阶级革命的最有效路径就是暴力革命，在此之后，无产阶级代替资产阶级成为社会的统治阶级，就像当年资产阶级代替封建主那样。

不难看出，马克思和恩格斯在《共产党宣言》中虽然没有直接使用"无产阶级专政"这个术语，但已经在第一个国际性工人政党的纲领中明确表达了无产阶级专政的思想。紧接着，马克思和恩格斯阐明了无产阶级专政的主要任务："无产阶级将利用自己的政治统治，一步一步地夺取资产阶级的全部资本，把一切生产工具集中在国家即组织成为统治阶级的无产阶级手里，并且尽可能快地增加生产力的总量。"②无产阶级夺取政权后，一方面要实行对所有反对无产阶级统治的阶级的专政；另一方面要加快发展生产力，为建设新社会创造物质基础。值得一提的是，无产阶级专政只是旧社会向共产主义社会过渡的一个阶段，当无产阶级通过专政的道路实现了无产阶级民主，也就实现了人类历史上真正的民主制度，全人类也真正得到了解放。到那时，阶级存在的前提就消失了，人类社会也不再需要任何形式的专政。

第四，再次对各种错误的社会主义学说进行批判。在创作《共产党宣言》之前，马克思和恩格斯已经系统、全面地批判了形形色色的工人运动中泛滥的错误"社会主义"和"共产主义"思潮。在《共产党宣言》中，马克思和恩格

---

① 《马克思恩格斯文集》第 2 卷，人民出版社 2009 年版，第 43 页。
② 《马克思恩格斯文集》第 2 卷，人民出版社 2009 年版，第 52 页。

斯再次运用历史唯物主义的阶级分析方法和关于历史发展的观点对各种社会主义和共产主义流派进行了分析和批判。他们认为，每种社会主义和共产主义的背后，都有着特定的阶级利益和要求，它们在历史上代表着一些特定的阶级，因而拥有自身的价值。随着历史的发展和各阶级历史地位的变迁，代表不同阶级利益的社会主义和共产主义流派在历史上的作用也不断变化，有的距离无产阶级革命越来越远，因而越来越显得反动。

马克思和恩格斯在《共产党宣言》中把"封建的社会主义"、"小资产阶级的社会主义"和"真正的社会主义"统称为"反动的社会主义"。其中，"封建的社会主义"是站在被资产阶级推翻的封建贵族立场来攻击资本主义制度的。他们写出一些刺激性的、看上去还颇有文学色彩的文字来讥讽资产阶级，却半是哀怨，半是讥讽，半是过去的余音，半是未来的恫吓，尽管偶尔能切中资产阶级的要害，却因不懂历史而总是在开历史的倒车。他们为了掩人耳目，盗用无产阶级的名号来骗取人们的信任，其性质非常恶劣，也非常可笑。

小资产阶级的社会主义用小资产阶级的眼光来看待现代资产阶级的统治，他们所反映的全是小资产阶级的利益诉求，根本是想恢复行会式的手工业组织和宗法式的农业。他们一方面揭露资产阶级生产关系的矛盾，另一方面力图把机器大工业等现代生产硬塞进已经被这种生产淘汰掉的旧所有制中去，也是在企图使历史倒退。至于"真正的社会主义"，马克思和恩格斯已经对其做了相当多的批判。在他们那里，社会主义不再是一个阶级反对另一个阶级的斗争，而成为以"爱"来调和阶级矛盾，和为保全现存的德国专制制度服务的东西。

另一类是"保守的或资产阶级的社会主义"。这种社会主义以资产阶级中的一部分改良主义者为代表，完全站在资产阶级立场上，既希望保全资本主义私有制，又幻想革除掉其中的弊端和痼疾。他们极力想让工人阶级接受现存的社会制度，惧怕革命和阶级斗争，力图通过改变工人的一些物质生活条件来使工人阶级否定一切政治改革，进而保护资产阶级的生产关系。这种社会主义本质上是在帮助资产阶级，是无产阶级革命和无产阶级解放的敌人。

还有一类是以圣西门、傅立叶和欧文等人为代表的"批判的空想的社会主义和共产主义"。这种社会主义和共产主义产生较早，那时无产阶级还未充分发展，因而这种社会主义和共产主义对无产阶级所处的地位还抱有一种幻想，存在幼稚和不成熟的表现。这种社会主义对改造资本主义社会的愿望很强烈，他们看到了无产阶级和资产阶级的对立，看到了资本主义社会内部的"破坏因素"。但是，无产阶级在这些空想社会主义者眼中，只是一个受苦很深的阶级，他们没有意识到"无产者"的历史作用。因此，他们迫切想帮助无产阶级摆脱现状，但苦于找不到方法，只要把希望寄托在自己的天才式的发明创造上。他们拒绝一切政治行动和革命活动，迷恋于自己的发明，迷恋于自己的空想方案，迷恋于向统治阶级呼吁，迷恋于让人们了解他们的苦心、努力和完美的社会改造计划。这种社会主义和共产主义严重脱离了现实的社会历史条件，缺乏科学理论的依据，不可能引导工人走向胜利。虽然他们对资本主义制度丑恶的一面的揭露和关于未来社会的一些积极设想曾经在历史上起到过积极的作用，启发了马克思和恩格斯，但阶级斗争是历史规律，随着无产阶级革命活动的开展，这种社会主义和共产主义就失去了任何实际意义，甚至走向历史的反面。比如，傅立叶、欧文等人的门徒最终堕落成反动的或保守的社会主义者。

第五，制定无产阶级的建党纲领和共产党人的革命策略。在《共产党宣言》里，马克思和恩格斯指出，无产阶级要进行革命并取得胜利，首先必须形成无产阶级的先锋队组织——共产党。共产党由无产阶级中最坚决、最先进的分子组成，始终站在工人运动的最前列，是无产阶级利益的根本体现者，能够组织和领导广大无产阶级走上科学的道路。"共产党人为工人阶级的最近的目的和利益而斗争，但是他们在当前的运动中同时代表运动的未来。"① 显然，同盟就是这样的一个无产阶级政党组织，它的最终目标是实现共产主义。

共产党的组建并非易事，无产阶级经历了曲折的过程，才摸索到了这条宝贵的经验。正如马克思和恩格斯所言："无产者组织成为阶级，从而组织成为政党这件事，不断地由于工人的自相竞争而受到破坏。但是，这种组织总是重新产生，并且一次比一次更强大、更坚固、更有力。"② 这表明，无产阶级是在不断的失利中建立起政党的，这个政党，即共产党，越是遭遇挫折和失败，就越是坚韧和顽强，就越有战斗力。

根据 1848 年前后的欧洲革命形势，马克思和恩格斯在《共产党宣言》中阐述了共产党人的革命策略。他们指出，共产党及其领导的无产阶级革命的最近目的是夺取资产阶级手中的政权。为实现这一目的，无产阶级并不拒绝参加资产阶级民主革命，也不排斥和小资产阶级以及反对封建专制的资产阶级建立

---

① 《马克思恩格斯文集》第 2 卷，人民出版社 2009 年版，第 65 页。
② 《马克思恩格斯文集》第 2 卷，人民出版社 2009 年版，第 40—41 页。

联合的"统一战线"。因为无产阶级要反对当前最主要的敌人，支持一切反对现存的社会制度和政治制度的革命运动。马克思和恩格斯根据一些国家当时的历史条件阐明了共产党人对待其他阶级和不同政党的态度，他们要求共产党人把长远利益同目前利益、原则的坚定性和策略的灵活性结合起来，但必须坚持自己运动的未来方向，千万不能偏离实现共产主义的终极目标。因此，在"统一战线"中，共产党人一是不能放弃对那些从革命传统中产生的错误思想、空谈幻想采取批判态度的权利；二是要坚持培养工人阶级反对资产阶级的斗争意识，以便使工人们能立即利用资产阶级取得政权后所必然带来的那些政治、经济、社会条件来进行反对资产阶级的斗争。

综上，马克思和恩格斯在共同起草的《共产党宣言》中全面论证了科学社会主义的基本原理，宣告了完整的无产阶级解放斗争学说——马克思主义的诞生和问世，为国际共产主义运动树立了新的战斗旗帜。《共产党宣言》创造了一个时代，即无产阶级革命与无产阶级专政的伟大时代，它的精神至今仍鼓舞、推动着全世界的无产阶级组织，为实现它们的伟大历史使命而英勇奋斗。

第三节 无产阶级及其政党学说

作为共产主义者同盟的政治纲领，《共产党宣言》的核心任务是阐述无产阶级的革命解放理论及其政党学说。在《共产党宣言》中，马克思和恩格斯从分析人类社会历史入手，论述了资产阶级和无产阶级产生的必然性，指出资本主义制度的弊端；从生产力和生产关系辩证运动的关系原理出发，阐发了无产阶级必然与资产阶级针锋相对、组建自己的政党并发动革命，最终推翻资本主义制度，创建新的、更高层级的共产主义社会的科学社会主义学说。可以说，《共产党宣言》就是一部关于无产阶级革命和解放、共产党政党理论的百科全书，它的思想理论和根本精神为国际工人运动指明了道路和方向。正如列宁所说："这部著作以天才的透彻而鲜明的语言描述了新的世界观，即把社会生活领域也包括在内的彻底的唯物主义、作为最全面最深刻的发展学说的辩证法以及关于阶级斗争和共产主义新社会创造者无产阶级肩负的世界历史性的革命使命的理论。"①

一、两大对立的阵营：资产阶级与无产阶级

《共产党宣言》是共产党人的党纲，它的首要目标是鼓舞被压迫、被奴役的无产阶级勇于反抗压迫、奴役他们的阶级——资产阶级。因此，"阶级"这一概念在《共产党宣言》中占据重要地位。严格来说，阶级的出现，是因为生产力发展水平不高，物质财富有限，不能满足所有人的需求，人类社会内部就会分裂开来，形成阶级，围绕着有限的物质生活资料展开斗争。对此，马克思曾在 1852 年致友人约瑟夫·魏德迈（Weydemeyer Joseph，1818—1866）的信中明确说道："阶级的存在仅仅同生产发展的一定历史阶段相联系"②；而当生产发展到一定阶段，物质财富越来越丰富，实质上已能满足人们的需求，阶级的存在也就没有必要了。

马克思和恩格斯在《共产党宣言》的第一章开宗明义地写道："至今一切社会的历史都是阶级斗争的历史。"③ 紧接着，马克思和恩格斯列举了资本主义时代之前的阶级对立关系："自由民和奴隶、贵族和平民、领主和农奴、行会师傅和帮工，一句话，压迫者和被压迫者，始终处于相互对立的地位，进行不断的、有时隐蔽有时公开的斗争……在过去的各个历史时代，我们几乎到处都可以看到社会完全划分为各个不同的等级，看到社会地位分成多种多样的层次。在古罗马，有贵族、骑士、平民、奴隶，在中世纪，有封建主、臣仆、行会师傅、帮工、农奴，而且几乎在每一个阶级内部又有一些特殊的阶层。"④ 这说明，阶级是人类历史上最为普遍的经济社会现象，而且在不同的时代，也就是不同的社会制度下，根据生产力和生产关系的具体实际情况，会产生各种不同的对立阶级。大体来说，在奴隶社会中，奴隶和奴隶主阶级是相互对立的阶级；在封建社会中，农奴、或农民和封建主、或地主是相互对立的阶级，而在

---

① 《列宁选集》第 2 卷，人民出版社 2012 年版，第 416 页。
② 《马克思恩格斯文集》第 10 卷，人民出版社 2009 年版，第 106 页。
③ 《马克思恩格斯文集》第 2 卷，人民出版社 2009 年版，第 31 页。
④ 《马克思恩格斯文集》第 2 卷，人民出版社 2009 年版，第 31—32 页。

封建社会末期，行会师傅和帮工也成为重要的一对对立阶级。通过阐述历史上的阶级对立情况，马克思和恩格斯希望无产阶级明白，他们处于社会的弱势地位，是被资产阶级压迫的劳动群体。

从表面上看，无产阶级和资产阶级之间是"自由的合作关系"，他们之间互相签订了合同，无产阶级给资产阶级打工，资产阶级给无产阶级发放薪水报酬，工人得到了自己的"劳动所得"。而且，工人有选择工作的权利，可以更换与自己"合作"的资本家。只要有一技之长，就会在社会中找到工作。因此，无产阶级"看上去"可以不像奴隶和农奴那样，受到固定的生产要素的限制，无产阶级是能够享受到"自由"的。

资产阶级思想家一直鼓吹资本主义生产关系的这种"优越性"，认为奴隶、农奴与无产阶级无法相提并论，无产阶级和资产阶级都是资本主义社会的"主人"，他们一方提供资本，一方提供劳动，二者之间是公平的关系。但实际上，资本主义建立在资产阶级私有制的基础上，社会中少部分资本家掌握和控制社会的全部生产资料，无产阶级没有任何值得依附的东西。在这种前提下，为了生活，无产阶级只能出卖自己的劳动力，通过签订合约的方式，把自己"卖"给资本家，成为资本的附庸，为资本效劳，让资本成为"能够创造剩余价值的价值"。马克思和恩格斯认为，在这个意义上，无产阶级还没有奴隶和农奴的境况好，奴隶和农奴虽然是在人身上依附于奴隶主和封建主，但他们总体上还属于某个特定的统治阶级。而无产阶级则是完全属于资本，谁手里有资本，谁就可以当无产阶级的"主人"，剥削、榨取无产阶级的血汗。马克思和恩格斯在《共产党宣言》中分析道："资本不是一种个人力量，而是一种社会力量"[1]，无产阶级是整个资产阶级的奴隶，他们不依附于人，而是依附于物，他们不会被某位"主人"所抛弃，而是会被"社会"所抛弃。显然，无产阶级是真正意义上的"一无所有"者，是人类历史上被剥削、被压迫最严重的阶级。对此，恩格斯在《共产党宣言》之前，就在《共产主义原理》中写道：

> 在古代，劳动者是主人的奴隶。直到今天在许多落后国家甚至美国南部他们还是这种奴隶。在中世纪，劳动者是土地贵族的农奴，直到今天在匈牙利、波兰和俄国他们还是这种农奴。此外，在中世纪，直到工业革命

[1] 《马克思恩格斯文集》第2卷，人民出版社2009年版，第46页。

482 | 马克思主义发展史 第一卷

前，城市里还有在小资产阶级师傅那里做工的手工业帮工，随着工场手工业的发展，也渐渐出现了受较大的资本家雇用的工场手工业工人。①

　　奴隶一次就被完全卖掉了。无产者必须一天一天、一小时一小时地出卖自己。单个的奴隶是某一个主人的财产，由于他与主人利害攸关，他的生活不管怎样坏，总还是有保障的。单个的无产者可以说是整个资产者阶级的财产，他的劳动只有在有人需要的时候才能卖掉，因而他的生活是没有保障的。②

在恩格斯看来，相比于奴隶和农奴，特别是农奴，无产阶级的生活反而显得"没有保障"，虽然无产阶级代表着社会生产力的前进方向，是社会中最为先进的阶级，但他们却更显得一贫如洗，他们远比奴隶和农奴需要革命和解放。

同样的道理，无产阶级也无法和16—18世纪时的工厂手工业的工人相比较，后者至少可以拥有织布机、家用纺车，甚至一小块可以自己耕种的土地，但无产阶级没有这些。而且，随着大工业的发展，工厂手工业在机器大生产面前，越来越失去生存生活的条件，他们会相继加入到无产者的队伍中来，成为彻头彻尾的工人阶级。而那些在这个历史过程中获利的人，比如原先的贵族、地主，精明的行会师傅、商人等，会逐渐演变成资产阶级，利用手中的资本攫取无产者身上唯一能剥削的东西——劳动力。恩格斯在《共产主义原理》中写道："工业革命到处都使无产阶级和资产阶级以同样的速度发展起来。资产者越发财，无产者的人数也就越多。因为只有资本才能使无产者找到工作，而资本只有在使用劳动的时候才能增加，所以无产阶级的增加和资本的增加是完全同步的。"③

这就是说，生产力的发展和封建主义生产关系的变革，不仅造就了新的统治阶级——资产阶级，也产生了大量的无产阶级。资产者和无产者是同一历史过程的"一体两面"，是一对不可分割的"矛盾体"。当然，在这个历史过程中，

---

① 《马克思恩格斯文集》第1卷，人民出版社2009年版，第678页。
② 《马克思恩格斯文集》第1卷，人民出版社2009年版，第679页。
③ 《马克思恩格斯文集》第1卷，人民出版社2009年版，第681页。

资产阶级处于绝对的主导地位，他们开辟了新航路，发起了资本原始积累活动，到海外拓展殖民地，开发了世界市场，并通过长期的斗争把封建主阶级赶下了王座，建立了保护资本主义私有制的资本主义政权，正式跃升为整个社会的统治阶级。而无产阶级，与资产阶级相生相伴，却天生是被统治者。由于无产阶级不享有任何生产生活资料，因而他们是全部社会资本的"雇佣劳动者"，是人类历史上最纯粹的"劳动者"。如果说过去的奴隶社会和封建社会时代，奴隶和农奴因为"人身依附"于奴隶主和封建主，多少还带有各种各样的物质和精神羁绊的话，无产阶级和资产阶级之间，就是赤裸裸的剥削和被剥削、压迫和被压迫的关系。正因为此，马克思和恩格斯在《共产党宣言》中论述说："我们的时代，资产阶级时代，却有一个特点：它使阶级对立简单化了。整个社会日益分裂为两大敌对的阵营，分裂为两大相互直接对立的阶级：资产阶级和无产阶级。"① 自此，整个人类历史，进入到资产阶级和无产阶级并存且相互斗争的新阶段。

马克思和恩格斯在《共产党宣言》中以宏观、深邃的视角运用历史唯物主义原理分析了资产阶级和无产阶级产生的历史背景及其地位作用。他们肯定地说："现代资产阶级本身是一个长期发展过程的产物，是生产方式和交换方式一系列变革的产物。"②"资产阶级在历史上曾经起过非常革命的作用。"③"资产阶级在它的不到一百年的阶级统治中所创造的生产力，比过去一切世代创造的全部生产力还要多，还要大。"④ 这说明：

（1）资产阶级从封建社会中产生，它的出现，是社会生产力发展和生产关系改变的必然结果。最初的资产阶级，是从"市民等级"⑤中发展而来的，他们在不断夺取资本和积累财富的过程中，坚持不懈地同封建主阶级进行斗争，最终改变了自己那"被压迫的等级"⑥的命运，"在现代的代议制国家里夺得了独占的政治统治"⑦，建立了资本主义社会制度。也就是说，资产阶级的统治地

---

① 《马克思恩格斯文集》第 2 卷，人民出版社 2009 年版，第 32 页。
② 《马克思恩格斯文集》第 2 卷，人民出版社 2009 年版，第 33 页。
③ 《马克思恩格斯文集》第 2 卷，人民出版社 2009 年版，第 33 页。
④ 《马克思恩格斯文集》第 2 卷，人民出版社 2009 年版，第 36 页。
⑤ 《马克思恩格斯文集》第 2 卷，人民出版社 2009 年版，第 32 页。
⑥ 《马克思恩格斯文集》第 2 卷，人民出版社 2009 年版，第 9 页。
⑦ 《马克思恩格斯文集》第 2 卷，人民出版社 2009 年版，第 33 页。

位，是在社会生产力发展的历史大趋势下，通过斗争实现的。

（2）资产阶级曾代表历史发展趋势和社会发展规律。资本主义生产关系出现后，资产阶级是最为进步的阶级。他们开疆辟土，发现了"新大陆"（美洲），绕行了地球，在海外开拓了殖民地，极大地扩大了欧洲各国的"版图"和"势力范围"；他们创立了世界市场，让古老封建、保守封闭、僵化落后、愚昧原始的民族国家遭到了破坏乃至瓦解、灭亡，在把灾难痛苦带给这些国家和地区的同时，也把现代文明带到了世界各地，更新了人们的观念和意识，促进了人类交流与交往。

（3）资产阶级大力发展了生产力。资产阶级建立了现代工业制度，主导了工业革命，机器大生产、现代企业分工制度、科学技术的迅速应用与推广逐渐成了人们司空见惯的事物，生产力一时得到了前所未有的迅猛发展，人类社会发生了翻天覆地的变化。正如马克思和恩格斯所说："自然力的征服，机器的采用，化学在工业和农业中的应用，轮船的行驶，铁路的通行，电报的使用，整个整个大陆的开垦，河川的通航，仿佛用法术从地下呼唤出来的大量人口——过去哪一个世纪料想到在社会劳动里蕴藏有这样的生产力呢？"①

总的来看，资产阶级的历史作用和地位在特定的时期无与伦比。但是，在马克思和恩格斯看来，资产阶级成为统治阶级后，无产阶级就成为了更革命、更先进、更有前途的阶级。一方面，无产阶级毫无后路可退，他们是历史上最需要革命的阶级，变革旧世界的内生动力非常强大。另一方面，资本主义制度巩固之后，资产阶级所有制就像当年的封建所有制那样，站到了"历史的反面"，人们总是能看到商业（经济）危机的出现，"总是不仅有很大一部分制成的产品被毁灭掉，而且有很大一部分已经造成的生产力被毁灭掉。在危机期间，发生一种在过去一切时代看来都好像是荒唐现象的社会瘟疫，即生产过剩的瘟疫……资产阶级的关系已经太狭窄了，再容纳不了它本身所造成的财富了。"②种种迹象表明，当年资产阶级反对封建主阶级的情景要再现了，无产阶级要像当年资产阶级那样，夺取社会的管理权和全部社会资本的控制权："资产阶级用来推翻封建制度的武器，现在却对准资产阶级自己了。"③"但是，

---

① 《马克思恩格斯文集》第 2 卷，人民出版社 2009 年版，第 36 页。
② 《马克思恩格斯文集》第 2 卷，人民出版社 2009 年版，第 37 页。
③ 《马克思恩格斯文集》第 2 卷，人民出版社 2009 年版，第 37 页。

资产阶级不仅锻造了置自身于死地的武器；它还产生了将要运用这种武器的人——现代的工人，即无产者。"①

总而言之，在马克思和恩格斯看来，无产阶级与资产阶级的对立以及无产阶级要取代资产阶级，是历史发展的必然。自从资产阶级建立起资本主义社会制度，无产阶级和资产阶级的对立就不可避免。无产阶级是人类历史上最后一个被压迫的阶级，他们面对的是迄今为止最完备的剥削制度，因而他们必须认识到自身的使命和职责，顺应历史发展的要求，实现生产资料的公有制，让私有制永远退出历史舞台。

二、无产阶级的历史使命

要想实现"推翻资产阶级统治，建立共产主义社会，解放自己和全人类"的历史使命，无产阶级必须要进行革命，"用暴力推翻资产阶级"②。在《共产主义信条草案》、《共产主义原理》和《共产党宣言》中，马克思和恩格斯都是从分析无产阶级这个阶级本身入手来回答无产阶级的革命为什么是必要和进步的。恩格斯更是在《共产主义信条草案》和《共产主义原理》中对比了无产阶级和奴隶、农奴、手工业者和工场手工业工人，指出无产阶级只能是19世纪的劳动阶级，它是大工业发展的产物，在先进社会生产力不断发展的前提下，无产阶级代表着社会运动的未来方向。概言之，《共产党宣言》的"三个稿本"为了论证无产阶级革命的合理性和必然性，全面深入地描述了无产阶级的特征：

（1）无产阶级之所以被称之为"无产者"，是因为他们除了自己的劳动力之外再无其他任何的私人财产，并且他们只有出卖自己的劳动力，才能在商业竞争日益激烈的资本主义社会中获取最基本和最起码的生活资料。

（2）无产阶级是特殊历史阶段中的特殊阶级，它因工业革命而产生，是大工业发展的产物，他们虽然贫苦不堪却工作在生产的第一线，掌握着先进的尽管是单一的生产技术，因而整个无产阶级实则是社会最先进生产力的代表。

---

① 《马克思恩格斯文集》第2卷，人民出版社2009年版，第38页。
② 《马克思恩格斯文集》第2卷，人民出版社2009年版，第43页。

（3）无产阶级是阶级发展的更高阶段，也是最后的阶段。以往的所有革命都是以一种私有制代替另一种私有制，一种被剥削阶级获得解放但同时会出现另一种被剥削阶级。而无产阶级的最终目的是彻底废除私有制，它的解放是全体受剥削阶级的解放，在无产阶级之后不会再有受剥削阶级。

（4）无产阶级是整个资产阶级的奴隶，他们要想改善自己的生活状况，只能对统治和奴役他们的强大社会力量——资本进行变革。

（5）在资本主义社会，无产阶级的发展是片面的，因为分工使得每一个工人只是从事单一、反复、机械、僵化的工作。不过即便是在这样的条件下，无产阶级自身的能力还是得到了提升，这种个人能力是今后社会变革的基础性因素之一。

（6）工业的发展使得无产阶级越来越集中，并在这个过程中逐步觉醒，意识到了自己的力量，即，大工业的发展在客观上促成了无产阶级队伍的联合与统一。

正像一些空想社会主义者所主张的那样，每一个人都有追求幸福的权利，而在资本主义私有制度下，无产阶级丝毫没有享有"幸福"的机会。

马克思和恩格斯不是只在"同情"无产阶级，无产阶级是历史的创造者，也是社会发展的根本动力。无产阶级肩负着"废除私有制"的历史任务，在那之后就不会再有什么形式的私有制了。《共产主义原理》的第 8 条问答的最后一句话"无产者只有通过消灭竞争、私有制和一切阶级差别才能获得解放"[①]中的"只有"二字说明：无产阶级天生面对的就是人类社会最高形态的资本主义私有制，他们天然地就是废除一切私有制的历史主体。"共产主义革命就是同传统的所有制关系实行最彻底的决裂"[②]，不仅如此，"它在自己的发展进程中要同传统的观念实行最彻底的决裂。"[③] 无产阶级只有实现"两个决裂"，才能革命成功、获得解放。

当然，马克思和恩格斯并不会把无产阶级单单理解成社会变革的"被动"承担者，他们对工业革命作用的剖析中隐含了无产阶级是最先进的社会阶级的逻辑，社会发展的推动者肯定是更为先进的阶级这一点是毫无疑问的。在他们

---

① 《马克思恩格斯文集》第 1 卷，人民出版社 2009 年版，第 679 页。
② 《马克思恩格斯文集》第 2 卷，人民出版社 2009 年版，第 52 页。
③ 《马克思恩格斯文集》第 2 卷，人民出版社 2009 年版，第 52 页。

看来，孕育并诞生于大工业生产中的无产阶级本来就是社会中最先进的阶级。

马克思和恩格斯认为无产阶级革命的胜利能够使得无产阶级获得自身的解放，也就是无产阶级革命的重要结果之一是无产阶级的解放，而无产阶级作为人类历史上最后一个被压迫、被剥削的阶级，获得解放就意味着"一切有阶级的历史"走向了终结。因此，无产阶级革命的胜利就有了双重意义：一是实行了无产阶级自身的解放，也就是人类的解放；一是作为解放全人类的主体，无产阶级在此过程中完成了自身的历史使命。所以，我们看到，在《共产党宣言》的"三个稿本"中，马克思和恩格斯多次提到无产阶级解放的问题，在他们看来，无产阶级进行革命的出发点和落脚点就是使自身获得解放和自由发展，在此之后，人不再会被凌驾于社会之上的某种力量所奴役和管制，每一个能够全面发挥自己才能的人都能够联合起来共同计划和组织社会生产，并过着需要不断被满足的充实生活。

那么，马克思和恩格斯如何来证明无产阶级革命和完成自己历史使命的逻辑一定是严谨缜密、不可驳斥的？

在马克思和恩格斯之前，空想社会主义也对这个问题进行了回答，但他们更多是从精神、道德、想象等方面出发来考察这个问题的。马克思和恩格斯则认为，按照生产力和生产关系的辩证关系原理，无产阶级革命，或是说无产阶级之所以有这样的历史使命，是因为人类社会发展有一条"历史铁律"。《共产党宣言》中有多段文字对这一"历史铁律"进行了各个角度的描述：

（1）"至今一切社会的历史都是阶级斗争的历史。"[1]

（2）"从封建社会的灭亡中产生出来的现代资产阶级社会并没有消灭阶级对立。它只是用新的阶级、新的压迫条件、新的斗争形式代替了旧的。"[2]

（3）"现代资产阶级本身是一个长期发展过程的产物，是生产方式和交换方式的一系列变革的产物。"[3]

（4）"资产阶级赖以形成的生产资料和交换手段，是在封建社会里造成的。在这些生产资料和交换手段发展的一定阶段上，封建社会的生产和交换在其中进行的关系，封建的农业和工场手工业组织，一句话，封建的所有制关系，就

---

[1] 《马克思恩格斯文集》第 2 卷，人民出版社 2009 年版，第 31 页。
[2] 《马克思恩格斯文集》第 2 卷，人民出版社 2009 年版，第 32 页。
[3] 《马克思恩格斯文集》第 2 卷，人民出版社 2009 年版，第 33 页。

不再适应已经发展的生产力了。这种关系已经在阻碍生产而不是促进生产了。它变成了束缚生产的桎梏。它必须被炸毁，它已经被炸毁了。"①

（5）"几十年来的工业和商业的历史，只不过是现代生产力反抗现代生产关系、反抗作为资产阶级及其统治的存在条件的所有制关系的历史。"②

（6）"社会所拥有的生产力已经不能再促进资产阶级文明和资产阶级所有制关系的发展；相反，生产力已经强大到这种关系所不能适应的地步，它已经受到这种关系的阻碍；而它一着手克服这种障碍，就使整个资产阶级社会陷入混乱，就使资产阶级所有制的存在受到威胁。资产阶级的关系已经太狭窄了，再容纳不了它本身所造成的财富了。"③

（7）"过去的一切运动都是少数人的，或者为少数人谋利益的运动。无产阶级的运动是绝大多数人的，为绝大多数人谋利益的独立的运动。"④

这 7 段引文隐藏的逻辑结构表明，社会历史发展的深层原因在于生产力和生产关系的矛盾运动。生产关系只要是私有性质，人类社会的主要矛盾就是阶级矛盾。每一个新的社会制度的统治阶级都是之前旧社会的被统治阶级，他们代表着先进的生产力。故而生产力的发展在某种程度上是由阶级斗争加速的。资本主义生产关系是私有制生产关系的最高也是最终的发展阶段，与资产阶级对立的无产阶级是社会化大生产的实际操作者和真正主人，他们是整个人类的未来，与他们阶级利益相适应的生产力是无产阶级革命能够获取胜利的根本原因。

简言之，生产关系一定要适应生产力的发展水平就是历史铁律。在这条历史铁律面前，任何的抵抗和阻挠都无济于事、徒劳无功。

《共产党宣言》无时无刻不在透露这个思想。为了使抽象的哲学具有生动和有力的效用，马克思引入了通俗的历史知识来支撑他和恩格斯的历史唯物主义观点。马克思说封建主义的生产关系因为再也容纳不下新兴的社会生产力的发展需求，最终归于毁灭。当然，资产阶级取得统治地位并不是一帆风顺，他们是一点一滴地将自己的至高地位堆积起来的。到了 19 世纪，历史却要再次重演：资本主义创造出的巨大生产力反过来不满于资产阶级占有生产资料的生

---

① 《马克思恩格斯文集》第 2 卷，人民出版社 2009 年版，第 36 页。
② 《马克思恩格斯文集》第 2 卷，人民出版社 2009 年版，第 37 页。
③ 《马克思恩格斯文集》第 2 卷，人民出版社 2009 年版，第 37 页。
④ 《马克思恩格斯文集》第 2 卷，人民出版社 2009 年版，第 42 页。

产关系，像封建制的生产关系当年被炸毁一样，资本主义的生产关系必须要被无产阶级这个被资产阶级压迫和剥削的、更高级别的生产力的代表者所摧毁。

《共产党宣言》的"三个稿本"从一开始就带有鲜明的阶级性和革命性。特别是《共产党宣言》，它的受众主要是广大无产阶级，而非资产阶级。只要无产者和劳动阶级能明白为什么要革命以及革命之后向何处去，马克思和恩格斯就完成了任务。在他们看来，无产阶级的使命就是全人类的使命：

（1）无产阶级掀翻资产阶级政权是历史的辩证法，前者是后者的"掘墓人"。

（2）没有人愿意永远被人奴役和欺压。无产阶级"革"资产阶级的"命"，是为了维护自身的利益，是争取自由而全面发展的主动行为。

如果说第（1）点是"阶级使命"的话，那么第（2）点便是"利益诉求"。这是无产阶级革命的两个方面，二者统一于无产阶级革命：不革命，就一无所有，而且这是有违历史规律的。因此，无产阶级革命就变成了"不能不"和"不得不"的综合统一体——历史铁律使得无产阶级"不能不"革命；无产阶级要想"抬起头"、"挺起胸"，就"不得不"革命。

三、以消灭私有制为己任的共产党

共产党是无产阶级组建起来的政党组织，共产主义者同盟是世界上第一个共产党。马克思和恩格斯在《共产党宣言》中说，正像资产阶级当年为反对封建主阶级而组建政党组织一样，无产阶级在与资产阶级的斗争过程中，逐渐总结经验，进而组织成为政党。由于无产阶级政党代表广大无产阶级的根本利益，它的根本目的是团结和带领无产阶级进行革命斗争，废除资本主义私有制，建立生产资料归全体社会成员共有的共产主义社会。因此，同历史上被压迫阶级反对统治阶级的斗争不同，共产党在革除了资产阶级所有制后，就相当于废除了人类历史上最后一个、也是最先进的私有制。在这个意义上，无产阶级是人类历史上最伟大的阶级队伍："过去一切阶级在争得统治之后，总是使整个社会服从于它们发财致富的条件，企图以此来巩固它们已经获得的生活地位。无产者只有废除自己的现存的占有方式，从而废除全部现存的占有方式，才能取得社会生产力。无产者没有什么自己的东西必须加以保护，他们必须摧毁至今保护和保障私有财产的一切。"①

　　马克思和恩格斯认为，作为无产阶级的先进代表，共产党人首先和所有的工人政党是同盟军。并不是全部的工人政党都信奉科学社会主义，但共产党人必须要牢牢地和全部工人站在一起，维护工人们的根本利益。因此，共产党人实际上是全世界全体劳动者的领导者，肩负着崇高的使命和艰巨的任务。"在实践方面，共产党人是各国工人政党中最坚决的、始终起推动作用的部分；在理论方面，他们胜过其余无产阶级群众的地方在于他们了解无产阶级运动的条件、进程和一般结果。"②

　　结合《共产党宣言》创作的背景，马克思和恩格斯显然是在表达共产主义者同盟的重要性。为了在这份政治纲领中讲清楚共产党人革命的坚决性、必然性和正当性，马克思和恩格斯进一步指出："共产党人的理论原理，决不是以这个或那个世界改革家所发明或发现的思想、原则为依据的"③，"这些原理不过是现存的阶级斗争、我们眼前的历史运动的真实关系的一般表述。"④ 也就是说，从历史规律本身来看，推翻资产阶级的统治的重任落在共产党人肩上，是历史的要求，是生产力和生产关系矛盾运动的必然结果，新的阶级通过革命推翻旧阶级的统治，是每一个时代进步的标志，"例如，法国革命废除了封建的所有制，代之以资产阶级的所有制。"⑤ 因此，共产党人就是要"废除资产阶级的所有制"⑥。由于"现代的资产阶级私有制是建立在阶级对立上面、建立在一些人对另一些人的剥削上面的产品生产和占有的最后而又最完备的表现"⑦，废除了资产阶级所有制，就相当于消灭了私有制。马克思和恩格斯在《共产党宣言》中庄严地宣布："共产党人可以把自己的理论概括为一句话：消灭私有制。"⑧

　　从中可以看出，马克思和恩格斯认为，共产党人是以消灭私有制为己任的无产阶级政党，这既是为改变自身命运所作出的选择，又是历史赋予的神圣使

---

① 《马克思恩格斯文集》第 2 卷，人民出版社 2009 年版，第 42 页。
② 《马克思恩格斯文集》第 2 卷，人民出版社 2009 年版，第 44 页。
③ 《马克思恩格斯文集》第 2 卷，人民出版社 2009 年版，第 44 页。
④ 《马克思恩格斯文集》第 2 卷，人民出版社 2009 年版，第 45 页。
⑤ 《马克思恩格斯文集》第 2 卷，人民出版社 2009 年版，第 45 页。
⑥ 《马克思恩格斯文集》第 2 卷，人民出版社 2009 年版，第 45 页。
⑦ 《马克思恩格斯文集》第 2 卷，人民出版社 2009 年版，第 45 页。
⑧ 《马克思恩格斯文集》第 2 卷，人民出版社 2009 年版，第 45 页。

命。而消灭私有制，就是要建立没有剥削、没有压迫的共产主义社会，彻底消灭坐享其成、贪得无厌的剥削阶级。因此，这必然引起资产阶级的恐慌，他们极力污蔑共产党人的各种革命和建设主张，试图把共产党人描述成恶魔，制造社会舆论，引起人们的恐惧心理，以便给共产党人的声誉和活动造成破坏。同时，也诋毁共产主义制度，继续营造"资本主义是人类历史上最完美的社会制度"的舆论氛围。因此，为了回应资产阶级的造谣和攻击，并向广大工人群众宣传共产主义制度的先进性和优越性，马克思和恩格斯在《共产党宣言》的第二章以论战的方式，阐述了科学社会主义的相关原理，一方面驳斥资产阶级的歪理邪说，坚定共产党人消灭私有制的信心。另一方面通过对比，向人们展示共产主义社会的相关特征。

从制度上看，资产阶级竭力主张资本主义制度是人类最高阶的社会制度，可在现实中，工人越发感到他们的生活每况愈下，不堪忍受。只要生产资料掌握在少数人的手中，大多数人就不会在社会生产和产品分配当中得到实际的好处。因此，工人阶级必须扭转几千年的阶级社会、等级制度，废除私有制，向着共产主义迈进。

资产阶级接着从私有财产的角度出发，抓住虚假的等价交换之词句这根救命稻草，攻击共产党人是要废除所有的凭借辛苦劳动换来的个人财产。这就把共产主义运动形容成了席卷并毁灭一切正当财产的狂风暴雨，是极为暴力和危险的："有人责备我们共产党人，说我们要消灭个人挣得的、自己劳动得来的财产，要消灭构成个人的一切自由、活动和独立的基础的财产。"[1]马克思和恩格斯反驳说：工人没有财产。工人甚至连劳动力价值的那一部分都不再享有了，更何谈资产阶级口中的"私有财产"。历史中的各类与生产力发展要求不相适应的财产形式，等不到无产阶级来"消灭"就已经被资产阶级破坏和扫荡干净了。只是资产阶级所占有的私有财产，进一步转换成了控制和压制无产阶级的资本，即工人无论如何也左右不了的社会力量，并且它使得工人坠入到了万丈深渊中，看不到生活中的半点希望。这无异于说，这种社会力量，也就是私有财产的阶级性质是必须被无产阶级废除的："好一个劳动得来的、自己挣得的、自己赚来的财产！你们说的是资产阶级财产出现以前的那种小资产阶级的、小农的财产吗？那种财产用不着我们去消灭，工业的发展已经把它消灭

---

① 《马克思恩格斯文集》第 2 卷，人民出版社 2009 年版，第 45 页。

了，而且每天都在消灭它。"①"因此，把资本变为公共的、属于社会全体成员的财产，这并不是把个人财产变为社会财产。这里所改变的只是财产的社会性质。它将失掉它的阶级性质。"②

等到私有财产转变成了社会财产，以及资本不再成为统治和异化工人的社会力量时，每个社会成员（不论是之前的工人还是资本家）就真正地互相平等了。马克思和恩格斯指出了共产主义社会的一个重要特征：人人平等。或者说，在那里，不再有剥削和压迫。而这皆是由于私有财产的根除与废止。紧接着，他们分析了雇佣劳动，目的是为了重述劳动者在共产主义社会里是怎样生活的：

> 雇佣劳动的平均价格是最低限度的工资，即工人为维持其工人的生活所必需的生活资料的数额。因此，雇佣工人靠自己的劳动所占有的东西，只够勉强维持他的生命的再生产。我们决不打算消灭这种供直接生命再生产用的劳动产品的个人占有，这种占有并不会留下任何剩余的东西使人们有可能支配别人的劳动。我们要消灭的只是这种占有的可怜的性质，在这种占有下，工人仅仅为增殖资本而活着，只有在统治阶级的利益需要他活着的时候才能活着。
>
> 在资产阶级社会里，活的劳动只是增殖已经积累起来的劳动的一种手段。在共产主义社会里，已经积累起来的劳动只是扩大、丰富和提高工人的生活的一种手段。③

在这里，马克思指明共产主义社会里的人并不是一点占有物都不能拥有，也不能不劳而获。每个人都要参加社会劳动，只是劳动产品和成果不再被资本家拿去，而是成为了共有的社会财产。同时，在劳动的过程中，在权利和义务的完美交融中以及人与人平等互助的交往活动中，每一个人都得到了全面的发展。照此来看，共产主义自是有着资本主义无法企及的优越性和先进性。马克思进而总结道："因此，在资产阶级社会里是过去支配现在，在共产主义社会

---

① 《马克思恩格斯文集》第2卷，人民出版社2009年版，第45页。
② 《马克思恩格斯文集》第2卷，人民出版社2009年版，第46页。
③ 《马克思恩格斯文集》第2卷，人民出版社2009年版，第46页。

里是现在支配过去。在资产阶级社会里，资本具有独立性和个性，而活动着的个人却没有独立性和个性。"①"总而言之，你们责备我们，是说我们要消灭你们的那种所有制。的确，我们是要这样做的。"②但是，人人劳动，人人都全面的发展，会不会造成个性的泯灭和自由的丧失？这正是资产阶级的另一番说辞，即每个人都是独一无二的，不能趋同一致地发展。这样的话，个性和自由就得不到保障了。

可问题在于，资产阶级所说的自由和个性只是他们自己的自由和个性。一个工人一刻都离不开生产线，很多工人都是重复和机械地做着同样的生产动作和劳动操作，这绝不会是所谓的自由和个性，相反，这是奴役和"共性"——无差别的被剥削的样貌和形象。"在现今的资产阶级生产关系的范围内，所谓自由就是自由贸易、自由买卖"③，除此之外，自由不具有任何的实质性内容。倒是资本家，通过贸易和经济行为赚得盆满钵满，并得以在此基础上享受所谓的"自由"和"个性"。既然如此，无产阶级就是要消灭这种自由和个性，代之以正当合理的社会全体成员之共同发展。

"由此可见，你们是承认，你们所理解的个性，不外是资产者、资产阶级私有者。这样的个性确实应当被消灭。"④马克思和恩格斯并没有把自由看成是可以"绝对化"的一个范畴，当一个人需要去履行社会义务和进行劳动的时候，就不会有纯粹的自由。要是真有这种自由的话，谁还会去主动劳动，为社会贡献自己的力量？这也许就是"懒惰之风"的由来。在共产主义社会当然不能盛行"懒惰之风"，每一个社会成员都是整个社会生产环节中的重要链条，任谁都得劳动、工作。而且，也只有在资本主义社会里，那些资本家家族中的某些成员，才会因生活的富足和腐朽的思想、庸俗的风气而掉入到懒惰的无底黑洞之中。"有人反驳说，私有制一消灭，一切活动就会停止，懒惰之风就会兴起。这样说来，资产阶级社会早就应该因懒惰而灭亡了，因为在这个社会里劳者不获，获者不劳。所有这些顾虑，都可以归结为这样一个同义反复：一旦没有资本，也就不再有雇佣劳动了。"⑤

---

① 《马克思恩格斯文集》第 2 卷，人民出版社 2009 年版，第 46 页。
② 《马克思恩格斯文集》第 2 卷，人民出版社 2009 年版，第 47 页。
③ 《马克思恩格斯文集》第 2 卷，人民出版社 2009 年版，第 47 页。
④ 《马克思恩格斯文集》第 2 卷，人民出版社 2009 年版，第 47 页。
⑤ 《马克思恩格斯文集》第 2 卷，人民出版社 2009 年版，第 48 页。

资产阶级对共产党人的污蔑和诋毁远没有停止。"所有这些对共产主义的物质产品的占有方式和生产方式的责备,也被扩及到精神产品的占有和生产方面。"① 他们以自己的视角和观念看问题,共产党人所要反对的资产阶级教育、道德、法律、民族、国家等等,都被资产阶级奉为"永恒之物",废除这些,不就是要废除所有的教育、道德、法律和民族及国家吗?

马克思和恩格斯引申和丰富了《共产党宣言》中的历史唯物主义思想,揭穿了资产阶级的阴谋和谎言。资产阶级的教育只能把工人训练成机器,那是最摧残身体和泯灭人性的教育;资产阶级的道德是伪善至极的道德;他们不把家庭当做家庭,而当做发泄自己肉欲、纵情淫乱的场所和载体(例如,资产阶级以互相诱奸双方的妻子为乐);他们也不把自己的亲人当做情感的寄托和归宿,而是会将他们也看做是生产工具的一种;资产阶级的祖国只是他们的祖国,民族也必须是他们的民族,种种"罪责"都在资产阶级自身。他们借助激烈和道貌岸然的言辞,想反咬一口,把无产阶级塑造成只要革命、疯癫和愚昧的群氓,这种手段极其卑鄙和恶劣。

马克思和恩格斯对这些谬论和掩饰一一做出了批驳,他们指出在共产主义社会里,所有事物都会脱下资产阶级的遮羞布和外衣,不再将人仅仅看做"物",而是将"人"当成"人本身"。共产党人只有下定决心,不仅消灭物质层面的私有制,又消灭与私有制相关的观念和思想,让私有制及其衍生物彻底在这个世界上消失:"共产主义革命就是同传统的所有制关系实行最彻底的决裂;毫不奇怪,它在自己的发展进程中要同传统的观念实行最彻底的决裂。"② 在《共产党宣言》中,马克思和恩格斯始终围绕消灭私有制的主线,对比了共产主义和资本主义,为共产党人以消灭私有制为己任的特征做了充分且有力的"原因陈述"。

值得一提的是,《共产党宣言》有特殊的写作背景和无产阶级党纲的性质,它更多的是在阐述共产党人的革命目标,起到激励、鼓舞无产阶级的作用。《共产党宣言》中阐发的"消灭私有制"等思想是正确、科学的,我们要以历史、全面、辩证的态度来对待这一历史任务。主要有两点需要注意:

(1)"消灭私有制"要与社会生产力发展水平相适应。马克思和恩格斯在

---

① 《马克思恩格斯文集》第2卷,人民出版社2009年版,第48页。
② 《马克思恩格斯文集》第2卷,人民出版社2009年版,第52页。

1848年革命前夕，认为无产阶级已经具备了消灭私有制的条件，因为资本主义把大工业发展了起来，也消灭了一切落后的社会制度、观念和其他的诸如地域限制等因素，无产阶级正好可以借此机会，一举推翻资产阶级统治。虽然事实证明，马克思和恩格斯当时的预判有所失误，但他们坚决遵循生产力和生产关系辩证关系的原理是值得肯定的。而且，恩格斯也在《共产主义原理》和《共产主义信条草案》等著作中明确回答了"无产阶级革命不能随心所欲地发生"等问题。例如，在《共产主义原理》中，恩格斯先是在第15条问答中认为，过去废除私有制是不可能的，"社会制度中的任何变化，所有制关系中的每一次变革，都是产生了同旧的所有制关系不再相适应的新的生产力的必然结果"①，只是由于随着大工业的发展，"生产力集中在少数资产者手里，而广大人民群众越来越变成无产者，资产者的财富越增加，无产者的境遇就越悲惨和难以忍受"②，"这种强大的、容易增长的生产力，已经发展到私有制和资产者远远不能驾驭的程度，以致经常引起社会制度极其剧烈的震荡。只有这时废除私有制才不仅可能，甚至完全必要。"③随后，他就在第17条问答中明确说，谁也不可能一下子废除私有制，"正像不能一下子就把现有的生产力扩大到为实行财产公有所必要的程度一样。因此，很可能就要来临的无产阶级革命，只能逐步改造现社会，只有创造了所必需的大量生产资料之后，才能废除私有制。"④

在这里，恩格斯对"消灭私有制"根本历史条件的解释非常清楚。其实，历史已经证明，不顾社会生产力发展水平而盲目"消灭私有制"，不仅不会带来社会生产的快速进步，反而还会阻滞生产的发展。马克思和恩格斯强调，私有制本身也是历史的产物，在一定阶段，私有制是促进生产力发展的，在它的历史、社会作用未发挥完毕之前，消灭私有制的条件并不成熟，也是不可能被消灭的。

（2）"消灭私有制"不是"消灭所有制"，更不是"消灭私有财产"。马克思和恩格斯在《共产党宣言》中强调："共产主义的特征并不是要废除一般的所有制，而是要废除资产阶级的所有制。"⑤这就是说，消灭私有制、废除私有

① 《马克思恩格斯文集》第1卷，人民出版社2009年版，第684页。
② 《马克思恩格斯文集》第1卷，人民出版社2009年版，第684页。
③ 《马克思恩格斯文集》第1卷，人民出版社2009年版，第684页。
④ 《马克思恩格斯文集》第1卷，人民出版社2009年版，第685页。
⑤ 《马克思恩格斯文集》第2卷，人民出版社2009年版，第45页。

制不代表消灭私有财产，废除私有财产。一方面，共产党人要消灭和废除的，是同无产阶级对立的资产阶级的所有制，也就是资本主义私有制。共产党人不可能去废除人类历史上所有的所有制：之前的所有制已经消失在历史长河中，之后的共产主义所有制是最先进的所有制，不能被废除。另一方面，私有制和私有财产不一样。消灭私有制，不是消灭私有财产，而是消灭生产不合理的私有财产的制度。这里的"不合理"指的是：资产阶级依靠资本所攫取、剥削的剩余价值。过去，一度有人把"私有制"和"私有财产"混同，表面看问题不大，似乎私有财产就代表着"资产阶级不劳而获的私有财产"，实则不然。严格来说，在未来的共产主义社会里，每个人也可以占有"个人财产"，即"私有财产"，比如，内含大量个人信息的存储介质、设备，每个人所使用的生活用品、劳动工具等。如果要把所有的"私有财产"都废除了，那么人与人之间就毫无秘密可言，这明显有悖常理。

因此，无产阶级要消灭的是扭曲的人与人之间的关系，即资本主义剥削制度、资本主义私有制，是使"私有财产"具有太多"私有"、"不公"等性质的资本。在《共产党宣言》中，马克思和恩格斯明确指出："共产主义并不剥夺任何人占有社会产品的权力，它只剥夺利用这种占有去奴役他人劳动的权力。"[1] 马克思和恩格斯承认公民通过劳动得来的私有财产，因为"这种占有并不会留下任何剩余的东西使人们有可能支配别人的劳动"[2]。他们只是认为，需要通过消灭私有制把表现为资本的私有财产"变为公共的、属于社会全体成员的财产"[3]。可见，马克思和恩格斯在《共产党宣言》中所阐发的是一个系统的"消灭私有制"理论，只抓片言只语，会导致误解马克思和恩格斯的思想，进而给实践提供错误的指导。

四、实现自由人的联合体

共产党人要"消灭私有制"，不仅要消灭物质形态上的资本主义私有制以

---

① 《马克思恩格斯文集》第2卷，人民出版社2009年版，第47页。
② 《马克思恩格斯文集》第2卷，人民出版社2009年版，第46页。
③ 《马克思恩格斯文集》第2卷，人民出版社2009年版，第46页。

及因剥削而产生的私有财产，也要消灭一切私有制产生的精神层面的观念、意识、思想等。在马克思和恩格斯看来，无产阶级是人类历史上产生的最后一个阶级，在无产阶级革命成功后，所有和私有制有关的事物都消失殆尽，阶级也就失去了存在的基础和条件，人类社会历史正式进入了一个没有阶级、没有剥削、没有压迫的新阶段——共产主义社会。在马克思和恩格斯看来，自从产生阶级以来，全部人类历史就是一部阶级斗争史，这段历史要在共产主义社会走向终结，阶级的消失必然带来"三大差别"的消失，人们不会再以职业、城乡和劳动性质来划分人群，所有的劳动者会联合在一起，形成一个"自由人的联合体"："代替那存在着阶级和阶级对立的资产阶级旧社会的，将是这样一个联合体，在那里，每个人的自由发展是一切人的自由发展的条件。"①

马克思和恩格斯在《共产党宣言》中认为，自由人的联合体是无产阶级革命的必然结果，是无产阶级在获得革命胜利后，通过对资本主义旧社会的改造，一步步发展无产阶级民主，进而消灭无产阶级本身，也就是彻底消灭阶级，从而达到的一种理想社会状态。"当阶级差别在发展进程中已经消失而全部生产集中在联合起来的个人的手里的时候，公共权力就失去政治性质。原来意义上的政治权力，是一个阶级用以压迫另一个阶级的有组织的暴力。如果说无产阶级在反对资产阶级的斗争中一定要联合为阶级，通过革命使自己成为统治阶级，并以统治阶级的资格用暴力消灭旧的生产关系，那么它在消灭这种生产关系的同时，也就消灭了阶级对立的存在条件，消灭了阶级本身的存在条件，从而消灭了它自己这个阶级的统治。"②显而易见，这段话包含了自由人联合体的一些基本特征：

（1）自由人联合体创立的前提是资本主义生产。由于大工业的发展，工人被资本联系在了一起，在客观上形成了联合的同盟。这样一来，生产的集中也造就了工人的集中，他们组成政党，为消灭资本主义制度奠定了政治基础。

（2）联合起来的工人阶级需要通过暴力革命来推翻资产阶级的统治，上升为新的统治阶级。也就是说，自由人的联合体本身有一个发展的阶段。最初，是联合起来的工人阶级作为统治阶级的阶段；其后，在无产阶级消灭了私有制之后，才在真正意义上建立起了自由人的联合体。

---

① 《马克思恩格斯文集》第 2 卷，人民出版社 2009 年版，第 53 页。
② 《马克思恩格斯文集》第 2 卷，人民出版社 2009 年版，第 53 页。

(3) 自由人的联合体中没有暴力的、压迫性的政治。新的统治阶级，也就是工人阶级，代表着更为先进的生产力，他们在消灭了资本主义生产关系后，就消灭了私有制。因而，新的生产关系不会催生出像过去一样的"一个阶级统治另一个阶级"的政治制度，"公共权力"失去了"政治性质"。

(4) 由于不再有剥削和压迫，在自由人的联合体中，每个人都是"自由"的，由于先前他们已经因大工业的发展而联合了起来，因此，对这个社会制度比较形象的描述就是"自由人的联合体"。全部的生产资料由全社会成员共同占有，大家各自发挥才能，共同建设社会，每一个人既有权利也有义务，获得了全面而自由的发展，进而社会中的所有人都在自由而全面地发展。

在《共产党宣言》中，马克思和恩格斯并没有展开来讲共产主义社会。他们在第二章谈到了改造旧社会的十条措施，并指明这是无产阶级改造资本主义社会的必由之路，紧接着，就简略论述了自由人的联合体。因此，可以把自由人的联合体当做是共产主义制度本身，"实现自由人的联合体"正是《共产党宣言》的"题眼"，是这份共产主义运动纲领的核心思想之一和落脚点。

值得一提的是，恩格斯在《共产主义原理》和《共产主义信条草案》中也论述了未来的共产主义社会，而且，由于教义问答式的文体，相比《共产党宣言》，恩格斯在其中对共产主义社会的着墨更多。比如，《共产主义原理》的第20条问答的问题是："最终废除私有制将产生什么结果？"[1] 这使得恩格斯无法绕开对共产主义社会的一些特征做出具体的设想。恩格斯在该条问答的回答部分中谈到了旧式分工的消失、人的全面发展、城市和乡村对立的消失、阶级的消失等问题，比如，"根据共产主义原则组织起来的社会一方面不容许阶级继续存在，另一方面这个社会的建立本身为消灭阶级差别提供了手段。"[2] "由此可见，城市和乡村之间的对立也将消失。从事农业和工业的将是同一些人，而不再是两个不同的阶级，单从纯粹物质方面的原因来看，这也是共产主义联合体的必要条件。"[3] "由社会全体成员组成的共同联合体来共同地和有计划地利

① 《马克思恩格斯文集》第1卷，人民出版社2009年版，第687页。
② 《马克思恩格斯文集》第1卷，人民出版社2009年版，第689页。
③ 《马克思恩格斯文集》第1卷，人民出版社2009年版，第689页。

用生产力；把生产发展到能够满足所有人的需要的规模；结束牺牲一些人的利益来满足另一些人的需要的状况；彻底消灭阶级和阶级对立；通过消除旧的分工，通过产业教育、变换工种、所有人共同享受大家创造出来的福利，通过城乡的融合，使社会全体成员的才能得到全面发展，——这就是废除私有制的主要结果。"① 显而易见，相比《共产党宣言》，《共产主义原理》对自由人的联合体的论述更为直接和具体，可以说，《共产主义原理》的相关内容，可以作为理解《共产党宣言》中的自由人的联合体的有益补充。

当然，这并不是说《共产党宣言》对自由人的联合体的阐述不够清晰。实现自由人的联合体的三大必要条件：工人的联合、无产阶级革命和建设的成功、阶级的消失都在《共产党宣言》中有着明晰和详细的阐述。作为共产主义者同盟的党纲，最重要的是发出响亮和明确的号召，这一点，都在那句"代替那存在着阶级和阶级对立的资产阶级旧社会的，将是这样一个联合体，在那里，每个人的自由发展是一切人的自由发展的条件"② 中得到了充分的体现。

稍显遗憾的是，受限于篇幅，马克思和恩格斯没能在《共产党宣言》以及《共产主义信条草案》、《共产主义原理》中对"自由"、"联合体"以及"自由人的联合体"等做出详尽的阐述与分析。一直到 18 世纪五六十年代，马克思才在《资本论》及其手稿中对自由人的联合体思想做出了进一步的阐发。

历史证明，实现自由人的联合体，是马克思和恩格斯一生的梦想和追求，他们始终没有放弃在自己的理论探索和革命实践中，思考和完善关于自由人的联合体的学说。正如 1894 年，恩格斯在《致朱泽培·卡内帕》中所言："我打算从马克思的著作中给您找出一则您所期望的题词……除了《共产主义宣言》中的这句话（《社会评论》杂志社出版的意大利文版第 35 页），我再也找不出合适的了：'代替那存在着阶级和阶级对立的资产阶级旧社会的，将是这样一个联合体，在那里，每个人的自由发展是一切人的自由发展的条件。'"③ 这说明，在恩格斯看来，最能概括和体现他和马克思革命理论的一句话，就是《共产党宣言》中的这句话。

---

① 《马克思恩格斯文集》第 1 卷，人民出版社 2009 年版，第 689 页。
② 《马克思恩格斯文集》第 2 卷，人民出版社 2009 年版，第 53 页。
③ 《马克思恩格斯文集》第 10 卷，人民出版社 2009 年版，第 666 页。

第四节　世界历史理论

在《共产党宣言》中，马克思和恩格斯在论述生产力发展和资本主义不断在全球扩张其市场的前提下，用通俗易懂的语言系统地阐述了"世界市场理论"，进而完善、深化和发展了马克思在《1844年哲学经济学手稿》、《德意志意识形态》等著作中就谈及的"世界历史思想"，形成了相对完整的"世界历史理论"。

马克思早在《1844年哲学经济学手稿》中就说过："整个所谓世界历史不外是人通过人的劳动而诞生的过程，是自然界对人来说的生成过程"[①]，把整个人类历史和世界历史放在人类劳动的视域下考察，指出随着人的实践能力的提高，人的生存生活和活动范围必然得到扩大，原始的自然界会越来越去除其"神秘面纱"，人的足迹将会遍布自然界的每一个角落。之后，马克思和恩格斯在各自的理论探索过程中，结合自身革命实践，逐渐清晰地认识到，在资本主义时代，资产阶级私有制极大地解放了生产力的发展，资本家在追求剩余价值的过程中，用资本开辟市场，资本的足迹开始遍布全世界，世界各国家各地区的人类，都纷纷卷入了资本所开发的世界市场，人类历史不再是各个独立、分散、封闭的民族国家历史和地区部落史，而是"整个世界"的人类历史。马克思和恩格斯的这些思想理论，在《共产党宣言》中得到了系统阐述。

一、生产力的发展与世界市场的形成

1845年，马克思和恩格斯在《德意志意识形态》中深刻指出，在资本主义时代的大背景下，生产力、交往和分工得到了长足进步和发展，资本家为了追逐利益，竭力提高生产效率，从而在客观上推进了人类历史走向融合，世界

---

① 《马克思恩格斯文集》第1卷，人民出版社2009年版，第196页。

各民族的历史就在愈来愈大的程度上成为世界的历史，"人们的世界历史性的而不是地域性的存在同时已经是经验的存在了"①。在马克思和恩格斯看来，生产力的发展是历史发展的根本动力，世界历史包含在整个人类史之中，当然不能例外。

马克思和恩格斯在早期的著作中关于世界历史的阐发，多数还是从学术角度论证的。他们意识到生产力的发展、生产关系的改变和世界历史的形成有着不可分割的联系，也做出了相关论述，但还未把这些思想放在更为宏观的视域中予以公开说明。为共产主义者同盟撰写纲领为他们提供了将世界历史理论公之于众的绝佳机会。马克思和恩格斯可以借助论述世界历史理论，明确共产主义运动的国际性、必然性，从而为争取全世界无产阶级、号召无产者联合起来提供理论依据。

马克思和恩格斯在《共产党宣言》中从资本主义生产方式推动生产力发展的角度切入，论述了生产力和生产方式的扩展对于人类历史的重要作用和意义。"资产阶级在它的不到一百年的阶级统治中所创造的生产力，比过去一切世代创造的全部生产力还要多，还要大。自然力的征服，机器的采用，化学在工业和农业中的应用，轮船的行驶，铁路的通行，电报的使用，整个整个大陆的开垦，河川的通航，仿佛用法术从地下呼唤出来的大量人口——过去哪一个世纪料想到在社会劳动里蕴藏有这样的生产力呢？"②在这句人们耳熟能详的话中，马克思和恩格斯说明了几个事实：

（1）资本主义生产制度所释放出的生产力十分巨大，从方方面面改变了人类的整个生活、生产。

（2）资本主义时代之前的各个时代，似乎囿于生产关系、生产制度的局限性，禁锢了生产力的发展。这也是马克思和恩格斯发出"资产阶级在它的不到一百年的阶级统治中所创造的生产力，比过去一切世代创造的全部生产力还要多，还要大"这样感慨的根本原因。

马克思和恩格斯肯定了资本主义生产关系的革命和进步作用，但为什么资产阶级能够如此解放和发展生产力？原因就在于，资本主义生产关系是在封建制生产关系的胎胞里发展而来的，资产阶级不再像过去封建领主那样，固守着

---

① 《马克思恩格斯文集》第 1 卷，人民出版社 2009 年版，第 538 页。
② 《马克思恩格斯文集》第 2 卷，人民出版社 2009 年版，第 36 页。

自己的领土和田园，依靠剥削农奴而养尊处优地生活着，而是为了改变自己的生存生活状况，努力扩展生产力的发展空间，进而建立起由自己主导的生产关系和生产方式。

首先，借助新航道的开辟，资产阶级找到了新的市场，也获得了更多的资本原始积累。"美洲的发现、绕过非洲的航行，给新兴的资产阶级开辟了新天地。东印度和中国的市场、美洲的殖民化、对殖民地的贸易、交换手段和一般商品的增加，使商业、航海业和工业空前高涨，因而使正在崩溃的封建社会内部的革命因素迅速发展。"① 正因为有了更多的生产资本，过去封建社会的那种行会式的生产已经不能满足资产阶级扩大生产的需要。从这个时候开始，一方面，把生产和市场推向全世界已是资产阶级的迫切需要；另一方面，生产能力的不足，使得封建制的生产方式在内部出现重重裂痕。行会师傅逐渐发现，以前那种"行规"越来越不合时宜，仅仅在固定的市场范围内从事生产活动，终将被时代所淘汰。"以前那种封建的或行会的工业经营方式已经不能满足随着新市场的出现而增加的需求了。工场手工业代替了这种经营方式。行会师傅被工业的中间等级排挤掉了；各种行业组织之间的分工随着各个作坊内部的分工的出现而消失了。"② 正如马克思所言，剩余价值和利润的驱使，就好像是"法术"③ 一样，始终在触动资产阶级的内心，这使得他们不遗余力地寻找能够扩大生产的手段和方式。

其次，资产阶级对旧有的生产的变革，不仅改变着过去的生产技术，更是在改变着过去的生产方式。从生产技术的角度看，工业革命足以给世界带来翻天覆地的变化；从生产方式来看，资产阶级为了获取绝对的统治地位，不顾一切地突破所有限制资本主义生产的禁锢和束缚。"资产阶级除非对生产工具，从而对生产关系，从而对全部社会关系不断地进行革命，否则就不能生存下去。反之，原封不动地保持旧的生产方式，却是过去的一切工业阶级生存的首要条件。生产的不断变革，一切社会状况不停的动荡，永远的不安定和变动，这就是资产阶级时代不同于过去一切时代的地方。一切固定的僵化的关系以及与之相适应的素被尊崇的观念和见解都被消除了，一切新形成的关系等不到固

---

① 《马克思恩格斯文集》第 2 卷，人民出版社 2009 年版，第 32 页。
② 《马克思恩格斯文集》第 2 卷，人民出版社 2009 年版，第 32 页。
③ 《马克思恩格斯文集》第 2 卷，人民出版社 2009 年版，第 36 页。

定下来就陈旧了。一切等级的和固定的东西都烟消云散了,一切神圣的东西都被亵渎了。人们终于不得不用冷静的眼光来看他们的生活地位、他们的相互关系。"①到了这个时候,资产阶级在经济上已经站稳了脚跟,在政治上的地位也愈益巩固。他们可以更加放开手脚,到世界各地开辟新的市场,用资本打造出一个全新的世界。

第三,当一切条件成熟之时,世界市场的形成就不成任何问题了。资产阶级既有地理大发现、工业技术革命等"硬件保障",也有日益牢固的资本主义生产关系、生产制度作为"社会基础",整个世界沦为资产阶级的市场就是不可避免的历史趋势了。对此,马克思和恩格斯毫不讳言地表示:"大工业建立了由美洲的发现所准备好的世界市场。世界市场使商业、航海业和陆路交通得到了巨大的发展。这种发展又反过来促进了工业的扩展,同时,随着工业、商业、航海业和铁路的扩展,资产阶级也在同一程度上发展起来,增加自己的资本,把中世纪遗留下来的一切阶级排挤到后面去。"②这段话说明:世界市场的形成,既是资产阶级主动作为的结果,又能够反过来促进资本主义生产制度、解放和发展生产力。在这个过程中,资产阶级本身得到了进步,资本主义生产也得到了升华,过去封建制生产关系遗留下来的一切旧有形式或是制度,都会从根源上得到改变:要么被市场所淘汰,要么走向市场;要么成为资产阶级,要么成为无产阶级。这就是说,世界市场的形成是世界历史翻开新篇章的序曲,在这里,资产阶级和资本主义生产关系决定了世界的样貌和历史发展的走向。

在欧洲,生产力的发展要求迫使人们走出单一的国家和地域,去开拓更多更大的世界市场。因此,资产阶级带着先进的生产工具到世界各地寻找新的商机,目的是把全世界都变成资本蔓延的市场,给他们创造更多的财富。就这样,从非洲到北美洲,从东亚到西亚,从拉丁美洲到大洋洲,都不得不屈从于资本的威势,把原来封闭的、自给自足的国内市场向资本主义开放,成为世界市场的一部分。以中国为例,直到1840年鸦片战争之前,仍自视为"天朝大国",拥有着能够自给自足的封建式经济体系。但在鸦片战争之后,清朝政府相继与西方列强签署《南京条约》、《北京条约》等不平等条约,中国逐渐融入

---

① 《马克思恩格斯文集》第2卷,人民出版社2009年版,第34—35页。
② 《马克思恩格斯文集》第2卷,人民出版社2009年版,第32页。

了世界市场。这段历史对于中国人民来说是"苦难史"、"屈辱史"、"血泪史"，但在客观上，这也是中国成为真正意义上的世界历史的一部分的开端。

欧洲的变化也非常明显。中世纪时欧洲还是邦国林立，西欧有英格兰、苏格兰、葡萄牙、西班牙、法兰西、德意志"神圣罗马帝国"、奥地利大公国等国，东欧有匈牙利、波兰、立陶宛大公国、俄罗斯等国，南欧有威尼斯共和国、热那亚共和国、教皇国等。但是从 15 世纪开始，欧洲封建制度就开始在资产阶级的兴起背景下开始解体，国与国之间的联系更加紧密，欧洲逐渐在资本的驱动下走向一体化。

美洲在"地理大发现"后首先沦为了欧洲国家的殖民地。葡萄牙、西班牙、英国、法国、荷兰等国纷纷抢占北美洲的地域，从 17 世纪至 18 世纪中叶，南北美洲基本上被瓜分完毕。至于非洲，在"地理大发现"时代就开始成为欧洲资本原始积累的源泉，变成"商业性地猎获黑人的场所"①。1870 年后，欧洲列强开始瓜分非洲。

在亚洲，欧洲殖民者也早已展开了侵略活动。葡萄牙殖民者最早在印度沿海建立了要塞，并侵占了马六甲。随后，英国在 1600 年在印度组成东印度公司，18 世纪中叶以后，全面加强了对印度的控制。1819 年，英国占领了马来西亚；1840 年，开始侵略中国。至于荷兰人和法国人，也从 16 世纪末开始，相继侵犯东南亚的印度尼西亚、越南、老挝、柬埔寨等国。至于大洋洲，澳大利亚是从 1770 年开始被英国殖民的。英国随后又向新西兰殖民，使澳、新两国成为了英国畜牧业的重要市场。就这样，似乎远离世界中心的大洋洲也成为了世界市场的一部分。

资产阶级殖民活动给世界各国人民带来深重灾难，破坏了旧式的民族国家结构，但也在客观上使整个世界以世界市场的形式联接了起来，共同构成了新的世界历史。不得不说，这是建立在世界人民心酸和血泪基础上的世界市场和世界历史。对此，马克思和恩格斯在《共产党宣言》中评述道："资产阶级，由于开拓了世界市场，使一切国家的生产和消费都成为世界性的了。"②"古老的民族工业被消灭了，而且每天都还在被消灭。"③"旧的、靠本国产品来满足

---

① 《马克思恩格斯文集》第 5 卷，人民出版社 2009 年版，第 860—861 页。
② 《马克思恩格斯文集》第 2 卷，人民出版社 2009 年版，第 35 页。
③ 《马克思恩格斯文集》第 2 卷，人民出版社 2009 年版，第 35 页。

的需要，被新的、要靠极其遥远的国家和地带的产品来满足的需要所代替了。过去那种地方的和民族的自给自足和闭关自守状态，被各民族的各方面的互相往来和各方面的互相依赖所代替了。"①原先的民族国家交往被代之以世界市场范围内的交往，资本的魔爪已经伸向了世界的每个角落，这不仅带来了生产力的大发展，更是带来了整个世界生产关系的大变革：不管在哪里，只要有资本，就是资产阶级；只要没有生产资料，就是无产者。"我们的时代，资产阶级时代，却有一个特点：它使阶级对立简单化了。整个社会日益分裂为两大敌对的阵营，分裂为两大相互直接对立的阶级：资产阶级和无产阶级。"②在马克思和恩格斯看来，资产阶级创造了世界市场，从而开创了真正意义上的世界历史，但同时，他们也亲手打开了世界历史的另一条通道——以无产阶级和共产主义为主导的世界历史。

二、走向世界的资本与资本主义的掘墓人

显而易见，世界市场的形成以及由此产生的世界历史，最根本的原因在于资本。资本是创造剩余价值的价值，先天带有极强的扩张性，资本走到哪里，资本主义主导的世界历史就走到哪里，并且改变着当地的生产力、生产关系和政治、经济、社会状况。对此，恩格斯在《共产党宣言》之前的《共产主义信条草案》和《共产主义原理》中就有论述。在这两部《共产党宣言》的"草稿"中，恩格斯是在讲述工业革命背景下的资本主义发展时初步阐发了世界历史理论的。恩格斯论述道，无产者和历史上的奴隶、农奴有本质上的不同，不管是奴隶和农奴，都是依附于特定的"人"的。但是，无产者是整个资本家阶级的雇佣劳动者，谁拥有资本，谁就可以雇佣劳动者，无产者在本质上，能够在全世界范围内"流通"和"交换"。

因此，随着资本走遍全世界每个角落，世界市场应运而生，那些一无所有只能出卖自己劳动力的无产者，就拥有了相似的命运——他们卷入了世界历史："由于在世界各国机器劳动不断降低工业品的价格，旧的工场手工业制度

① 《马克思恩格斯文集》第 2 卷，人民出版社 2009 年版，第 35 页。
② 《马克思恩格斯文集》第 2 卷，人民出版社 2009 年版，第 32 页。

或以手工劳动为基础的工业制度完全被摧毁。所有那些迄今或多或少置身于历史发展之外、工业迄今建立在工场手工业基础上的半野蛮国家，随之也就被迫脱离了它们的闭关自守状态……因此，那些几千年来没有进步的国家，例如印度，都已经进行了完全的革命，甚至中国现在也正走向革命……大工业便把世界各国人民互相联系起来，把所有地方性的小市场联合成为一个世界市场，到处为文明和进步做好了准备，使各文明国家里发生的一切必然影响到其余各国。"[1] 恩格斯的这些话说明：（1）世界市场是由资产阶级用资本创造的，因此当前的世界历史是资本的世界历史，或是资本主义的世界历史；（2）世界历史、世界市场把世界各国的无产阶级和无产者联系了起来，这就为世界文明乃至世界历史的进步创造了条件。既然世界的无产者联系在了一起，为何不改变被资本奴役的状况，进而彻底改变命运，开启更新的世界历史篇章？

显然，恩格斯已经初步涉及了《共产党宣言》中所阐发的"资本主义掘墓人"思想，而且预示了世界历史终将走到一个全新的发展阶段。恩格斯的这些想法在《共产党宣言》中得到了再现和扩展。首先，世界历史之所以出现在人类历史舞台上，根本原因在于资本家用资本的力量开拓利润疆土，在客观上促成了"世界性金钱帝国"的出世，从此，人类历史逐渐统一和融合，成为"世界历史"。其次，在资本主义时代，世界历史的本质是资本的历史。资本改变了欧洲之外许多国家和地区的社会历史状况，侵占了它们的领地，改变了它们的社会，影响了它们的文明。资本使世界各地都具有了相一致的特征。再次，对于生产关系未发生资本主义式变革的国家和民族来说，接受资本主导的世界历史是一个痛苦的过程，人们不得不屈服于资本，变成失去一切的无产者。但这样的过程在客观上是进步的表现，因为生产关系的调整和变化一方面推动了生产力的进步和发展，另一方面也孕育了新的革命，为变革的时代拉开了序幕。

在马克思和恩格斯看来，当无产阶级成熟和壮大起来后，世界历史必然被新的革命的阶级掌握起来。在《共产主义原理》的第18、19条问答中，恩格斯就提出了无产阶级革命的"同时发生"性，认为"共产主义革命将不是仅仅一个国家的革命，而是将在一切文明国家里"[2]。尽管英国、法国、德国因为文

---

[1] 《马克思恩格斯文集》第 1 卷，人民出版社 2009 年版，第 680 页。

[2] 《马克思恩格斯文集》第 1 卷，人民出版社 2009 年版，第 687 页。

明程度相对较高，会率先发生无产阶级革命，但随着世界革命形势的进展，全世界无产阶级会相继通过革命手段，推翻资产阶级统治，建立世界性的无产阶级国家联盟。到那个时候，世界历史就进入到了一个新的阶段。也就是说，恩格斯在这里隐含了一个结论：世界历史分为两个阶段，一个是资本主义世界历史阶段，另一个是社会主义（共产主义）世界历史阶段。前者是世界历史的开创者，后者是世界历史的发展者，比前者更为高级、更代表人类的未来。

总体而言，马克思和恩格斯对世界历史的到来持肯定态度，这毕竟代表了人类历史的进步。世界历史的确是因资本而起，对整个人类社会来讲，这是必经阶段，要想顺利过渡到更完美的社会制度，资本在某种程度上必须主导世界市场的形成，先把整个世界联系起来，突破各个民族国家独立、分散、缓慢的发展藩篱。正是在这个意义上，世界历史与现代性紧紧关联，人类真正由古老走向了现代，在更先进的生产力条件和生产关系空间下探寻更加美好的未来之路。

马克思和恩格斯为此在《共产党宣言》中给出的方案是：全世界无产者，联合起来！通过无产阶级革命，推翻资产阶级政权，在现有的资本主导的世界历史基础上，迈入由无产阶级主导的世界历史。在这方面，马克思和恩格斯对无产阶级充满了信心：无产阶级产生于资本主义社会，常年在生产的第一线劳动，代表着最为先进的生产力；在与资产阶级反复的斗争中，逐渐积攒了丰富的实际经验，并组成了政党，"一次比一次更强大、更坚固、更有力。"[1]"旧社会内部的所有冲突在许多方面都促进了无产阶级的发展。资产阶级处于不断的斗争中：最初反对贵族；后来反对同工业进步有利害冲突的那部分资产阶级；经常反对一切外国的资产阶级。在这一切斗争中，资产阶级都不得不向无产阶级呼吁，要求无产阶级援助，这样就把无产阶级卷进了政治运动。于是，资产阶级自己就把自己的教育因素即反对自身的武器给予了无产阶级。"[2]

更重要的是，随着资本的扩张和资本主义生产制度弊端的日益凸显，无产阶级队伍逐渐壮大，这为无产阶级彻底取代资产阶级创造了坚实稳固的基础。"我们已经看到，工业的进步把统治阶级的整批成员抛到无产阶级队伍里去，或者至少也使他们的生活条件受到威胁……在阶级斗争接近决战的时期，

---

[1] 《马克思恩格斯文集》第 2 卷，人民出版社 2009 年版，第 40—41 页。
[2] 《马克思恩格斯文集》第 2 卷，人民出版社 2009 年版，第 41 页。

统治阶级内部的、整个旧社会内部的瓦解过程，就达到非常强烈、非常尖锐的程度，甚至使得统治阶级中的一小部分人脱离统治阶级而归附于革命的阶级，即掌握着未来的阶级。所以，正像过去贵族中有一部分人转到资产阶级方面一样，现在资产阶级中也有一部分人，特别是已经提高到能从理论上认识整个历史运动的一部分资产阶级思想家，转到无产阶级方面来了。"① 由此可见，资本不仅开启了全新的世界历史，还催生出了比资产阶级更为先进、强大的无产阶级。无产阶级完全可以在资本创造的世界的基础上，像当年资产阶级对待封建主阶级那样，通过革命的手段，把资本赶出历史舞台，走到世界历史的中心，迎接新的纪元。

在马克思和恩格斯看来，走向世界的资本，虽然给人类社会和历史带来了巨变，但它仍然没有突破"一个阶级压迫另一个阶级"的旧式历史规律。而且，资本还变本加厉地把整个世界的劳动人民都变成了无产者，变成了资本的附庸、资产阶级的奴隶。在这一点上，资本所开创的世界历史，既有伟大的进步性，又是亟须改变的世界历史。资本给人类社会带来了现代性的转变，但也决不是现代性的终端。马克思和恩格斯认为，新的世界历史只能由无产阶级来完成，他们是更具现代性的社会群体。因为无产阶级所代表的生产关系，没有丝毫的剥削性质，这是人类历史上从未有过的阶级。他们要对抗的是整个资本和资本家阶级，是人类历史上最为极端的以剥削为目的的生产关系。在此意义上，无产阶级无路可退，他们代表着人类的未来。"在无产阶级的生活条件中，旧社会的生活条件已经被消灭了。无产者是没有财产的；他们和妻子儿女的关系同资产阶级的家庭关系再没有任何共同之处了；现代的工业劳动，现代的资本压迫，无论在英国或法国，无论在美国或德国，都是一样的，都使无产者失去了任何民族性。法律、道德、宗教在他们看来全都是资产阶级偏见，隐藏在这些偏见后面的全都是资产阶级利益……过去的一切运动都是少数人的，或者为少数人谋利益的运动。无产阶级的运动是绝大多数人的，为绝大多数人谋利益的独立的运动。"②

马克思和恩格斯在《共产党宣言》中阐发的资本走向全球进而开启了资本主义时代的世界历史，同时也产生了资产阶级自身的掘墓人——无产阶级等思

---

① 《马克思恩格斯文集》第 2 卷，人民出版社 2009 年版，第 41 页。
② 《马克思恩格斯文集》第 2 卷，人民出版社 2009 年版，第 42 页。

想，在当代仍闪耀着真理的光芒。

三、"世界的文学"与未来的世界

马克思和恩格斯在《共产党宣言》中指出："民族的片面性和局限性日益成为不可能，于是由许多种民族的和地方的文学形成了一种世界的文学。"[①] 在这里，马克思和恩格斯用"世界的文学"来指代世界历史给人类社会带来的影响。当然，这里的"文学"不单单指文学本身，而是"泛指科学、艺术、哲学、政治等方方面面的著作"[②]。社会意识是社会存在的反映，这从侧面证明，世界历史改变了世界，它越来越让人们觉得，世界是一个"地球村"。

马克思和恩格斯认为，在资产阶级主导的世界历史中，世界"拥有统一的政府、统一的法律、统一的民族阶级利益和统一的关税的统一的民族"[③]，这样就为无产阶级的大联合创造了条件。从这个角度上讲，《共产党宣言》作为共产主义者同盟的运动纲领，有具体的写作指向，号召全世界无产者团结、统一起来，马克思和恩格斯的逻辑是：既然世界历史已经走向统一，无产阶级就应该顺应历史，联合起来。

当然，马克思和恩格斯也会想到，"统一的政府、统一的法律、统一的民族阶级利益和统一的关税的统一的民族"实现起来是非常具有难度的，只要民族国家存在，就不可能有完全一致的政治、经济、社会和文化。"世界的文学"早晚会出现，但不一定就在眼前。正因为此，恩格斯在《共产主义信条草案》和《共产主义原理》中明确说，民族、国家的消亡，只有到了共产主义社会才能实现。看来，即便是马克思和恩格斯，也未必相信资本主义社会能彻底把世界变成"一个样子"。在他们眼里，"未来的世界"就是共产主义，只不过资本主义时代出现的"世界的文学"，在时间上先于共产主义，昭示着世界历史的发展方向。

---

① 《马克思恩格斯文集》第2卷，人民出版社2009年版，第35页。
② 《马克思恩格斯文集》第2卷，人民出版社2009年版，第35页。
③ 《马克思恩格斯文集》第2卷，人民出版社2009年版，第36页。

在马克思和恩格斯看来，未来的世界首先是没有压迫和剥削，其次是社会生产的高度发达，再次是"世界的文学"的先进。这从他们在《共产党宣言》中所列出的10条建设无产阶级专政国家的措施中就可以看出：

1. 剥夺地产，把地租用于国家支出。

2. 征收高额累进税。

3. 废除继承权。

4. 没收一切流亡分子和叛乱分子的财产。

5. 通过拥有国家资本和独享垄断权的国家银行，把信贷集中在国家手里。

6. 把全部运输业集中在国家手里。

7. 按照共同的计划增加国家工厂和生产工具，开垦荒地和改良土壤。

8. 实行普遍劳动义务制，成立产业军，特别是在农业方面。

9. 把农业和工业结合起来，促使城乡对立逐步消灭。

10. 对所有儿童实行公共的和免费的教育。取消现在这种形式的儿童的工厂劳动。把教育同物质生产结合起来，等等。①

马克思和恩格斯认为，拥有上述特征是"最先进的国家"②，在他们眼里，这就是未来的世界，就是共产主义社会。我们可以看到，"剥夺了地产"、"改革了税收政策"、"废除了继承权"、"没收了一切不劳而获的财产"、"掌握了国家财产"、"实行社会化的生产"、"消灭了三大差别"、"对全民进行最好的教育"后，无产阶级就能够摆脱资本对其的束缚，计划式地进行生产，在精神享受和物质生活方面都更上一层楼。在马克思和恩格斯看来，这样就能够把世界历史带到属于共产主义的轨道上来。

应该看到，马克思和恩格斯在《共产党宣言》中的逻辑，是以无产阶级革命为主线的。他们认为，只要无产阶级革命取得成功，进而实行无产阶级民主、逐步建设共产主义社会，世界历史必然要走上无产阶级主导的轨道。因此，在《共产党宣言》特定的语境中，不管是"世界的文学"还是未来的世界，都要以

---

① 《马克思恩格斯文集》第2卷，人民出版社2009年版，第52—53页。

② 《马克思恩格斯文集》第2卷，人民出版社2009年版，第52页。

"推翻资产阶级统治"和"彻底消灭阶级"为基本前提。如果做到了这一点，未来的世界就是无产阶级的世界，世界历史就是共产主义的世界历史，人们再也不用在旧社会里挣扎和徘徊，而是进入到"自由人的联合体"中。

第五节　国际共产主义运动的第一个伟大纲领

1848 年，《共产党宣言》第一个德文单行版在伦敦出版，共 23 页，2 万多字，包括引言和正文四章。自此，《共产党宣言》作为世界上第一个无产阶级政党的政治纲领，在世界上广泛传播，在工人阶级中引起了巨大反响。列宁曾指出："马克思和恩格斯合著的，于 1848 年问世的《共产党宣言》，已对这个学说作了完整的、系统的、至今仍然是最好的阐述。"[1]《共产党宣言》所阐发的历史唯物主义思想、科学社会主义理论，始终鼓舞着千千万万受压迫、被奴役的劳苦大众，成为他们追求民族解放、国家独立、幸福生活的理论指南和精神寄托。

一、共产主义的"圣经"

《共产党宣言》是世界历史上第一个无产阶级政党的政治纲领，因此被赋予了极为特殊的意义，人们把它当成无产阶级政党的政治纲领、运动纲领和思想纲领的"开山鼻祖"，把它看成是公认的无产阶级政党纲领。更为重要的是，马克思和恩格斯合著的这部著作，全面、科学地阐述了历史唯物主义思想和科学社会主义理论，在"思想成色"上含金量十足。无产阶级把《共产党宣言》当成一本关于马克思主义的小百科全书，对其百读不厌，从中得到启发和指引。

---

[1]《列宁选集》第 2 卷，人民出版社 2012 年版，第 305 页。

　　马克思和恩格斯起初没有预料到《共产党宣言》的生命力和传播力会如此刚劲和持久，《共产党宣言》的出版和流传在马克思和恩格斯生前并不顺利。1848 年革命前夕，《共产党宣言》在伦敦印刷，但它在当时只是一部"秘密"性的小册子，并没有机会"公开出版"。《共产党宣言》最初只印制了 2000 多本，由位于伦敦主教路利物浦街 46 号的伯格哈特印刷所承担印制。装订成书后的《共产党宣言》是暗绿色的封面，发表时间写的是 1848 年 2 月，但却没有作者（马克思和恩格斯）的署名。《共产党宣言》在 1848 年革命期间的刊印和出版情况"非常糟糕"，大多数时候，是共产主义者同盟的人员拿着这样的宣传性的小册子利用各种机会向工人们散发。《共产党宣言》开篇语中所说的要将《共产党宣言》译成多国文字（英文、法文、德文、意大利文、弗拉芒文和丹麦文）的设想也没能够实现。

　　但情况到后来就不一样了。一方面，马克思和恩格斯极力推动科学社会主义运动的发展，不断亲身进行共产主义运动实践，成为了国际工人运动的思想领路人。另一方面，资本主义国家周而复始的资本主义经济危机不断暴露着资本主义制度的弊端和不足，马克思主义的科学性得到了印证，越来越多的劳动阶级投身于共产主义运动，使得《共产党宣言》的传播成为了客观需要。1871 年时，《共产党宣言》在德、英、美等国至少印过 12 种不同的版本；到 1895 年恩格斯逝世之前，《共产党宣言》已出版数十次，共有过 130 个左右的版本（含手抄本、节选本），覆盖了 18 种语言文字。恩格斯曾在《共产党宣言》的《1890 年德文版序言》中不无欣慰地说："《宣言》的历史在某种程度上反映着 1848 年以来现代工人运动的历史。现在，它无疑是全部社会主义文献中传播最广和最具有国际性的著作，是从西伯利亚到加利福尼亚的所有国家的千百万工人的共同纲领。"①

　　恩格斯的说法千真万确，他在 1890 年时还未能看到《共产党宣言》之后"席卷全球"的势头。时至今日，《共产党宣言》在 170 年间被译为 200 多种文字，出版了 1000 多种版本，在整个人类文明史上占据着重要地位。可以说，世界上没有几部传世名著能与《共产党宣言》相提并论。正因为此，《共产党宣言》被称作是"工人阶级的圣经"。

　　需要指出的是，当今世界除了共产党外，也有一些源自第二国际的社会民

---

① 《马克思恩格斯文集》第 2 卷，人民出版社 2009 年版，第 21 页。

主党，还有一些其他的"左"派政党，也引用包括《共产党宣言》在内的马克思主义经典。

总之，《共产党宣言》发表170年来，世界历史和人类社会发生了巨大而深刻的变化。资本主义和社会主义、资产阶级和无产阶级都在历史的洪流中经历了翻天覆地的变化。当今，资本主义和社会主义在世界上共存，总体而言仍然是资本主义占据优势，国际共产主义运动也仍在低谷期。但是，只要《共产党宣言》揭示的人类社会发展规律不变，共产主义运动就会发展下去，全世界的共产党人和马克思主义者仍会把《共产党宣言》当做他们斗争和运动的"圣经"，把其中的光辉思想和科学精神坚持下去。

二、马克思主义是开放的、发展的理论

马克思和恩格斯非常看重《共产党宣言》，他们坚信自己在其中阐发的马克思主义原理永远不会过时。但这并不意味马克思和恩格斯把《共产党宣言》当成一个"古本"来看待，不再对其中的马克思主义原理进行创新和发展。1872年，马克思和恩格斯在《共产党宣言》的德文版序言里说道："《宣言》是一个历史文件，我们已没有权利来加以修改。"[1] 因此，对《宣言》内容的补充或是进一步的说明，则只能通过撰写《共产党宣言》的序言了。同时说道："很明显，对于社会主义文献所作的批判在今天看来是不完全的，因为这一批判只包括到1847年为止"。[2] 马克思和恩格斯是伟大的无产阶级理论家，他们会依据时代、实践的发展变化，对《共产党宣言》进行补充、丰富。最直接的体现是，马克思和恩格斯分别于1872、1882、1883、1888、1890、1892、1893年为《共产党宣言》写了七篇序言。由于马克思在1883年与世长辞，由他和恩格斯共同署名的序言就只有1872年的德文版序言和1882年的俄文版序言，之后的五篇序言都由恩格斯单独署名。

《共产党宣言》的七篇序言是对其正文的补充、丰富和发展。这主要是由实际的革命实践决定的。在马克思和恩格斯写作《共产党宣言》1872年德文

---

① 《马克思恩格斯文集》第2卷，人民出版社2009年版，第6页。
② 《马克思恩格斯文集》第2卷，人民出版社2009年版，第6页。

版序言之前，爆发了比较有影响的欧洲 1848 年革命和 1871 年巴黎公社运动。不管各色人等如何评价这两场意义深远的工人运动，马克思和恩格斯都从中得到了很大的启示和鼓舞。1852 年马克思给魏德迈的那封著名的信中所出现的"无产阶级专政思想"，正是来源于现实层面的工人革命运动。在《共产党宣言》里，马克思说的"无产阶级将利用自己的政治统治，一步一步地夺取资产阶级的全部资本，把一切生产工具集中在国家即组织成为统治阶级的无产阶级手里"[1]，在《路易·波拿巴的雾月十八日》和《1848 年至 1850 年的法兰西阶级斗争》两部回顾和纪念性质的著作中得到了引申和发挥，并逐渐演化成了"工人阶级专政"、"无产阶级的阶级专政"[2] 的表述。这正是对《宣言》正文中共产主义思想的发展。

在马克思和恩格斯看来，仅维持了 72 天的巴黎公社，为马克思主义的共产主义理论提供了最为实际和现成的革命实践和经验。马克思和恩格斯在《共产党宣言》1872 年德文版序言中说，自 1848 年开始的 25 年来，资本主义国家也发生了翻天覆地的变化，他们的国家机器越来越趋向于成熟，深深铸上了资产阶级的烙印。无产阶级在革命之后虽然能够取代资产阶级的政治统治，但是在如何利用现有的国家机器来达到自己的目的，则是一个全新的问题。马克思和恩格斯深感《共产党宣言》中所陈列的"十条措施"在 1872 年看来简直就是天真的幻想和简单的愿望，因为巴黎公社的战士们并没能意识到资产阶级国家机器根深蒂固的资产阶级性质最终会给无产阶级的革命带来致命的损伤和打击。

马克思这个论断可以概括为：在资产阶级民主革命时代，一切的社会变革和政治斗争都只能使资产阶级的国家机器更加完备，无产阶级想要实现真正的属于自己的阶级统治，就必须打碎和砸毁这个国家机器。显然，这样的观点和 1848 年的《共产党宣言》有了很大的不同，那个时候的马克思和恩格斯完全没有条件来设想"无产阶级如何对待旧的国家机器"以及"用什么去取代旧的国家机器"[3]。在 1871 年巴黎公社之后，马克思和恩格斯就可以得出新的结论和判断了。他们在 1872 年的《共产党宣言》德文版序言中坦承："……第二章

---

① 《马克思恩格斯文集》第 2 卷，人民出版社 2009 年版，第 52 页。

② 《马克思恩格斯文集》第 2 卷，人民出版社 2009 年版，第 166 页。

③ 李士坤：《〈共产党宣言〉讲解》，北京大学出版社 2003 年版，第 36 页。

末尾提出的那些革命措施根本没有特别的意义。如果是在今天，这一段在许多方面都会有不同的写法了……由于首先有了二月革命的实际经验而后来尤其是有了无产阶级第一次掌握政权达两月之久的巴黎公社的实际经验，所以这个纲领现在有些地方已经过时了。"[①] 毫无疑问，马克思和恩格斯所谈到的"《宣言》过时了"，正是因为科学共产主义原理得到了丰富、补充和发展。他们不否认《共产党宣言》的历史文献地位，但对《共产党宣言》所阐述的道理和原理的发展和深化，则必须认真完成。

《共产党宣言》的序言除了对科学共产主义理论做出了补充和发展外，还系统和简洁地概括了历史唯物主义的基本原理。由于种种原因，马克思和恩格斯未能在《共产党宣言》的正文中给历史唯物主义以简练和总括式的解说，这一遗憾在1883年德文版序言和1888年英文版序言里得到了弥补。马克思在1859年对其研究的"指导线索"的陈述，经过恩格斯细心别致的整理，终于在《共产党宣言》的序言中得以清晰的介绍："贯穿《宣言》的基本思想：每一历史时代的经济生产以及必然由此产生的社会结构，是该时代政治的和精神的历史的基础；因此（从原始土地公有制解体以来）全部历史都是阶级斗争的历史，即社会发展各个阶段上被剥削阶级和剥削阶级之间、被统治阶级和统治阶级之间斗争的历史；而这个斗争现在已经达到这样一个阶段，即被剥削被压迫的阶级（无产阶级），如果不同时使整个社会永远摆脱剥削、压迫和阶级斗争，就不再能使自己从剥削它压迫它的那个阶级（资产阶级）下解放出来。"[②]

《共产党宣言》的七篇序言对历史唯物主义的增补和发展，还在1882年俄文版序言里的"资本主义卡夫丁峡谷问题"上得到了充分的展示。值得一提的是，马克思和恩格斯并没有丢弃他们在1847—1848年的基本观点，即无产阶级发动的共产主义革命将会首先在西欧的发达资本主义国家产生并取得胜利。诚然，马克思在《给〈祖国纪事〉杂志编辑部的信》中提到，世界上的一切民族并不是非要走西方资本主义国家所走过的资本主义发展道路，但同时他也没有否认资本主义发展阶段在任何一个国家出现的必然性和绝对性。马克思和恩格斯晚年对东方社会发展道路的探索和研究毕竟是建立在历史唯物主义的基础上的，而"基本原理"的问题，则是马克思和恩格斯一再说明是"直到现在还

---

① 《马克思恩格斯文集》第2卷，人民出版社2009年版，第5—6页。
② 《马克思恩格斯文集》第2卷，人民出版社2009年版，第9页。

是完全正确的"①。随着马克思和恩格斯占有资料的愈益丰富，对一些具体问题的见解是会有一定的变化和"扭转"，但这并不等于马克思和恩格斯放弃了他们早在 1845 年就已经确立的历史观。马克思对巴黎公社所下的定语是：这是一个发生在特殊时期的特殊城市内的革命行动。同样的道理，马克思和恩格斯虽然不否认俄国公社自然存在的"公有制本性"，但他们也肯定是仅仅把俄国公社当做在俄国特殊的社会情形下所能推翻沙皇专制统治的可能性力量源泉之一。不管如何，马克思和恩格斯都相信，再为科学和正确的思想和原理，也得"随时随地都要以当时的历史条件为转移"②。

此外，随着历史的变迁和时代的发展以及政治形势的改变，《共产党宣言》正文第三章中的多数政治派别销声匿迹，从而"社会主义"一词的含义得到了"净化"。恩格斯在 1888 年的《宣言》英文版序言和 1890 年的德文版序言里追忆了早期的社会主义派别的历史更迭，不由得说出"既然我们当时已经十分坚决地认定'工人的解放应当是工人阶级自己的事情'，所以我们一刻也不怀疑究竟应该在这两个名称中间选定哪一个名称"③。

综上所述，马克思和恩格斯为《共产党宣言》写七篇序言，体现了他们对待马克思主义的一个根本态度：马克思主义是开放的、发展的理论，决不能守着故纸堆，把一些马克思主义的"基本原理"当成教条或是"金科玉律"，这样的话，就会导致教条主义、本本主义，最终出现实践的受挫乃至革命的失败。任何真正科学的理论都具有开放性、发展性的品格，这包含了两重含义：一是指它随着研究对象的发展变化而不断吐故纳新——扬弃过时的部分，生发新的内容。二是指一种科学理论吸收其他学科的研究方法或研究成果，借助于此，使自身在研究方法上得到完善、在理论内容上得到发展；或吸收其他学派的理论研究方法或有益成果，使自身在保持独特内容与风格的同时得到完善和发展。

马克思主义发展史并未在马克思和恩格斯这里终结。一方面，马克思和恩格斯的战友和学生，如狄慈根、拉法格等人，接过了继续阐述辩证唯物主义和历史唯物主义原理的任务，不断在理论上对马克思主义予以完善。另一方面，

---

① 《马克思恩格斯文集》第 2 卷，人民出版社 2009 年版，第 5 页。
② 《马克思恩格斯文集》第 2 卷，人民出版社 2009 年版，第 5 页。
③ 《马克思恩格斯文集》第 2 卷，人民出版社 2009 年版，第 21 页。

随着第二国际的建立和俄国革命的发展，马克思主义获得了更多的实践机会和社会条件，其创新与发展有了现实的土壤。之后的马克思主义，更是在全世界，尤其是欧洲、亚洲的大地上得到了进一步发展。《共产党宣言》之后 170 多年的马克思主义发展史证明，马克思主义的开放程度非常之大，只要是优秀的人类思想都能与其相结合；马克思主义发展的动力也源源不断，世界各国都有追求民族解放、国家解放、人民幸福的客观要求，马克思主义只有与时俱进，与这些国家的实际相结合，进而本土化、民族化，从而完善自身形态、丰富自身内容，保持自身的科学性、阶级性、实践性和战斗性。历史也证明，只有发展了的马克思主义才能拯救无产阶级、拯救劳动人民。《共产党宣言》所阐发的思想和精神不仅在当代仍绽放着耀眼的光芒，还会被赋予新的时代意义和内涵，彰显出更具张力和高品质的价值。

参 考 文 献

马克思：《德谟克利特的自然哲学和伊壁鸠鲁的自然哲学的差别》，《马克思恩格斯全集》第 1 卷，人民出版社 2002 年版。

马克思：《青年在选择职业时的考虑》，《马克思恩格斯全集》第 1 卷，人民出版社 2002 年版。

恩格斯：《伍珀河谷来信》，《马克思恩格斯全集》第 2 卷，人民出版社 2005 年版。

恩格斯：《谢林论黑格尔》，《马克思恩格斯全集》第 2 卷，人民出版社 2005 年版。

马克思：《黑格尔法哲学批判》，《马克思恩格斯全集》第 3 卷，人民出版社 2002 年版。

马克思：《〈德法年鉴〉办刊方案》，《马克思恩格斯全集》第 3 卷，人民出版社 2002 年版。

马克思：《〈黑格尔法哲学批判〉导言》，《马克思恩格斯文集》第 1 卷，人民出版社 2009 年版。

马克思：《论犹太人问题》，《马克思恩格斯文集》第 1 卷，人民出版社 2009 年版。

马克思：《1844 年经济学哲学手稿》，《马克思恩格斯文集》第 1 卷，人民出版社 2009 年版。

马克思、恩格斯：《神圣家族，或对批判的批判所做的批判。驳布鲁诺·鲍威尔及其伙伴》，《马克思恩格斯文集》第 1 卷，人民出版社 2009 年版。

恩格斯：《英国对国内危机的看法》，《马克思恩格斯全集》第 3 卷，人民出版社 2002 年版。

恩格斯：《英国状况——评托马斯·卡莱尔的〈过去和现在〉1843 年伦敦版》，《马克思恩格斯全集》第 3 卷，人民出版社 2002 年版。

恩格斯：《英国工人阶级状况》，《马克思恩格斯文集》第 1 卷，人民出版社 2009 年版。

恩格斯：《谷物法》，《马克思恩格斯全集》第 3 卷，人民出版社 2002 年版。

恩格斯：《国民经济学批判大纲》，《马克思恩格斯文集》第 1 卷，人民出版社 2009 年版。

马克思：《关于费尔巴哈的提纲》，《马克思恩格斯文集》第 1 卷，人民出版社 2009 年版。

马克思、恩格斯：《德意志意识形态。对费尔巴哈、布鲍威尔和施蒂纳所代表的现代德国哲学以及各式各样先知所代表的德国社会主义的批判》，《马克思恩格斯文集》第 1 卷，人民出版社 2009 年版。

恩格斯：《德国的制宪问题》，《马克思恩格斯全集》第 4 卷，人民出版社 1958 年版。

马克思：《哲学的贫困。答蒲鲁东先生的〈贫困的哲学〉》，《马克思恩格斯文集》第 1 卷，人民出版社 2009 年版。

马克思：《"莱茵观察家"的共产主义》，《马克思恩格斯全集》第 4 卷，人民出版社 1958 年版。

恩格斯：《共产主义原理》，《马克思恩格斯文集》第 1 卷，人民出版社 2009 年版。

马克思：《雇佣劳动与资本》，《马克思恩格斯文集》第 1 卷，人民出版社 2009 年版。

马克思：《关于自由贸易的演说。1848 年 1 月 9 日发表于布鲁塞尔民主协会的公众大会上》，《马克思恩格斯文集》第 1 卷，人民出版社 2009 年版。

马克思、恩格斯：《共产党宣言》，《马克思恩格斯文集》第 2 卷，人民出版社 2009 年版。

《费尔巴哈哲学著作选集》，荣震华、王太庆、刘磊译，生活·读书·新知三联书店 1962 年版。

《傅立叶选集》第 1 卷，赵俊欣译，商务印书馆 2004 年版。

《国际共产主义运动史文献》编辑委员会：《共产主义者同盟文件和资料 I》，中国人民大学出版社 1989 年版。

《赫斯精粹》，邓习议译，南京大学出版社 2010 年版。

《马克思早期思想研究译文集》，熊子云、张向东译，重庆出版社 1982 年版。

《欧文选集》第 1 卷，柯象峰等译，商务印书馆 1984 年版。

[苏] 弗·阿多拉茨基主编：《马克思生平事业年表》，生活·读书·新知三联书店 1977 年版。

[法] 路易·阿尔都塞：《保卫马克思》，顾良译，商务印书馆 2006 年版。

[英] 伯尔基：《马克思主义的起源》，伍庆、王文杨译，华东师范大学出版社 2007 年版。

[德] 费尔巴哈：《基督教的本质》，荣震华译，商务印书馆 1984 年版。

[英] 亚当·弗格森：《文明社会史论》，林本椿译，辽宁教育出版社 1999 年版。

[德] 费希特：《人的使命》，梁志学、沈真译，商务印书馆 1982 年版。

[美] 约翰·贝拉米·福斯特：《马克思的生态学》，刘仁胜、肖峰译，高等教育出版社 2006 年版。

[英] 弗里德里希·冯·哈耶克：《经济、科学与政治——哈耶克思想精粹》，冯克

利译，江苏人民出版社 2000 年版。

[德] 黑格尔：《法哲学原理》，范扬、张企泰译，商务印书馆 1961 年版。

[德] 黑格尔：《小逻辑》，贺麟译，商务印书馆 1980 年版。

[德] 马丁·洪特：《〈共产党宣言〉是怎样产生的》，金海民译，商务印书馆 1979 年版。

[美] 特雷尔·卡弗：《马克思与恩格斯：学术思想关系》，姜海波、王贵贤等译，中国人民大学出版社 2008 年版。

[德] 伊曼努尔·康德：《道德形而上学原理》，苗力田译，上海人民出版社 1986 年版。

[苏] 康捷尔：《马克思、恩格斯是共产主义者同盟的组织者》，李襄译，生活·读书·新知三联书店 1957 年版。

[苏] 坎杰里·康捷尔：《马克思恩格斯和第一批无产阶级革命家》，杨静远、王以铸、刘磊译，生活·读书·新知三联书店 1963 年版。

[法] 奥古斯特·科尔纽：《马克思恩格斯传》第 2 卷，王以铸、刘丕坤、杨静远译，生活·读书·新知三联书店 1965 年版。

[苏] 尼·拉宾：《马克思的青年时代》，南京大学外文系俄罗斯语言文学教研室翻译组译，生活·读书·新知三联书店 1982 年版。

[英] 李嘉图：《政治经济学及赋税原理》，郭大力、王亚南译，商务印书馆 1972 年版。

[匈] 卢卡奇：《历史与阶级意识》，杜章智等译，商务印书馆 1995 年版。

[俄] 卢森贝：《政治经济学史》第 3 卷，郭从周、北京编译社译，生活·读书·新知三联书店 1960 年版。

[波] 兹维·罗森：《布鲁诺·鲍威尔和卡尔·马克思——鲍威尔对马克思思想的影响》，王谨等译，中国人民大学出版社 1984 年版。

[美] 约翰·罗尔斯：《政治哲学史讲义》，杨通进等译，中国社会科学出版社 2011 年版。

[美] 汤姆·罗克摩尔：《黑格尔：之前和之后》，柯小刚译，北京大学出版社 2005 年版。

[英] 戴维·麦克莱伦：《马克思传》，王珍译，中国人民大学出版社 2008 年版。

[英] 戴维·麦克莱伦：《青年黑格尔派与马克思》，夏威仪等译，商务印书馆 1982 年版。

[法] 亚尔培·马迪厄：《法国革命史》，杨人楩译，商务印书馆 2011 年版。

[法]蒲鲁东：《贫困的哲学》（上、下），余叔通、王雪华译，商务印书馆 2010 年版。

[法] 蒲鲁东：《什么是所有权》，孙署冰译，商务印书馆 1982 年版。

[德] 麦克斯·施蒂纳：《唯一者及其所有物》，金海民译，商务印书馆 2007 年版。

［英］亚当·斯密:《道德情操论》，谢宗林译，中央编译出版社 2011 年版。

［英］亚当·斯密:《国民财富的性质和原因的研究》，郭大力、王亚南译，商务印书馆 1974 年版。

［德］威廉·魏特林:《和谐与自由的保证》，孙则明译，商务印书馆 1982 年版。

［英］乔纳森·沃尔夫:《当今为什么还要研读马克思》，段忠桥译，高等教育出版社 2006 年版。

［英］休谟:《人性论》，关文运译，商务印书馆 1980 年版。

陈先达、靳辉明:《马克思早期思想研究》，中国人民大学出版社 2016 年版。

韩立新:《〈巴黎手稿〉研究》，北京师范大学出版社 2014 年版。

黄楠森、庄福龄、林利主编:《马克思主义哲学史》第一卷，北京出版社 2005 年版。

聂锦芳:《批判与建构:〈德意志意识形态〉文本学研究》，人民出版社 2012 年版。

聂锦芳:《清理与超越——重读马克思文本的意旨、基础与方法》，北京大学出版社 2005 年版。

舒远招:《马克思主义哲学在当代中国的新发展》，湖南人民出版社 2003 年版。

孙伯鍨、侯惠勤:《马克思主义哲学的历史与现状》，南京大学出版社 2004 年版。

魏小萍:《探求马克思〈德意志意识形态〉原文文本的解读与分析》，人民出版社 2010 年版。

姚顺良:《马克思主义哲学史:从创立到第二国际》，北京师范大学出版社 2010 年版。

叶险明:《世界历史理论的当代建构》，中国社会科学出版社 2014 年版。

张新:《读懂恩格斯》，四川人民出版社 2001 年版。

张一兵:《回到马克思:经济学语境中的哲学话语》，江苏人民出版社 2009 年版。

张一兵编:《马克思哲学的历史原像》，人民出版社 2009 年版。

庄福龄:《马克思主义史》第一卷，人民出版社 1997 年版。

Marx-Engels-Gesamtausgabe, Band I/2, Berlin: Dietz Verlag,1982.

Marx-Engels-Gesamtausgabe, Band IV/2, Berlin: Dietz Verlag,1981.

Marx-Engels-Gesamtausgabe, Band IV/3, Berlin: Akademie Verlag,1998.

Alexander Broadie ed., *The Cambridge Companion to the Scottish Enlightenment,* Cambridge: Cambridge University Press, 2003.

Arnold Ruge, *Aus früherer Zeit,* Band 3, Berlin: Verlag von Franz Dunder,1863.

Bruno Bauer, *Die Posaune des jüngsten Gerichts über Hegel den Atheisten und Antichristen. Ein Ultimatum,* Leipzig: Otto Wigand, 1841.

Christopher J. Berry, *Social Theory of the Scottish Enlightenment,* Edinburgh: Edinburgh University Press,1997.

K. Marx, F. Engels, *Historisch-kritische Gesamtausgabe,* Band I/3, Berlin: Marx-Engels-Verlag G. m. b. H.,1932.

大 事 记

1818 年

5 月 5 日　　卡尔·马克思出生于普鲁士莱茵省特里尔市。

1820 年

11 月 28 日　　弗里德里希·恩格斯出生于普鲁士莱茵省巴门市。

1830 年

10 月　　马克思进入特里尔中学学习。

1834 年

10 月 20 日　　恩格斯进入爱北斐特中学念书。

1835 年

9 月 24 日　　马克思毕业于特里尔中学，毕业考试时写了作文《青年在选择职业时的考虑》。

10 月 15 日　　马克思进入波恩大学法律系学习。

1836 年

10 月 22 日　　马克思转入柏林大学法律系学习。

1837 年

4 月—8 月　　马克思钻研黑格尔哲学,并参加青年黑格尔派的活动。

9 月 15 日　　由于父亲的坚持,恩格斯没有读完中学,就在巴门他父亲办的一家公司里当办事员。

1838 年

7 月中旬　　恩格斯到不来梅实习经商。他利用业余时间研究文学。

1839 年

1839 年 3 月—
1841 年 3 月
下半月　　恩格斯为《德意志电讯》杂志写了《乌珀河谷来信》一文,并在文艺批评杂志上发表了许多书评和随笔。他还钻研黑格尔哲学,阅读批判宗教的著作。在这个时期,恩格斯的革命民主主义观点开始形成。

1839 年初—
1841 年 3 月　　马克思研究古希腊哲学,写作《关于伊壁鸠鲁哲学的笔记》,撰写博士论文《德谟克利特的自然哲学和伊壁鸠鲁的自然哲学的差别》。

1841 年

3 月 30 日　　马克思毕业于柏林大学。

3 月底　　恩格斯从不来梅回到巴门。

4 月 6 日　　马克思把博士论文寄给耶拿大学哲学系主任。

4 月 15 日　　耶拿大学授予马克思哲学博士学位证书。

9 月	恩格斯在柏林炮兵部队服兵役，旁听柏林大学的哲学讲座，参加青年黑格尔派的活动。在此期间，他先后发表了《谢林论黑格尔》、《谢林和启示》以及《谢林——基督教的哲学家》等册子，尖锐批判了宣扬"天启哲学"的唯心主义哲学家谢林，他还著文揭露以德皇威廉四世为代表的德国封建专制制度，成为一个坚定的革命民主主义者。
1841 年下半年	恩格斯研究路·费尔巴哈的著作《基督教的本质》。
年底	恩格斯发表文章批判谢林的哲学观点。

1842 年

2 月初— 2 月 10 日	马克思撰写《评普鲁士最近的书报检查令》。
3 月	恩格斯开始为《莱茵报》撰稿。
3 月 26 日—4 月 26 日	马克思撰写《第六届莱茵省议会的辩论（第一篇论文）。关于新闻出版自由和公布省等级会议辩论情况的辩论》。
10 月	马克思撰写《第六届莱茵省议会的辩论（第三篇论文）。关于林木盗窃法的辩论》。
10 月	恩格斯服役期满从柏林回到巴门。
10 月 15 日	马克思担任科隆《莱茵报》编辑。
11 月下半月	恩格斯赴英国曼彻斯特，到欧门—恩格斯公司在曼彻斯特的纺纱工厂实习经商。赴英途中，他访问了科伦的《莱茵报》编辑部，在那里和马克思第一次见面。
1842 年 12 月底—最迟 1843 年 1 月 26 日	马克思撰写《摩泽尔记者的辩护》。

1843 年

3 月 17 日	马克思由于普鲁士书报检查机关的迫害，退出《莱茵报》编辑部。
4 月 1 日	《莱茵报》被查封。

约3月中—— 9月底	马克思撰写《黑格尔法哲学批判》。
约5月——6月	恩格斯在伦敦与正义者同盟的领导人卡·沙佩尔、约·莫尔和亨·鲍威尔建立了联系。
6月19日	马克思和燕妮·冯·威斯特华伦在克罗伊茨纳赫结婚。
7月——8月	马克思在克罗伊纳赫研究国家学说和宪政史，研究欧洲各国和美国的历史，特别是法国大革命的历史，并作摘录和笔记。
秋	恩格斯访问《北极星报》编辑部，结识了该报编辑、宪章派领导人哈尼，并同德国革命诗人维尔特建立了友谊。
1843年10月—— 1845年2月	马克思旅居巴黎，创办《德法年鉴》杂志；撰写《论犹太人问题》和《〈黑格尔法哲学批判〉导言》；研究古典政治经济学和空想社会主义的著名代表人物的著作。
1843年底—— 1844年1月	恩格斯为马克思和卢格主编的《德法年鉴》撰写《政治经济学批判大纲》一文。接着又写了《英国状况，评托马斯·卡莱尔的〈过去和现在〉》、《英国现状，十八世纪》、《英国状况，英国宪法》几篇文章。这些文章表明恩格斯最终地从唯心主义转向唯物主义，从革命民主主义转向共产主义。

1844年

2月底	马克思和阿·卢格主编的《德法年鉴》第1—2期合刊在巴黎出版。
约5月底6 月初——8月	马克思撰写《1844年经济学哲学手稿》。
8月底——9月初	恩格斯从英国回德国时，绕道巴黎会见马克思。这次会见为他们终生不渝的伟大合作奠定了基础。当两位马克思主义的创始人了解了他们"在一切理论方面"（恩格斯）都是完全一致的以后，他们便着手合写他们的第一部作品；这部作品他们打算题名为"对批判的批判所做的批判。驳布鲁诺·鲍威尔及其伙伴"。恩格斯在巴黎逗留的十天中间，为本书个别章节写了七篇文章。
1844年9月—— 1845年1月	马克思和法国的民主主义者、社会主义者保持着联系，和德国人的秘密组织巴黎正义者同盟的领导人保持着联系，也和大多数法国工人秘密组织的领袖保持着联系；他经常出席德法两国工人和手工业者的集会。

1844 年 9 月 下半月— 1845 年 3 月	恩格斯在巴门写《英国工人阶级状况》一书；恩格斯在莱茵省积极参加社会主义宣传工作和民主主义、社会主义运动的组织工作。他和巴门、爱北斐特、科伦、杜塞尔多夫、波恩等城市的社会主义者建立联系，在集会上宣传共产主义的思想，参加出版社会主义刊物的工作。
11 月下半月	马克思结束了"对批判的批判所做的批判"一书的工作，将手稿送交美茵河畔法兰克福的出版商。在排印过程中马克思在本书的标题上又加了"神圣家族"这几个字。
1844 年底— 1845 年 1 月	马克思在巴黎继续研究 18 世纪和 19 世纪头几十年的英法两国经济学家的著作。

1845 年

1 月 16 日	法国政府在普鲁士的压力下下令驱逐卡·马克思和《前进报》的几个撰稿人去法国。
2 月 3 日	马克思因在巴黎被逐迁往比利时的首都布鲁塞尔。
2 月 24 日左右	马克思和恩格斯第一次合著的《神圣家族，或对批判的批判所做的批判。驳布鲁诺·鲍威尔及其伙伴》在美因河畔法兰克福出版。
3 月 15 日	恩格斯结束了他的《英国工人阶级状况》一书的工作，将手稿送交莱比锡的出版商。
4 月	恩格斯迁往布鲁塞尔马克思处。
春天	马克思撰写《关于费尔巴哈的提纲》，这是"包含着新世界观的天才萌芽的第一个文件"（恩格斯）。
5 月底	恩格斯《英国工人阶级状况》一书在莱比锡出版。
7 月—8 月	马克思和恩格斯到伦敦和曼彻斯特作为期六周的考察旅行，在伦敦会见宪章派和正义者同盟领导人。
9 月 8 日— 11 日之间	弗·恩格斯写《最近发生的莱比锡大屠杀。——德国工人运动》一文。这篇文章于 9 月 13 日发表；从此，他开始为《北极星报》撰稿。
1845 年秋— 1846 年 5 月	马克思和恩格斯撰写《德意志意识形态》；该书在制定共产党的理论的哲学的原理方面是一个重要的阶段。因此马克思就停止了整理"政治和政治经济学批判"第 1 卷手稿的工作。
11 月	《维干德季刊》第 3 卷出版。

1846 年

年初　马克思和恩格斯在布鲁塞尔建立共产主义联络委员会，目的在于从思想和组织上团结各国社会主义者和先进的工人。他们设法在伦敦、巴黎和德国建立联络委员会，为创立国际无产阶级的政党准备基础。

4 月底　马克思和恩格斯结识了从德国流亡来的威廉·沃尔弗；他被吸收入布鲁塞尔共产主义联络委员会，成了马克思和恩格斯的忠实的学生与战友。

5 月 5 日　马克思写信给蒲鲁东，建议他担任布鲁塞尔共产主义通讯委员会驻法通讯员并参加工人运动的理论问题和策略问题的讨论。马克思接到蒲鲁东 5 月 17 日的回信后确信他同蒲鲁东的意见有根本分歧，因而放弃通过蒲鲁东和法国工人运动建立联系的打算。

5 月 11 日　在布鲁塞尔共产主义通讯委员会会议上通过了马克思和恩格斯草拟的反对“真正的社会主义者”海·克利盖的通告。该通告分给所有共产主义通讯委员会。

夏天　马克思和恩格斯完成了《德意志意识形态》各主要章节。在德国由于书报检查条件以及德国“真正的社会主义”代表人物的反对，手稿未能付印。

6 月 22 日　马克思和恩格斯通过布鲁塞尔共产主义通讯委员会建议“正义者同盟”召开代表大会。

8 月　恩格斯和马克思在布鲁塞尔创建共产主义通讯委员会，同年秋天，恩格斯受布鲁塞尔共产主义通讯委员会的委托来到巴黎，向正义者同盟巴黎各支部的成员宣传共产主义，组织通讯委员会，并同魏特林主义、蒲鲁东主义、“真正的社会主义”进行斗争。

10 月　恩格斯在巴黎德国工人的三次集会上批评了蒲鲁东的小资产阶级空想和“真正的社会主义者”卡尔·格律恩的庸俗思想。由于恩格斯的活动，正义者同盟巴黎各支部的大多数成员脱离了“真正的社会主义”和蒲鲁东主义。

10 月中旬　恩格斯研究路·费尔巴哈的《宗教的本质》一书，并记下对费尔巴哈哲学批判的要点。

1847 年

1 月—6 月 15 日	马克思撰写《哲学的贫困》，答蒲鲁东先生的《贫困的哲学》一书。该著 1847 年 7 月在巴黎和布鲁塞尔出版。
1 月—4 月	恩格斯写《真正的社会主义者》一文，作为《德意志意识形态》第二卷的补充。
1 月底	马克思和恩格斯在确信正义者同盟领导人愿意改组同盟并接受科学社会主义理论之后，同意加入同盟。
6 月	恩格斯积极参加共产主义者同盟在伦敦召开的第一次代表大会的工作。大会讨论了新的章程。正义者同盟改名为共产主义者同盟，以前同盟的口号："人人皆兄弟"改为"全世界无产者，联合起来！"代表大会结束后恩格斯返回巴黎；恩格斯写作《共产主义信条草案》。
8 月 5 日	在马克思领导下，共产主义者同盟的支部和区部在布鲁塞尔成立。马克思当选为支部主席和区部委员会委员。
8 月底	马克思和恩格斯在布鲁塞尔组织德意志工人协会并在协会中宣传科学共产主义的思想。
1847 年 9 月 12 日—1848 年 2 月	恩格斯为《德意志—布鲁塞尔报》撰稿。
10 月 22 日	恩格斯在共产主义者同盟巴黎区部委员会会议上尖锐地批评"真正的社会主义者"莫·赫斯所拟的共产主义者同盟纲领草案。委员会委托恩格斯拟定新的纲领草案。
10 月底—11 月	恩格斯受共产主义者同盟巴黎区部委员会的委托，为同盟起草名为《共产主义原理》的纲领草案。
11 月 14 日	恩格斯被同盟巴黎区部选为出席共产主义者同盟第二次代表大会的代表。
11 月 15 日	马克思在布鲁塞尔民主协会会议上当选为协会副主席。
11 月 23 日—24 日	恩格斯写信给马克思，建议以宣言形式拟定共产主义者同盟纲领，并称该纲领为"共产主义宣言"。

11 月 29 日	马克思和恩格斯在伦敦出席"民主派兄弟协会"为纪念 1830 年波兰起义而举行的国际大会。马克思把布鲁塞尔民主协会的信件交给"民主派兄弟协会",该信建议在两个组织间建立更密切的联系。马克思和恩格斯在大会上发表了关于波兰问题的演说。关于大会的报道以及马克思和恩格斯的演说载于 12 月 4 日《北极星报》、12 月 5 日《改革报》及 12 月 9 日《德意志—布鲁塞尔报》。
11 月 29 日—12 月 8 日	马克思和恩格斯积极参加共产主义者同盟第二次代表大会的工作。经过长时间的热烈讨论后,他们的观点为全体代表所接受。大会委托马克思和恩格斯以宣言形式制定共产主义者同盟纲领,并批准共产主义者同盟章程。
11 月 30 日	马克思和恩格斯在伦敦德国工人教育协会会议上发表演说。马克思在演说中报告了布鲁塞尔德意志工人协会的活动。
1847 年 12 月 20 日前后	恩格斯被伦敦民主派兄弟协会委任为协会驻巴黎的代表,同时当选为布鲁塞尔民主协会驻巴黎的代表。
12 月 9 日—12 月底之间	在共产主义者同盟第二次代表大会闭幕后,马克思和恩格斯着手写《共产党宣言》。
12 月下半月	马克思在布鲁塞尔德意志工人协会做关于雇佣劳动和资本的讲演。除了其他准备讲演的材料以外,马克思还拟定了"工资"大纲。
12 月底	恩格斯离开布鲁塞尔前往巴黎。

1848 年

1 月 9 日	马克思在布鲁塞尔民主协会公众大会上发表关于自由贸易的演说。大会通过以单行本出版马克思的演说的决议。这本小册子于 1848 年 2 月初问世。
1 月下半月	马克思写完《共产党宣言》。手稿于 1 月底寄往伦敦。
1 月 29 日	恩格斯因在巴黎工人中间从事革命活动被法国政府驱逐出境。
1 月 31 日	恩格斯到达布鲁塞尔。
2 月	马克思整理他在布鲁塞尔德意志工人协会所做的关于雇佣劳动和资本的讲演准备付印。这些讲演一部分以《雇佣劳动和资本》为题发表于 1849 年 4 月《新莱茵报》。

2月22日 马克思和恩格斯在布鲁塞尔民主协会为纪念克拉柯夫起义两周年而举行的大会上发表了演说。他们的演说在1848年3月发表于克拉柯夫起义纪念文集上。

2月24日 《共产党宣言》在伦敦出版。

索　引

主题索引

剩余价值 002,003,007,011,016,018,
019,290,426,429,440,448,473,481,
496,500,502,505
实 践 001,002,006,007,010,014,023,
025,028,033,038,039,042,043,044,
046,047,051,052,057,061,062,064,
078,080,081,083,086,088,094,095,
097,098,099,100,101,102,105,106,
107,114,130,154,156,159,160,161,
163,171,172,176,177,178,180,181,
188,193,194,195,200,206,207,216,
220,225,236,261,279,300,307,309,
311,312,313,314,315,316,317,322,
325,326,327,328,330,333,334,337,
338,339,340,341,342,343,344,345,
346,347,348,349,350,351,353,356,
360,361,362,363,364,365,373,375,
376,377,378,382,386,388,390,391,
392,394,395,397,400,401,403,409,
418,427,428,433,437,449,450,453,
455,475,490,496,499,500,512,513,
514,516,517
实业制度 062,064,065,066,067,069,070
世界历史 007,011,013,014,020,021,
041,047,090,096,097,103,105,106,
121,202,204,205,217,220,271,295,
306,307,373,374,378,396,480,500,
501,503,504,505,506,507,508,509,
510,511,513,521
世界市场 001,009,010,011,013,014,
015,016,017,018,019,373,374,407,
432,447,483,484,500,503,504,505,
506,507
市民社会 046,047,048,049,050,051,
053,054,055,056,058,059,089,099,
102,147,152,157,158,159,160,161,

166,168,169,170,171,172,173,176,
179,180,247,248,278,295,298,301,
309,317,321,322,329,330,331,334,
337,340,345,350,364,366,367,368,
369,370,373,376,406,415,418,434
私有制 013,028,032,033,043,061,062,
076,077,082,157,233,234,236,238,
239,240,241,242,248,257,258,259,
267,270,271,317,318,319,323,324,
330,350,370,371,372,377,378,380,
387,393,394,395,399,400,401,454,
459,460,461,462,466,467,468,475,
477,481,483,485,486,488,489,490,
491,493,494,495,496,497,498,499,500
所有制 012,016,021,022,023,066,099,
110,191,265,266,365,366,370,371,
372,373,374,396,415,466,467,474,
475,477,484,486,487,488,489,490,
493,494,495,496

W

外 化 088,131,162,262,263,264,269,
274,276,277,280,281,282,283,284,
285,317
外化劳动 262,264,269
唯物史观 002,003,038,039,044,061,
067,108,228,244,288,295,298,300,
301,309,321,322,346,351,355,356,
362,363,364,369,379,387,392,396,
409,410,412,413,414,465
唯物主义 035,037,042,046,050,051,
054,055,057,058,060,065,071,072,
084,086,087,089,090,091,092,095,
100,107,108,115,116,143,145,147,
149,150,151,155,158,160,181,182,
214,215,217,220,222,237,238,239,

人名索引

A

B

后　记

　　马克思恩格斯在研究英国工业革命以来的经济社会发展和法国大革命以来的欧洲革命，总结资本主义初创以来的自然科学和社会科学成就的基础上，创立了马克思主义理论。这个至今仍具有重大而深远影响的理论的创立具有历史必然性。马克思主义的创立，体现了马克思和恩格斯对英国古典政治经济学、英法空想社会主义和德国古典哲学的批判继承，是在他们接受和批判青年黑格尔派的过程中实现的。研究马克思主义发展史，当然首先要了解马克思主义理论创立的过程，为此要梳理马克思主义产生的思想资源和历史背景，勾勒马克思恩格斯早期思想发展的轨迹，解读马克思恩格斯早期重要的思想文本以及他们在写作这些文本的过程中进行的革命实践。对 1840—1848 年马克思主义发展历史的研究，既要展现马克思恩格斯思想形成的"前史"，也要呈现马克思恩格斯同时代的思想语境，在尽可能完整归纳马克思恩格斯早期思想发展历程的同时，阐释马克思主义理论的创立所具有的重大意义。

　　作为中国人民大学重大科研项目"马克思主义发展史（十卷本）"的结题成果之一，《马克思主义发展史》第一卷展现了 19 世纪 40 年代马克思主义的创立过程，引导读者沿着马克思和恩格斯阐发新世界观的历程，感知马克思主义诞生的思想光芒。我们立足于国内外学者相关重要研究著述，注重介绍近年来学界前沿成果，力图更好地揭示 18 世纪以来欧洲自然科学和社会科学发展的成就及其对马克思恩格斯思想的影响，介绍英国古典政治经济学及其同时期的欧洲思想观念所具有的启蒙意义，在对《巴黎手稿》、《德意志意识形态》、《哲学的贫困》等重要文本的解读中介绍 MEGA2 和马克思恩格斯文献研究的有关内容，使思想史研究和文本研究有机结合，从而呈现较强的立体感。同时，注重史论结合，力图在思想史研究中展现马克思恩格斯开创的思想传统，把握坚持马克思主义在哲学社会科学领域指导地位的历史依据。

本书历时三年多完成，可谓是编写组全体成员集体智慧的结晶。2014 年 12 月，在借鉴黄楠森、庄福龄、陈先达等前辈学人相关研究著述的基础上，中国人民大学郝立新教授和臧峰宇教授提出第一份写作提纲，编写组 16 位成员认真研究、集思广益。大家围绕如何在历史语境的再现中呈现马克思思想的主体性、如何充分呈现马克思主义的思想来源、如果确认马克思恩格斯特别是青年黑格尔派对马克思主义创始人思想的影响、如何在引证新的文献资料的同时突出思想史的脉络、如何阐述马克思与恩格斯的学术思想关系等问题，进行了热烈的争论和深入的交流，那些场景至今令人难忘。随着讨论的逐步深入，编写组成员梳理了马克思主义创立时期欧洲社会经济发展状况、革命风暴、自然科学和人文社会科学发展成就，在思想史解读中再现了马克思主义形成的时代背景，描述了马克思和恩格斯早期思想发展轨迹以及他们向唯物史观迈进的路径与印记，呈现了新世界观的天才萌芽和马克思的第一个伟大发现。在此期间，写作提纲多次调整，写作文稿反复修改。此外，为了保证质量，在全书编写过程中，我们前后召开了十余次小型研讨会，尽管编写组成员来自不同高校或学术机构，但大家秉持着对马克思主义研究的热情，克服种种困难，在周末相聚进行集中研讨。而每次讨论都深化了编写组成员对各自撰写部分的认识和理解。值得一提的是，在提交文稿之前，编写组召开了集体审订会，审者颇为严苛，作者不免紧张，大家常常为某一节的内容框架、理论定位、写作细节展开近乎答辩式的对话，有时气氛非常凝重。但这成为确保全书质量上乘，避免出现硬伤的重要保证。

本书由郝立新教授和臧峰宇教授主编，其他编写组成员包括：中国社会科学院哲学所张羽佳副研究员、杨洪源副研究员、李锐博士，中央党校孙要良教授、李彬彬副教授，中央编译局姚颖研究员，中国人民大学赵玉兰副教授、沈江平副教授、马慎萧副教授，北京师范大学徐斌教授，首都师范大学李怀涛教授，北京化工大学袁富民副教授，以及中国人民大学哲学院博士生何璐鞯、彭利。具体写作分工如下：

卷首语：郝立新。第一章：沈江平。第二章第一节：臧峰宇；第二节：何璐鞯、臧峰宇；第三节：张羽佳；第四节：臧峰宇、彭利。第三章第一、二节：姚颖；第三节：袁富民；第四节：臧峰宇、彭利。第四章第一、二、三节：徐斌；

第四节：孙要良。第五章第一、二节：赵玉兰；第三节：何璐鞾、臧峰宇；第四节：李彬彬。第六章：李怀涛。第七章第一、二节：杨洪源；第三节：孙要良。第八章：李锐。参考文献、大事记和索引由马慎萧整理。赵玉兰协助主编做了大量组稿工作。全书由郝立新、臧峰宇统稿。

在此特别感谢中国人民大学党委书记靳诺教授对本书写作的关心和指导，感谢中国人民大学重大科研项目评审专家的认可和期望，感谢陈先达、杨瑞森、梁树发、魏小萍、秦宣、郗中建等专家在拟定本书写作提纲和初稿修改过程中提出的宝贵建议。感谢人民出版社毕于慧女士耐心细致的编辑工作。

在本书完稿之时，正值中国人民大学建校 80 周年，人大马克思主义哲学教学与研究的优良传统是我们撰写本书的深厚学术基础，也是我们进一步加强马克思主义理论教育的精神动力。在本书出版之时，正值马克思诞辰 200 周年，它成为读者朋友更好地了解马克思主义的创立过程，更好地理解马克思恩格斯早期重要的思想文本，更好地把握马克思主义理论在历史发展过程中彰显的重大理论意义和现实价值的一个窗口。而今，在本书重印之际，适逢中国共产党建党百年，我们愿把它作为党的百年华诞的献礼，为进一步推进马克思主义中国化、时代化、大众化，为构建 21 世纪中国马克思主义贡献绵薄之力。

郝立新　臧峰宇
2017 年秋写于中国人民大学人文楼
2021 年夏修订于中国人民大学人文楼

编　后　语

　　马克思主义是不断发展的开放的理论，始终站在时代前沿，引领时代发展。总结自马克思主义诞生以来的发展史，是全部马克思主义理论研究者的一件大事，更是一件难事。中国人民大学作为我国马克思主义教学与研究高地，始终重视这项工作。从 1996 年《马克思主义史》（四卷本）出版，历经了 27 年的光阴，在新时代的呼唤下，这部《马克思主义发展史》（十卷本）终于呈现在各位读者面前。这是一部由中国人民大学组织编写、以推进马克思主义中国化时代化为主旨的巨著，具有科研启动时间早、参研人数多、设计体量大、理论难度高、持续时间长等显著特点。这部书得到了中央有关部门和领导同志的高度重视，先后入选国家出版基金项目和国家出版"十三五"规划项目，受到来自中共中央党校、中国社会科学院、北京大学、中央民族大学等高校和研究机构同人的鼎力相助，更有中国人民大学党委和人民出版社的全力支持。在一路关注和支持下，人大人践行着人民大学的优良传统和红色基因，以高度的理论使命感为指引，以扎实的马克思主义理论功底为支柱，敢于担当、求真务实、团结协作，以"一马当先"精神完成了这部鸿篇巨著。

　　以责任担当精神书写理论创新的辉煌篇章。时代是思想之母，实践是理论之源，理论之树常青是源于其始终随着实践的变化而发展。人大人想要承担起"十卷本"的编写重任，也一定能够承担起这项历史重任。自学校诞生之日起，一代代人大人紧扣时代脉搏，根据时代变化和实践发展，不断深化认识，不断总结经验，不断推动理论创新和实践创新的良性互动，用思想之力量发社会之先声。我们在 2014 年作出编写这部书的决定绝不是一个偶然，而是历史的必然。党的十八大召开，标志着中国特色社会主义进入新时代。一年多之后，编写这套丛书作为重大科研课题正式获批立项。这一年多的时间虽然短暂，但新时代的精神已经鲜明彰显。此后，一些新理念新思想新战略不断涌现，其中所蕴含着的一些重大而崭新的理论问题已深刻展现出来，我国的社会生活也在发生着深刻变化。特别是党的十九大明确提出习近平新时代中国特色社会主义思想，实现了马克思主义中国化新的飞跃，更加充分证明开展《马克思主义发展史》（十卷本）的编写工作是一项非常正确的决定。这是中国人民大学及其马克思主义理论学者对时代精神强力召唤的真诚回应，是所肩负的崇高历史责任的自觉担当。

以求真务实精神描绘人大学派的精神底色。习近平总书记曾寄语哲学社会科学工作者，要"自觉以回答中国之问、世界之问、人民之问、时代之问为学术己任"。人大人始终以"立学为民、治学报国"为学术追求，以实事求是、求真务实的精神直面"世界怎么了"、"人类向何处去"的时代之题，创作出了一大批经世济民、历久弥新的学术成果。《马克思主义发展史》（十卷本）便是这样一部回应时代需要和现实国情的学术巨著。一方面，习近平新时代中国特色社会主义思想是马克思主义中国化时代化的原创性成果，是马克思主义发展史上又一里程碑式的重大发展。为了推进理论的体系化、学理化，本书在编写过程中坚持"两个结合"，坚守好马克思主义魂脉和中华优秀传统文化根脉，新设专章，从学科角度重点研究阐释我们党提出的新理念新论断中的原理性理论成果，把握相互的内在联系，不断深化对党的理论创新的规律性认识。另一方面，将马克思主义发展史与党的百年历史、党的二十大接轨，充分彰显马克思主义在当代中国的理论进展和思想伟力，系统阐释马克思主义中国化理论在哲学、政治经济学和科学社会主义等相关学科的最新成果，呈现马克思主义理论在中华大地上的勃勃生机。

以团结协作精神汇聚著书立言的磅礴力量。时光荏苒，一瞬九载春秋，这个过程虽然"道阻且长"，但人大人"行则将至"。我们常说，讲团结就是讲政治，服从集体、凝心聚力；讲协作就是讲效率，术业专攻、高效落实。自课题立项之日起，时任中国人民大学党委书记、本书编委会主任靳诺教授就高度关注并全力支持本书的编写工作；年逾八旬的庄福龄教授首倡编写十卷本《马克思主义发展史》，亲自主持本书的筹划和编写大纲的制定，病榻上仍心系本书编写直至逝世；杨瑞森教授临危受命"挑起大梁"，特别是在第十卷的编撰中，亲自召集一批知名专家发挥专长、打磨书稿；更有一大批中青年马克思主义理论学者参与到本书的编写工作之中。中国人民大学党委作为团结协作的"领头羊"，统筹各方面工作，不忘著书立说的初心使命；各位总主编、各卷主编及作者服从安排、相互协作，尽心竭力、数易其稿，才使如此鸿篇巨著得以保质、高效地产出。正是一代代人大人讲团结、重协作，汇聚成了人才荟萃、名家云集的中国人民大学马克思主义理论教学与研究高地，凝结成了《马克思主义发展史》（十卷本）这部心血之作。特别需要提到的是，人民出版社高度重视、全力支持本书出版工作，毕于慧编审全程参与本书的编写、出版等工作，为这套十卷本的高效优质出版提供了重要保证。

本书的编写工作即将告一段落，我们力求将马克思主义发展至今的历程、观点、人物、事件等完整地呈现于此书。这部书立足中国特色社会主义新时代，整合近年来最新的马克思恩格斯著作手稿、马克思主义理论最新研究观点，以整体性的视野详述马克思主义170余年来形成、发展和在新的实践中不断深化的历史过程。这既是几代人大人的心血之作，也期待能够成为马克思主义发展史研究的扛鼎之作。新征程上，人大人将以坚持党的领导为根本统领，以传承红色基因为文化血脉，以扎根中国大地为发展根基，以加快建设中国特色、世界一流的社会主义大学为目标使命，继续发扬"一马当先"精神，充分发挥中国人民大学马克思主义理论研究底蕴深厚的优势，始终担当起人大马理学派应有的历史使命，踔厉奋发，笃行不怠，为不断推动当代中国马克思主义和二十一世纪马克思主义发展作出应有的贡献！

本书编委会
2023 年 10 月

项目统筹：毕于慧
责任编辑：毕于慧
封面设计：石笑梦
版式设计：周方亚
责任校对：陈艳华

图书在版编目（CIP）数据

马克思主义发展史.第一卷,马克思主义的创立:1840—1848 ／郝立新 主编.
　—北京：人民出版社，2018.5（2025.7 重印）
ISBN 978 - 7 - 01 - 019144 - 7

I.①马… II.①郝… III.①马克思主义 - 历史 -1840-1848 IV.① A81

中国版本图书馆 CIP 数据核字（2018）第 063070 号

马克思主义发展史（第一卷）

MAKESI ZHUYI FAZHANSHI (DIYIJUAN)

——马克思主义的创立（1840—1848）

郝立新　主编　　臧峰宇　副主编

人民出版社 出版发行

（100706　北京市东城区隆福寺街 99 号）

北京中科印刷有限公司印刷　新华书店经销

2018 年 5 月第 1 版　2025 年 7 月北京第 5 次印刷

开本：710 毫米 ×1000 毫米 1/16　印张：36

字数：607 千字

ISBN 978 - 7 - 01 - 019144 - 7　定价：162.00 元

邮购地址 100706　北京市东城区隆福寺街 99 号

人民东方图书销售中心　电话（010）65250042　65289539